KB180978

氏族大全 譯註 3

[上聲]

역주자 소개

김 만 원(金萬源)

서울대학교 중어중문학과 학사 / 석사 / 박사
대만대학교 중문과 방문학자
강릉대학교 인문과학연구소장
강릉원주대학교 인문대학장 겸 교육대학원장
현 강릉원주대학교 중어중문학과 교수

≪死不休－두보의 삶과 문학≫, 공저, 서울대학교출판부(2012.9)
≪두보 고체시 명편≫, 공역, 서울대학교출판문화원(2015.9)
≪山堂肆考 譯註≫(전20책), 도서출판역락(2014.11)
≪事物紀原 譯註≫(상 · 하), 도서출판역락(2015.12)

文淵閣欽定四庫全書
氏族大全 譯註 3 [上聲]

초판 인쇄 2016년 12월 24일
초판 발행 2016년 12월 30일

역　주 김만원
펴낸이 이대현
펴낸곳 도서출판 역락
서울 서초구 동광로 46길 6-6 문창빌딩 2층
전화 02-3409-2058(영업부), 2060(편집부)
팩시밀리 02-3409-2059
이메일 youkrack@hanmail.net
등록 1999년 4월 19일 제303-2002-000014호

ISBN 979-11-5686-730-2 94820
979-11-5686-733-3 (전4권)

* 정가는 표지에 있습니다.
* 파본은 구입처에서 교환해 드립니다.

文淵閣欽定四庫全書本 中國古典叢書3：人物篇

氏族大全 譯註 3

□ 上聲 □

元 無名氏 撰

金萬源 標點·校勘·譯註

역락

서 문

필자는 지금껏 중국의 고전과 관련하여 기본적인 지식과 정보들을 정리하기 위한 작업의 일환으로 2014년 11월에는 중국의 고사를 망라했다고 평할 수 있는 명나라 말엽 팽대익彭大翼의 ≪산당사고山堂肆考≫ 240권을, 2015년 12월에는 중국 고서에 나오는 어휘에 대해 그 조합 원리와 연원을 상세히 밝힌 송나라 신종神宗 때 고승高承이 엮은 ≪사물기원事物紀原≫ 10권을 대상으로 그에 관한 역주서를 세상에 선보인 바 있다. 그러나 이러한 작업을 진행하는 와중에 광범위한 지식과 다양한 정보의 세계에서 그 중심을 차지하는 것은 무엇보다도 사람과 책이라는 느낌을 지울 수 없었다. 그래서 이에 관한 작업으로 눈길을 돌리게 되었다. 금번 이 ≪씨족대전氏族大全≫ 22권의 역주서는 필자가 계획한 다음과 같은 기획물의 일환으로서 중국 고대 인물들을 대상으로 착수한 세 번째 결과물이다.

중국고전총서1 고사편 : ≪산당사고 역주≫ 20책 (2014.11.27)
중국고전총서2 어휘편 : ≪사물기원 역주≫ 2책 (2015.12.31)
중국고전총서3 인물편 : ≪씨족대전 역주≫ 4책 (출간예정)
중국고전총서4 도서편 : ≪사고전서간명목록 역주≫ 4책 (출간예정)

이 책 ≪씨족대전≫은 서명이 말해주듯 고대 중국인의 성씨의 유래와 그에 속한 각 인물에 관한 기록을 담은 것으로 원나라 때 출간되었으나 저자에 대해서는 알려지지 않았다. ≪씨족대전≫은 수록한 대상이 신화 전설상의 인물까지 포함하여 광범위하고 각 성씨마다 등장인물을 시대순으로 나열하여 열람하기 편하도록 정리하였다는 장점도 있지만 한편으로는 다음과 같은 몇 가지 단점도 발견된다.

첫째로 각 인물고사마다 고사성어식으로 표제자를 달면서도 어떤 경우는 이를 생략하기도 하여 일관성이 결여되었다는 지적을 받을 수 있다. 이를테면 전한 문제文帝 때 사람 '풍당馮唐'의 고사를 실으면서는 '백수낭관白首郎官'이란 제목을 달아 그 윤곽을 제시한 반면, 송나라 '풍직豐稷'의 고사와 관련해서는 아무런 제목도 달지 않은 것이 그러한 예이다. 둘째로 각 성씨의 말미에 성씨와는 무관한 어휘를 배열함으로써 독자에게 혼동을 줄 수 있다는 점을 들 수 있다. 이를테면 '동童'씨의 경우 어린아이를 뜻하는 말인 '동몽童蒙'이나 순수한 마음을 뜻하는 말인 '동심童心'처럼 성씨와는 무관한 어휘를 나열한 것이 그러한 예이다. 셋째로 실존 인물이 아니라 신화 전설 및 소설 속에서 허구로 설정된 인물까지도 포함하여 수록한 점을 들 수 있다. 넷째로 시대순 배열에 오류가 있어 순서가 뒤바뀐 경우도 이따금 눈에 띈다. 그럼에도 불구하고 이 책은 원나라 이전까지 거의 모든 인물에 관한 기록을 망라하고 있기에 중국의 고전을 연구하는 사람들에게 기초적이고도 소중한 자료를 제공해 준다는 평가를 받을 만하다.

≪씨족대전≫의 체례를 보면 ≪광운廣韻≫이나 ≪평수운平水韻≫ 등 기존 운서韻書의 운부韻部에 입각하여 상평성上平聲 5권・하평성下平聲 7권・상성上聲 4권・거성去聲 3권・입성入聲 2권 및 복성複姓 1권으로 분류하여 총 22권에 중국 고대 성씨를 안배하였다. 이를 본 역주서에서는 체례와 분량을 감안하여 제1책에 상평성 5권을, 제2책에 하평성 7권을, 제3책에 상성 4권을, 제4책에 거성 3권・입성 2권 및 복성 1권 등 6권을 분할 배치하고 말미에 전체 성씨 색인을 달아 검색에 편의를 제공하였다.

이 책은 시중에 표점본標點本이 출간되지 않아 사고전서본四庫全書本을 저본底本으로 하였다. 본 역주서의 작업은 이전의 주석서와 마찬가지로 '표점(구두점) 정리→교감→각주→번역'의 순차를 밟아 진행하였다. 이러한 일련의 작업은 개인의 천학비재淺學非才한 역량에 의존하였기에 오류가 있을 수 있다. 독자제현의 냉엄한 지적이 있으리라 생각한다. 끝으로 이 책의 출간을 위해 물심양면으로 도움을 주신 모든 분들에게 고개 숙여 깊이 감사드린다.

2016년 12월 23일

강원도 강릉시 청헌재淸軒齋에서 필자 씀

일 러 두 기

1 문연각흠정사고전서본 ≪씨족대전≫의 교감 및 역주 작업에 사용한 기호와 차서는 아래와 같다.

■ : 권제목卷題目 예) ■氏族大全卷一(씨족대전 권1)■

□ : 장제목章題目 예) □一東(1 동운)

◆ : 절제목節題目 예) ◆馮(풍씨)

▶ : 각 절제목 아래의 원문原文

▷ : 각 절제목 아래의 역문譯文

◇ : 항제목項題目 예) ◇能斷(판단력이 뛰어나다)

● : 각 항제목 아래의 원문原文

○ : 각 항제목 아래의 역문譯文

※ : 절제목 아래의 부록 예) ※女德婚姻(여덕과 혼인)

2 ≪씨족대전≫에 보이는 속자俗字나 통용되지 않는 이체자異體字는 저자의 의도나 문맥을 해치지 않는다고 판단되면 가급적 정자正字로 교체하였다. 단 자형에 차이가 많이 나는 것은 원전의 표기를 살렸다.

3 일상적인 한자어漢字語나 반복하여 출현하는 한자어인 경우는 우리말 뒤에 한자를 생략하였고, 원문에 동일한 한자어가 명기되어 있을 경우에도 가급적 우리말 뒤에 한자를 반복하여 명기하지 않았다. 다만 각주脚注에서는 모든 한자어 뒤에 괄호로 독음讀音을 명기하였는데, 우리말 독음은 본음本音이 아닌 두음법칙에 준한 한글사전식 표기법에 의거하였음을 밝힌다. 한자어 뒤에 특별히 독음이나 해설을 보충할 때는 괄호를 사용하였지만, 한자를 우리말 뒤에 병기할 때는 괄호를 사용하지 않았다.

4 피휘자避諱字의 경우는 각 왕조의 황제의 이름으로 인한 경우 피휘하기도 하고 피휘하지 않기도 하였는데, 가급적 그 경위를 밝히려고 노력하였다.

5 각주는 양적인 문제 때문에 권卷이 바뀔 때마다 새 번호로 시작하

였다. 각주의 내용도 독자들의 편의를 위해 각 권을 단위로 새로 달았으나, 같은 권 안에서는 처음 출현했을 때만 각주를 달고 재차 출현하였을 경우는 중복을 피하기 위해 각주를 달지 않았다. 아울러 각주의 내용은 문맥을 이해하는 데 도움이 되는 내용을 위주로 기술하였다.

6 고유명사, 즉 인명人名이나 서명書名·지명地名·직명職名·연호年號 등의 경우 문장의 이해에 필요하다고 판단되는 경우에는 각주를 달았지만 일반적으로 널리 알려졌거나 본문을 통해 어느 정도 윤곽을 인지할 수 있는 경우는 생략하였다. 단, 현전하는 문헌으로 고증할 수 없는 경우는 그 연유를 밝혔다.

7 인명의 경우 자字나 호號·자호自號·묘호廟號·시호諡號·봉호封號·관호官號 등 별칭으로 표기된 경우, 특별한 경우가 아니면 일괄적으로 별칭을 앞에 적고 실명을 뒤에 적어서 이해하기 쉽도록 하였다. 아울러 인명 앞에는 독자의 이해를 돕기 위해 가급적 왕조명을 괄호로 병기하였다.

8 서명의 경우 사고전서본四庫全書本·속수사고전서본續修四庫全書本·사고전서존목총서본四庫全書存目叢書本 등의 명칭을 위주로 표기하였다. 단 십삼경주소본十三經注疏本은 '주소注疏'라는 명칭을 생략하고, ≪역경易經≫ ≪서경書經≫ ≪시경詩經≫ ≪좌전左傳≫ ≪공양전公羊傳≫ ≪곡량전穀梁傳≫ ≪주례周禮≫ ≪의례儀禮≫ ≪예기禮記≫ ≪논어論語≫ ≪맹자孟子≫ ≪효경孝經≫ ≪이아爾雅≫ 등 일반적인 통용 명칭을 사용하였다.

9 지명의 경우 지금의 성省 단위 행정 체계는 명청明淸 때부터 윤곽이 잡히기 시작하였다. 따라서 비록 고대의 행정 구역과 현대의 행정 구역에 다소 차이가 있더라도 고대 명칭을 그대로 사용하되 독자의 이해를 돕기 위해 현대의 성 명칭을 괄호로 앞에 병기하였음을 밝힌다.

10 이 책에서는 서문에서도 밝혔다시피 각 성씨의 말미에 성씨와 관련없는 어휘도 나열하였는데, 그중에는 정확한 내용을 알 수 없는

것들도 일부 있다. 이 경우 필자가 파악하지 못 한 것은 유보하는 의미에서 각주에 '미상'이란 말로 표기하였음을 밝힌다. 박물군자가 밝혀주기를 기대한다.

목 차

서문 / 5
일러두기 / 7

■氏族大全卷十三■

□一董(1동) 이하 上聲(상성) 15

◆孔(공씨) 15 ◆董(동씨) 34 ◆鞏(공씨) 50

□三講(3강) 51

◆項(항씨) 51

□四紙(4지) 54

◆李(이씨) 54 ◆史(사씨) 116 ◆紀(기씨) 125 ◆士(사씨) 128
◆是(시씨) 130 ◆蔿(위씨) 131 ◆薳(위씨) 132 ◆子(자씨) 133
◆梓(재씨) 134 ◆里(이씨) 134 ◆杞(기씨) 134 ◆綺(기씨) 134

■氏族大全卷十四■

□八語(8어) 135

◆許(허씨) 135 ◆呂(여씨) 150 ◆褚(저씨) 173 ◆楚(초씨) 179
◆汝(여씨) 181 ◆巨(거씨) 181 ◆所(소씨) 182 ◆處(처씨) 183
◆莒(거씨) 183

□九麌(9우) 183

◆杜(두씨) 183 ◆魯(노씨) 211 ◆庾(유씨) 217 ◆祖(조씨) 225
◆武(무씨) 230 ◆伍(오씨) 234 ◆古(고씨) 238 ◆扈(호씨) 239
◆輔(보씨) 240 ◆鄔(오씨) 241 ◆萬(우씨) 242

■氏族大全卷十五■

□十一薺(11제) 243
◆禰(예씨) 243 ◆米(미씨) 244

□十二蟹(12해) 248
◆解(해씨) 248

□十四賄(14회) 250
◆宰(재씨) 251 ◆隗(외씨) 251

□十六軫(16진) 253
◆閔(민씨) 253 ◆尹(윤씨) 255

□二十阮(20완) 264
◆阮(완씨) 264 ◆苑(원씨) 271

□二十三旱(23한) 272
◆管(관씨) 272 ◆筦(관씨) 277 ◆滿(만씨) 277 ◆罕(한씨) 279
◆簡(간씨) 279

□二十七銑(27선) 281
◆單(선씨) 281 ◆蹇(건씨) 283 ◆展(전씨) 285 ◆雋(준씨) 286
◆善(선씨) 287 ◆典(전씨) 288 ◆扁(편씨) 288

□二十九篠(29소) 289
◆趙(조씨) 289

□三十一巧(31교) 309
◆鮑(포씨) 309

□三十二皓(32호) 316
◆棗(조씨) 316 ◆老(노씨) 317 ◆保(보씨) 318

□三十三哿(33가) 318
◆左(좌씨) 318

□三十五馬(35마) 322
◆馬(마씨) 322 ◆賈(가씨) 337 ◆夏(하씨) 351 ◆假(가씨) 358

■氏族大全卷十六■
□三十六養(36양) 359
◆蔣(장씨) 359 ◆養(양씨) 369 ◆彊(강씨) 369 ◆壤(양씨) 370
◆党(당씨) 370 ◆廣(광씨) 372 ◆蕩(탕씨) 372 ◆賞(상씨) 372
◆掌(장씨) 373 ◆黨(당씨) 373

□三十八梗(38경) 373
◆耿(경씨) 373 ◆冷(냉씨) 378 ◆幸(행씨) 381 ◆景(경씨) 383
◆丙(병씨) 387 ◆邴(병씨) 389 ◆井(정씨) 390 ◆潁(영씨) 391

□四十四有(44유) 392
◆柳(유씨) 392 ◆苟(구씨) 408 ◆后(후씨) 410 ◆紐(뉴씨) 412
◆母(모씨) 412 ◆壽(수씨) 413 ◆有(유씨) 413

□四十七寢(47침) 414
◆沈(심씨) 414 ◆審(심씨) 426

□四十八感(48감) 427
◆昝(잠씨) 427

□五十琰(50염) 428
◆冉(염씨) 428

□五十三豏(53함) 428
◆范(범씨) 429 ◆湛(담씨) 452

■氏族大全卷十三■

□一董[1] (1동) 二腫附(2종을 첨부한다) 이하 上聲

◆孔(공씨)

▶角音. 魯國. 子[2]姓之後微子啓[3]封宋, 弟微仲衍六世至考父[4]生孔父嘉, 子孫以王父[5]字爲氏. 鄭有孔張, 出於子孔, 衛有孔悝, 魏有孔達, 出於姬姓, 姓同而族異也.

▷음은 각음에 속하고 본관은 (산동성) 노국이다. (상商나라 종실) '자'씨 성의 후손인 미자계가 송나라에 봉해졌는데, 동생 미중연의 6대손인 정고보正考父가 공보가를 낳자 자손들이 조부의 자를 성씨로 삼은 것이다. (춘추시대) 정나라의 공장이란 사람은 자공으로부터 나왔고, 위衛나라의 공이란 사람과 위魏나라의 공달이란 사람은 희씨 성으로부터 나왔기에 성씨는 같으나 족보가 다르다.

◇先聖世系(공자의 족보)

●孔子, 名丘, 字仲尼. 孔父嘉四世孫爲叔梁紇. 紇生夫子[6], 以周靈王二十一年庚戌歲生, 敬王四十一年壬戌夏四月己丑卒[7], 葬泗水上. 唐玄宗

---

1) 一董(일동) : 상성上聲 가운데 '첫 번째 동운董韻'을 뜻한다. 앞의 수치는 순차를 가리키고, 뒤의 '동董'은 운목韻目을 가리킨다. 독자의 이해를 돕기 위해 '이하 상성'을 첨기한다.
2) 子(자) : 상商(은殷)나라를 세운 탕왕湯王의 성씨.
3) 微子啓(미자계) : 상商나라 마지막 왕인 주왕紂王의 형. 모친이 정식 왕비에 책립되기 전에 태어나 서출庶出 신분이고, 동생인 주紂는 모친이 왕비에 책립된 뒤에 태어나 적출嫡出 신분이다. '미微'는 봉호封號이고, '자子'는 존칭이며 '계啓'가 본명.
4) 至考父(지고보) : 춘추시대 송宋나라 사람으로 공자의 조상인 '정고보正考父'의 오기. 대공戴公·무공武公·선공宣公 세 군주를 모시며 상경上卿에 올랐으나 태재太宰 화독華督에게 살해당했다. 공보가孔父嘉를 낳아 자를 성씨로 삼음으로써 공자의 성씨를 열었다고 전한다. ≪사기·공자세가≫권47 참조.
5) 王父(왕부) : 할아버지의 별칭. 할머니는 '왕모王母'라고 한다.
6) 夫子(부자) : 스승이나 장자長者·고관·부친·남편 등에 대한 존칭. 춘추시대 노魯나라 공자의 제자들이 공자를 '부자'라고 부른 것이 대표적인 예로서 여기서도 공자를 가리킨다.
7) 卒(졸) : 사대부가 죽었을 때 쓰는 말. ≪예기·곡례하曲禮下≫권5에 의하면 천자의 죽음은 '붕崩'이라고 하고, 공경公卿의 죽음은 '훙薨'이라고 하며, 대부大夫의 죽음은 '졸卒'이라고 하고, 사士의 죽음은 '불록不祿'이라고 하며, 평민

諡爲文宣王, 宋眞宗加謚至聖二字, 元加謚大成至聖文宣王. 子鯉, 字伯魚, 過庭[8]聞詩禮之訓. 孫伋, 字子思, 受道於曾子[9], 作中庸一書. 白(子上)・求(子家)・箕・穿(子高)・順・鮒・襄・忠・延年・霸・福・房・均,(光武封) 志・損・曜・元・羨・震・嶷・撫・觳・鮮,(宋朝封) 乘・靈珍・文泰,(北齊封) 渠・長孫,(隋封) 嗣哲・德倫,(唐封) 崇基・璲之・萱・齊卿・惟房・棨・昭儉・光嗣・仁王・宜,(宋朝封) 延世・聖佑・宗愿・若虛・端友, 先聖[10]之後, 世爲曲阜[11]令, 襲封文宣公. 至宋仁宗朝, 改襲封衍聖公.

○(춘추시대 노魯나라) 공자는 이름이 구이고 자가 중니이다. 공보가의 4대손이 숙량흘이고 숙량흘이 공자를 낳았는데, 주나라 영왕 21년 경술년(B.C.551)에 태어나 경왕 41년 임술년(B.C.479) 여름 4월 기축일에 생을 마쳐 사수 가에 묻혔다. 당나라 현종 때 시호를 '문선왕'이라고 하였고, 송나라 진종 때 '지성'이란 두 자를 시호에 보탰으며, 원나라 때 다시 '대성지성문선왕'으로 시호를 늘렸다. 아들 공이孔鯉는 자가 백어로 부친의 앞마당을 공손하게 지나다니며 ≪시경≫과 ≪예경≫의 가르침을 들었다. 손자 공급孔伋은 자가 자사로 증자(증참曾參)에게서 도를 전수받아 ≪중용≫이란 책을 지었다. 공백孔白(자는 자상)・공구孔求(자는 자가)・공기孔箕・공천孔穿(자는 자고)・공순孔順・공부孔鮒・공양孔襄・공충孔忠・공연년孔延年・공패孔霸・공복孔福・공방孔房・공균孔均(후한 광무제 때 제후에 봉해졌다)과 공지孔志・공손孔損・공요孔曜・공원孔元・공선孔羨・공진孔震・공억孔嶷・공무孔撫・공곡孔觳・공선孔鮮(남조南朝 유송劉宋 때 제후에 봉해졌다), 공승孔乘・공영진孔靈珍・공문태孔文泰(북조北朝 북제 때 제후

의 죽음은 '사死'라고 하여 신분에 따라 죽음에 대한 표현에도 차이를 두었다.

8) 過庭(과정) : 마당을 지나가다. 춘추시대 노魯나라 공자의 아들인 "공이孔鯉가 종종걸음으로 공손히 뜨락을 지났다(鯉趨而過庭)"는 ≪논어・계씨季氏≫권16의 고사에서 유래한 말로 부모님을 공손하게 대하는 태도를 상징한다.

9) 曾子(증자) : 춘추시대 노나라 공자의 제자 가운데 효자로 유명한 증참曾參에 대한 존칭. ≪사기・중니제자열전仲尼弟子列傳≫권67 참조.

10) 先聖(선성) : 선대의 성인, 즉 춘추시대 노나라 공자를 가리킨다.

11) 曲阜(곡부) : 춘추시대 노나라 공자의 고향인 산동성의 속현屬縣 이름.

에 봉해졌다), 공거孔渠・공장손孔長孫(수나라 때 제후에 봉해졌다), 공사철孔嗣哲・공덕륜孔德倫(당나라 때 제후에 봉해졌다), 공숭기孔崇基・공수지孔璲之・공훤孔萱・공제경孔齊卿・공유방孔惟房・공영孔榮・공소광孔昭儉・공광사孔光嗣・공인왕孔仁王・공의孔宜(송나라 때 제후에 봉해졌다), 공연세孔延世・공성우孔聖佑・공종원孔宗愿・공약허孔若虛・공단우孔端友 등은 공자의 후손으로서 대대로 (산동성) 곡부현의 현령을 맡으면서 문선공에 세습적으로 봉해졌다. 송나라 인종 때에 이르러서는 시호를 바꿔 연성공에 세습적으로 봉해졌다.

◇著書(저서)

●孔叢子一書, 漢藝文不載, 但於儒家有'常蓼侯孔臧著書十篇.' 今附見叢子, 嘉祐[12]四年, 宋咸始註釋以進. 叢子者, 先聖八世孫孔鮒, 字子魚, 所論集也. 鮒爲陳涉[13]博士.

○≪공총자≫란 책을 ≪한서・예문지≫권30에서는 기재하지 않았지만 '유가'편에 '상료후 공장이 글 10편을 지었다'는 기록이 있다. 지금은 '총자'의 저서에 부록으로 출현하는데 (송나라 인종) 가우 4년(1059)에 송함시가 주석을 달아서 진상한 것이다. '총자'란 (춘추시대 노나라) 공자의 8대손으로 자가 자어인 공부(약 B.C.264-B.C.208)가 자신의 견해를 모은 것이다. 공부는 (진秦나라 말엽에) 진섭(진승陳勝)의 휘하에서 박사를 지냈다.

◇書學(≪서경≫에 관한 학문)

●孔安國, 先聖十一世孫, 申公[14]弟子, 治古文尙書[15], 承詔作傳. 武帝

---

12) 嘉祐(가우) : 북송北宋 인종仁宗의 연호(1056-1063).

13) 陳涉(진섭) : 진秦나라 사람 진승陳勝(?-B.C.208). '섭'은 자. 남의 일꾼으로 지내다가 오광吳廣(?-B.C.208)과 함께 난을 일으켜 장군이 되었다. 진陳 땅에서 칭제稱帝하고 국호를 장초張楚라고 했으나 진나라 장수 장감章邯에게 패퇴하다가 부하인 장가莊賈에게 살해당했다. ≪사기・진섭세가陳涉世家≫권48 참조.

14) 申公(신공) : 전한 때 사람 신배申培에 대한 존칭. 금문시경今文詩經의 하나인 ≪노시魯詩≫에 정통하여 문제文帝 때 박사博士를 지냈고, 무제武帝 때 태

朝, 爲諫議大夫[16].

○(전한) 공안국은 (춘추시대 노나라) 공자의 11대손이자 신공(신배申培)의 제자로서 고문으로 된 ≪서경≫을 연구하여 조서를 받들어 주석을 달았다. 무제 때 간의대부를 지냈다.

◇褒城君(포성군)

●孔覇治尙書, 漢宣帝時, 授皇太子經. 元帝卽位, 爵關內侯[17], 食邑八百戶, 號褒城[18]君.

○공패는 ≪서경≫을 연구하여 전한 선제 때 황태자에게 경전을 전수하였다. 원제가 즉위하고서 관내후의 작위와 식읍 8백 호를 받고 포성군으로 불렸다.

◇靈壽杖(영수장)

●孔光, 字子夏, 明經學, 居公輔[19]. 前後十七年, 歷事成·哀·平三朝. 上賜靈壽杖[20], 歸老於家.

○(전한) 공광(B.C.65-A.D.5)은 자가 자하로 경학에 정통하여 재상에 올랐다. 전후로 17년 동안 성제·애제·평제 세 왕조를 두루 섬겼다. 황제가 영수장을 하사하고 집에서 노년을 보내게 해 주었다.

중대부大中大夫가 되었으나, 두태후竇太后가 도교道敎를 신봉하자 사직하고 귀향하였다. ≪사기·유림열전儒林列傳·신공전≫권121 참조.

15) 尙書(상서) : ≪서경≫의 별칭. '상尙'은 '고古'의 뜻이므로 '오래된 역사책'이란 의미에서 유래하였다.

16) 諫議大夫(간의대부) : 한나라 이래로 임금에게 간언하는 일을 관장하던 벼슬. 당나라 때는 문하성門下省 소속이었으나 송나라 때는 좌·우간의대부를 설치하여 좌간의대부左諫議大夫는 문하성에 소속시키고, 우간의대부右諫議大夫는 중서성中書省에 소속시켰다.

17) 關內侯(관내후) : 진한秦漢 때 작호爵號를 받아 경기 일대에 거주할 수는 있지만 식읍食邑은 없었던 작위 이름.

18) 褒城(포성) : 섬서성의 속현屬縣 이름으로 여기서는 봉호를 가리킨다.

19) 公輔(공보) : 천자를 보좌하는 삼공三公과 사보四輔, 즉 재상을 이르는 말. '재보宰輔' '보신輔臣'이라고도 한다.

20) 靈壽杖(영수장) : 영수목으로 만든 지팡이를 이르는 말. 장수를 상징한다.

◇累世通家(여러 세대에 걸쳐 집안끼리 잘 알고 지내다)

●孔融, 字文擧, 先聖二十世孫. 十歲詣河南尹[21)]李膺[22)], 造[23)]門曰, "我是李君通家[24)]子弟." 膺曰, "高明[25)]祖父與僕[26)]有舊恩乎?" 曰, "先君孔子與君先世李老君[27)]同德比義, 而相師友, 則融與君累世通家." 膺異而禮之.

○(후한) 공융(153-208)은 자가 문거로 (춘추시대 노나라) 공자의 20대손이다. 열 살 때 (하남성) 하남윤 이응을 예방해 대문에 도착하자 "저는 이선생과 대대로 집안끼리 잘 알고 지내던 사이입니다"라고 하였다. 이응이 "그대의 조부가 나와 오래 전부터 우정을 맺었던가?"라고 하자 공융이 대답하였다. "저의 선조인 공자가 선생의 선조이신 이노군과 뜻을 같이하여 서로 사제와 친구처럼 지내셨으니 저 공융과 선생은 여러 세대에 걸쳐 집안끼리 잘 알고 지낸 사이입니다." 이응이 그를 대견스럽게 여겨 예우해 주었다.

◇北海樽(북해왕 승상의 술동이)

●孔融爲北海相[28)], 立學校, 表儒術. 漢獻都許[29)], 召融拜大中大夫[30)],

---

21) 河南尹(하남윤) : 전한 때 동도東都이자 후한 때 수도인 하남성 낙양洛陽 일대를 관장하던 부윤府尹을 이르는 말.

22) 李膺(이응) : 후한 말엽 사람(?-169). 자는 원례元禮. 환제桓帝 때 사례교위司隷校尉를 지내면서 청렴하고 강직한 성품으로 만인의 존경을 받았기에 그에게 인정을 받으면 '등용문登龍門'이란 말이 생겼다. 뒤에 두무竇武와 함께 환관宦官들을 제거하려다가 실패하고 당고黨錮 사건에 연루되어 옥사하였다. ≪후한서·이응전≫권97 참조.

23) 造(조) : 찾아가다, 이르다.

24) 通家(통가) : 집안 대대로 잘 알고 지내는 사이나 사돈관계를 뜻하는 말.

25) 高明(고명) : 식견이나 기술이 뛰어난 사람을 이르는 말로 상대방에 대한 경칭.

26) 僕(복) : 자기 자신에 대한 겸사謙辭.

27) 李老君(이노군) : 춘추시대 때 사람 이이李耳의 별칭. '노군'은 호. 자는 백양伯陽·중이重耳·담聃. 저서로 ≪노자≫가 전한다.

28) 北海相(북해상) : 산동성 북해군北海郡에 봉해진 친왕親王의 승상을 가리킨다.

29) 許(허) : 후한 말엽의 수도인 하남성 허창許昌의 약칭.

30) 大中大夫(태중대부) : 진秦나라 이후로 의론을 주관하던 벼슬. 태중대부大中

賓客[31]日盈其門. 常曰, "坐上客常滿, 樽中酒不空, 吾無憂矣." 後忤曹操, 操殺之. 坡[32]贊[33]云, "文擧以英偉冠世之賢, 師表海內[34], 此人中龍也."

○공융(153-208)은 (산동성) 북해왕의 승상을 지내면서 학교를 세우고 유학을 장려하였다. 후한 헌제가 (하남성) 허창許昌에 도읍을 정하고 공융을 불러 태중대부에 배수하자 손님들이 날마다 그의 집을 가득 메웠다. 그래서 공융은 늘 "좌중에 손님들이 늘 가득하고 술동이에 술이 비지 않으니 내 아무런 근심거리가 없게 되었소"라고 하였다. 그러나 뒤에 조조의 심기를 거스러 조조가 그를 살해하였다. (송나라) 동파東坡 소식蘇軾은 찬문에서 "문거(공융)는 누구도 따라잡을 수 없는 탁월한 덕으로 천하의 사표가 되었으니, 이 사람이야말로 인간 세상의 용이로다"라고 하였다.

◇布衣之心(평민으로 살고자 하는 마음)

●孔子建[35]世傳古文尙書, 與崔篆善. 及篆仕王莽, 勸子建仕, 答曰, "吾有布衣[36]之心, 子有袞冕[37]之志, 各從所好."(孔僖傳)

○(전한) 공자건은 대대로 고문으로 된 ≪서경≫을 전수받으면서 최전

大夫・중대부中大夫・간대부諫大夫가 있었다.

31) 賓客(빈객) : 손님에 대한 총칭. '빈賓'은 신분이 높은 손님을 가리키고, '객客'은 수행원과 같이 신분이 낮은 손님을 가리키는 데서 유래하였다.

32) 坡(파) : 송나라 때 대문호 소식蘇軾(1036-1101)의 호인 '동파東坡'의 준말. 호북성 황주黃州로 폄적당했을 때 동파에 거주한 데서 비롯되었다. 저서로 ≪동파전집東坡全集≫ 115권이 전한다. ≪송사・소식전≫권338 참조.

33) 贊(찬) : 이는 <북해왕의 승상을 지낸 공융을 찬미하는 글(孔北海贊)>이란 제목으로 ≪동파전집≫권94에 전한다.

34) 海內(해내) : 천하를 이르는 말. 고대 중국인들이 사방이 바다였다고 생각한 데서 비롯되었다. 옛날에는 온세상을 '천하天下' '사해四海' '육합六合' '구주九州' '신주神州' '우주宇宙' 등 다양한 어휘로 표현하였다.

35) 孔子建(공자건) : 전한 말엽 사람으로 공희孔僖의 증조부. ≪후한서・공희전≫권109 참조.

36) 布衣(포의) : 베옷. 벼슬에 오르지 않은 평민 신분을 상징한다.

37) 袞冕(곤면) : 예복의 일종인 곤룡포와 면류관을 일컫는 말. 제왕이나 상공上公이 입는다.

과 친한 사이였다. 최전이 왕망의 휘하에서 벼슬길에 오르며 공자건에게 벼슬을 권하자 공자건이 대답하였다. "나는 평민으로 살고자 하는 마음이 있고 자네는 고관에 오르고자 하는 뜻이 있으니 각자 자신이 선호하는 바를 따르면 될 것이네."(≪후한서·공희전≫권109)

◇印龜左顧(거북 모양의 도장 손잡이가 왼쪽을 돌아보다)

●孔愉, 字敬康, 與同郡張茂字偉康·丁潭字世康齊名, 號會稽[38]三康, 隱新安山. 晉建興[39]初, 始出應召, 以功封餘不亭侯[40]. 嘗行經此亭, 見籠龜於路, 買而放之溪中. 龜中流左顧者數四[41]. 及鑄侯印, 而印龜[42]左顧, 三鑄如初. 愉悟而佩之, 後遷侍中[43]. 子安國·孫靖, 三世皆爲僕射[44].

○공유(268-342)는 자가 경강으로 동향 사람 가운데 자가 위강인 장무·자가 세강인 정담과 함께 나란히 이름을 떨쳐 '회계삼강'으로 불리며 신안산에 은거하였다. 진나라 (민제) 건흥(313-317) 연간에 처음으로 산을 나서 황제의 부름에 응했다가 공을 세워 여불정후에 봉해졌다. 일찍이 길을 나서 여불정을 지나다가 길에서 바구니에 담

---

38) 會稽(회계) : 절강성의 속군屬郡 이름. 춘추전국시대 때는 절강성 소흥시紹興市 일대를 '회계'라고 하다가, 진한秦漢 때는 오군吳郡(강소성 소주시蘇州市 일대)으로 이전하였고, 후한後漢 이후로 다시 오군을 복원하면서 회계군 역시 원래 지역(절강성 소흥시 일대)으로 복원시켰다.

39) 建興(건흥) : 진晉 민제愍帝의 연호(313-317).

40) 亭侯(정후) : 한나라 이래 열후列侯 가운데 하나. 국공國公·군공郡公·현후縣侯·향후鄕侯보다 아래 직급이었다. '정亭'은 사방 10리의 행정 구역 이름. '여불정'은 절강성 덕청현德淸縣에 속한 정亭 이름.

41) 數四(삭사) : 여러 차례, 자주. '삭數'은 '누屢'의 뜻.

42) 印龜(인귀) : 거북 모양으로 만드는 도장의 손잡이를 이르는 말.

43) 侍中(시중) : 황제의 측근에서 기거起居를 보살피고 정령政令을 집행하는 일을 관장하는 벼슬. 진晉나라 이후로 재상의 지위에까지 오르고, 수나라 때 납언納言 혹은 시내侍內라고 하였으며, 당송 이후로는 조정의 주요 행정 기관인 삼성三省 가운데 문하성門下省의 수장首長이 되었다.

44) 僕射(복야) : 진秦나라 때 처음 설치되었고, 한나라 때는 5상서尙書 가운데 한 명을 복야에 임명하여 조정의 핵심 행정 기관인 상서성尙書省의 업무를 총괄하게 하였는데, 뒤에 권한이 막강해지자 좌·우복야를 두면서 당송唐宋 때까지 지속되었다. 보통 승상丞相의 지위를 겸하였다.

긴 거북을 보고는 이를 사들여 시냇물에 방생하였다. 거북이 물에서 여러 차례 왼쪽으로 돌아보는 것이었다. 정후의 도장을 주조하게 되자 거북 모양의 도장 손잡이가 왼쪽을 돌아보는 형태를 띠었는데 세 번이나 반복해서 주조해도 처음 그대로였다. 공유는 깨달은 바가 있어 이를 그대로 허리에 찼더니 뒤에 시중으로 승진하였다. 아들 공안국孔安國과 손자 공정孔靖까지 삼대에 걸쳐 모두 복야에 올랐다.

◇酒豪(술꾼)

●孔群, 字敬休, 愉從弟. 性嗜酒, 與親友書云, "今年田得秫七百石, 不足了麴蘖." 其耽湎[45]如此. 仕晉, 歷中丞[46], 卒.

○공군은 자가 경휴로 공유孔愉(268-342)의 종제이다. 천성적으로 술을 좋아하여 친구에게 주는 서신에서 "올해 밭에서 수수를 7백 섬이나 수확했지만 술을 충분히 담기에는 부족하구려"라고 하였다. 그는 이처럼 술을 탐닉하였다. 진나라에서 벼슬길에 올라 어사중승을 지내다가 생을 마쳤다.

◇醉勝人醒(술에 취해도 남이 술 깼을 때보다 낫다)

●孔覬, 字思遠, 宋孝建[47]中, 爲長史[48], 不媚權倖. 醉日居多, 而明曉政事, 醒時, 判決無壅. 衆云, "孔公一月二十九日醉, 勝世人二十九日醒也." 弟道存・從弟道[49]徽美任回, 十餘船綿絹紙席, 覬曰, "汝輩忝預士

45) 耽湎(탐면) : 술을 탐닉하다, 술에 푹 빠지다.

46) 中丞(중승) : 관리들의 비행을 규찰하고 탄핵하는 업무를 관장하는 기관인 어사대御史臺에서 어사대부御史大夫 다음 가는 벼슬인 어사중승御史中丞의 약칭.

47) 孝建(효건) : 유송劉宋 효무제孝武帝의 연호(454-456).

48) 長史(장사) : 한나라 이후로 승상부丞相府나 장군부將軍府에서 병마兵馬를 관장하던 벼슬. 당나라 이후로는 주로 자사刺史의 속관이었는데, 자사 휘하에는 품계品階의 고하에 따라 별가別駕・장사長史・사마司馬・녹사참군사錄事參軍事・참군사參軍事・녹사錄事・문학文學 등의 속관이 있었다. ≪신당서・백관지≫권49 참조.

49) 道(도) : ≪송서宋書・공기전≫권84나 ≪남사南史・공기전≫권27에 의하면 연자衍字이다. ≪남사・은일열전・공도휘전≫권75에 의하면 공도휘孔道徽는 남조南朝 남제南齊 때 사람 공우孔祐의 아들로 별개의 인물이다.

流, 何至作賈豎[50]邪?"

○공기는 자가 사원으로 (남조南朝) 유송劉宋 (효무제) 효건(454-456) 연간에 장사를 지내면서 권세가들에게 아부하지 않았다. 술에 취한 날이 많았지만 정사를 잘 보았고, 술에서 깼을 때는 판결에 막힘이 없었다. 그래서 사람들은 "공공(공기)은 한 달 중 29일 동안 술에 취해도 세인들이 29일 동안 술에서 깼을 때보다 낫다네"라고 하였다. 동생 공도존孔道存과 종제 공휘孔徽가 소임을 잘 마치고 돌아오면서 배 10여 척에 솜·비단·종이·자리 등을 싣고 오자 공기는 "너희들은 외람되게도 사대부 부류에 끼었으면서 어찌 장사치처럼 노느냐?"라고 하였다.

◇蛙當鼓吹(개구리 울음소리를 음악소리로 생각하다)

●孔珪(一作孔圭), 字德璋, 風韻淸疏, 居宅盛營山水, 門庭內草萊不剪. 中有蛙鳴, 笑謂客曰, "我以此當兩部鼓吹[51]." 周顒出而再隱, 珪作北山移文[52], 譏之. 仕齊, 爲都官尚書[53].

○공규孔珪(447-501. '공규孔圭'로 표기한 문헌도 있다)는 자가 덕장으로 풍류를 즐겨 주택에 산수를 성대하게 꾸며 놓고 마당에 잡초가 자라도 베지 않았다. 집안에서 개구리 울음소리가 울리면 웃으면서 손님들에게 "나는 이것을 음악소리로 생각한답니다"라고 하였다. 주옹이 출사하였다가 다시 은거하려고 하자 공규는 <북산에서 발송하는 글>을 지어 이를 풍자하였다. (남조南朝) 남제南齊에서 벼슬길에 올라 도관상서를 지냈다.

---

50) 賈豎(고수) : 장사치, 장사꾼. 상인에 대한 비칭卑稱.

51) 鼓吹(고취) : 타악기와 관악기를 아우르는 말. 군대 음악을 가리킨다.

52) 北山移文(북산이문) : 남조南朝 남제南齊 공치규孔稚珪(447-501. 일명 공규孔珪)가 지은 글. 주옹周顒(?-488)이 회계군會稽郡 북쪽의 종산鍾山에 은거하다가 천자의 부름을 받고 해염현령海鹽縣令이 되어 종산을 지나자 공치규가 산신령의 뜻을 빌어 그가 변심하였다고 풍자하는 내용이 담겨 있다. 양梁나라 소통蕭統(501-531)의 ≪문선文選·서하書下≫권43에 전한다. '이문移文'은 상대방에게 발송하는 문서를 뜻한다.

53) 都官尙書(도관상서) : 위진남북조魏晉南北朝 때 옥사獄事와 형벌을 관장하던 장관을 이르는 말. 당송 때의 형부상서刑部尙書에 해당하던 벼슬이다.

◇**神君(신군)**

●孔奐，字休文，陳永定[54]中，除晉陵太守，郡中號曰神君．曲阿[55]富人殷綺見其儉素，餉以衣氈一具，奐曰，“太守身居美祿，豈不能辦此? 但百姓未周，不容獨享溫飽，不煩厚意.”

○공환(514-583)은 자가 휴문으로 (남조南朝) 진나라 (무제) 영정(557-559) 연간에 (강소성) 진릉태수를 제수받아 고을에서 '신군'으로 불렸다. (진릉군) 곡아현의 부자인 은기가 그가 검소한 생활을 하는 것을 알고서는 의복과 모전을 한 꾸러미 선물로 보내오자 공환이 말했다. "태수로서 좋은 봉록을 누리고 있거늘 어찌 이것 하나 장만하지 못 하겠소? 단지 백성들이 잘 살지 못 해 혼자서 배부르고 따듯하게 지낼 수 없기에 성의 표시를 받아들일 수가 없구려."

◇**孔獨誦(공휴원 혼자 다 암송하고 있소!)**

●孔休源，字慶緖．梁武帝問徐勉，求一學藝解朝儀者，爲尙書[56]儀曹郎[57]．勉擧休源，卽日除拜，時多改作．每訪以前事，休源以所誦記斷決．任昉常謂之孔獨誦．後爲晉安王[58]長史，行荊州府事．王於齋中別設一榻云，“此是孔長史坐.”

○공휴원은 자가 경서이다. (남조南朝) 양나라 무제는 서면에게 자문을 구해 학문이 깊어 조정의 의례를 잘 아는 사람을 찾아서 상서성의 의조랑에 임명코자 하였다. 서면이 공휴원을 추천하자 그날로 임

54) 永定(영정) : 진陳 무제武帝의 연호(557-559).
55) 曲阿(곡아) : 강소성 진릉군晉陵郡의 속현屬縣 이름.
56) 尙書(상서) : 중앙의 실질적인 행정 업무를 총괄하던 기관인 상서성尙書省의 준말. 시대마다 다소 차이는 있으나 보통 이부吏部·호부戶部·예부禮部·병부兵部·형부刑部·공부工部의 6상서尙書를 설치하고, 산하에 부部마다 4사司씩 모두 24사를 두어 인사·재정·교육·군사·법률·건설 등 각 분야의 행정을 담당하였다.
57) 儀曹郎(의조랑) : 위진남북조魏晉南北朝 때 상서성尙書省 소속 육부六部 가운데 국가의 제례祭禮와 고시考試를 관장하는 예부禮部의 속관屬官 이름. 후대의 예부낭중禮部郎中에 해당하였다.
58) 晉安王(진안왕) : 남조南朝 양梁나라 간문제簡文帝 소강蕭綱(503-551)의 즉위하기 전 봉호.

명하니 당시 많은 개정이 있었다. 매번 전대의 고사를 물으면 공휴원은 암송하고 있던 것으로 바로 판결을 내렸다. 그래서 임방이 늘 그를 '공독송'이라고 하였다. 뒤에는 진안왕의 장사를 맡아 (호북성) 형주부의 업무를 대행하였다. 그러자 진안왕은 재실에 별도로 걸상을 하나 마련하고는 "이는 공장사(공휴원)의 자리라오"라고 하였다.

◇青成藍(청출어람)

●孔璠爲小學[59]博士, 李謐師之. 後數年, 璠還, 就謐請業, 門生語曰, "青成藍[60], 藍謝青. 師何常? 在明經."(北史[61])

○(북조北朝 북위北魏) 공번이 소학박사를 지낼 때 이밀이 그를 스승으로 섬겼다. 몇 년 뒤 공번이 돌아와 이밀을 찾아가서 강의를 청하자 문하생이 말했다. "청색은 쪽풀에서 나오지만 쪽빛이 청색보다 못 하다네. 스승이 어찌 영원하리오? 경전을 잘 아는 데 달려 있다네."(≪북사 · 이밀전≫권33)

◇三世司業(삼대에 걸쳐 국자사업을 지내다)

●孔穎達八歲記誦日千餘言. 隋初擧明經[62], 高第. 唐初以右庶子[63]兼司業[64]. 子志 · 孫德元, 三世竝爲司業, 時人榮之. 瀛洲十八學士[65], 穎達

---

59) 小學(소학) : 공경公卿 이하 귀족의 자제들을 가르치기 위해 세운 학교 이름. 8세에는 소학에 입학하고, 15세에는 태학太學에 입학하였다.

60) 青成藍(청성람) : 청색이 쪽풀에 의해 완성되다. 즉 '청출어람青出於藍'과 같은 말로 제자가 스승보다, 자식이 부모보다, 동생이 형보다, 후배가 선배보다 뛰어난 것을 비유한다.

61) 北史(북사) : 당나라 이연수李延壽가 북조北朝의 북위北魏부터 수隋나라까지 도합 242년의 역사를 간략히 정리하여 서술한 사서史書. 총 100권. ≪사고전서간명목록 · 사부 · 정사류正史類≫권5 참조.

62) 明經(명경) : 한나라 때 경서經書에 밝은 사람에게 책문策問에 답하게 해서 인재를 뽑던 과거시험의 하나. 수隋나라 때 경전을 대상으로 하는 명경과와 문재文才를 시험하는 진사과로 나뉘었고, 당송唐宋 때까지 이어지다가 송나라 때 진사시험으로 통일되면서 폐지되었다.

63) 右庶子(우서자) : 태자궁 우춘방右春坊의 업무를 총괄하는 벼슬인 태자우서자太子右庶子의 약칭.

64) 司業(사업) : 국가 최고 교육 기관인 국자감國子監의 업무를 총괄하는 국자제

與焉.

○공영달(574-648)은 여덟 살 때부터 하루에 천 자가 넘는 글을 암송하였다. 수나라 초에는 명경과에 응시하여 우수한 성적으로 급제하였다. 당나라 초엽에는 태자우서자의 신분으로 국자사업을 겸직하였다. 아들 공지孔志와 손자 공덕원孔德元까지 삼대에 걸쳐 나란히 국자사업을 지냈기에 당시 사람들이 영광스런 일로 여겼다. (당나라 태종 때의) 영주18학사에 공영달도 참여하였다.

◇座右置水(자리 오른쪽에 물을 비치하다)

●孔若思博學, 唐初擢明經, 歷庫部郎中66). 嘗曰, "仕宦至郎中67), 足矣." 座右置止水68)一石, 明自足意. 後遷禮侍69). 弟仲思遷給事中70),

---

주國子祭酒 다음 가는 버금 장관인 국자사업國子司業의 약칭.

65) 瀛洲十八學士(영주십팔학사) : 당나라 때 태종太宗이 문학관학사文學館學士에 겸임케 한 사훈낭중司勳郎中 두여회杜如晦·기실고공낭중記室考功郎中 방현령房玄齡과 우지녕于志寧·군자제주軍諮祭酒 소세장蘇世長·천책부기실天策府記室 설수薛收·문학文學 저양褚亮과 요사렴姚思廉·태학박사太學博士 육덕명陸德明과 공영달孔穎達·주부主簿 이현도李玄道·천책창조참군사天策倉曹參軍事 이수소李守素·왕부기실참군사王府記室參軍事 우세남虞世南·참군사參軍事 채윤공蔡允恭과 안상시顔相時·저작랑섭기실著作郎攝記室 허경종許敬宗과 설원경薛元敬·태학조교太學助教 갑문달蓋文達·군자전첨軍諮典簽 소욱蘇勖 등 18명을 가리키는 말. 염입본閻立本에게 초상화를 그리게 하고 저양褚亮에게 찬문을 짓게 하였다. 설수가 죽은 뒤에는 동우주녹사참군東虞州錄事參軍 유효손劉孝孫을 불러 대신케 하였다. 이에 대한 상세한 내용은 ≪신당서·저양전褚亮傳≫권102에 전한다. '영주'는 동해東海에 신선이 산다는 전설상의 봉래산蓬萊山·방장산方丈山·영주산瀛洲山 가운데 하나로 문학관을 비유한다.

66) 庫部郎中(고부낭중) : 당송 때 상서성尙書省의 육부六部 가운데 군정을 총괄하는 병부兵部 휘하 사사四司 중 무고武庫를 관장하는 부서를 총괄하는 낭관을 이르는 말. 속관으로 원외랑과 구실아치인 영사令史를 거느렸다.

67) 郎中(낭중) : 진한秦漢 이후 황실의 호위와 시종을 관장하던 벼슬. 삼서三署의 관원인 오관중랑장五官中郎將·좌중랑장左中郎將·우중랑장右中郎將을 설치하여 관장케 하였다. 당송唐宋 때는 상서성尙書省 소속 육부六部의 산하 기관인 4사司(총 24사司)의 실무를 관장하는 기관장의 명칭이 되었다.

68) 止水(지수) : 고인 물. ≪문자文子≫의 "길바닥에 흐르는 물을 보지 말고 고인 물을 보며 그로써 마음을 보전하면 밖으로 방탕해지지 않는다(莫監於流潦, 而監於止水, 以其保心, 而不外蕩也)"는 고사에서 유래한 말로 평정심을 상징한다.

69) 禮侍(예시) : 상서성尙書省 소속 육부六部 가운데 국가의 제례祭禮와 고시考

三任, 竝與兄同府, 時人榮之. 子至著作郞[71].

○공약사는 학문이 해박하더니 당나라 초에 명경과에 급제하여 고부낭중을 역임하였다. 그는 일찍이 "벼슬이 낭중에 이르면 충분하다"라고 말한 일이 있다. 자리 오른쪽에 물을 한 섬 비치하고서 스스로 만족할 줄 아는 뜻을 내비쳤다. 뒤에는 예부시랑으로 승진하였다. 동생 공중사孔仲思는 급사중에 올라 세 번이나 부임하면서 형과 함께 같은 부서에서 근무하였기에 당시 사람들이 이를 영광스런 일로 여겼다. 아들 공지孔至는 저작랑을 지냈다.

◇竹溪逸士[72] (죽계일사)

●孔巢父, 字若翁, 先聖三十七世孫, 起爲參軍[73]. 歸江東, 杜父[74]送以詩[75]云, "巢父掉頭不肯住, 東將入海隨烟霧. 詩卷常留天地間, 釣竿欲

試를 관장하는 예부의 버금 장관인 예부시랑禮部侍郞의 약칭. 장관은 '상서尙書'라고 하고, 차관을 '시랑'이라고 하며, 휘하에 낭중郞中과 원외랑員外郞을 거느렸다.

70) 給事中(급사중) : 황제의 자문과 정사의 논의에 참여하던 벼슬로, 진한秦漢 이래 열후列侯나 장군將軍의 가관加官이었다가 진晉나라 이후로 정관正官이 되었다. 수당隋唐 이후로는 문하성門下省의 장관인 시중侍中과 버금장관인 문하시랑門下侍郞 다음 가는 요직으로 정령政令에 대한 논의와 시정時政을 담당하였다.

71) 著作郞(저작랑) : 위진魏晉 이후로 국사의 편찬과 국가 도서에 관한 업무를 관장하던 비서성秘書省 소속의 관원을 이르는 말. 상관으로 비서감秘書監과 비서소감秘書少監·비서승秘書丞·비서랑秘書郞이 있다.

72) 竹溪逸士(죽계일사) : 당나라 때 산동성 태안주泰安州 조래산徂徠山에 은거하여 술과 시로 소일하던 이백李白·공소보孔巢父·한준韓準·배정裴政·장숙명張叔明·도은거陶隱居 등 여섯 명의 은자를 가리키는 말.

73) 參軍(참군) : 한나라 이후로 왕부王府나 장수·사신·자사·태수 휘하에서 군무軍務를 참모參謀하던 벼슬에 대한 통칭. 시대와 기관에 따라 자의참군諮議參軍·기실참군記室參軍·기병참군騎兵參軍·사사참군司士參軍·공조참군功曹參軍·법조참군法曹參軍·녹사참군사錄事參軍事 등 다양한 이름의 참군이 있었다.

74) 杜父(두보) : 당나라 시인 두보杜甫(712-770)의 별칭. '보父'는 '보甫'와 통용자.

75) 詩(시) : 이는 칠언고시七言古詩 <병으로 관직을 사양하고 강동으로 돌아가 노닐려는 공소보를 전송하면서 아울러 이백에게 바치다(送孔巢父謝病歸遊江東, 兼呈李白)> 가운데 첫 두 연을 인용한 것으로 청나라 구조오仇兆鰲(1640-171

拂珊瑚樹.” 德宗朝, 爲宣慰使[76].

○(당나라) 공소보는 자가 약옹이고 (춘추시대 노魯나라) 공자의 37대 손으로서 처음에 참군으로 벼슬길에 올랐다. 강동으로 돌아가려고 하자 두보가 다음과 같은 시를 지어 전송하였다. “공소보가 머리를 흔들며 머무르려 하지 않고, 동쪽으로 바다로 들어가 안개를 좇으려 하네. 시를 적은 두루마리 세상에 길이 남겨 놓고서, 낚시대로 산호초를 흔들려 하는구나.” 덕종 때 선위사를 지냈다.

◇二宜去(의당 사직해야 하는 두 번째 이유)

●孔戣, 唐憲宗朝, 嶺南[77]節使[78], 旣至, 免屬州逋賦[79]十八萬緡[80]·米八萬斛. 穆宗召爲左丞, 以老自乞. 韓愈曰, “公尙壯, 何去之果?” 孔曰, “吾年, 一宜去. 吾爲左丞, 不能進退郞官[81], 二宜去.” 愈上疏言, “戣守節淸苦.” 以禮部尙書[82]致仕, 歲致羊酒, 如徵士[83]禮. 諡曰貞. 十賢堂. (見吳隱之)

---

4)의 ≪두시상주杜詩詳註≫권1에 전한다.

76) 宣慰使(선위사) : 천자의 교지敎旨를 알리고 백성들을 위무慰撫하는 업무를 관장하도록 당나라 헌종獻宗이 처음 설치한 사신 이름.

77) 嶺南(영남) : 오령五嶺, 즉 대유령大庾嶺·시안령始安嶺·임하령臨賀嶺·계양령桂陽嶺·게양령揭陽嶺 이남의 광동廣東·광서廣西 일대를 가리키는 말. ‘영외嶺外’ ‘영표嶺表’라고도 한다. 주로 벽지나 유배지를 상징한다.

78) 節使(절사) : 당송唐宋 때 한 도道나 여러 주州의 군사·민정·재정 등을 관할하던 벼슬인 절도사節度使의 약칭. 송 이후로는 실권이 없이 직함만 있었다.

79) 逋賦(포부) : 밀린 세금을 이르는 말.

80) 緡(민) : 백 냥이나 천 냥을 꿰어 놓은 엽전뭉치. 한나라 때 세금 계산의 단위로 사용한 데서 비롯된 말로 세금을 뜻하는 말로도 쓰였다.

81) 郞官(낭관) : 조정의 주요 행정을 집행하는 기관인 상서성尙書省 휘하의 시랑侍郞·낭중郞中·원외랑員外郞 등 실무를 담당하는 벼슬에 대한 총칭. 진秦나라 때는 낭중령郞中令, 후한 때는 상서랑尙書郞, 수나라 때는 시랑·낭, 당대 이후로는 주로 낭중·원외랑을 지칭하였다.

82) 禮部尙書(예부상서) : 상서성 소속의 육부六部 가운데 국가의 제사와 교육·외교 등과 관련한 주요 업무를 관장하던 기관인 예부의 장관을 이르는 말. 버금 장관으로 예부시랑禮部侍郞을 두고, 휘하에 예부禮部·사부祀部·선부膳部·주객主客의 4사司를 설치하여 낭중郞中과 원외랑員外郞에게 관장케 하였다.

83) 徵士(징사) : 조정의 초빙을 받으나 응하지 않는 덕망이 높은 은사에 대한 존칭. ‘징군徵君’이라고도 한다.

○공규(752-824)는 당나라 헌종 때 (광동성·광서성 일대를 관장하는) 영남절도사를 맡자 부임하고 나서 속주의 밀린 세금 18만 꿰미와 쌀 8만 휘를 감면해 주었다. 목종이 불러서 좌승상에 임명하였지만 연로하다는 이유로 사직을 청하자 한유가 말했다. "공은 아직도 정정하시거늘 어찌 굳이 사직을 하려고 하십니까?" 공규가 대답하였다. "저는 연로한 것이 의당 사직해야 하는 첫 번째 이유입니다. 저는 좌승상을 맡았음에도 낭관을 잘 등용하지 못 하는 것이 의당 사직해야 하는 두 번째 이유입니다." 그러자 한유가 상소문을 올려 "공규는 절조가 맑고 곧습니다"라고 하였다. 예부상서를 지내다가 벼슬을 사직하자 해마다 양고기와 술을 하사하여 징사에 대한 예우로 대접하였다. 시호는 '정'이다. 십현당과 관계가 있다.(상세한 내용은 앞의 '오'씨절 오은지에 관한 기록인 '작탐천酌貪泉'항에 보인다)

◇擊蛇笏(뱀을 공격하는 데 홀을 사용하다)

●孔道輔, 字原魯, 先聖四十五世孫, 初任爲寧州推官[84]. 時有道士, 治眞武[85]像, 巨蛇穿其前. 州將率屬, 往拜之, 道輔卽擧笏碎其首, 衆大服. 明道[86]中, 除御史中丞. 郭后[87]廢, 道輔率諫官[88], 伏閤請對. 宦者闔扉拒之, 道輔拊門銅鐶, 大呼乃入. 後上在兗州, 近臣有獻詩百篇者, 上曰, "是詩雖多, 不如孔道輔一言." 子宗翰爲刑侍[89].

---

84) 推官(추관) : 당송 때 지방 장관이나 사신의 속관으로 형옥刑獄을 관장하던 벼슬을 이르는 말.

85) 眞武(진무) : 거북과 뱀을 합쳐 놓은 형상의 북방의 신神인 '현무玄武'의 이칭異稱. 송나라 대중상부大中祥符(1008-1016) 때 진종眞宗 조항趙恒의 이전 이름인 현휴玄休·현간玄侃을 피휘避諱하기 위해 '현무'를 '진무'로 개칭하였다.

86) 明道(명도) : 북송北宋 인종仁宗의 연호(1032-1033).

87) 郭后(곽후) : 송나라 인종仁宗의 황후皇后인 곽郭씨. ≪송사·인종곽황후전≫ 권242 참조.

88) 諫官(간관) : 임금에게 간언하는 것을 관장하는 관리를 아우르는 말로서 급사중給事中이나 간의대부諫議大夫·간대부諫大夫 등을 통칭한다.

89) 刑侍(형시) : 조정의 핵심 행정 기관인 상서성尙書省 휘하 육부六部 가운데 옥사獄事와 형벌을 관장하는 부서인 형부刑部의 버금 장관인 형부시랑刑部侍郎의 준말. 장관을 형부상서刑部尙書라고 하고, 휘하에 낭중郎中·원외랑員外郎 등을 거느렸다.

○(송나라) 공도보는 자가 원로이고 (춘추시대 노魯나라) 공자의 45대 손으로 처음에는 (감숙성) 영주의 추관을 맡았다. 당시 어느 도사가 현무의 동상을 만들었을 때 커다란 뱀이 그 앞을 가로막고 있었다. 주의 장수가 속관을 거느리고 절을 하러 가자 공도보가 즉시 홀을 들어 그 뱀의 머리를 부수니 사람들이 크게 감복하였다. (인종) 명도(1032-1033) 연간에 어사중승을 제수받았다. 곽황후가 폐위당하자 공도보는 간관들을 인솔하여 전각에 엎드려서 대면을 요청하였다. 환관이 출입문을 닫고서 거부하자 공도보는 문의 구리 고리를 부수고 큰소리를 외치며 들이닥쳤다. 뒤에 인종이 (산동성) 연주에 있을 때 근신 가운데 누군가 시 100수를 바치자 인종은 "이 시는 비록 많기는 하지만 공도보의 말 한 마디만도 못 하구려"라고 하였다. 아들 공종한孔宗翰은 형부시랑을 지냈다.

◇四瞪(눈을 부릅뜨고 지켜보는 네 사람)

●孔宗旦, 宋仁宗朝, 爲邕州司戶參軍[90], 與徐尙同等爲監司[91]耳目, 號四瞪. 人多憚之.

○공종단은 송나라 인종 때 (광서성) 옹주의 사호참군을 맡자 서상동 등과 함께 감사관의 눈과 귀 역할을 하며 '사등'으로 불렸다. 그래서 사람들이 그를 기피하였다.

◇立鼎(세발솥을 세우다)

●孔文仲, 字經父, 宋元佑[92]初, 中書舍人[93]. 武仲, 字常父, 直學士[94].

---

90) 司戶參軍(사호참군) : 주州나 군郡에서 호구戶口에 관한 일을 관장하던 지방 관리.

91) 監司(감사) : 감찰의 직무를 맡은 벼슬을 가리키는 말로서 한나라 이후 자사刺史·사례교위司隸校尉·전운사轉運使·안찰사按察使·포정사布政使 등을 두루 지칭하였다.

92) 元佑(원우) : 북송北宋 철종哲宗의 연호인 원우元祐(1086-1093)의 오기.

93) 中書舍人(중서사인) : 황명의 기초起草와 출납出納을 관장하는 중서성中書省 소속의 벼슬 이름. 장관인 중서령中書令과 버금 장관인 중서시랑中書侍郎 다음 가는 고관高官이다.

94) 直學士(직학사) : 위진魏晉 이후로 문학과 저술을 관장하던 벼슬인 학사學士

平仲, 字毅父, 爲戶部郞[95]. 兄弟皆以文章名世. 山谷[96]詩[97]云, "二蘇[98]上連鼎[99], 三孔[100]分立鼎. 天不隆斯文, 俱來集臺省[101]."

○공문중은 자가 경보로 송나라 (철종) 원우(1086-1093) 초에 중서사인을 지냈고, 동생인 공무중孔武仲은 자가 상보로 직학사를 지냈으며, 공평중孔平仲은 자가 의보로 호부랑을 지냈는데, 형제가 모두 문장으로 세간에 이름을 떨쳤다. 그래서 산곡山谷 황정견黃庭堅은 시에서 "두 소씨 형제는 위로 세발솥과 닿아 있고, 세 공씨 형제는 각기 세발솥의 다리를 세웠네.(중략) 하늘이 우리 문단을 버리지 않았기에, 함께 조정으로 모인 것이라네"라고 하였다.

●孔奕, 愉從父, 明察過人, 識酒重水輕. 爲全椒[102]令.

○(진晉나라) 공혁은 공유孔愉(268-342)의 종부로서 통찰력이 다른 사람들보다 뛰어나 술이 무겁고 물이 가볍다는 것을 알았다. (안휘

에 준하는 벼슬을 이르는 말. 당송唐宋 때는 학사원學士院을 두어 제고制誥를 전담케 하였는데, 5품 이상은 학사, 6품 이상은 직학사直學士라고 구분하였다.

95) 戶部郞(호부랑) : 조정의 핵심 행정 기관인 상서성尙書省의 육부六部 가운데 국가 재정을 총괄하던 기관인 호부戶部의 낭관郎官을 이르는 말.

96) 山谷(산곡) : 송나라 사람 황정견黃庭堅(1045-1105)의 호. '부옹涪翁'이라고도 한다. 자는 노직魯直. 소식蘇軾(1036-1101)의 제자이자 강서시파江西詩派의 창시자로서 비서승祕書丞과 사천성 부주별가涪州別駕 등을 역임하였다. 저서로 ≪산곡집山谷集≫ 67권이 전한다. ≪송사·문원열전文苑列傳·황정견전≫권444 참조.

97) 詩(시) : 이는 오언고시五言古詩 <자첨子瞻 소식蘇軾이 자유子由 소철蘇轍과 상보常父 공무중孔武仲이 조정에서 있었던 옛 일을 추억하며 지은 시에 화답한 시에 다시 화답하다(和答子瞻和子由·常父憶館中故事詩)> 가운데 제1연과 제4연을 발췌하여 인용한 것으로 ≪산곡집≫권3에 전한다.

98) 二蘇(이소) : 송나라 때 대문호인 소식蘇軾(1036-1101)과 소철蘇轍(1039-1112) 형제를 아우르는 말.

99) 連鼎(연정) : 세발솥과 닿다. 세 명의 훌륭한 인재와 긴밀한 관계를 맺는 것을 비유한다.

100) 三孔(삼공) : 송나라 공문중孔文仲과 동생 공무중孔武仲·공평중孔平仲을 아우르는 말.

101) 臺省(대성) : 어사대御史臺와 상서성尙書省·중서성中書省·문하성門下省 등 조정의 주요 기관을 아우르는 말로 결국 조정을 가리킨다.

102) 全椒(전초) : 안휘성의 속현屬縣 이름.

성) 전초현의 현령을 지냈다.

●孔熾爲參軍. 永和103)修禊104), 詩不成, 罰酒三觥.(見王逸少105))

○(진晉나라) 공치는 참군을 지냈다. (목제) 영화(345-356) 연간에 수계를 지낼 때 시를 완성하지 못 해 벌주를 세 잔 받은 일이 있다.(상세한 내용은 앞의 '왕'씨절 일소逸少 왕희지王羲之에 관한 기록인 '난정승집蘭亭勝集'항에 보인다)

●孔祐106)隱四明山, 德操松桂107), 古之遺德也.

○(남조南朝 남제南齊) 공우는 (절강성) 사명산에 은거하였는데, 성품이 청렴하고 고결하여 고인의 덕을 물려받았다.

※女德婚姻(여덕과 혼인)

◇女司馬108)(여자 사마)

●顧琛母孔氏, 年百餘歲. 晉安帝隆安109)初, 平吳亂有功, 封爲貞烈將軍. 及孫恩亂, 東土饑荒, 孔氏散家糧以賑, 邑里全活者衆. 生子, 皆以孔爲

---

103) 永和(영화) : 진晉 목제穆帝의 연호(345-356).

104) 修禊(수계) : 음력 3월 3일 상사절上巳節에 물가에 나가서 재액災厄을 막기 위해 제를 올리는 일.

105) 王逸少(왕일소) : 진晉나라 때 우군장군右軍將軍을 지낸 왕희지王羲之(321-379). '일소'는 자. 해서楷書·행서行書·초서草書 방면에 달인의 경지에 올라 '서성書聖'으로 불렸다. ≪진서·왕희지전≫권80 참조.

106) 孔祐(공우) : 남조南朝 남제南齊 때 사람으로 공도휘孔道徽의 부친. 물욕이 없고 도술이 뛰어나 동전을 모래나 자갈로 바꿨다고 전한다. ≪남사·은일열전·공도휘전≫권75 참조.

107) 松桂(송계) : 소나무와 계수나무. 청렴하고 고결한 성품을 비유한다.

108) 司馬(사마) : 벼슬 이름. 주周나라 때는 육경六卿의 하나인 하관夏官으로서 군사를 관장하였고, 한나라 때는 삼공三公의 하나로서 승상이 되기도 하였다. 한나라 이후로는 왕부王府나 승상부丞相府·장군부將軍府 등에서 병마兵馬를 관장하던 벼슬이 되었고, 당나라 이후로는 주로 별가別駕·장사長史·녹사참군사錄事參軍事·참군사參軍事·녹사錄事·승丞·문학文學 등과 함께 자사刺史의 속관이 되었다.

109) 隆安(융안) : 진晉 안제安帝의 연호(397-401).

名.
○고침의 모친 공씨는 백 살이 넘도록 살았다. 진나라 안제 융안(397-401) 초에 오나라의 혼란을 평정하는 데 공을 세워 정열장군에 봉해졌다. 손은(?-402)의 반란이 일어났을 때 동방에 기근이 들자 공씨가 집안의 양식을 꺼내 사람들을 구제하였기에 고을에서 그로 인해 목숨을 건진 사람이 무척 많았다. 그래서 아들을 낳으면 모두 '공孔'자로 이름을 지었다.

◇可妻(사위로 삼을 만하다)

●孔子謂公冶長110)可妻也, 以其子妻之. 南容111)三復白圭112), 以其兄之子妻之. 兄名孟皮, 字伯尼.
○(춘추시대 노魯나라) 공자는 공야장을 사위로 삼을 만하다고 생각하여 자신의 딸을 그에게 시집보냈다. 또 남용(남궁괄南宮括)이 흰 옥돌을 읊은 ≪시경≫을 세 번이나 되풀이해서 암송하자 조카딸을 그에게 시집보냈다. 공자의 형은 이름이 '맹피'이고 자가 '백니'이다.

◇烏羊爲聘(검은 양을 결혼 예물로 삼다)

●孔淳之, 字彦深, 少高尙. 性好山水, 與王敬弘113)爲方外114)之遊, 申以婚姻, 敬弘以女妻淳之子尙. 以烏羊繫所乘車轅, 提壺爲禮, 至則盡歡, 迄暮而歸. 或怪之, 答曰, "固亦農夫田父之禮也."

---

110) 公冶長(공야장) : 춘추시대 제齊나라(노魯나라란 설도 있다) 사람으로 공자의 제자이자 사위. 자는 자장子長. ≪논어≫의 한 편명이기도 하다. ≪사기·중니제자열전仲尼弟子列傳≫권67 참조.
111) 南容(남용) : 춘추시대 노魯나라 사람 남궁괄南宮括. 공자의 제자로 자가 자용子容이어서 '남용'으로도 불렸다.
112) 白圭(백규) : 흰 옥돌. ≪시경·대아大雅·억抑≫권25의 "흰 옥돌의 흠은 오히려 갈 수 있지만, 이 참소하는 말의 흠은 다스릴 수가 없구나(白圭之玷, 尙可磨也. 斯言之玷, 不可爲也)"라는 구절을 가리키는 말로 결국 ≪시경≫에 수록된 노래를 가리키는데, 매우 신중한 태도를 상징한다.
113) 王敬弘(왕경홍) : 남조南朝 유송劉宋 때 사람 왕유지王裕之. '경홍'은 자. 무제武帝 유유劉裕의 휘諱(裕) 때문에 주로 자로 불렸다. 상서복야尙書僕射·상서령尙書令을 역임하였다. ≪송서·왕경홍전≫권66 참조.
114) 方外(방외) : 속세 밖, 선경仙境을 뜻하는 말.

○공순지는 자가 언심으로 어려서부터 고상한 생각을 품어 은둔생활을 즐겼다. 천성적으로 산수를 좋아하여 경홍敬弘 왕유지王裕之와 속세를 초월해 교유하였는데, 혼인 얘기가 나오자 왕유지는 딸을 공순지의 아들인 공상孔尙에게 시집보냈다. 공순지는 검은 양을 자신이 타던 수레 끌채에 묶고 술병을 꺼내 결혼 예물로 삼더니만 도착하자 술병을 다 비우며 즐기다가 날이 저물어서야 돌아왔다. 누군가 이상하게 여기자 공순지는 "원래 농부들의 예법이라오"라고 대답하였다.

●眼孔. 帶孔. 針九孔[115).

○눈구멍. 허리띠 구멍. 구공침九孔針.

◆董(동씨)

▶角音. 隴西. 黃帝[116)之後有飂叔安, 裔子[117)曰董父[118), 好龍, 龍多歸之, 乃擾畜龍. 舜賜姓董, 氏曰豢龍.

▷음은 각음에 속하고 본관은 (감숙성) 농서군이다. 황제黃帝의 후손으로 유숙안에게 동보라는 후손이 있었는데, 용을 좋아하여 용이 대부분 그를 따랐기에 결국 그에게 용을 길들이게 하였다. 그러자 (우虞나라) 순왕이 '동'이란 성을 하사하고 씨를 '환룡'이라고 하였다.

---

115) 針九孔(침구공) : 바늘 중에 구멍이 아홉 개 있는 것을 이르는 말. 칠월 칠석날 아녀자들이 바느질 솜씨가 늘기를 기원하던 걸교乞巧 풍속에서 칠공침七孔針과 함께 사용하던 구공침九孔針을 가리킨다.

116) 黃帝(황제) : 전설상의 임금. 성은 유웅씨有熊氏이고 이름은 헌원軒轅. ≪사기史記·오제본기五帝本紀≫권1에서는 황제를 '오제五帝'(황제黃帝·전욱顓頊·제곡帝嚳·요堯·순舜)의 첫 번째 임금으로 설정한 반면, 속수사고전서본續修四庫全書本 ≪제왕세기·자개벽지삼황自開闢至三皇≫권1에서는 '삼황三皇'(복희伏羲·신농神農·황제黃帝)의 마지막 임금으로 설정하고, 대신 오제의 첫 번째 임금으로 소호少皞를 설정하는 등 설에 따라 차이가 있다.

117) 裔子(예자) : 후대 자손을 이르는 말. '후손' '후예'와 뜻이 유사하다.

118) 董父(동보) : 우虞나라 때 용을 길들이는 재주로 순왕舜王을 섬겼다는 전설상의 인물. 씨는 환룡豢龍.

◇良史(훌륭한 사관)

●董狐, 晉史官也. 左[119]宣二年, "趙穿弑晉靈公, 狐書曰, '趙盾弑其君.' 孔子曰, '董狐, 古之良史也, 書法不隱. 趙宣子[120], 古之良大夫[121]也, 爲法受惡.'"

○동호는 (춘추시대 때) 진나라의 사관이다. ≪좌전左傳·선공宣公2년≫권21에 "(조돈의 일족인) 조천이 진나라 영공을 시해하자 동호는 '조돈이 자기 군주를 시해하였다'고 적었다. 그러자 (노魯나라) 공자가 '동호는 옛날 훌륭한 사관으로 서법상 숨기지 않았다. 조선자(조돈)는 옛날 훌륭한 대부였지만 법적으로 (군주를 시해한 책임을 지기에) 악한 신하라는 비난을 받았다'고 말했다"는 기록이 있다.

◇天人三策(하늘과 인간에 관한 세 가지 대책문)

●董仲舒少治春秋[122], 爲博士. 下帷[123]誦講, 三年不窺園. 漢武卽位, 以賢良[124]對策[125], 三策畢天子, 以爲江都相[126]. 循吏傳云, "仲舒儒者,

---

119) 左(좌) : 노魯나라 은공隱公 원년元年(B.C.722년)부터 애공哀公 27년(B.C.468년)까지 약 250년 간의 춘추시대 역사를 기록한 ≪춘추경春秋經≫에 대한 좌구명左丘明의 해설서, 즉 ≪춘추좌씨전春秋左氏傳≫의 약칭인 ≪좌전左傳≫. 진晉나라 두예杜預(222-284)가 주를 달았다.

120) 趙宣子(조선자) : 춘추시대 진晉나라 대부大夫 조돈趙盾. '선'은 시호이고, '자'는 존칭. 영공靈公을 옹립하였다가 영공이 자신을 죽이려고 하자 망명하였고, 영공이 살해당하자 영공의 동생 흑둔黑臀을 성공成公에 옹립하였다.

121) 大夫(대부) : 주周나라 때 신분 구분인 공公·경卿·대부大夫·사士의 하나. 삼공三公과 구경九卿 아래로 상대부上大夫·중대부中大夫·하대부下大夫가 있고, 그 밑으로 다시 상사上士와 중사中士·하사下士가 있었다. 후대에는 벼슬아치에 대한 범칭汎稱으로 쓰기도 하였다.

122) 春秋(춘추) : 주周나라 춘추시대 때 역사를 기록한 ≪춘추경春秋經≫. 오경五經의 하나로 지금은 해설서인 ≪좌전左傳≫ ≪곡량전穀梁傳≫ ≪공양전公羊傳≫으로 전한다.

123) 下帷(하유) : 휘장을 내리다. 공부에 전념하는 것을 비유한다.

124) 賢良(현량) : 한나라 이후로 각 지방에서 추천한 인재 중에서 관리를 선발하던 과거시험의 하나. 현량문학賢良文學, 혹은 현량방정과賢良方正科의 준말.

125) 對策(대책) : 한나라 때부터 시행된 과거시험 방식의 일종. 정사政事나 경의經義에 대해 문제를 내고 답안을 제시케 하는 시험을 가리킨다. '대책對冊'으로도 쓴다.

126) 江都相(강도상) : 강도왕의 승상. '강도'는 전한 경제景帝 때 설치한 제후국

通庶務, 明習文法, 以經術潤飾吏事.” 班固曰[127), “劉向稱, ‘仲舒有王佐之才, 伊尹[128)無以加, 管晏[129)殆不及.’ 然考其師友淵源所漸, 未及游夏[130).” 子孫皆以學至大官[131).

○동중서(B.C.179-B.C.104)는 어려서부터 ≪춘추경≫을 연구하여 박사가 되었다. 그는 휘장을 내리고 공부에 전념하느라 3년 동안 정원조차 내다보지 않았다. 전한 무제가 즉위하고서 현량과에서 대책을 실시하자 세 차례 대책에서 천자의 도리를 다 기술하여 강도왕의 승상에 임명되었다. ≪한서 · 순리열전≫권89에서는 “동중서는 유학자임에도 여러 가지 정무에 정통하고 작문의 이치를 잘 알면서 경학으로 관리의 업무를 잘 처리하였다”고 하였고, (후한) 반고는 (≪한서 · 동중서전≫권56에서) “(전한) 유향은 ‘동중서에게는 왕을 보좌하는 재능이 있었으니 (상商나라) 이윤도 그를 능가할 수 없었고 (춘추시대 제齊나라) 관중管仲과 안영晏嬰도 아마 그에게 미치지 못 할 것이다’라고 말했다. 그러나 그들 사이에 사우 연원상 미친 영향을 고찰해 보면 동중서는 아직 (춘추시대 노魯나라 공자의 제자인) 자유子游(언언言偃)와 자하子夏(복상卜商)에게는 미치지 못 한다”고 하였다. 자손들은 모두 학문으로 고관에 올랐다.

◇强項令(목이 뻣뻣하여 굽힐 줄 모르는 현령)

●董宣, 字少平, 漢光武朝, 爲洛陽令. 湖陽公主[132)蒼頭[133)白日殺人, 宣

으로서 무제武帝 때는 광릉국廣陵國으로 개명하였다.

127) 曰(왈) : 후한 반고班固(32-92)의 말은 그의 저서인 ≪한서 · 동중서전≫권56의 찬문贊文에 보인다.

128) 伊尹(이윤) : 상商나라 탕왕湯王 때의 명재상. 탕왕의 삼고초려三顧草廬로 출사하여 상나라의 건국을 도왔다.

129) 管晏(관안) : 춘추시대 때 제齊나라의 명재상인 관중管仲(관이오管夷吾)과 안영晏嬰을 아우르는 말.

130) 游夏(유하) : 춘추시대 노魯나라 공자孔子의 제자인 자유子游(언언言偃의 자)와 자하子夏(복상卜商의 자)를 아우르는 말. 두 사람 모두 문학에 뛰어났다. ≪사기 · 중니제자열전仲尼弟子列傳≫권67 참조.

131) 大官(대관) : 고관高官. 황제의 음식과 연향燕享을 관장하는 벼슬인 ‘태관太官’을 가리킬 때도 있다.

132) 湖陽公主(호양공주) : 후한 광무제光武帝의 누나. ‘호양’은 봉호.

格殺之. 帝召宣, 使謝主, 兩手據地, 終不肯俯, 因勅'强項令[134]出.' 賜錢三千萬, 悉以頒諸吏. 搏擊豪强, 京師[135]號曰臥虎. 死之日, 止有大麥[136]數斛・敝車一乘. 帝傷之曰, "董宣廉潔, 死乃知之!" 賜文綬[137], 葬以大夫禮.

○동선은 자가 소평으로 후한 광무제 때 (하남성) 낙양현의 현령을 지냈다. (광무제의 누나인) 호양공주의 하인이 대낮에 사람을 죽이자 동선이 그를 때려죽였다. 광무제가 동선을 불러 공주에게 사죄케 했지만 동선이 두 손으로 땅을 짚은 채 끝내 고개를 숙이려 하지 않았기에 '목이 뻣뻣한 현령은 나가보라'는 칙령을 내렸다. 동전 30만 냥을 하사받았지만 모두 여러 관리들에게 나눠주었다. 권세가들을 거리낌없이 공격하였기에 경사 사람들이 그를 ('잠자는 호랑이'란 의미에서) '와호'로 불렀다. 그가 사망했을 때 단지 보리 몇 휘와 낡은 수레 한 대만이 남아 있었다. 황제가 이를 가슴 아파하며 "동선의 청렴결백함을 죽고 나서야 알아 보다니!"라고 하였다. 아름다운 도장끈을 하사하고 대부의 예로 장례를 치러 주었다.

◇通儒(모든 이치에 통달한 유학자)

●董鈞, 字文伯, 習慶氏禮[138]. 漢永平[139]初, 爲博士, 草立郊祀[140]禮樂

---

133) 蒼頭(창두) : 한나라 때 노복奴僕의 별칭. 양민과 달리 머리에 흰 머리카락이 많이 섞인 데서 유래하였다.

134) 强項令(강항령) : '목이 뻣뻣하여 머리를 숙이지 않는 현령'을 뜻하는 말로 강직하여 어떠한 압력에도 굴하지 않았던 동선董宣의 별칭.

135) 京師(경사) : 서울, 도읍을 이르는 말. 송나라 주희朱熹(1130-1200) 설에 의하면 '경京'은 높은 지대를 뜻하고, '사師'는 많은 사람을 뜻한다. 즉 높은 산에 의지하여 많은 사람이 모여 사는 곳이란 뜻에서 유래하였다. 여기서는 후한 때 수도인 하남성 낙양을 가리킨다.

136) 大麥(대맥) : 보리. 반면 밀은 '소맥小麥'이라고 한다.

137) 文綬(문수) : 오색실로 짠 아름다운 도장끈을 이르는 말로 고관을 비유한다.

138) 慶氏禮(경씨례) : 전한 때 후창后倉의 제자인 경보慶普가 정리한 ≪예기≫를 가리키는 말.

139) 永平(영평) : 후한後漢 명제明帝의 연호(58-75).

140) 郊祀(교사) : 원래는 동지에 남쪽 교외에서 천제天帝에게 제를 올리는 것을 이르는 말이었으나, 뒤에는 하지에 북쪽 교외에서 지신地神에게 제를 올리는

威儀, 世稱爲通儒. 遷中郎將[141].

○동균은 자가 문백으로 (전한 때) 경보慶普가 정리한 ≪예기≫를 익혔다. 후한 (명제) 영평(58-75) 초에 박사를 맡아 제례에서 사용하는 예법과 음악에 관한 의례를 처음으로 정립하였기에 세간에서는 그를 '통유'라고 칭하였다. 중랑장으로 승진하였다.

◇郿塢(미오성)

●董卓, 字仲穎, 漢末擅權, 築郿塢[142], 與長安城埒[143]. 塢中金寶山積. 袁紹曰, "天下健者, 豈惟董公?"

○동탁(?-192)은 자가 중영으로 후한 말엽에 권력을 멋대로 휘두르며 미오성을 건축하였는데 규모가 장안성과 맞먹었다. 미오성 안에는 금과 보석이 산처럼 쌓여 있었다. 그래서 원소가 "천하에 권력이 센 자가 어찌 동공뿐이겠는가?"라고 말한 일이 있다.

◇褒貶(포폄)

●董扶, 字茂安, 漢靈帝朝, 拜侍中, 褒秋毫[144]之善, 貶纖芥[145]之惡.

○동부는 자가 무안으로 후한 영제 때 시중을 지내면서 아무리 작은 선행일지라도 포상하고 아무리 사소한 악행일지라도 처벌하였다.

일도 포함하는 말로 쓰였다.

141) 中郎將(중랑장) : 한나라 이후로 삼서三署의 장관인 오관중랑장五官中郎將·좌중랑장左中郎將·우중랑장右中郎將을 아우르는 말로 궁중 호위를 관장하던 벼슬.

142) 郿塢(미오) : 후한 때 동탁董卓(?-192)이 섬서성 미현郿縣에 축조한 성 이름. 성 안에 각종 보물과 곡식을 저장해 두어 '금오金塢' '만세오萬歲塢'로도 불렸으며, 후대에는 간악한 인물이 재물을 숨기거나 향락 생활을 보내는 곳을 비유하는 말로 쓰였다.

143) 埒(날) : 맞먹다, 대등하다.

144) 秋毫(추호) : 가을날 날리는 터럭. 매우 미세한 것을 비유한다.

145) 纖芥(섬개) : 작은 겨자. 사소한 혐의나 악행을 비유한다. '섬개纖介' '섬극纖隙'이라고도 한다.

◇羔羊素節(정직하고 검소하게 사는 절조)

●董和, 蜀人, 與黃權·李嚴皆劉璋所信用也. 爲益州守, 家無儋石146)之儲, 而蹈羔羊之素147). 子允.

○동화는 (삼국) 촉나라 사람으로 황권·이엄과 함께 유장의 신임을 받았다. (사천성) 익주자수를 지내면서도 집에 재산이 거의 없이 정직하고 검소한 삶을 영위하였다. 아들은 동윤董允이다.

◇忠亮(충심을 다 바치다)

●董允, 字休昭, 事蜀. 秉心148)公亮, 專獻納149)之任. 諸葛孔明150)曰, "侍中董允, 忠亮死節之臣也."

○동윤(?-246)은 자가 휴소로 (삼국) 촉나라를 섬겼다. 마음을 바르게 다지고 충언을 바치는 소임에 전념하였기에 공명孔明 제갈양諸葛亮이 "시중 동윤은 충심을 다 바치고 절조를 위해 목숨을 아끼지 않는 신하라오"라고 하였다.

◇杏林(살구나무 숲)

●董奉, 吳人, 有道, 爲人治病, 不取錢. 病重而愈者, 栽杏五株, 輕者栽二株. 數年計十餘萬株, 號董仙杏林.

○동봉은 (삼국) 오나라 사람으로 도술을 가지고 남을 위해 병을 치료하면서도 돈을 받지 않았다. 중병을 앓다가 나은 사람은 살구나무 다섯 그루를 심어 주었고, 병이 가벼운 사람은 살구나무 두 그루를 심어 주었는데, 몇 년 뒤 10만 그루가 넘게 자라 '동선행림'으로 불

---

146) 儋石(담석) : 한두 섬. 가난한 살림형편을 비유한다. '담儋'은 '석石'의 두 배인 두 섬을 뜻한다.

147) 羔羊之素(고양지소) : 흰 실로 꿰맨 양 가죽옷. ≪시경·소남召南·고양羔羊≫권2의 "어린 양의 가죽을 흰 실 다섯 가닥으로 꿰맸네. 관청에서 물러나 밥을 먹는데 한가롭고 여유롭네(羔羊之皮, 素絲五紽. 退食自公, 委蛇委蛇)"라는 구절에서 유래한 말로 사대부의 정직하고 검소한 삶을 비유한다.

148) 秉心(병심) : 마음을 굳게 다지다, 마음을 바르게 먹다.

149) 獻納(헌납) : 충언이나 공물을 바치는 일.

150) 諸葛孔明(제갈공명) : 삼국시대 촉蜀나라에서 승상을 지낸 제갈양諸葛亮(181-234). '공명'은 자. ≪삼국지·촉지·제갈양전≫권35 참조.

렸다.

◇宿白社(백사에 투숙하다)

●董京, 晉逸士也. 初至洛陽, 逍遙吟詠, 常宿白社[151]中, 後不見.

○동경은 진나라 때 은자이다. 처음에 (하남성) 낙양에 도착해 한가로이 시를 읊조리며 늘 백련사에 투숙하더니 뒤에 사라지고 말았다.

◇腰龜杖節(거북도장을 허리에 차고 모절旄節을 손에 들다)

●董徵, 字文發, 魏人. 遷安州刺史, 因過家, 置酒高會曰, "腰龜[152]返國, 昔人稱榮, 杖節[153]還家, 云胡不喜?"(北史)

○동징은 자가 문발로 (북조北朝) 북위北魏 때 사람이다. (호북성) 안주자사로 승진하자 그참에 집에 들러 술을 마련해서 연회를 열고는 말했다. "거북도장을 허리에 차고 고향에 돌아오면 옛 사람들은 영광이라고 하였고, 모절을 손에 들고 집에 돌아오면 어찌 즐겁지 않겠냐고 말했지요."(≪북사·동징전≫권81)

◇畵家三史(삼대 사서에 해당하는 세 명의 화가)

●董伯仁, 隋人, 善畵. 名畵記[154]云, "顧陸張吳[155]爲正經, 楊鄭董[156]

---

151) 白社(백사) : 진晉나라 때 고승 혜원慧遠(334-416)이 염불 수행을 위해 혜영慧永·뇌차종雷次宗 등과 함께 결성한 단체, 혹은 그 장소를 이르는 말인 '백련사白蓮社'의 약칭.

152) 腰龜(요귀) : 거북 모양의 인장을 허리에 차다. 혹은 허리에 차는 거북 모양의 인장을 뜻하기도 하는데, 여기서는 문맥상 전자의 의미로 풀이하는 것이 자연스럽다.

153) 杖節(장절) : 모절旄節(깃발과 부절)을 손에 쥐다. 황제에게 사령장을 받고서 사신이나 지방관으로 파견되는 것을 뜻한다. '장杖'은 '잡다'라는 뜻.

154) 名畵記(명화기) : 당나라 장언원張彦遠이 지은 회화에 관한 저술인 ≪역대명화기歷代名畵記≫의 약칭. 총 10권. 앞의 3권은 화론畵論에 관한 것이고, 나머지 7권은 화가에 관한 전기와 일화 및 그림에 대한 품평을 담았다. ≪사고전서간명목록·자부·예술류≫권12 참조.

155) 顧陸張吳(고륙장오) : 진晉나라 고개지顧愷之(341-402)와 남조南朝 유송劉宋 육탐미陸探微·양梁나라 장승요張僧繇·당나라 오도현吳道玄 등 네 명의 화가를 아우르는 말.

爲三史[157]."

○동백인은 수나라 때 사람으로 그림을 잘 그렸다. 그래서 ≪역대명화기歷代名畵記≫권2에서는 "(진晉나라) 고개지顧愷之·(남조南朝 유송劉宋) 육탐미陸探微·(양梁나라) 장승요張僧繇·(당나라) 오도현吳道玄이 정통 경전에 해당하고, (북조北朝 북제北齊) 양자화楊子華·(수나라) 정법사鄭法士·동백인董伯仁이 세 사서에 해당한다"고 하였다.

◇受業河汾(황하와 분수 일대에서 학업을 전수받다)

●董常, 河南人, 北面[158]王通, 受王佐之道, 備聞六經[159]之義.

○(수나라) 동상은 (하남성) 하남현 사람으로 왕통을 스승으로 모셔 왕을 보좌할 방도를 전수받고 육경의 본뜻을 두루 청강하였다.

◇上柱國(상주국)

●董晉, 字混成, 唐貞元[160]中, 拜相, 累陞上柱國[161], 封隴西郡開國[162]公. 四子皆善士. 長全道著作郎, 次溪祕書郎[163], 三全素太子舍人[164],

---

156) 楊鄭董(양정동) : 북조北朝 북제北齊 양자화楊子華와 수나라 정법사鄭法士·동백인董伯仁 등 세 명의 화가를 아우르는 말.

157) 三史(삼사) : 세 가지 사서를 아우르는 말. ≪사기≫ ≪한서≫ ≪후한서≫를 가리킨다는 설도 있고, ≪전국책戰國策≫ ≪사기≫ ≪한서≫를 가리킨다는 설도 있다. 여기서는 세 명의 화가를 비유적으로 가리킨다.

158) 北面(북면) : 북쪽을 향하다. 천자나 스승은 남향으로 앉고 신하나 제자는 북향으로 시립하기에 신하나 제자 노릇하는 것을 비유한다.

159) 六經(육경) : 유가儒家의 대표적인 경서經書인 ≪시경≫ ≪서경≫ ≪역경≫ ≪춘추경≫ ≪예기≫ ≪악기≫를 아우르는 말. 결국 경서를 총칭한다.

160) 貞元(정원) : 당唐 덕종德宗의 연호(785-805).

161) 上柱國(상주국) : 벼슬 이름. 전국시대 초楚나라 때는 수도를 경비하는 사령관이었고, 그 뒤로 총사령관에 해당하는 최고위 무관武官이었다가, 당나라 이후로는 훈관勳官의 칭호로 쓰였다. 혹은 국가의 중책을 맡은 대신大臣의 별칭으로도 쓰였다.

162) 開國(개국) : 진晉나라 이후로 작위 앞에 덧붙이던 일종의 존호.

163) 祕書郎(비서랑) : 위진魏晉 이래로 국가 도서의 수집·보관·필사에 관한 업무를 관장하는 비서성祕書省 소속의 관원을 이르는 말. 상관으로 비서감祕書監과 비서소감祕書少監·비서승祕書丞이 있다.

幼澥太常寺[165]太祝[166].

○동진(723-799)은 자가 혼성으로 당나라 (덕종) 정원(785-805) 연간에 재상을 배수받았다가 여러 관직을 거쳐 상주국에 오르고 (감숙성) 농서군의 개국공에 봉해졌다. 네 아들 모두 훌륭한 선비였다. 장남인 동전도董全道는 저작랑을 지냈고, 차남인 동계董溪는 비서랑을 지냈으며, 삼남인 동전소董全素는 태자사인을 지냈고, 막내인 동해董澥는 태상시 소속 태축을 지냈다.

◇盤龍衣(서린 용이 수놓아진 어의)

●董遵誨, 趙太祖[167]委以方面[168], 守通遠軍[169]. 十四年, 上解所服眞珠盤龍衣[170], 賜之.

○동준회(926-981)에게 (송나라) 태조太祖 조광윤趙匡胤은 한 지역의 군사 장관을 맡겨 (감숙성) 통원군을 진수케 하였다. 14년 뒤에 태조는 자신이 착용하던 진주가 장식되어 있고 서린 용이 수놓아진 어의를 벗어서 그에게 하사하였다.

---

164) 太子舍人(태자사인) : 태자궁太子宮 소속으로 여러 가지 잡무를 처리하는 벼슬 이름.

165) 太常寺(태상시) : 예악禮樂과 천문天文에 관련된 업무를 관장하는 기관을 이르는 말. 장관은 태상경太常卿이라고 하는데 구경九卿 가운데 서열이 가장 높았다.

166) 太祝(태축) : 제사와 기도를 주관하는 벼슬 이름. 은殷나라 때는 육태六太의 하나였고, 주周나라 때는 춘관春官의 속관이었으며, 진한秦漢 이후로는 태축령太祝令・태축승太祝丞을 두었는데 구경九卿의 수장인 태상경太常卿의 속관이었다.

167) 趙太祖(조태조) : 송나라 태조太祖 조광윤趙匡胤(927-976)을 가리킨다.

168) 方面(방면) : 한 지방의 영역이나 그곳을 관장하는 장관을 이르는 말.

169) 通遠軍(통원군) : 송나라 때 감숙성에 설치한 군사 행정 구역을 이르는 말. ≪송사・동준회전董遵誨傳≫권273에 의하면 동준회는 태조太祖 때 통원군사通遠軍使에 임명된 적이 있다.

170) 盤龍衣(반룡의) : 서린 용의 문양이 새겨진 옷. 즉 황제가 입는 어의御衣를 가리킨다.

◇董半夜(동반야)

●董儼・陳儀, 太宗朝爲三司使[171], 趙昌言爲樞副[172], 胡旦知制誥[173], 皆同年生[174]. 旦夕會飮樞第[175], 茶觴壺矢[176]未嘗虛日[177]. 夜歸, 金吾[178]候馬首聲喏[179]. 諺曰, "陳三更[180]・董半夜."

○(송나라) 동엄과 진의는 태종 때 삼사사를 맡고, 조창언은 추밀부사를 맡고, 호단은 지제고를 맡았는데, 모두가 같은 해에 과거시험에 급제한 동기생이었다. 아침 저녁으로 추밀부사의 저택에 모여 술을 마셨기에 찻잔이나 투호놀이용 화살을 빠뜨리는 날이 없었다. 또 밤에 돌아가려고 하면 금오장군 휘하의 관리가 말이 먼저 울음소리로 알리는지를 살피기도 하였다. 그래서 시중에는 "('삼경에야 귀가하는 진의'라는 의미의) 진삼경과 ('한밤중에 귀가하는 동엄'이란 의미의) 동반야"라는 말이 돌았다.

---

171) 三司使(삼사사) : 오대五代와 송나라 때 국가 재정과 밀접한 기관인 염철사鹽鐵使・호부사戶部使・탁지사度支使의 업무를 총괄하는 장관을 이르는 말. 신종神宗 때 관제官制를 개혁하면서 폐지되었다.

172) 樞副(추부) : 군사기밀을 관장하는 추밀원樞密院의 버금 장관인 추밀부사樞密副使의 약칭.

173) 知制誥(지제고) : 황명의 초안을 작성하는 일이나 그러한 업무를 관장하는 벼슬을 이르는 말.

174) 同年生(동년생) : 같은 해에 과거시험에서 합격한 동기생을 이르는 말.

175) 樞第(추제) : 추밀원 관원의 저택을 이르는 말. 여기서는 결국 추밀부사樞密副使 조창언趙昌言의 저택을 가리킨다.

176) 壺矢(호시) : 투호놀이에 사용하는 화살을 이르는 말.

177) 虛日(허일) : 날을 건너뛰다, 날마다 빠뜨리다.

178) 金吾(금오) : 궁궐의 경비와 순찰을 관장하는 금위군禁衛軍의 사령관인 금오장군金吾將軍, 금오위대장군金吾衛大將軍의 약칭. '오吾'가 '막다(衛)'라는 뜻이어서, 무기(金)를 들고 비상사태를 막는다(吾)는 의미에서 유래하였다. 다른 문헌에 의하면 뒤에 '이吏'자가 첨기되어 있는 것으로 보아 여기서는 금오장군 휘하의 속관을 가리킨다.

179) 聲喏(성야) : 소리쳐 대답하다.

180) 陳三更(진삼경) : 송나라 사람 진의陳儀의 별칭. 동엄董儼과 함께 친구인 조창언趙昌言의 집에 모여 밤늦게까지 담론을 나누었기에 각기 '진삼경'과 '동반야董半夜'라는 별명을 얻었다는 고사가 ≪송사・조창언전≫권267에 전한다. '삼경'은 밤 12시 전후 시간대를 가리키는 말이기에 뒤의 '반야'와 의미가 유사하다.

◇踏槐(홰나무 꽃잎을 밟다)

●董傳, 字至和, 有詩名, 嘗與東坡相從. 坡和其詩云[181], "麄繒大布[182]裹生涯, 腹有詩書氣自華. 厭伴老儒烹瓠葉[183],(劉昆[184]敎授以瓠葉爲俎豆[185]) 强隨擧子[186]踏槐花[187]. 囊空不辦尋春馬[188], 眼亂行看擇婿車. 得意猶堪誇世俗, 詔黃[189]新濕字如鴉." 韓魏公[190]知長安, 薦之而已卒.

○(송나라) 동전은 자가 지화로 시인으로서 명성을 떨치며 일찍이 동파東坡 소식蘇軾과 어울렸다. 소식은 그의 시에 화답하는 시를 지어 "거친 명주와 베로 짠 소박한 옷을 입은 채 생애를 보내면서도, 배에는 시서를 담았기에 기상이 절로 빛나시네. 늙은 서생과 마음껏 어울리느라 박잎을 끓이고,(후한 때 유곤 교수는 박잎을 제사 음식으로 삼

---

181) 云(운) : 이는 칠언율시七言律詩 <동전이 헤어지는 자리에서 남긴 시에 화답하다(和董傳留別)>를 인용한 것으로 송나라 소식蘇軾(1036-1101)의 ≪동파전집東坡全集≫권2에 전한다.

182) 麄繒大布(추증대포) : 거칠게 짠 명주와 베. 청렴한 삶이나 가난한 생활을 상징한다. '추麄'는 '추麤'의 이체자異體字.

183) 瓠葉(호엽) : 제사나 식용에 쓰이던 박잎. ≪시경·소아小雅≫의 한 편명에서 유래한 말로 인색한 마음 때문에 예법을 망치지 않는 것을 상징한다.

184) 劉昆(유곤) : 후한 광무제光武帝 때 사람. 경학에 정통하였고, 하남성 홍농태수弘農太守와 광록경光祿卿 등을 역임하였다. ≪후한서·유곤전≫권109 참조.

185) 俎豆(조두) : 희생을 놓는 그릇과 절인 채소를 놓는 그릇. 제사에 사용하는 제기祭器를 뜻한다. 의미가 전이되어 예법禮法과 의식儀式을 뜻하기도 한다.

186) 擧子(거자) : 지방에서 추천을 받아 과거시험에 응시하는 사람을 일컫는 말. '거인擧人'이라고도 한다.

187) 槐花(괴화) : 홰나무 꽃. 홰나무는 삼공三公을 상징하는 나무이므로 재상과 같은 고관이나 조정을 비유적으로 가리킨다. "홰나무 꽃이 노랗게 물들면 과거시험 응시생들이 바빠진다(槐花黃, 擧子忙)"는 고대 속담이 송나라 계민부計敏夫의 ≪당시기사唐詩紀事≫권63에 전한다.

188) 春馬(춘마) : 봄에 타는 말. 봄철 과거시험 때 말을 타고 상경하는 과거시험 응시생을 비유적으로 가리킨다.

189) 詔黃(조황) : 황명이 적힌 황마지黃麻紙. 결국 조서詔書를 가리킨다.

190) 韓魏公(한위공) : 송나라 사람 한기韓琦(1008-1075)에 대한 존칭. 추밀부사樞密副使·동중서문하평장사同中書門下平章事를 역임하며 범중엄范仲淹(989-1052)과 함께 이름을 날렸으나, 왕안석王安石(1021-1086)과 대립하여 관직에서 물러났다. 위국공魏國公에 봉해졌다. 저서로 ≪안양집安陽集≫ 50권이 전한다. ≪송사·한기전≫권312 참조.

은 일이 있다) 어쩔 수 없이 과거시험 응시생들을 따라 홰나무 꽃잎을 밟으시네. 주머니 텅 빈 채 준비 없이 봄철 말을 찾아 나서서, 눈어질어질한 가운데 길에서 사위 고르는 수레를 구경하시지만, 득의한 심경으로 여전히 세인들에게 자랑하는 것은, 황명이 적힌 황마지에 새로 먹물로 적신 글자가 까마귀처럼 까맣기 때문이라네"라고 하였다. 위국공魏國公 한기韓琦가 (섬서성) 장안부의 지부사를 맡으면서 그를 천거하였으나 이미 사망한 뒤였다.

◇攜妻去官(아내의 손을 잡고 관직을 그만두다)

●董鉞, 字義夫, 自梓漕[191]得罪, 歸鄱陽[192], 遇東坡於齊安[193]曰, "吾再娶柳氏, 三日而去官. 吾固不戚戚[194]而憂, 柳氏亦欣然, 同憂患, 處富貴, 是難能也." 令家僮歌其所作滿江紅[195], 坡次其韻, 結句云[196], "便相將, 右手把琴書, 雲間宿." 蓋用樂天[197]'左手引妻子, 右手把琴書'句[198]也.

○동월은 자가 의부로 (사천성) 재주梓州의 전운사轉運使를 지내다가 죄를 짓고서 (강서성) 파양현으로 돌아가던 길에 (호북성) 제안현에서 동파東坡 소식蘇軾을 만나자 말했다. "저는 유씨와 재혼하고서

---

191) 漕(조) : 송나라 때 수로를 통한 군량의 수송과 교통을 관장하던 관원을 이르는 말. '조사漕使' '조신漕臣'의 약칭이자 전운사轉運使의 별칭. 따라서 '재조梓漕'는 사천성 재주梓州 일대의 군량 운송을 관장하는 전운사를 가리킨다.

192) 鄱陽(파양) : 강서성의 속현屬縣 이름.

193) 齊安(제안) : 호북성의 속현 이름.

194) 戚戚(척척) : 슬픈 모양, 우울한 모양. '척戚'은 '척慽'과 통용자.

195) 滿江紅(만강홍) : 전단前段 8구와 후단後段 10구의 쌍조雙調로 이루어진 사패詞牌 이름.

196) 云(운) : 이는 송나라 소식蘇軾(1036-1101)의 ≪동파사東坡詞≫에 전한다.

197) 樂天(낙천) : 당나라 시인 백거이白居易(772-846)의 자. 호는 향산거사香山居士. 한림학사翰林學士·형부상서刑部尙書를 지냈고, 시로 이름을 떨쳐 원진元稹(779-831)과 함께 '원백元白'이라 불렸으며, 유우석劉禹錫(772-842)과 함께 '유백劉白'으로도 불렸다. 저서로 ≪백씨장경집白氏長慶集≫ 71권이 전한다. ≪신당서·백거이전≫권119 참조.

198) 句(구) : 이는 <초당에서 쓴 글(草堂記)>에서 두 구절을 인용한 것으로 ≪백씨장경집≫권43에 전한다.

사흘만에 관직을 그만두었습니다. 저는 물론 우울한 일이 없었고 유씨도 흔쾌한 심경으로 우환을 함께 나눴지만 부귀를 누린다는 것은 어려운 일이더군요.” 그러더니 하인에게 자신이 지은 <만강홍>을 부르게 하였다. 그러자 소식이 그 압운자를 차운하여 마지막 구절에서 “이에 서로 북돋우며 오른손에 금과 서책을 들고 구름 속에서 잠을 자네”라고 하였는데, 이는 아마도 (당나라) 낙천樂天 백거이白居易의 ‘왼손으로 처자식을 이끌고, 오른손에 금과 서책을 들었다’는 구절을 활용한 것인 듯하다.

●董賢[199], 漢哀帝倖臣. 嘗晝寢, 偏藉上袖, 上斷袖而起.

○동현(B.C.23-B.C.1)은 전한 애제 때 총신이다. 일찍이 낮잠을 자면서 애제의 한쪽 소매를 베자 애제가 (동현을 깨우지 않으려고) 소매를 자르고서 몸을 일으킨 일이 있다.

●董陽三世同居. 詔榜曰, ‘篤行董氏之閭.’(南史[200])

○(남조南朝 유송劉宋 때 사람) 동양은 세 세대가 함께 살았다. 그래서 ‘품행이 독실한 동씨 가문’이란 방문을 달라는 조서가 내려졌다. (≪남사・효의열전孝義列傳・동양전≫권73)

●董方九擧不第, 號白臘[201]明經. 時以張鶩靑錢[202]學士爲對.

---

199) 董賢(동현) : 전한 애제哀帝 때의 총신寵臣(B.C.23-B.C.1). 애제와 침식을 같이 할 정도로 총애를 받았으나 왕망王莽(B.C.45-A.D.23)이 집권한 뒤에 쫓겨나 자살하였다. ≪한서・동현전≫권93 참조.

200) 南史(남사) : 당나라 이연수李延壽가 남조南朝의 유송劉宋부터 진陳나라 말까지 도합 170년의 역사를 간략하게 정리하여 서술한 사서史書. 총 80권. 기존의 ≪송서宋書≫ 등의 내용을 보완한 것은 적고 삭제한 것이 많아 ≪북사北史≫보다는 못 하다는 평을 받는다. ≪사고전서간명목록・사부・정사류正史類≫권5 참조.

201) 白臘(백랍) : 정제한 깨끗한 밀랍을 이르는 말. 과거시험에 번번이 낙방하는 것을 비유하는 말로, 백랍이 미끄러워 물건이 잘 붙지 않는 데서 유래하였다. ‘납臘’은 ‘납蠟’으로도 쓴다.

202) 靑錢(청전) : 청동으로 만든 순도가 높은 돈을 이르는 말인 ‘청동전靑銅錢’의 준말.

○(당나라 때) 동방은 아홉 번이나 과거시험에 응시했으나 계속 낙방하여 ('명경과에 번번이 낙방한다'는 의미에서) '백랍명경'으로 불렸다. 그래서 당시 사람들이 장작은 ('청동전처럼 순수한 학사'라는 의미에서) '청전학사'라는 말로 대구를 지어 주었다.

●董敦逸, 宋徽宗朝, 爲諫議大夫[203], 極言蔡卞[204]過惡.
○동돈일은 송나라 휘종 때 간의대부를 맡아 채변의 악행에 대해 서슴없이 간언하였다.

※女德婚姻(여덕과 혼인)

◇束髻守節(상투를 묶고서 절조를 지키다)

●董氏, 賈直言妻也. 賈坐事貶嶺南, 與妻訣曰, "生死不可期, 吾去, 可亟嫁." 妻不答, 以繩束髻, 封以帛, 使直言署之曰, "非君手不解." 直言貶二十年, 方還, 署帛宛然.
○(당나라 때 여인) 동씨는 가직언의 아내이다. 가직언은 모종의 사건에 연루되어 (광동성·광서성 일대인) 영남으로 폄적당하자 아내와 헤어지며 말했다. "생사를 기약할 수 없으니 내가 떠나거든 바로 재가하도록 하시오." 아내는 아무런 대답을 하지 않은 채 새끼줄로 상투를 묶고 비단으로 감싼 뒤 가직언에게 "당신 손이 아니면 풀지 않겠습니다"라는 문구를 거기에 적게 하였다. 가직언이 20년 동안 폄적생활을 하다가 비로소 돌아와 보니 비단에 적힌 글씨가 예전 그대로였다.

---

203) 諫議大夫(간의대부) : 한나라 이래로 임금에게 간언하는 일을 관장하던 벼슬. 당나라 때는 문하성門下省 소속이었으나 송나라 때는 좌·우간의대부를 설치하여 좌간의대부左諫議大夫는 문하성에 소속시키고, 우간의대부右諫議大夫는 중서성中書省에 소속시켰다.

204) 蔡卞(채변) : 송나라 사람. 자는 원도元度. 채경蔡京(1047-1126)의 동생이자 왕안석王安石(1021-1086)의 사위로 상서좌승尙書左丞·지추밀원사知樞密院事 등 고관을 역임하였다. ≪송사·간신열전·채변전≫권472 참조.

◇奏雲和(운화산의 대나무로 만든 피리를 불다)

●董雙成, 王母[205]侍女也. 王母降武帝殿, 命侍女王子登彈八琅之璈[206], 雙成吹雲和[207]之笛, 許飛瓊鼓靈虛[208]之簧, 安法興歌玄靈[209]之曲.(又見何姓)

○동쌍성은 서왕모西王母의 시녀이다. 서왕모가 (전한) 무제의 궁전에 강림했을 때 시녀인 왕자등에게는 아름다운 운오를 연주케 하고, 동쌍성에게는 운화산의 대나무로 만든 피리를 불게 하고, 허비경에게는 영허산의 대나무로 만든 생황을 불게 하고, 안법흥에게는 신선세계의 노래를 부르게 하였다.(관련 내용이 앞의 '하'씨절 '옥루십이玉樓十二'항에도 보인다)

◇奏曲西幄(서쪽 장막에서 곡을 연주하다)

●董嬌娘, 仙女也. 武夷君[210]會鄕人於幔亭峰上, 嬌娘與謝英妃・呂荷香・黃次姑・朱小娥・羅妙容等西幄奏賓雲右仙[211]之曲.

○동교낭은 선녀이다. (무이산의 신선인) 무이군이 만정봉 위에 고을 사람들을 모이게 하자 동교낭이 (선녀인) 사영비・여하향・황차고・주소아・나묘용 등과 함께 서쪽 장막에서 '운빈우선'이란 곡을 연주하였다.

---

205) 王母(왕모) : 중국 전설에 나오는 불로장생不老長生을 상징하는 신녀神女 이름인 서왕모西王母의 약칭. 여신선들을 총괄하는 일을 관장하였다.

206) 八琅之璈(팔랑지오) : 서왕모西王母가 만들었다는 상상 속의 악기 이름. 후한 반고班固(32-92)가 지었다는 ≪한무제내전漢武帝內傳≫의 고사에서 유래하였다. '오璈'는 두께가 서로 다른 작은 징 열 개를 나무틀에 매달고 나무망치로 쳐서 소리를 내는 타악기의 일종인 '운오雲璈'의 준말로 '운라雲鑼' '구운라九雲鑼' '구음라九音鑼'라고도 한다.

207) 雲和(운화) : 금슬琴瑟 같은 악기의 재료가 생산된다는 산 이름.

208) 靈虛(영허) : 신선이 산다는 산 이름. 전한 때 도사 정영위丁令威가 득도하여 신선이 되었다는 고사로 유명하다.

209) 玄靈(현령) : 신령이나 신선을 이르는 말.

210) 武夷君(무이군) : 도서道書에서 '제16동천洞天'이라고 부르는 복건성 무이산을 관장하는 전설상의 신선 이름.

211) 賓雲右仙(빈운우선) : 신선 세계의 음악 이름. '구름을 손님으로 모시고 신선을 우대하다'란 의미에서 유래하였다.

◇織女爲婚(직녀가 혼인을 맺다)

●董永, 後漢人, 家貧傭力, 父死, 就主人, 貸錢一萬以葬. 道遇一婦人, 求爲永妻. 永與俱詣主人, 令織縑三百疋以償. 一月而畢, 辭永而去, 乃曰, "我天之織女, 緣君至孝, 天帝令我助君償債." 言訖, 凌雲而去.

○동영은 후한 때 사람으로 집이 가난하여 품삯을 팔아서 먹고 살다가 부친이 죽자 주인을 찾아가 돈 만 냥을 빌려서 장례를 치렀다. 도중에 한 아낙을 만났는데 동영의 아내가 되고 싶다고 하였다. 동영이 그녀와 함께 주인을 찾아가자 그들 부부에게 비단 3백 필을 짜서 빚을 갚으라고 하였다. 한 달만에 다 마치자 동영에게 작별인사를 올리고는 떠나며 말했다. "저는 하늘에 사는 직녀이온대 당신이 지극히 효성스러워 천제께서 저에게 당신이 빚을 갚을 수 있도록 도우라고 하셨습니다." 말을 마치자 구름을 타고 사라졌다.

●董祀娶蔡邕[212]女.

○(후한) 동사는 채옹의 딸에게 장가들었다.

●董溪女嫁新及第人陸暢[213].

○(당나라 때) 동계의 딸은 막 과거시험에 급제한 사람인 육창에게 시집갔다.

●晁董[214]. 賈董[215].

○(전한) 조조晁錯(B.C.200-B.C.154)와 동중서董仲舒(B.C.179-B.C.1

---

212) 蔡邕(채옹) : 후한 말엽 사람(133-192). 자는 백개伯喈. 경학과 천문에 정통하였으나, 동탁董卓(?-192)의 휘하에서 제주祭酒와 좌중랑장左中郎將을 역임하다가 왕윤王允(137-192)에게 잡혀 죽임을 당했다. 저서로 ≪채중랑집蔡中郎集≫ 6권이 전한다. ≪후한서·채옹전≫권90 참조.

213) 陸暢(육창) : 당나라 사람. 자는 달부達夫. 덕종德宗 때 진사과에 급제하여 섬서성 봉상소윤鳳翔少尹을 지냈다. ≪전당시全唐詩·육창≫권478 참조.

214) 晁董(조동) : 전한 때 문장가인 조조晁錯(B.C.200-B.C.154)와 동중서董仲舒(B.C.179-B.C.104)를 아우르는 말.

215) 賈董(가동) : 전한 때 문장가인 가의賈誼(B.C.201-B.C.169)와 동중서董仲舒(B.C.179-B.C.104)를 아우르는 말.

04). (전한) 가의賈誼(B.C.201-B.C.169)와 동중서董仲舒(B.C.179-B.C.104).

◆鞏(공씨)

▶宮音. 山陽. 周卿士[216]鞏簡公之後.

▷음은 궁음에 속하고 본관은 (하남성) 산양현으로 주나라 때 경사인 공간공의 후손이다.

●鞏朔, 晉大夫, 宣十二年, 行成[217]於鄭. 成二年, 獻捷于周.

○공삭은 (춘추시대 때) 진나라의 대부로 (노魯나라) 선공宣公 12년(B.C.597)에는 정나라와 강화조약을 맺었고, 성공成公 2년(B.C.589)에는 주나라에 승전보를 바쳤다.

●鞏伋爲漢侍中, 秉忠正之節.

○공급은 한나라 때 시중을 지내면서 충성스런 절조를 고수하였다.

●鞏嶸, 宋孝宗朝, 提點[218]坑冶[219], 定鑄額十五萬緡.

○공영은 송나라 효종 때 채광과 제련 업무를 관장하면서 15만 꿰미에 달하는 금액을 주조하기로 결정한 일이 있다.

●鞏湘, 宋淳熙[220]中, 知廣州, 除龍圖閣[221]待制.

---

216) 卿士(경사) : 천자의 정사를 집행하는 고위 관료를 이르는 말. 공경사대부公卿士大夫의 준말을 가리킬 때도 있다.
217) 行成(행성) : 강화하다, 화친을 맺다.
218) 提點(제점) : 관아의 업무를 지도하고 지적하는 일이나 그러한 벼슬을 이르는 말.
219) 坑冶(갱야) : 채광과 제련 과정을 이르는 말. 혹은 매장된 광물을 가리키기도 한다.
220) 淳熙(순희) : 남송南宋 효종孝宗의 연호(1174-1189).
221) 龍圖閣(용도각) : 송나라 때 자정전資政殿과 술고전述古殿 사이에 있었던 장서각藏書閣 이름으로 태종太宗의 서예와 문집 및 여러 전적과 그림·보물 등을 소장하였다. 송나라 때는 황제가 사망하고 나면 유작과 유품을 소장하는 장서각을 마련하고, 이를 관장하는 관원으로 학사學士·직학사直學士·대제待

○공상은 송나라 (효종) 순희(1174-1189) 연간에 (광동성) 광주지주사를 지내다가 용도각대제를 제수받았다.

●竇鞏.(詩人) 膠鞏[222].

○(당나라 사람) 두공.(시인이다) 아교와 가죽끈.

□三講(3강)

◆項(항씨)

▶商音. 遼西. 本姬姓國, 齊桓滅項, 子孫以國爲氏. 春秋時有項橐, 七歲而爲孔子師.

▷음은 상음에 속하고 본관은 (요녕성) 요서군이다. 본래는 '희'씨 성의 나라였으나 (춘추시대 때) 제나라가 항나라를 멸망시키자 자손들이 나라 이름을 성씨로 삼은 것이다. 춘추시대 때 항탁이란 사람은 고작 일곱 살의 나이로 공자의 스승이 되었다.

◇力扛鼎(세발솥을 들어올릴 정도로 힘이 세다)

●項燕世爲楚將. 燕子梁. 梁從子籍, 字羽, 力能扛鼎. 秦末起兵, 吳中自立, 爲西楚霸王. 後敗, 垓下[223]歌曰, "力拔山兮氣蓋世, 時不利兮騅[224]不逝. 騅不逝兮可奈何? 虞[225]兮虞兮奈若[226]何?"

○항연은 대를 이어 (전국시대 때) 초나라에서 장수를 지냈다. 항연의 아들은 항양項梁이고, 항양의 조카 항적項籍(B.C.232-B.C.202)은

制를 배치하는 관례가 있었다. 태종太宗의 용도각龍圖閣, 진종眞宗의 천장각天章閣, 인종仁宗의 보문각寶文閣, 신종神宗의 현모각顯謨閣, 철종哲宗의 휘유각徽猷閣, 휘종徽宗의 부문각敷文閣, 고종高宗의 환장각煥章閣, 효종孝宗의 화문각華文閣, 광종光宗의 보모각寶謨閣, 영종寧宗의 보장각寶章閣, 이종理宗의 현문각顯文閣 등이 그러한 예이다. ≪송사・직관지職官志≫권162 참조.

222) 膠鞏(교공) : 아교와 가죽끈. 견고하고 긴밀한 관계나 운명 따위를 비유한다.

223) 垓下(해하) : 지명. 지금의 안휘성 영벽현靈壁縣 남동쪽 일대. '해하陔下'로도 쓴다.

224) 騅(추) : 항우項羽(항적項籍 B.C.232-B.C.202)가 타던 준마 이름.

225) 虞(우) : 항우項羽의 부인 이름. 보통 '우미인'虞美人'이라고 칭하였다.

226) 若(약) : 2인칭 대명사. 너.

자가 '우羽'로서 세발솥을 들어올릴 정도로 힘이 셌다. 진나라 말엽에 군대를 일으켜 오 땅에서 자립하고는 '서초패왕'이라고 하였다. 뒤에 전쟁에서 패하자 (안휘성) 해하에서 다음과 같은 노래를 지었다. "힘은 산을 뽑고 기개는 세상을 뒤덮었건만, 때가 불리하여 추가 나가지를 않는구나. 추가 나가지 않으니 어이할꼬? 우야! 우야! 너를 어이할꼬?"

◇鴻門翼蔽(홍문에서 몸으로 막다)

●項伯, 羽季父也. 沛公[227]見羽鴻門[228], 伯爲之先容[229]. 後項莊拔劍起舞, 欲擊沛公於坐, 伯以身翼蔽, 沛公得免. 高祖卽位, 封伯爲列侯[230], 賜姓劉氏.

○항백(?-B.C.192)은 항우項羽(항적項籍 B.C.232-B.C.202)의 계부이다. 패공(유방劉邦)이 (섬서성) 홍문에서 항우를 알현할 때 항백이 소개를 시켜 주었다. 뒤에 (항우의 종제인) 항장이 검을 뽑아들고 일어나 춤을 추면서 자리에서 패공을 공격하려고 하자 항백이 몸으로 막아 패공이 화를 면할 수 있었다. (전한) 고조(유방)가 즉위하자 항백을 열후에 봉하고 '유'씨 성을 하사하였다.

◇飮水投錢(말에게 물을 먹이며 금전을 던지다)

●項仲山飮馬渭水, 每投三錢[231]. 郝廉[232]亦然.

---

227) 沛公(패공) : 전한 고조高祖 유방劉邦(B.C.247-B.C.195)의 별칭. 유방이 강소성 패현沛縣에서 군대를 일으켰을 때 군중이 그를 옹립하여 부르던 칭호이다.

228) 鴻門(홍문) : 진秦나라 때 땅 이름. 지금의 섬서성 임동현臨潼縣 동쪽 일대.

229) 先容(선용) : 원래는 갑옷을 만들기 위해 먼저 인형을 만드는 것을 뜻하는 말로 중간에서 소개하거나 추천하는 것을 비유한다.

230) 列侯(열후) : 진한秦漢 때 종실 사람을 봉한 제후諸侯와 구분하기 위해 외척이나 이성異姓의 공신을 봉한 작위를 일컫던 말이나 뒤에는 제후와 별 구분없이 사용되었다.

231) 三錢(삼전) : 황금黃金과 백금白金·적금赤金으로 주조한 세 종류의 금전을 아우르는 말.

232) 郝廉(학염) : 송나라 이방李昉(925-996)의 ≪태평어람太平御覽·인사부人事部67·청렴하淸廉下≫권426에 인용된 ≪풍속통風俗通≫에는 '황자렴黃子廉'이

○(전한 사람) 항중산은 위수에서 말에게 물을 먹일 때마다 (청렴성을 드러내기 위해) 세 종류의 금전을 강물에 던졌다. 그러자 학렴도 이를 따라하였다.

◇逢人說項(사람들을 만나면 항사 얘기를 하다)

●項斯, 唐詩人. 楊祭酒[233]詩[234]云, "幾度見君詩盡好, 及觀標格過於詩. 平生不解藏人善, 到處逢人說項斯." 由此知名.(詩話[235])

○항사는 당나라 때 시인이다. 국자제주國子祭酒 양경지楊敬之가 시에서 "몇 차례 그대를 만났는데 시가 언제나 좋았지만, 풍도를 보면 시보다도 더 훌륭합니다. 평생 남의 장점을 감출 줄 몰랐기에, 가는 곳마다 사람들을 만나면 항사 얘기를 한답니다"라고 하였다. 이 때문에 이름이 널리 알려졌다.(≪고금시화古今詩話≫)

◇黨人(같은 당파 사람)

●項安世, 宋寧宗朝, 與徐誼・劉光祖・陳傅良等皆黨人[236]也.

란 인물이 등장하는 것으로 보아 전래 과정에서 변화가 있는 듯하다.

233) 祭酒(제주) : 국가의 교육을 총괄하고 제사를 주재하는 기관인 국자감國子監의 장관 이름. 시대마다 차이가 있어 유림제주儒林祭酒・성균제주成均祭酒・국자제주國子祭酒・대사성大司成 등 다양한 명칭으로 불렸다. '양제주'는 당나라 문종文宗 때 국자제주를 지낸 양경지楊敬之를 가리킨다. 양경지는 자가 무효茂孝로 당나라 헌종憲宗 원화元和(806-820) 때 진사에 급제하여 둔전낭중屯田郎中과 호부낭중戶部郎中을 역임하다가 이종민李宗閔의 당적에 연루되어 연주자사連州刺史로 폄적당한 적이 있다. ≪전당시全唐詩・양경지≫권479 참조.

234) 詩(시) : 이는 칠언절구七言絶句 <항사에게 주다(贈項斯)>를 인용한 것으로 송나라 홍매洪邁가 엮은 ≪만수당인절구萬首唐人絶句≫권51에 전한다.

235) 詩話(시화) : 시에 관한 평론이나 일화를 담은 책. 송나라 위경지魏慶之의 ≪시인옥설詩人玉屑≫권10에 의하면 여기서는 오래 전에 실전된 송나라 이기李頎의 ≪고금시화古今詩話≫를 가리킨다.

236) 黨人(당인) : 정치적 견해를 같이 하는 붕당朋黨을 이르는 말. 후한 말엽에 환관들이 이응李膺(?-169)・두밀杜密(?-169) 등을 당인으로 몰아 하옥시킨 당고黨錮 사건이나, 송나라 휘종徽宗 때 왕안석王安石(1021-1086)을 추종한 채경蔡京(1047-1126) 등이 신법新法을 반대한 사마광司馬光(1019-1086) 등 309명을 '원우당인元祐黨人'이라고 하여 그 죄상을 적어서 단례문端禮門에 비석을 세운 사건 등이 유명하다.

○항안세(?-1208)는 송나라 영종 때 서의·유광조·진부량 등과 함께 같은 당파 사람들이었다.

●背項相望[237].

○오가는 사람들이 끊임없이 이어지다.

□四紙(4지)

◆李(이씨)

▶徵音. 隴西. 堯時皐陶[238]爲理官[239], 子孫以理爲氏, 殷末有理微, 改爲李. 唐太宗賜徐世勣姓李, 昭宗賜朱邪[240]赤心姓李, 南唐賜奚廷珪[241]姓李, 各有譜系.

▷음은 치음에 속하고 본관은 (감숙성) 농서군이다. (당唐나라) 요왕 때 고요가 이관(법관)을 맡자 자손들이 '이理'를 성씨로 삼았다가 은나라 말엽에 이미라는 사람이 '이李'로 개성한 것이다. 당나라 태종은 서세적에게 이씨 성을 하사하였고, 소종은 (서돌궐의 추장인) 주야 적심에게 이씨 성을 하사하였으며, (오대십국) 남당은 해정규에게 이씨 성을 하사하였기에 각기 별도의 족보가 있다.

◇紫氣浮關(자색 기운이 함곡관에 떠오르다)

●老子, 名耳, 字伯陽, 謚曰聃. 母懷之, 八十一歲乃生, 從母左腋而出, 指李爲姓. 周武王時, 爲柱下史[242]. 所出度世[243]之法, 九丹[244]·八

---

237) 背項相望(배항상망) : 등과 목을 서로 바라보다. 오가는 사람들이 끊임없이 이어지는 것을 비유한다.

238) 皐陶(고요) : 우虞나라 순왕舜王 때 형벌을 관장하던 장관의 이름. 당唐나라 요왕堯王의 이복동생이라는 설이 있다.

239) 理官(이관) : 송사訟事를 취급하는 관리에 대한 총칭. 결국 법관을 가리킨다.

240) 朱邪(주야) : 당나라 때 서돌궐의 부족장部族長을 이르는 말. 대대로 사타沙陀에 살다가 당나라에 귀속되면서 이李씨 성을 하사받았다. 오대五代 후당後唐의 장종莊宗 이존욱李存勗이 그 후손이다.

241) 奚廷珪(해정규) : 오대십국五代十國 남당南唐 때 먹을 잘 만들었던 장인匠人. '이'씨 성을 하사받았다고 전한다.

242) 柱下史(주하사) : 주周나라 때 어사御史에 해당하던 벼슬 이름. 늘 임금이 머무는 전각의 기둥 아래 시립한 데서 유래하였다.

石[245)]·玉醴[246)]·金液[247)], 治心養性, 絶粒變化, 役使鬼神, 談道德[248)]五千言. 嘗乘靑牛[249)]薄板車, 徐甲[250)]爲御, 度函谷關[251)], 關吏尹喜[252)]先望見紫氣而知之, 乃授以長生之術.

○노자는 본명이 '이'이고 자가 '백양'이며 시호가 '담'이다. 모친이 임신한 지 81년이 지나서야 비로소 태어났는데, 모친의 왼쪽 겨드랑이로 나오면서 자두나무를 가리켜 이를 성씨로 삼았다. 주나라 무왕 때 주하사를 지냈다. 그가 제시한 신선이 되는 방법은 구단·팔석·옥례·금액과 마음을 다스리고 본성을 키우며 곡식을 끊어 변신을 하고 귀신을 부리는 것으로 ≪도덕경≫ 5천 자를 지었다. 일찍이 청우가 끄는 얇은 판자로 만든 수레에 올라타자 서갑이 마부가 되어 함곡관을 넘었는데, 함곡관을 관장하던 관리인 윤희가 먼저 멀리서 자색 기운을 보고서는 그를 알아보았기에 장생의 비법을 그에게 전수하였다.

---

243) 度世(도세) : 속세를 벗어나서 신선이 되는 것을 뜻하는 말.

244) 九丹(구단) : 복용하면 신선이 될 수 있다는 단화丹華·신부神符·신단神丹·환단還丹·이단飴丹·연단煉丹·유단柔丹·복단伏丹·색단塞丹 등 아홉 가지 단약丹藥을 아우르는 말.

245) 八石(팔석) : 단약을 만드는 데 사용하는 주사朱砂·웅황雄黃·자황雌黃·운모雲母·공청空靑·유황硫黃·융염戎鹽·초석硝石 등 여덟 가지 광물을 아우르는 말.

246) 玉醴(옥례) : 마시면 신선이 된다는 전설상의 술 이름.

247) 金液(금액) : 마시면 신선이 된다는 전설상의 선약. 맛 좋은 술을 비유할 때도 있다.

248) 道德(도덕) : ≪노자老子≫의 별칭인 ≪노자도덕경老子道德經≫의 준말. ≪노자≫가 도편道篇과 덕편德篇으로 구성된 데서 유래하였다.

249) 靑牛(청우) : 푸른 빛이 도는 검은 소. 신선이나 도사가 탔다고 한다.

250) 徐甲(서갑) : 노자의 마부. 가공의 인물이기에 실명 대신 '갑을병정'의 '갑甲'으로 표기한 듯하다.

251) 函谷關(함곡관) : 섬서성과 하남성의 경계에 있는 관문 이름.

252) 尹喜(윤희) : 전국시대 진秦나라 사람. 자는 공도公度이고 호는 문시선생文始先生. 함곡관函谷關의 관령關令을 지내다가 노자老子에게 ≪도덕경道德經≫을 전수받았고, 뒤에 ≪관윤자關尹子≫를 지었다고 한다. ≪사고전서간명목록·자부·도가류≫권14 '관윤자'항 참조.

◇立犀(물소를 세우다)

●李氷仕秦, 爲蜀守. 蜀多水災, 氷立三石犀, 沈之江浦, 水患以息. 宋子京[253]文翁[254]祠碑云[255], "蜀廟食千五百年而不絶者, 秦李氷·漢文翁而已."

○이빙은 진나라에서 벼슬길에 올라 (사천성) 촉군태수를 지냈다. 촉군에서는 수재가 많이 일어났지만 이빙이 돌로 된 물소를 세 개 만들어 강가에 가라앉히자 수재가 종식되었다. (송나라) 자경子京 송기宋祁는 <문옹의 사당에 쓴 비문>에서 "촉군 사당에서 1천5백 년 동안 제사 음식을 먹으면서 끊기지 않은 사람은 진나라 이빙과 전한 문옹뿐이다"라고 하였다.

◇控龍乘鶴(용을 몰고 학을 타다)

●李少君, 字雲翼, 入泰山, 採藥. 病困, 遇安期生[256], 以神樓散[257]一匕與服而愈. 乃上言於漢武曰, "臣能凝汞成白銀, 化丹沙成黃金, 控飛龍而八遐[258]徧, 乘白鶴而九垓[259]同[260]. 冥海[261]之棗如瓜, 鍾山[262]之

---

253) 宋子京(송자경) : 송나라 때 사람 송기宋祁(998-1061). '자경'은 자. 시호는 경문景文. 송상宋庠(996-1066)의 동생으로 구양수歐陽修(1007-1072)와 함께 ≪신당서≫ 편찬에 참여하였다. 저서로 ≪경문집景文集≫ 62권 등이 전한다. ≪송사·송기전≫권284 참조.

254) 文翁(문옹) : 전한 경제景帝 때 사람. 사천성 촉군태수蜀郡太守에 배수拜授되어 성도成都에 학관學館을 설치함으로써 문풍文風을 일으키고 교화를 실행하여 양리良吏로 칭송을 받았다. ≪한서·문옹전≫권87 참조.

255) 云(운) : 이 비문은 현전하는 ≪경문집≫에 실리지 않았고, 다른 문헌에서도 발견되지 않는 것으로 보아 실전된 듯하다.

256) 安期生(안기생) : 진한秦漢 때 도사. 산동성 낭야현瑯琊縣 사람으로 하상장인河上丈人에게서 황로학黃老學을 배워 동해 가에서 약을 팔았다. 진나라 시황제가 동쪽을 순수할 때 시종했다고도 하고, 괴통蒯通과 절친했다고도 하며, 바다의 신선이 되었다고도 한다. 그에 관한 전기는 전한 유향劉向(약B.C.77-B.C.6)의 ≪열선전列仙傳≫권상에 전한다.

257) 神樓散(신루산) : 복용하면 신선이 될 수 있다는 전설상의 가루 선약仙藥.

258) 八遐(팔하) : 팔방, 아주 먼 곳, 천하. '팔굉八紘'이라고도 한다.

259) 九垓(구해) : 중앙에서 팔방의 끝에까지 이르는 모든 땅. '구주九州' '구해九陔' '구해九畡'라고도 한다.

260) 同(동) : 위의 예문과 유사한 내용이 ≪한무제내전漢武帝內傳≫에도 전하는데, 이에 의하면 '주周'의 오기이다. 자형의 유사성으로 인한 필사 과정상의 단

李如瓶, 臣皆得而食之, 遂生奇花." 上尊禮之.

○이소군은 자가 운익으로 (산동성) 태산에 들어가 약초를 캤다. 병에 걸렸을 때 안기생을 만나자 그가 신루산 한 숟가락을 그에게 복용하라고 주어 병이 치유되었다. 그러자 전한 무제에게 "신은 수은을 뭉쳐 백은으로 만들고, 단사를 변화시켜 황금으로 만들고, 비룡을 몰고서 팔방을 두루 돌아다니고, 백학을 타고서 천하를 주유할 수 있나이다. 명해의 대추는 크기가 참외만하고 종산의 자두는 크기가 항아리만한데 신이 그것을 먹으면 기이한 꽃이 자라납니다"라고 아뢰었다. 그래서 무제가 그를 예우해 주었다.

◇飛將軍(날랜 장군)

●李廣, 隴西成紀263)人, 材氣天下無雙. 文帝曰, "惜廣不逢時, 令當高祖世, 萬戶侯264)何足道哉?" 武帝朝, 拜右北平太守. 匈奴265)號之曰, '漢之飛將軍.' 嘗謂王朔曰, "諸妄校尉266)以下(妄猶凡也), 以軍功取侯者數十人. 廣終無尺寸功, 豈吾相不當侯耶?" 後從衛青出塞, 上以廣數奇267), 不令當單于268), 乃令廣出東道, 失利自刭. 子當戶, 孫陵.

○(전한) 이광(?-B.C.119)은 (감숙성) 농서군 성기현 사람으로 재능이 천하무적이었다. 그래서 문제는 "애석하게도 그대가 때를 만나지 못

순 오기로 보인다.

261) 冥海(명해) : 동해 밖에 있다는 전설상의 바다 이름.

262) 鍾山(종산) : 신선이 산다는 전설상의 산인 곤륜산崑崙山의 별칭. 강소성 남경南京에 있는 실제 산을 가리킬 때도 있다.

263) 成紀(성기) : 감숙성 농서군의 속현屬縣 이름.

264) 萬戶侯(만호후) : 식읍이 만 호인 제후. 전한 때 개국공신인 장양張良(?-B.C.185)을 만호후에 봉하려 하자 스스로 유후留侯에 봉해 줄 것을 자청하였다는 고사에서 유래한 말로 작위가 높은 제후나 고관대작을 상징한다.

265) 匈奴(흉노) : 중국 상고시대부터 북방에 살던 유목민족을 부르던 이름. 호족胡族이라고도 하였다. 귀방鬼方·훈육獯鬻·험윤獫狁의 후예라고도 하고, 몽고蒙古·돌궐突厥과 동일 종족이라고도 하는 등 여러 설이 있다.

266) 校尉(교위) : 장군의 휘하에서 한 부대의 통솔을 담당하거나 변방의 이민족을 관할하던 벼슬 이름.

267) 數奇(수기) : 운수가 기이하다. 즉 운명이 순탄치 않은 것을 말한다.

268) 單于(선우) : 흉노족匈奴族의 왕을 일컫는 말.

하긴 했으나 만약 고조 때 태어났다면 만호후가 어찌 말할 거리가 되겠소?"라고 하였다. 무제 때 (하북성) 우북평태수를 배수받았다. 흉노족이 그를 '한나라의 비장군'이라고 불렀다. 이광은 일찍이 왕삭에게 "여러('망妄'은 무릇이란 뜻이다) 교위 이하 무관들 가운데 전공으로 제후의 지위를 차지한 이들이 수십 명이나 됩니다. 저 이광이 끝내 조금의 공로도 세우지 못 하긴 했지만 어찌 저의 관상이 제후를 감당하지 못 하는 것이겠습니까?"라고 하였다. 뒤에 위청을 따라 변방으로 나서자 무제는 이광의 운수가 평탄치 않아 그에게 (흉노족의 왕인) 선우를 상대하게 해서는 안 된다고 생각해 결국 그에게 동도로 나서라고 하였는데, 승기를 놓치는 바람에 자살하고 말았다. 아들은 이당호李當戶이고, 손자는 이능李陵이다.

◇國士風(국사의 기풍)

●李陵所將, 皆荊楚[269]勇士, 奇材劍客, 力扼虎, 射命中. 與單于戰, 大捷, 後以矢盡, 降匈奴. 司馬遷云[270], "陵事親孝, 與士信, 奮不顧身, 以徇國家之急, 有國士[271]之風."

○(전한) 이능(?-B.C.74)이 거느린 수하들은 모두가 초 지방 출신 용사와 재능이 뛰어난 검객들이라서 힘은 호랑이를 물리치고 활솜씨는 백발백중이었다. (흉노족의 왕인) 선우와의 전투에서 큰 승리를 거두었으나 뒤에 화살이 떨어지는 바람에 흉노에게 항복하고 말았다. 사마천은 (<소경少卿 임안任安에게 답하는 글(報任少卿書)>에서) "이능은 부모님을 효성으로 섬기고 선비들과 신의를 지켰으며, 분발하여 자기 몸을 돌보지 않은 채 국가의 위급한 일을 위해 목숨을 바쳤으니 국사의 기풍이 있습니다"라고 하였다.

---

269) 荊楚(형초) : 춘추전국시대 초楚나라 지역. 즉 지금의 호북성·호남성 일대를 아우르는 말. '형荊'은 초나라의 옛 수도.

270) 云(운) : 이는 전한 사마천司馬遷의 <소경少卿 임안任安에게 답하는 글(報任少卿書)>을 인용한 것으로 ≪한서·사마천전≫권62와 남조南朝 양梁나라 소통蕭統(501-531)이 엮은 ≪문선文選·서상書上≫권41에 전한다.

271) 國士(국사) : 나라에서 재능이 뛰어난 선비를 일컫는 말.

◇鼎角匿犀(이마 뼈가 튀어나오고 복서伏犀가 보이지 않다)

●李固, 字子堅, 郃之子. 狀貌有奇表[272], 鼎角[273]匿犀[274], 足有龜文[275]. 少好學, 負笈從師, 不遠千里. 究覽墳籍[276], 爲世大儒. 順帝朝, 爲泰山太守. 杜喬按察兗州, 奏李固政爲天下第一. 郎顗薦之曰, "潔白之行, 有同皦日, 元精[277]所生, 王佐之臣." 沖帝卽位, 拜太尉[278], 後爲梁冀[279]所害. 子燮.

○(후한) 이고(94-147)는 자가 자견으로 이합李郃의 아들이다. 용모에 범상치 않은 기상이 넘쳐 이마의 세 뼈가 튀어나오고, 가운데 뼈인 복서가 머리카락에 가려져 보이지 않았으며, 발바닥에 거북 등껍질 모양의 문양이 있었다. 어려서부터 학문을 좋아해 귀한 서적을 짊어지고 스승을 따를 때는 천 리 길도 멀다고 여기지 않았다. 고서를 많이 읽어 당대의 대유가 되었다. 순제 때는 (산동성) 태산태수를 지냈다. 두교는 (산동성) 연주를 시찰하면서 이고의 치적이 천하제일이라고 아뢰었고, 낭의는 그를 추천하며 "결백한 행동은 태양과 같은 점이 있고, 천지간의 정기를 받고 태어난 사람이라서 왕을 보좌할 신하이옵니다"라고 아뢴 일이 있다. 충제가 즉위한 뒤에는 태위를

---

272) 奇表(기표) : 범상치 않은 기운, 비범한 의표를 이르는 말.

273) 鼎角(정각) : 이마의 세 뼈, 즉 왼쪽의 일각日角과 중앙의 복서伏犀와 오른쪽의 월각月角이 앞으로 튀어나온 골상骨相을 이르는 말. 재상에 오를 귀한 관상을 가리킨다.

274) 匿犀(익서) : 복서伏犀가 숨어 있다. 즉 이마의 가운데 뼈인 복서가 머리카락에 가려 보이지 않는 것을 말한다.

275) 龜文(귀문) : 거북 등껍질 모양의 족문足文을 뜻하는 말로 매위 귀한 관상을 가리킨다.

276) 墳籍(분적) : 고분에서 나온 전적. 즉 삼황오제三皇五帝의 무덤에 나왔다는 전설상의 도서인 삼분오전三墳五典 같은 고서古書를 가리킨다.

277) 元精(원정) : 천지간의 정기를 이르는 말.

278) 太尉(태위) : 진한秦漢 이래 군정軍政을 총괄하는 벼슬로, 대사마大司馬로 불리기도 하였다. 후에는 사도司徒·사공司空과 함께 삼공三公으로 불렸는데, 태위가 삼공 가운데 서열이 가장 높았다.

279) 梁冀(양기) : 후한 사람(?-159). 자는 백탁伯卓. 황문시랑黃門侍郎과 대장군大將軍 등을 역임하였는데, 두 누이가 순제順帝와 환제桓帝의 황후皇后여서 그 후광을 믿고 온갖 악행을 저지르다가 환관 선초單超에 의해 궁지에 몰리자 자살하였다. ≪후한서·양기전≫권64 참조.

배수받았으나 뒤에 양기에게 살해당했다. 아들은 이섭李燮이다.

◇登龍門(등용문)

●李膺, 字元禮, 性簡亢[280], 無所交接, 惟以同郡荀淑爲師, 陳寔爲友. 荀爽嘗就謁, 因爲其御, 旣還, 喜曰, "今日乃得御李君矣." 桓帝朝, 拜司隷校尉[281], 獨持風裁[282], 以聲名自高. 士有被其容接者, 名爲登龍門[283]. 時名賢更相褒擧, 擧中語曰, "天下楷模李元禮, 不畏强禦[284]陳仲擧[285], 天下俊秀王叔茂[286]." 黨禍作, 詣詔, 獄死. 黨人八俊[287]之首.

○(후한) 이응(?-169)은 자가 원례로 성품이 깔끔하면서 강직하여 남과 사귀는 것을 좋아하지 않았기에 오직 동향 사람인 순숙을 스승으로 섬기고 진식을 친구로 사귀었다. 순상이 일찍이 그를 예방하였다가 그참에 마부 노릇을 하더니 돌아와서는 기뻐하며 "오늘 마침내 이선생의 수레를 몰았소"라고 하였다. 환제 때 사례교위를 배수받아 유독 훌륭한 풍모를 유지하였기에 명성이 절로 높아졌다. 선비들 가

280) 簡亢(간항) : 성품이 깔끔하면서 강직한 모양.

281) 司隷校尉(사례교위) : 한나라 때 순찰巡察과 치안 업무를 관장하던 고위직 벼슬 이름.

282) 風裁(풍재) : 훌륭한 기풍이나 풍모를 이르는 말.

283) 登龍門(등용문) : 용문산을 오르다. '용문'은 하남성 낙양 남쪽에 있는 산 이름. 봄에 바다의 물고기가 황하의 도화랑桃花浪이 불어날 때 이곳의 폭포수를 거슬러 오르면 용이 된다는 전설이 있어서, 과거시험에 급제하거나 대학자에게 인정을 받은 사람을 '등용문登龍門'이란 말로 비유하기도 하였다. 일설에는 광서성 교주交州에 있다고도 한다.

284) 强禦(강어) : 성품이 거칠면서 권력이 있는 사람을 이르는 말.

285) 陳仲擧(진중거) : 후한 사람 진번陳蕃(?-168). '중거'는 자. 봉호는 고양후高陽侯. 예장태수豫章太守·상서령尙書令·태위太尉 등을 역임하였는데, 대장군 두무竇武와 함께 환관들을 제거하려다가 일이 발각되어 살해당했다. ≪후한서·진번전≫권96 참조.

286) 王叔茂(왕숙무) : 후한 사람 왕창王暢(?-169). '숙무'는 자. 상서尙書와 사도司徒 등을 역임하였다. ≪후한서·왕창전≫권86 참조.

287) 八俊(팔준) : 후한 말엽 당고黨錮 사건에 휘말려 살해된 여덟 명의 준걸을 이르는 말. 이응李膺(?-169)·순욱荀昱(?-169)·두밀杜密(?-169)·왕창王暢(?-169)·유우劉祐(?-168)·위낭魏朗(?-168)·조전趙典·주우朱寓를 가리킨다. ≪후한서·당고열전≫권97 참조.

운데 그에게 접대받은 사람들은 '등용문'으로 불렸다. 당시 명사들이 번갈아가며 그를 적극적으로 추천하였기에 학교에는 "천하의 모범은 이원례(이응)이고, 권세가를 두려워하지 않는 이는 진중거(진번陳蕃)이며, 천하에 준수한 인재는 왕숙무(왕창王暢)라네"라는 말이 돌았다. 당고사건이 발생하자 황제를 알현하였다가 하옥당해 죽었다. 당고사건에 연루된 사람인 '팔준' 가운데 수장이다.

◇三老(삼로)

●李躬年耆學明. 漢永平中, 拜爲三老[288], 安車輭輪[289], 供綏執綏[290], 以二千石[291]祿養終身.

○이궁은 연로해서도 학문이 더욱 발전하였다. 그래서 후한 영평(58-75) 연간에 명제가 그를 삼로에 배수하고서 편안한 수레를 마련하여 손수 수레를 몰아 주었고, 이천석의 봉록으로 죽을 때까지 편히 먹고살 수 있게 해 주었다.

---

288) 三老(삼로) : 고을의 장로長老를 가리키는 말. 상고시대에는 재상을 지내다가 물러난 국가 원로를 지칭하다가 진한秦漢 이후로는 시골의 향리鄕里에서 고을의 교화敎化를 담당하던 벼슬 이름으로 쓰였다. ≪한서·백관공경표百官公卿表≫권19에 의하면 10리마다 '정亭'을 설치하고서 10정亭을 '향鄕'이라고 하였고, 향마다 삼로三老·질秩·색부嗇夫·유요游徼를 두었는데, 삼로는 교화를 관장하였다고 한다.

289) 安車輭輪(안거연륜) : 연로한 고관이나 귀부인이 편히 탈 수 있게 부드러운 바퀴를 달아 제작한 수레를 이르는 말.

290) 供綏執綏(공수집수) : 황제가 몸소 수레의 손잡이 끈을 잡고서 수레를 모는 일. 신하에 대한 극진한 예우를 상징한다.

291) 二千石(이천석) : 한나라 때 봉록제도로 중이천석中二千石·이천석二千石·비이천석比二千石이 있었다. '중이천석'은 실제로 이천석이 넘는 반면, '이천석'은 성수成數로서 근접한 양을 뜻하며, '비이천석'은 '이천석에 근접한다'는 뜻으로 그보다 적은 양을 의미한다. 이에 대해 ≪한서·평제기平帝紀≫권12의 당나라 안사고顔師古(581-645) 주에서는 "그중 '중이천석'이라고 하는 것은 월 180휘를 뜻하고, '이천석'은 월 120휘를 뜻하며, '비이천석'은 월 100휘라고 한다(其稱中二千石者, 月百八十斛, 二千石者, 百二十斛, 比二千石者, 百斛云云)"고 설명하였다. 이를 '석石'으로 환산하면 '중이천석'은 2160석이 되고, '이천석'은 1440석이 되며, '비이천석'은 1200석이 된다. 예를 들어 구경九卿과 장수將帥는 봉록이 중이천석이고, 태수太守는 이천석이었다.

◇陳情表(진심을 아뢰는 상소문)

●李密, 字令伯, 蜀人, 事祖母至孝. 蜀平, 晉帝[292]徵爲太子洗馬[293]. 密上表陳情云, "臣無祖母, 無以至今日, 祖母無臣, 無以終餘年. 臣年四十有[294]四, 祖母劉年九十有六. 烏鳥[295]私情, 願乞終養." 上嘉之.(蜀志[296])

○이밀(224-287)은 자가 영백이고 (삼국) 촉나라 사람으로 조모를 효성을 다해 모셨다. 촉나라가 평정되자 진나라 무제가 그를 불러 태자선마에 임명하려고 하였다. 그러자 이밀은 자신의 진심을 밝히는 상소문을 올려 "신에게 조모가 없었다면 오늘에 이를 수 없었을 것이고, 조모에게 신이 없다면 여생을 마칠 수 없을 것입니다. 신은 올해 나이 마흔하고도 네 살이고, 조모 유씨는 나이가 아흔하고도 여섯 살이옵니다. 까마귀처럼 사사로운 정을 다해 조모를 끝까지 봉양할 수 있기를 바라옵니다"라고 하였다. 그러자 무제가 이를 가납하였다.(≪진서晉書·효우열전孝友列傳·이밀전≫권88)

◇老拳(주먹)

●李陽幼與石勒[297]隣居, 爭漚麻[298]池, 相毆擊. 後勒曰, "李陽壯士." 召至, 引陽臂, 笑曰, "孤[299]往日厭卿老拳, 卿亦遭孤毒手." 賜甲第[300]一

---

292) 晉帝(진제) : 진晉나라를 건국한 무제武帝 사마염司馬炎을 가리킨다.
293) 太子洗馬(태자선마) : 태자의 출입 시 앞에서 인도를 담당하던 벼슬. '선洗'은 '선先'과 통용자.
294) 有(우) : 수효를 덧보탤 때 쓰는 말. 또. '우又'와 통용자.
295) 烏鳥(오조) : 까마귀. 까마귀는 효성이 지극한 새라서 새끼가 나중에 어미를 봉양한다는 속설이 전한다. '자오慈烏'라고도 한다.
296) 蜀志(촉지) : 출처에 착오가 있거나 아니면 일문逸文인 듯하다. 이밀李密(224-287)이 비록 촉나라 출신이기는 하나 현전하는 ≪삼국지·촉지≫에는 그의 본전이 실려 있지 않다. 위의 예문과 유사한 내용이 ≪진서晉書·효우열전孝友列傳·이밀전≫권88에 전하기에 이를 따른다.
297) 石勒(석늑) : 오호십육국五胡十六國의 하나인 후조後趙의 창업자(274-333). ≪진서·석늑재기石勒載記≫권104 참조.
298) 漚麻(구마) : 삼을 담그다. 섬유를 쉽게 뽑기 위한 공정을 가리킨다.
299) 孤(고) : 제후국의 임금이 자기 자신을 일컫는 말. 당나라 때 학자인 공영달孔穎達(574-648)의 주장에 의하면 평상시에는 '과인寡人'이라고 하다가, 나라에 흉사凶事가 있으면 '고孤'라고 하였다고 한다.

區, 拜參軍都尉[301].

○이양은 어렸을 때 (오호십육국五胡十六國 후조後趙의 군주인) 석늑과 이웃하고 살면서 (삼을 담그는 연못인) 구마지를 놓고 다투다가 서로 주먹질을 한 적이 있다. 뒤에 석늑은 "이양은 힘이 장사라오"라고 하였다. 이양이 부름을 받고 도착하자 석늑은 이양의 팔을 당기면서 웃음을 띤 채 말했다. "내가 예전에 경의 주먹 세례를 실컷 받은 적이 있지만, 경도 내 매운 손맛을 보았을 것이오." 훌륭한 저택을 한 채 하사하고 참군도위에 배수하였다.

◇孝義里(효의리)

●李謐, 字永和, 少好學, 惟以琴書爲業, 屢辭徵辟. 諡貞靜處士[302]. 表其門曰文德門, 里曰孝義里.

○(북조北朝 북위北魏) 이밀(484-515)은 자가 영화로 어려서부터 학문을 좋아하여 오직 금 연주와 독서를 본업을 삼았기에 여러 차례 황제의 부름을 사절하였다. 시호는 '정정처사'이다. 그의 가문을 표창하여 '문덕문'이라고 하고, 그의 마을을 '효의리'라고 하였다.

◇孝敬村(효경촌)

●李德饒, 字世文, 仕隋, 爲監察御史[303]. 性至孝, 送父母喪, 雪中單縗[304]徒跣[305], 行四十餘里. 後有甘露降於庭. 所居村曰孝敬村, 里曰

---

300) 甲第(갑제) : 최고급 주택을 일컫는 말.

301) 都尉(도위) : 벼슬 이름. 전국시대 때는 장수의 속관이었고, 전한 경제景帝 이후로는 태수의 군무軍務를 보좌하는 속관이었으며, 당송唐宋 이후로는 훈관勳官이었다. 군위軍尉라고도 한다. '참군도위'는 무관의 일종.

302) 處士(처사) : 벼슬하지 않은 선비를 이르는 말.

303) 監察御史(감찰어사) : 관리들의 비행을 규찰하고 탄핵하는 업무를 관장하는 기관인 어사대御史臺의 속관屬官. 어사대에는 위로 장관인 어사대부御史大夫와 버금 장관인 어사중승御史中丞, 그리고 시어사侍御史・전중시어사殿中侍御史 등의 상관이 있다. 감찰어사는 비록 품계品階는 낮으나, 실무를 관장하였기에 관원들이 가장 두려워하는 존재였다고 한다.

304) 縗(최) : 부모님이 돌아가셨을 때 입는 거친 삼베로 만든 상복喪服을 이르는 말.

305) 徒跣(도선) : 신발을 신지 않은 채 맨발로 걷는 것을 이르는 말.

和義里.(孝義傳)

○이덕요는 자가 세문으로 수나라에서 벼슬길에 올라 감찰어사를 지냈다. 천성적으로 효심이 깊어 부모님의 장례를 치를 때 눈이 내리는 와중에도 상복만 입은 채 맨발로 40여 리를 걸었다. 뒤에 감로가 그의 마당에 내렸다. 그래서 그가 거처하는 촌락을 '효경촌'이라고 하고, 고을을 '화의리'라고 하였다.(≪수서・효의열전・이덕요전≫권72)

◇出粟賑饑(곡식을 꺼내 굶주린 사람들을 구제하다)

●李士謙家富, 嘗出粟數千石, 貸鄕人. 值[306]歲饑, 召債家, 設酒燔券. 至春, 又出糧種, 分給趙郡, 農人曰, "此李參軍遺德也." 仕元魏[307], 爲開府[308]參軍, 歸隋, 不仕.

○이사겸은 집이 부유한데 일찍이 곡식 수천 섬을 꺼내 고을 사람들에게 빌려준 적이 있다. 그해 기근이 들자 채무자들을 불러 술상을 차려주고 채권을 불태워 버렸다. 봄이 되자 다시 곡식의 씨앗을 꺼내 (산서성) 조군 사람들에게 나눠주었다. 그러자 농부들이 "이것은 이참군께서 베푸신 은덕이라오"라고 하였다. (북조北朝) 북위北魏에서 벼슬길에 올라 개부 소속 참군을 지내다가 수나라에 귀순한 뒤로는 벼슬에 나가지 않았다.

◇王佐才(왕을 보좌할 인재)

●李靖, 字藥師, 姿貌魁奇. 嘗[309]謂所親曰, "大丈夫當以功名取富貴, 何至作章句[310]儒?" 其舅韓擒虎與論兵曰, "可與語孫吳[311]矣!" 牛弘見之

---

306) 值(치) : 만나다, 마주치다.

307) 元魏(원위) : 조비曹丕(187-226)가 세운 위魏나라와 구별하기 위해 북조北朝 북위北魏를 달리 부르는 말. 종실은 원래 탁발拓跋씨였는데 효문제孝文帝 때 원元씨로 바꿨다. '후위後魏'라고도 한다.

308) 開府(개부) : 관서를 설치하고 관리를 선발할 수 있는 권한을 가진 고급관원을 일컫는 말.

309) 嘗(상) : 늘, 항상. '상常'과 통용자.

310) 章句(장구) : 경전經典을 장章과 구句로 분석하여 연구하는 학문을 지칭하는 말.

311) 孫吳(손오) : 중국을 대표하는 병법가인 춘추시대 오吳나라 손무孫武와 전국

曰, “王佐才也!” 唐貞觀[312]中, 出將入相, 封衛國公, 圖形凌烟[313]

○이정(571-649)은 자가 약사로 용모가 출중하였다. 그는 늘 친지에게 “대장부라면 의당 공명을 세워 부귀를 취해야지 어찌 장구학이나 일삼는 서생에 머문단 말입니까?”라고 말하곤 하였다. 그의 외숙부인 한금호는 그와 병법에 대해 논하더니 “더불어 ≪손자≫와 ≪오자≫에 대해 말할 만하구나!”라고 하였고, 우홍은 그를 보더니 “왕을 보좌할 인재로다!”라고 하였다. 당나라 (태종) 정관(627-649) 연간에 조정을 나서면 장수를 맡고 조정으로 들어오면 재상을 맡다가 위국공에 봉해지고 능연각에 초상화가 걸렸다.

◇賢於長城(만리장성보다 낫다)

●李勣, 字懋功, 唐貞觀中, 拜幷州都督[314], 在州十六年. 帝曰, “我用勣守幷州, 賢於長城, 遠矣.” 封英國公, 圖形凌烟.

○이적은 자가 무공으로 당나라 (태종) 정관(627-649) 연간에 (산서성) 병주도독을 맡으면서 16년을 병주에 있었다. 그러자 태종이 말했다. “내 이적을 기용하여 병주를 지키는 것이 만리장성보다도 훨씬 낫다오.” 영국공에 봉해지고 능연각에 초상화가 걸렸다.

◇七品淸要(칠품의 요직)

●李素立, 貞觀中, 以親喪去官. 旣除服[315], 上詔授以七品淸要[316]官. 有司[317]擬雍州司戶[318], 上曰, “此官要而不淸.” 又擬祕書郞, 上曰, “此

시대 위魏나라 오기吳起를 아우르는 말. 그들의 저서로 ≪손자孫子≫ 1권과 ≪오자吳子≫ 1권이 전하나 위서僞書일 가능성을 배제할 수 없다.

312) 貞觀(정관) : 당唐 태종太宗의 연호(627-649).

313) 凌烟閣(능연각) : 공신을 표창하기 위해 지은 누각 이름. 당나라 태종太宗이 정관貞觀 17년(643) 공신 24명의 초상화를 그려넣은 것으로 유명하다.

314) 都督(도독) : 군사軍事 업무를 총괄하는 장관을 이르는 말.

315) 除服(제복) : 상복을 벗다.

316) 淸要(청요) : 지위가 높고 업무가 중요한 요직을 일컫는 말. ‘청관淸官’ ‘청관淸貫’ ‘청직淸職’ ‘청환淸宦’이라고도 한다.

317) 有司(유사) : 모종의 업무를 전담하는 담당관에 대한 범칭汎稱. ‘소사所司’라고도 한다.

官淸而不要." 乃授侍御史[319].

○(당나라) 이소립은 (태종) 정관(627-649) 연간에 부친상 때문에 관직을 그만두었다. 상복을 벗고나자 태종은 칠품의 요직을 주라는 조서를 내렸다. 담당관이 (섬서성) 옹주의 사호참군을 제기하자 태종이 말했다. "이 관직은 중요하긴 하나 지위가 높지 않구려." 다시 비서랑을 제기하자 태종이 말했다. "이 관직은 지위가 높긴 하지만 중요하지가 않구려." 그래서 시어사에 배수하였다.

◇人猫(인품이 고양이 같다)

●李義府, 唐太宗初, 召見, 詠烏詩云[320], "上林[321]無限樹, 不得一枝棲." 上曰, "當全林借汝." 高宗朝, 拜參政[322]. 狡險忌刻, 與人語, 嬉怡微笑, 陰中傷之. 人謂, "笑中有刀, 柔而害物." 又曰李猫.

○이의부(614-666)는 당나라 태종 초에 황제의 부름을 받고 접견하는 자리에서 <까마귀를 읊은 시>를 지어 말했다. "(궁중 정원인) 상림원에 나무가 한없이 많건만, 깃들 가지 하나 얻지 못 했네." 그러자 태종이 말했다. "분명 숲 전체를 그대에게 빌려주리다." 고종 때 참지정사를 배수받았다. 이의부는 성품이 교활하고 시기심이 강해 남과 대화할 때 밝은 표정에 미소를 지으면서도 남몰래 상대를 해치곤 하였다. 그래서 사람들이 "웃음 속에 칼을 감추고 있고 부드러운 표정을 지으면서도 사람을 해친다"고 하였다. 또 그에게 '이묘'라는 별명을 지어 주었다.

---

318) 司戶(사호) : 주군州郡에서 호구戶口에 관한 일을 관장하던 벼슬인 사호참군司戶參軍의 약칭.

319) 侍御史(시어사) : 주周나라 때 주하사柱下史에서 유래한 벼슬로서 위진魏晉 이후로는 주로 관리들의 비리를 규찰하였다. 당송唐宋 때는 어사대御史臺 소속으로 어사대부御史大夫·어사중승御史中丞 다음 가는 벼슬이었다.

320) 云(운) : 이는 동명의 오언절구五言絕句 가운데 후반부를 인용한 것으로 송나라 완열阮閱의 ≪시화총귀詩話總龜≫권5에 전한다.

321) 上林(상림) : 황제의 동산 이름인 상림원上林園의 약칭. 진한秦漢 때는 장안長安에 있었고, 후한後漢 때는 광무제光武帝가 낙양洛陽에 건설하였다.

322) 參政(참정) : 당송 때 재상에 버금가는 권한을 부여했던 참지정사參知政事의 약칭.

◇翰林六絶(한림원에서 여섯 가지 재능이 출중한 학사)

●李邕, 字泰和, 揚州人. 父善淹貫[323]今古, 不能屬辭, 人號爲書簏. 邕少知名, 唐武后[324]時, 李嶠·張廷珪薦之, 召拜左拾遺[325]. 開元[326]中, 遷北海太守, 時稱李北海. 又號翰林[327]六絶, 謂文章書翰等過人也. 李林甫忌其才, 殺之.

○이옹(678-747)은 자가 태화로 (강소성) 양주 사람이다. 부친인 이선李善은 고금의 지식에 해박하였으나 글을 잘 짓지 못 해 사람들이 ('책상자'란 의미에서) '서록'으로 불렀다. 이옹은 어려서부터 명성을 떨치더니 당나라 측천무후 때 이교와 장정규의 추천으로 황제의 부름을 받아 좌습유를 배수받았다. (현종) 개원(713-741) 연간에는 (산동성) 북해태수로 승진하였기에 당시 사람들이 그를 '이북해'로 불렀다. 또 '한림육절'로도 불렸는데 문장이나 서예 등 방면에서 남보다 뛰어나다는 말이다. 이임보가 그의 재능을 시기해 살해하였다.

◇良金美玉(양질의 금과 아름다운 옥)

●李嶠, 字巨山, 兒時夢人遺雙筆, 自是文辭大進. 張說云, "嶠文如良金美玉, 無施不可." 武后朝, 爲鳳閣舍人[328], 又爲鸞臺侍郎[329].

---

323) 淹貫(엄관) : 두루 꿰뚫다, 해박하다.

324) 武后(무후) : 당나라 측천무후則天武后의 약칭. 본명은 무조武曌(624-705). '측천'은 시호로 '측則'은 '측測'과 통용자. 고종高宗의 황후皇后이자 중종中宗 및 예종睿宗의 모후母后였지만, 뒤에 스스로 황제에 올라 국호를 '당唐'에서 '주周'로 개칭하고 15년간 전횡을 일삼았으며, 외척인 무武씨 집안 사람들이 득세할 수 있는 빌미를 제공하였다. '측천황후則天皇后' '무측천武則天' '천후天后' 등 다양한 별칭으로도 불렸다. ≪신당서·측천황후무조기≫권4 참조.

325) 拾遺(습유) : 당나라 측천무후則天武后(624-705) 때 처음 신설된 규간規諫을 관장하는 벼슬. 좌·우습유가 있었는데, 좌습유는 문하성門下省 소속이고 우습유는 중서성中書省 소속이었다. 송나라 때는 좌左·우정언右正言으로 개칭되었다.

326) 開元(개원) : 당唐 현종玄宗의 연호(713-741).

327) 翰林(한림) : 당나라 초기에 각계의 전문가로 구성한 황제의 자문기구인 한림원翰林院을 이르는 말. 송나라 때는 천문·서예·도화圖畵·의관醫官 4국을 총괄하였고, 명청明淸 때는 사서史書의 편찬이나 저작著作·도서圖書 등의 업무를 관할하였다.

328) 鳳閣舍人(봉각사인) : 측천무후(624-705) 때 관제官制를 개편하면서 황명의

○(당나라) 이교(644-713)는 자가 거산으로 어렸을 때 어떤 사람이 붓 한 쌍을 주는 꿈을 꾸고서 그때부터 문장력이 크게 발전하였다. 장열이 "이교의 문장은 마치 양질의 금이나 아름다운 옥과 같아 합당하지 않은 곳이 없다"고 평한 일이 있다. 측천무후 때 봉각사인(중서사인)을 지내다가 다시 난대시랑(문하시랑)으로 승진하였다.

◇花萼集(≪화악집≫)

●李乂, 字尙眞, 兄尙一. 尙眞兄弟, 俱以文章名, 同爲一集, 號李氏花萼[330]. 睿宗朝, 擢監察御史, 請謁不行, 時人語曰, "李下無蹊徑[331]." 姚崇惡其軋己, 薦爲紫薇侍郎[332].

○(당나라) 이예(657-716)는 자가 상진이고 형은 자가 상일이다. 이예 형제는 모두 문장으로 이름을 떨치더니 하나의 문집으로 함께 묶어 ≪이씨화악집≫이라고 하였다. 예종 때 감찰어사에 발탁되어 청탁이 통하지 않게 하였기에 당시 사람들 사이에 "자두나무 아래에는 샛길이 없다네(이예에게는 청탁이 통하지 않는다네)"란 말이 돌았다. 요숭은 그의 능력이 자기보다 뛰어난 것이 싫어서 자미시랑에 천거하였다.

◇山判(산처럼 묵직한 판결을 내리다)

●李元紘爲雍州司戶. 時太平公主[333]勢震天下, 與民爭碾磑[334], 元紘判

기초와 출납을 관장하는 중서성中書省의 속관屬官인 중서사인中書舍人을 고친 이름. 측천무후 때 중서성을 '봉각鳳閣'으로 개칭한 일이 있다.

329) 鸞臺侍郎(난대시랑) : 황명의 출납과 조칙詔勅의 심의를 관장하는 기관인 문하성門下省의 버금 장관인 문하시랑門下侍郎의 별칭. 측천무후 때 문하성을 '난대'로 개칭한 일이 있다.

330) 花萼(화악) : 꽃과 꽃받침을 뜻하는 말로 형제간의 우애를 상징한다.

331) 蹊徑(혜경) : 샛길. 여기서는 뇌물이나 청탁을 비유한다.

332) 紫薇侍郎(자미시랑) : 당나라 때 황명의 기초와 출납을 관장하던 벼슬인 중서시랑中書侍郎의 별칭. 중서성中書省을 자미성紫薇省으로 개칭한 적이 있기에 생긴 명칭이다. '미薇'는 '미微'로도 쓴다.

333) 太平公主(태평공주) : 당나라 고종高宗과 측천무후則天武后(624-705)의 딸로 측천무후 재위 시 총신寵臣이었던 장역지張易之(?-705) 등을 제거하는 데 공을 세워 예종睿宗에게 상을 받았으나 뒤에 모반을 꾀하다가 현종玄宗에게

還民. 長史竇懷貞趣改之, 元紘大書曰, "南山可移, 判不可改." 開元中, 拜中書侍郎. 端午日, 宴武成殿, 賜臣下衣, 特以紫服[335]金魚[336]賜之.

○(당나라) 이원굉(?-733)은 (섬서성) 옹주의 사호참군을 지냈다. 당시 태평공주의 권세가 천하를 진동하였는데, 백성과 물레방아를 놓고 싸움을 벌이자 이원굉은 백성에게 돌려주라는 판결을 내렸다. 장사를 맡고 있던 두회정이 서둘러 이를 고치려고 하자 이원굉은 큰 글씨로 "남산을 옮길 수는 있어도 판결을 고칠 수는 없다"고 적었다. (현종) 개원(713-741) 연간에는 중서시랑을 배수받았다. 단오절에 현종이 무성전에서 연회를 연 김에 신하들에게 의복을 하사하였는데, 특별히 이원굉에게는 자색 관복과 금어를 하사하였다.

◇樂聖(성군과의 만남을 즐거워하다)

●李適之, 唐天寶[337]元年, 代牛仙客爲相. 後李林甫以計去之, 適之詩云, "避賢初罷相, 樂聖[338]且銜盃. 試問門前客, 今朝幾箇來?" 喜賓客飮酒, 至斗餘不亂.

○이적지(?-747)는 당나라 (현종) 천보 원년(742)에 우선객을 대신해 재상에 올랐다. 뒤에 이임보가 계책을 써서 쫓아내자 이적지는 다음과 같은 시를 지었다. "현자에게 양보하려고 막 재상을 그만두고서,

---

사형당했다. ≪신당서·제제공주열전諸帝公主列傳≫권83 참조.

334) 碾磑(연애) : 물레방아.

335) 紫服(자복) : 3품 이상의 고관이 입는 자색 관복. 공신에게 특별히 하사하기도 하였다. '자의紫衣'라고도 한다.

336) 金魚(금어) : 고관高官이 허리에 차는 금으로 만든 물고기 모양의 부절을 뜻하는 말. 보통 3품 이상의 고관이 입는 자의紫衣와 함께 하사하였기에 '금자金紫'라고 합칭하기도 하였다.

337) 天寶(천보) : 당唐 현종玄宗의 연호(742-756).

338) 樂聖(낙성) : 청주淸酒를 성인에 비유하여 술 마시기 좋아하는 것을 뜻하기도 하고, 성군聖君을 만난 것을 즐거워한다는 뜻으로도 쓰이는데, 여기서는 쌍관법雙關法적인 표현으로 두 가지 뜻을 동시에 담은 듯하다. 이임보李林甫(?-752)의 참언에 대해 양보하는 태도를 보여 자신이 진짜 술을 좋아하는 것처럼 말함으로써 도량을 보여줌과 동시에, 황제가 자신의 관직을 모두 삭탈하지 않고 태자소보太子少保에 제수한 것을 오히려 감사한다는 뜻도 아울러 담고 있는 것으로 보인다.

성군(술)을 만난 것이 즐거워 잠시 술잔을 입에 물었네. 어디 한번 문전 손님들에게 물어 보시게, 오늘 아침에 몇 분이나 오셨는지를." 손님들과 어울려 술 마시는 것을 좋아하였지만 한 말 넘게 마셔도 행동이 흐뜨러지지 않았다.

◇篆室(전서체를 익히는 방)

●李陽氷工篆法. 舒元輿篆書[339]云, "秦李斯作玉箸篆[340], 更八姓[341], 無出其右. 唐開元中, 陽氷窮入篆室, 獨能隔千年, 與李斯相見. 其格峻, 其力猛, 天以字寶瑞吾唐矣." 處州有吏隱山, 乃陽氷. 嘗爲縉陽[342]令, 秩滿[343], 退居此山也. 篆刻至今在焉.

○이양빙은 전서체 서법에 뛰어난 솜씨를 발휘하였다. 서원여는 <소전에 관한 글>에서 "진나라 이사가 '옥저전'(소전)을 만든 이래로 한나라부터 수나라까지 왕조가 여덟 번 바뀌었지만 이양빙보다 뛰어난 솜씨를 보인 사람이 없었다. 당나라 (현종) 개원(713-741) 연간에 이양빙은 전서체에 몰입하여 천 년을 건너뛰며 이사와 서로 마주하였다. 그 품격은 거칠고 힘은 맹렬하였으니 하늘이 글자를 잘 쓰는 보물 같은 존재로 우리 당나라를 도우신 것이다"라고 하였다. (절강성) 처주에는 산에 은거한 관리가 있었는데 바로 이양빙이다. 일찍이 (처주) 진운현縉雲縣의 현령을 지내다가 임기가 끝나자 이 산에 은거한 것이다. 그가 전서체로 새긴 글이 오늘날까지도 그곳에 남아 있다.

---

339) 篆書(전서) : 이는 <옥저전(소전)에 관한 기록(玉筯篆志)>이란 제목으로 송나라 요현姚鉉(968-1020)이 엮은 ≪당문수唐文粹≫권77에 전한다.

340) 玉筯篆(옥저전) : 진秦나라 시황제 때 이사李斯가 대전大篆과 주서籒書를 참조하여 창안한 서체 이름인 소전小篆의 별칭. '진전秦篆' '팔분소전八分小篆'이라고도 하였다.

341) 八姓(팔성) : 한나라부터 수나라까지 8개 왕조를 가리키는 말.

342) 縉陽(진양) : 절강성 처주處州의 속현屬縣인 진운縉雲의 오기.

343) 秩滿(질만) : 관리의 임기가 다 찬 것을 이르는 말.

◇偃月堂(언월당)

●李林甫, 小字哥奴. 唐天寶中, 拜相, 奸猾專政. 好啗人以甘言, 而陰陷之, 世謂, "口有蜜, 腹有劍." 有堂如偃月[344], 號偃月堂. 居相位十九年.

○이임보(?-752)는 어렸을 때 자가 가노이다. 당나라 (현종) 천보(742-756) 연간에 재상을 배수받더니 교활한 수단으로 권력을 독점하였다. 감언이설로 사람들을 속이기 좋아하면서도 몰래 그들을 함정에 빠뜨리곤 하였기에 세간에는 "입에는 꿀을 물고 있지만 배에는 검을 숨기고 있다"는 말이 돌았다. 반달처럼 생긴 건물이 있어 '언월당'이라고 이름 지었다. 19년 동안이나 재상 자리를 차지하였다.

◇奇童小友(신동을 어린 친구라고 부르다)

●李泌, 字長源, 七歲能文. 開元中, 召至, 令張說試之. 時方奕, 令賦方圓[345]動靜, 立[346]就. 說賀帝得奇童. 張九齡呼爲小友. 詔賜束帛, 敕其家曰, "善視養之." 肅宗卽位, 召至, 因賜金紫[347], 拜司馬. 賊平, 隱衡山, 給三品祿, 賜隱士服. 代宗召至, 舍蓬萊殿書閣, 賜第, 拜杭州刺史. 德宗召, 拜平章事[348]. 後月蝕東壁[349], 泌曰, "吾當之矣." 果卒. 子繁

---

344) 偃月(언월) : 누운 달. 즉 반달. 당나라 때 이임보李林甫가 언월당偃月堂에서 충신을 모함하는 모임을 가졌던 고사에서 유래한 말로 간신의 해악을 비유한다.

345) 方圓(방원) : 방형과 원형. 바둑판과 바둑돌을 가리키는 말로 결국 바둑판의 형세를 비유하는 듯하다.

346) 立(입) : 즉시, 바로.

347) 金紫(금자) : 당송 때 3품 이상의 고관이 차던 금으로 만든 물고기 모양의 부절인 금어金魚와 관복官服인 자의紫衣를 가리키는 말. 공로가 있는 신하에게 특별히 하사하기도 하였다. 당나라 이전에는 금도장과 자색 인끈을 가리키는 말로 쓰였다.

348) 平章事(평장사) : 벼슬 이름인 동중서문하평장사同中書門下平章事의 약칭. 당나라 때 핵심 권력 기관인 상서성尙書省·중서성中書省·문하성門下省의 장관인 상서령尙書令·중서령中書令·문하시중門下侍中을 재상이라 하였는데, 상설하지 않는 대신 다른 집정관執政官들 가운데 선임하여 '동중서문하평장사同中書門下平章事'라 하고 재상으로 대우하였다. 명나라 초까지 이어지다가 폐지되었고, 그 지위와 명칭은 시대마다 약간의 차이가 있다.

349) 東璧(동벽) : 동쪽 별자리 이름인 '동벽東壁'의 오기. 자형의 유사성으로 인

爲隨州刺史, 封於鄴. 韓愈詩[350]云, "鄴侯家多書, 挿架三萬軸."

○(당나라) 이필(722-789)은 자가 장원으로 일곱 살 때부터 글을 지을 줄 알았다. 개원(713-741) 연간에 부름을 받고 도착하자 현종이 장열을 시켜 그를 시험케 하였다. 당시 한창 바둑을 두고 있었기에 그에게 바둑판의 형세에 대해 글을 지으라고 하자 즉시 완성하였다. 그러자 장열이 황제에게 신동을 얻었다고 축하하였다. 장구령은 그를 ('어린 친구'라는 의미에서) '소우'라고 불렀다. 비단을 하사하라는 조서를 내리고 그의 집에 명을 내려 "이 아이를 잘 돌보도록 하라"고 하였다. 숙종이 즉위하자 그를 불러들여 금어와 자의를 하사하고 사마에 배수하였다. 반군이 평정되고 형산에 은거하자 3품의 봉록을 지급하고 은자의 의복을 하사하였다. 대종이 즉위하자 그를 불러들여 봉래전의 서각에서 묵게 하다가 저택을 하사하고 (절강성) 항주자사에 배수하였다. 덕종이 불러서는 평장사에 배수하였다. 뒤에 동벽 자리에서 월식이 일어나자 이필은 "내가 저기에 해당한다"고 말하고는 정말로 생을 마쳤다. 아들 이번李繁은 (호북성) 수주자사를 지내고 (하남성) 업에 봉해졌다. 한유는 시에서 "업후(이번)는 집에 서책이 많아, 3만 권을 서가에 꽂았네"라고 하였다.

◇十年宰相(10년 동안 재상을 지내다)

●李泌長而辟穀[351], 每導引[352], 骨節珊然. 人謂鎖子骨. 作詩[353]云, "天覆吾, 地載吾, 天地生吾有意無? 不然絶粒升天衢[354], 不然鳴珂遊

한 필사 과정상의 단순 오기로 보인다.

350) 詩(시) : 이는 오언고시五言古詩 <공부하러 수주로 가는 제갈각을 전송하다(送諸葛覺往隨州讀書)> 가운데 한 연을 인용한 것으로 송나라 위중거魏仲擧가 엮은 ≪오백가주창려문집五百家注昌黎文集≫권7에 전한다.

351) 辟穀(벽곡) : 곡기를 끊다, 밥을 먹지 않다. 도교에서 솔잎이나 대추를 먹으면서 행하는 도인導引 따위의 수련법을 말한다.

352) 導引(도인) : 신체 수련이나 호흡 조절 등을 통해 행하는 양생술의 일종.

353) 詩(시) : 이는 악부시樂府詩 <장가행(長歌行)> 가운데 전반부를 인용한 것으로 ≪전당시全唐詩・이필≫권109에 전한다.

354) 天衢(천구) : 하늘 길. 경사京師의 큰 길을 비유하는 말로 결국 천자나 조정을 상징한다.

帝都. 安能不貴復不去, 空作昂藏[355]一丈夫?" 居衡岳, 僧明瓚號懶殘, 撥火中芋以啗之曰, "領取十年宰相."

○(당나라) 이필(722-789)은 어른이 되면서 곡기를 끊었기에 매번 도인술을 펼치면 뼈마디가 산호초처럼 되었다. 그래서 사람들은 그를 '쇄자골'이라고 하였다. 그는 시를 지어 "하늘이 나를 덮고, 땅이 나를 태웠으니, 천지가 나를 낳은 것도 뜻하는 바가 있지 않을까? 그렇지 않다면 곡식을 끊고 하늘로 올라야 하고, 그렇지 않다면 말방울을 울리며 천제의 도성을 노닐어야 하리라. 어찌 귀한 몸이 못 되면서 떠나지도 않고, 부질없이 허우대 멀쩡한 대장부로 남을 수 있으랴?"라고 하였다. 형산에 거처하자 호가 '나잔'인 명찬 스님이 불속의 토란을 꺼내 그에게 먹이며 말했다. "10년 동안 재상 자리를 맡게 될 것이오."

◇金鑾召對(금란전으로 불러 대면하다)

●李白, 字太白. 生時, 母夢長庚星[356]入懷, 因以命之. 天寶初, 至長安, 賀知章見其文, 嘆曰, "子謫仙人也!" 言於上, 召見金鑾殿, 論當世事, 賜食, 親爲調羹. 有詔供奉[357]翰林. 帝嘗坐沈香亭, 召白作樂章, 援筆成文, 婉麗精切. 上愛其才, 欲官之, 會力士[358]以脫靴[359]爲恥, 摘其詩以激怒貴妃[360]. 故妃輒阻止, 浮游四方. 嘗乘月, 與崔宗之自采石[361]

355) 昂藏(앙장) : 허우대가 멀쩡한 모양, 위풍당당한 모양.

356) 長庚星(장경성) : 초저녁에 서쪽 하늘에 나타나는 별인 금성金星의 별칭. '명성明星' '태백성太白星'이라고도 한다.

357) 供奉(공봉) : 임금을 주변에서 받들어 섬기는 업무나 혹은 그러한 직책을 이르는 말. 주로 시어사侍御史나 한림학사翰林學士 등을 가리켰다. '한림학사'를 현종玄宗 때 '한림공봉翰林供奉'이라고 부른 것이 그러한 예이다.

358) 力士(역사) : 당나라 현종玄宗 때 환관宦官인 고역사高力士(684-762). 풍앙馮盎의 증손자로 환관 고연복高延福의 양자가 되었고, 내시성內侍省의 업무를 잘 처리하여 신임을 받아서 표기대장군驃騎大將軍·개부의동삼사開府儀同三司까지 올랐으나 환관인 이보국李輔國(704-762)의 탄핵을 받아 귀양갔다가 귀경길에 죽었다. ≪신당서·고역사전≫권207 참조.

359) 脫靴(탈화) : 신발을 벗다. ≪신당서·이백전≫권202의 기록에 의하면 이백이 현종玄宗이 베푼 술자리에서 술에 취해 환관宦官인 고역사高力士에게 신발을 벗게 한 사건을 가리킨다.

至金陵[362], 著宮錦袍, 坐舟中, 旁若無人.(本傳) 嘗騎驢, 過華陰縣, 縣令止之, 白索筆供云, "曾使龍巾[363]拭唾, 御手調羹, 力士脫靴, 貴妃捧硯. 天子門前, 尙容臣走馬, 華陰縣裏, 不得我騎驢?" 令愧謝之. 杜詩[364]云, "昔年有狂客[365], 號爾謫仙人. 筆落驚風雨, 詩成泣鬼神." 韓詩[366]云, "李杜[367]文章在, 光燄萬丈長." 李陽氷序太白集云, "三代[368]以來, 風騷[369]之後, 千載獨步, 惟公一人." 後坐從永王璘逆[370],

---

360) 貴妃(귀비) : 황제의 첩실이자 후궁의 고위 내관內官으로 남조南朝 유송劉宋 때 처음 생겼고, 당송唐宋 때는 정1품에 속하는 사비四妃, 즉 귀비貴妃・숙비淑妃・덕비德妃・현비賢妃 가운데 하나였다. 사비 아래로는 정2품 구빈九嬪, 정3품 첩여婕妤, 정4품 미인美人, 정5품 재인才人 등의 관제가 있었다. 여기서는 현종玄宗의 총희寵姬인 양귀비楊貴妃를 가리킨다.

361) 采石(채석) : 안휘성 당도현當塗縣의 우저산牛渚山에 있는 아름다운 바위 이름인 채석기采石磯의 준말. 진晉나라 때 온교溫嶠(288-329)가 괴물이 있다는 소문을 듣고 무소뿔을 태워 비춰보려고 하다가 얼마 안 있어 사망했다는 고사로 유명하여 '연서포燃犀浦'로도 불렸다.

362) 金陵(금릉) : 지금의 강소성 남경시南京市의 옛 이름. 전국시대 초楚나라가 설치하였던 것을 삼국 오吳나라 때 '건업建業'으로, 진晉나라 때 '건강建康'으로 개명하였으며, 남조南朝 시기 왕조들이 모두 이곳에 도읍을 정했다.

363) 龍巾(용건) : 황제가 사용하는 수건을 이르는 말.

364) 詩(시) : 이는 오언배율五言排律 <이백에게 부치는 시 20운(寄李十二白二十韻)> 가운데 제1・2연을 인용한 것으로 청나라 구조오仇兆鼇(1640-1714)의 ≪두시상주杜詩詳註≫권8에 전한다.

365) 狂客(광객) : 당나라 하지장賀知章의 별칭. ≪신당서・은일열전隱逸列傳・하지장전≫권196에 의하면 하지장은 만년에 자호自號를 '사명광객四明狂客'이라고 하였다.

366) 詩(시) : 이는 오언고시五言古詩 <장적을 놀리다(調張籍)> 가운데 제1연을 인용한 것으로 송나라 위중거魏仲擧가 엮은 ≪오백가주창려문집五百家注昌黎文集≫권5에 전한다.

367) 李杜(이두) : 당나라를 대표하는 시인인 이백李白(701-762)과 두보杜甫(712-770)를 아우르는 말. 후한 말엽 당고黨錮 사건에 휘말린 이응李膺(?-169)과 두밀杜密(?-169)을 가리킬 때도 있다.

368) 三代(삼대) : 하夏나라・상商나라・주周나라를 아우르는 말.

369) 風騷(풍소) : 북방문학을 대표하는 ≪시경≫의 국풍國風과 남방문학을 대표하는 전국시대 초楚나라 굴원屈原(약 B.C.340-B.C.278)의 ≪이소離騷≫를 아우르는 말.

370) 永王璘逆(영왕인역) : 당나라 현종玄宗의 열여섯 번째 아들인 영왕永王 이인李璘이 산남山南・강서江西・영남嶺南・검중黔中의 사도절도사四道節度使를 지내면서 강남江南 땅을 차지하려고 반란을 일으킨 사건을 말한다. ≪신당서・현종제자열전玄宗諸子列傳・영왕이인전≫권82 참조.

郭子儀[371]以官爵贖罪, 長流夜郎[372].

○(당나라) 이백(701-762)은 자가 태백이다. 태어날 때 모친이 장경성(태백성)이 품안으로 들어오는 꿈을 꾸었기에 이렇게 이름을 지었다. (현종) 천보(742-756) 초에 (섬서성) 장안에 도착하자 하지장이 그의 문장을 보고서는 감탄해 하며 “선생은 귀양온 신선이구려!”라고 하였다. 현종에게 아뢰자 그를 금란전으로 불러들여 접견하고는 당대의 정사에 대해 논한 뒤 음식을 하사하면서 몸소 국을 조리해 주었다. 그리고는 조서를 내려 한림원에서 공봉직을 맡으라고 하였다. 현종이 일찍이 침향정에 앉아 이백을 불러서 악장을 짓게 하자 붓을 들어 문장을 완성하였는데 글이 아름다우면서 정교하기 그지없었다. 현종은 그의 글재주를 좋아하여 그에게 관직을 주려고 하였지만 마침 고역사가 신발을 벗은 일로 수치심을 느껴 그의 시에서 구절을 따다가 양귀비를 격노케 만들었다. 그래서 양귀비가 번번이 제지하는 바람에 사방을 떠돌게 되었다. 일찍이 달 밝은 밤에 최종지와 함께 (안휘성) 채석기에서 (강소성) 금릉으로 가면서 궁중에서 하사받은 비단 도포를 입고 배 안에 앉아서는 방약무인하게 행동한 일이 있다.(≪신당서·이백전≫권202) 일찍이 나귀를 타고서 (섬서성) 화음현을 지난 적이 있는데, 현령이 제지하자 이백이 붓을 달라고 하여 다음과 같이 썼다. “일찍이 황제의 수건으로 침을 닦고 황제께서 손수 국을 요리해 주고 고역사가 신발을 벗고 양귀비가 벼루를 받든 적이 있지요. 천자의 궁문 앞에서도 신하의 몸으로 말을 달리는 것을 허락받았거늘 화음현에서 내가 나귀를 탈 수 없단 말이오?” 그러자 현령이 겸언쩍은 표정을 지으며 그에게 사과하였다. 두보는 시에

---

371) 郭子儀(곽자의) : 당나라 때 사람(697-781)으로 삭방절도사朔方節度使·중서령中書令 등을 역임하였고, 분양군왕汾陽郡王에 봉해졌다. 안녹산安祿山(703-757)과 사사명史思明(703-761)의 반란을 진압하고, 복고회은僕固懷恩(?-765)과 토번吐蕃이 결탁한 반란을 토벌하는 등 혁혁한 무공을 세워 당대 최고의 무장武將으로 칭송받으며 ‘곽영공郭令公’으로 불렸다. ≪신당서·곽자의전≫권137 참조.

372) 夜郎(야랑) : 진한秦漢 때 중국 서남부에 거주했던 이민족 이름이자 귀주성의 속현屬縣 이름. 당나라 때 이백李白(701-762)이 귀양간 곳으로 유명하다.

서 "예전에 어느 미친 나그네(하지장)가, 그대를 귀양온 신선이라고 불렀지요. 붓을 대면 비바람도 놀라고, 시를 완성하면 귀신도 눈물 흘린답니다"라고 하였다. 또 한유韓愈는 시에서 "이백과 두보의 문장이 있어, 광채가 만 장이나 멀리 뻗었다네"라고 하였다. 또 이양빙은 이백의 문집에 서문을 지어 "하夏나라·상商나라·주周나라 이래 ≪시경≫과 ≪이소≫가 출현한 뒤 천 년 동안 독보적인 이는 오직 공(이백) 한 사람뿐이다"라고 하였다. 뒤에 영왕永王 이인李璘을 따라 역모에 가담한 죄 때문에 곽자의가 관직과 작위를 박탈하여 속죄케 하는 바람에 멀리 (귀주성) 야랑현으로 귀양갔다.

◇六逸八仙(여섯 명의 은자와 여덟 명의 신선)

●李白與孔巢父·陶沔·韓準·裴政·張叔明居徂徠山, 號竹溪六逸. 與賀知章·李適之·汝陽王李璡·崔宗之·蘇晉·張旭·焦遂爲飮中八仙. 杜甫作歌373).

○(당나라) 이백(701-762)은 공소보·도면·한준·배정·장숙명과 함께 (산동성) 조래산에 거주하며 '죽계육일'로 불렸다. 또 하지장·이적지·여양왕 이진·최종지·소진·장욱·초수와 함께 '음중팔선'으로 불렸다. 두보가 이에 관한 노래를 지었다.

◇文辭藻麗(글이 아름답다)

●李華, 字遐叔, 作含元殿賦成, 以示蕭穎士. 士曰, "景福374)之上, 靈光375)之下." 華文辭緜麗, 少宏傑氣. 穎士健爽自肆, 而華自疑過之. 他日作弔古戰場文376), 極思方成, 汗爲故紙, 與穎士讀之, 問"今日誰可

---

373) 歌(가) : 이는 <술 마시는 여덟 명의 신선을 읊은 노래(飮中八仙歌)>란 제목으로 청나라 구조오仇兆鰲(1640-1714)의 ≪두시상주杜詩詳註≫권2에 전한다.

374) 景福(경복) : 이는 삼국 위魏나라 하안何晏(190-249)이 지은 <경복전을 읊은 부(景福殿賦)>의 준말로 남조南朝 양梁나라 소통蕭統(501-531)이 엮은 ≪문선文選·궁전≫권11에 전한다.

375) 靈光(영광) : 이는 후한 왕연수王延壽가 노나라 땅을 유람하다가 전한 공왕恭王 유여劉餘(?-B.C.128)가 세운 영광전靈光殿을 보고 지은 부인 <영광전을 읊은 부(靈光殿賦)>의 준말로 ≪문선·궁전≫권11에 전한다.

及?” 穎士曰, “君加精思, 便能至矣.” 華愕然而服.(三賢論[377])

○(당나라) 이화(약 715-약 774)는 자가 하숙으로 <함원전을 읊은 부>를 지어 완성한 뒤 이를 소영사에게 보여주었다. 그러자 소영사가 “(삼국 위魏나라 하안何晏이 지은) <경복전을 읊은 부>보다는 훌륭하고, (후한 왕연수王延壽가 지은) <영광전을 읊은 부>보다는 뒤떨어진다”고 평하였다. 이화는 글이 아름답지만 웅장한 기상이 부족하였다. 소영사는 글이 건실하고 자유분방하였지만 이화는 자신이 그를 능가할 것이라는 의구심을 품었다. 훗날 이화는 <옛 전장을 조문하는 글>을 지었는데, 고심한 끝에 비로소 완성한 뒤 일부러 땀을 묻혀 낡은 종이에 쓴 것처럼 만들어서는 소영사에게 주어 읽게 하며 물었다. “오늘날 누가 이러한 글솜씨에 미칠 수 있겠습니까?” 그러자 소영사가 대답하였다. “그대가 생각을 좀더 잘 가다듬으면 이러한 경지에 이를 수 있을 것이오.” 이화가 깜짝 놀라며 탄복해 하였다.(≪삼현론≫)

◇三絶(세 가지가 다 뛰어나다)

●李揆, 字端卿, 乾元[378]末, 拜相. 帝曰, “卿門地[379]·人物·文章, 皆當世第一, 信朝廷羽儀[380].” 時稱三絶. 德宗朝, 爲入蕃會盟使, 酋長曰, “聞唐有第一人李揆, 公是否[381]?” 揆畏留, 因紿[382]之曰, “彼李揆安肯來?”

○(당나라) 이규(711-784)는 자가 단경으로 (숙종) 건원(758-760) 말엽에 재상을 배수받았다. 숙종이 “경은 문벌이나 인물·문장 방면에

376) 弔古戰場文(조고전장문) : 이는 동명의 제목으로 당나라 이화李華(약715-774)의 문집인 ≪이하숙문집李遐叔文集≫권4에 전한다.

377) 三賢論(삼현론) : 이는 원덕수元德秀·소영사蕭穎士·유신劉迅에 대해 논한 글로서 동명의 제목으로 ≪이하숙문집≫권2에 전한다.

378) 乾元(건원) : 당唐 숙종肅宗의 연호(758-760).

379) 門地(문지) : 가문이나 문벌을 이르는 말.

380) 羽儀(우의) : 기러기는 높은 곳에 있으면서 재덕을 갖추고 있어 의표儀表로 삼을 만하다는 고사에서 유래한 말로 모범이나 귀감을 뜻한다.

381) 否(부) : 부가의문문을 만드는 어말조사語末助詞.

382) 紿(태) : 거짓말하다, 속이다.

서 모두 당대 제일이니 실로 조정의 귀감이오!"라고 말한 일이 있다. 그래서 당시에 '삼절'로 불렸다. 덕종 때 (변방 국가에 들어가 회맹을 맺는 사신인) 입번회맹사를 맡자 그곳의 추장이 말했다. "듣자하니 당나라에 천하제일인 이규라는 사람이 있다던데 공이 바로 그 사람 아니오?" 그러자 이규는 억류당할까 두려워 거짓말로 "저 이규란 사람이 어찌 여기를 오려고 하겠습니까?"라고 하였다.

◇三斗壯膽(술 세 말을 마실 정도의 주량)

●李璡封汝陽王. 嘗於上前醉, 不能下殿. 上遣人扶出, 璡謝罪曰, "臣三斗壯膽, 不覺至此." 杜甫云[383], "汝陽三斗始朝天." 贈以詩[384]云, "霜蹄[385]千里駿, 風翮九霄[386]鵬." 小字花奴.

○(당나라) 이진은 여양왕에 봉해졌다. 일찍이 현종 앞에서 술에 취해 전각을 내려가지 못 하였다. 이에 현종이 사람을 시켜 부축해서 나가게 하자 이진이 사죄하며 말했다. "신은 술 서 말을 마실 정도로 주량이 셌기에 이 지경이 될 줄은 몰랐나이다." 그래서 두보는 "여양왕은 서 말 술에 비로소 천자를 알현하네"라고 하였다. 또 시를 기증하여 "서리를 밟는 발굽으로 천 리를 달리는 준마시고, 바람을 이기는 날개로 높은 하늘을 날아오르는 붕새이십니다"라고 하였다. 어렸을 때 자는 화노이다.

◇戰功第一(전공이 천하에 으뜸가다)

●李光弼, 唐肅宗朝, 拜節度使, 平安史[387]之亂, 與郭子儀齊名, 世稱李

---

383) 云(운) : 이는 악부시樂府詩 <술 마시는 여덟 명의 신선을 읊은 노래(飮中八仙歌)> 가운데 한 구절을 인용한 것으로 청나라 구조오仇兆鰲(1640-1714)의 ≪두시상주杜詩詳註≫권2에 전한다.

384) 詩(시) : 이는 오언배율五言排律 <특진 여양왕께 바치는 22운 짜리 시(贈特進汝陽王二十二韻)> 가운데 한 연을 인용한 것으로 ≪두시상주≫권1에 전한다.

385) 霜蹄(상제) : 서리를 밟는 말발굽. 준마의 발굽을 가리킨다.

386) 九霄(구소) : 아홉 가지 빛깔의 하늘. 즉 적소赤霄·벽소碧霄·청소靑霄·현소玄霄·강소絳霄·금소黅霄·자소紫霄·연소練霄·진소縉霄를 뜻하는 말로서 결국 하늘을 가리킨다. 여기서는 황제의 처소를 비유적으로 가리킨다.

郭. 中興戰功, 推爲第一. 其代子儀於朔方也, 營壘士卒, 麾幟無所更, 而光弼號令氣色乃益精明. 代宗朝, 臨淮郡王. 詔賜鐵券[388], 名藏太廟[389], 圖形凌烟閣.

○이광필(708-764)은 당나라 숙종 때 절도사를 배수받아 안녹산安祿山과 사사명史思明의 반란을 평정하고 곽자의와 나란히 이름을 떨쳐 세간에서는 '이곽'으로 불렸다. 중흥기에 전공을 세운 사람 가운데 천하 제일로 추대받았다. 그가 (섬서성) 삭방군에서 곽자의를 대신할 때 군영의 장병들은 깃발이 바뀌지 않았는데도 이광필의 명령이나 기색을 더욱 분명히 알아보았다. 대종 때 임회군왕에 봉해졌다. 대종은 조서를 내려 그에게 철권을 하사하고 이름을 태묘에 소장하고 능연각에 초상화를 걸게 하였다.

◇朝廷始尊(조정이 비로소 존귀해지다)

●李勉, 字元卿, 肅宗朝, 爲監察御史, 劾大將[390]管崇嗣背闕坐, 不恭. 上曰, "吾有李勉, 朝廷始尊." 貞元[391]中, 拜相. 廣州十賢.(見吳隱之)

○(당나라) 이면(717-788)은 자가 원경으로 숙종 때 감찰어사를 맡아 대장 관숭사가 대궐을 등지고 앉아 불경죄를 범했다고 탄핵하였다. 그러자 숙종이 "내게 이면이 있기에 조정이 비로소 존귀해진 것이오"라고 하였다. (덕종) 정원(785-805) 연간에는 재상을 배수받았다. (광동성) 광주의 열 명의 현자 가운데 한 사람이다. (상세한 내용은 앞의 '오'씨절 오은지에 관한 기록인 '작탐천酌貪泉'항에 보인다)

---

387) 安史(안사) : 당나라 현종玄宗 때 반란을 일으킨 안녹산安祿山과 사사명史思明을 아우르는 말. 두 사람의 전기는 ≪구당서≫권200과 ≪신당서≫권225에 나란히 전한다.

388) 鐵券(철권) : 전한 고조高祖 이후 황제가 공신에게 대대로 특권을 누리도록 보장해 주기 위해 하사하던 부신符信을 가리키는 말. 둘로 쪼갠 뒤 반은 내장內藏에 보관하고, 반은 공신에게 하사하였다.

389) 太廟(태묘) : 제왕의 조상을 모신 사당인 태조묘太祖廟의 약칭. '청묘淸廟'라고도 한다.

390) 大將(대장) : 직급이 높은 군대 지휘관에 대한 범칭汎稱.

391) 貞元(정원) : 당唐 덕종德宗의 연호(785-805).

◇擅場(문단에서 독보적인 지위에 오르다)

●李端與盧綸等號大曆十才子[392]. 唐人宴集賦詩, 必推一人擅場. 郭曖尙[393]昇平公主[394], 盛集端詩, 擅場.

○이단은 노윤 등과 함께 '대력십재자'로 불렸다. 당나라 때 사람들은 연회를 열고 시를 지으면 반드시 한 사람을 추대하여 독보적 지위에 올렸다. 곽애는 승평공주에게 장가들더니 이단의 시를 대대적으로 모아서 독보적인 지위에 오르게 해 주었다.

◇八磚學士(팔전학사)

●李程, 字表臣, 擢進士, 宏詞[395]賦'日五色[396]'. 德宗朝, 爲翰林學士[397]. 性懶, 日過八磚[398]乃至, 時號八磚學士. 敬宗朝, 拜相.

○(당나라) 이정은 자가 표신으로 진사과에 급제하고 굉사과에서 '오색 햇살'이란 제목의 부를 지었다. 덕종 때 한림학사를 지냈다. 천성

---

392) 大曆十才子(대력십재자) : 당나라 대종代宗 대력大曆(766-779) 연간에 활동했던 10명의 대표적 문인을 아우르는 말. 즉 노윤盧綸·길중부吉中孚·한굉韓翃·전기錢起(722-780)·사공서司空曙·묘발苗發·최동崔峒·경위耿湋·하후심夏候審·이단李端을 가리킨다.

393) 尙(상) : 공주에게 장가가는 것을 뜻하는 말. 남자가 몸을 낮추어 신분이 높은 공주를 '존중한다'는 의미에서 유래하였다. 반면 공주가 신분이 낮은 집안에 시집가는 것은 '하가下嫁'라고 한다.

394) 昇平公主(승평공주) : 당나라 대종代宗과 최귀비崔貴妃 사이에 태어난 대종의 넷째 딸 제국소의공주齊國昭懿公主. 처음에는 승평공주에 봉해졌었다. ≪신당서·대종십팔녀전代宗十八女傳≫권83 참조.

395) 宏詞(굉사) : 학문이 폭넓고 문장이 뛰어나 조정의 문서를 기초할 만한 인재를 뽑기 위한 과거시험의 하나. 송나라 때는 굉사과宏詞科라고 하다가 휘종徽宗 때 사학겸무과詞學兼茂科라고 하였고, 고종高宗 때 박학굉사과博學宏詞科라고도 하였다.

396) 五色(오색) : 정색正色인 청·적·황·백·흑색의 다섯 가지. 상서로운 징조를 상징한다.

397) 翰林學士(한림학사) : 당나라 현종玄宗 때 처음 설치된 한림원翰林院 소속 학사를 이르는 말. 황명이나 상소문 등 주요 문서의 초안을 작성하고, 황제의 비답批答을 대필하는 등 조정의 주요 문서에 관한 일을 관장하였기에 매우 명예로운 직책으로 여겼다.

398) 八磚(팔전) : 궁중 학사원學士院의 북쪽 청사에 깔려 있는 아름다운 벽돌(화전花磚) 가운데 여덟 번째 것을 이르는 말.

적으로 게을러 해그림자가 (학사원의) 여덟 번째 벽돌을 지나야 출근하였기에 당시 '팔전학사'로 불렸다. 경종 때 재상을 배수받았다.

◇錦裘繡帽(비단 갖옷과 비단 모자)

●李晟, 字良器, 建中[399]四年, 平朱泚[400]之亂. 每戰必錦裘繡帽, 自表曰, "涇原[401]士頗相畏伏, 欲令見之, 奪其心耳." 泚平, 上迎勞之曰, "天生李晟, 爲社稷, 非爲朕也." 拜司徒[402], 兼中書令[403], 封西平郡王. 子愬・愿・憲.

○(당나라) 이성(727-793)은 자가 양기로 (덕종) 건중 4년(784)에 주차의 반란을 평정하였다. 매번 전투에 참여할 때마다 반드시 비단 갖옷과 비단 모자를 쓰더니 스스로 상소문을 올려 "(섬서성) 경주와 원주 일대 병사들이 자못 상대를 두려워하기에 그들에게 보여주어 마음을 다잡으려 한 것일 뿐입니다"라고 하였다. 주차가 평정되자 덕종이 그를 맞아 위로하며 말했다. "하늘이 이성을 낳은 것은 종묘사직을 위함이지 짐을 위한 것이 아니로다." 사도를 배수받고 중서령을 겸직하였으며 서평군왕에 봉해졌다. 아들은 이소李愬・이원李愿・이헌李憲이다.

◇雪夜鶩池(눈 오는 밤 오리가 노니는 연못에 도착하다)

●李愬, 字元直, 元和[404]中, 討吳元濟. 會大雪, 夜半至懸瓠城, 旁皆鵞

---

399) 建中(건중) : 당唐 덕종德宗의 연호(780-783).

400) 朱泚(주차) : 당나라 사람(742-784). 덕종德宗 때 요영언姚令言이 반란을 일으켰을 때 황제로 추대되어 국호를 대진大秦이라고 하였다가 뒤에 다시 한漢으로 바꿨다. 장안長安을 수복한 이성李晟(727-793)에게 패하여 도주하다가 살해당했다. ≪신당서・역신열전逆臣列傳・주차전≫권225 참조.

401) 涇原(경원) : 섬서성 장안長安 북서쪽의 경주와 원주 일대에 설치한 방진方鎭 이름.

402) 司徒(사도) : 상고시대 관직의 하나로서 국가 재정과 관련한 업무를 관장하였다. 주나라 때는 지관地官이었고, 후대에는 민부民部・호부상서戶部尙書에 해당한다. 한나라 이후로는 이 직명을 민정民政을 관장하는 삼공三公의 하나로 지정하기도 하였다.

403) 中書令(중서령) : 위진魏晉 이래로 국가의 기무機務・조령詔令・비기祕記 등을 관장하는 최고 행정 기관인 중서성中書省의 장관.

鶩池. 愬令擊之, 以混軍聲. 黎明雪止, 入駐元濟外宅, 取之, 以獻京師, 進左僕射, 封沛國公.

○(당나라) 이소(773-821)는 자가 원직으로 (헌종) 원화(806-820) 연간에 오원제를 토벌하였다. 마침 큰 눈이 내렸을 때 한밤중에 (하남성) 현호성에 도착해 보니 옆이 모두 오리들이 노니는 연못이었다. 이소는 군사들에게 오리들을 자극해 군사들 목소리와 뒤섞이게 하였다. 동틀 무렵 눈이 그치고 오원제의 바깥 저택으로 들어가 주둔하였다가 그곳을 취득해 경사에 바쳐서 좌복야로 승진하고 패국공에 봉해졌다.

◇眞宰相(진정한 재상)

●李絳, 字深之, 初及第, 試'明水[405]'賦, 稱龍虎榜[406]. 元和中, 進中書舍人, 賜以金紫. 上親擇良笏, 與之, 拜相. 每進直言, 上曰, "絳言骨鯁[407], 眞宰相也!" 遣賜酴醾酒[408].

○(당나라) 이강(764-830)은 자가 심지로 처음 과거시험에 급제할 때 <맑은 물을 읊은 부>로 시험을 치르고는 '용호방'으로 불렸다. (헌종) 원화(806-820) 연간에 중서사인으로 승진하고 금어와 자색 관복을 하사받았다. 덕종이 몸소 양질의 홀을 골라 그에게 주면서 재상에 배수하였다. 매번 직언을 올리면 덕종은 "이강은 충언을 바치니 진정한 재상이라오!"라고 하고는 도미주를 하사케 하였다.

---

404) 元和(원화) : 당唐 헌종憲宗의 연호(806-820).

405) 明水(명수) : 제사에 쓰는 깨끗한 물이나 이슬을 뜻하는 말.

406) 龍虎榜(용호방) : 당나라 덕종德宗 때 육지陸贄가 진사시험의 감독관을 맡았을 때 가능賈稜·진우陳羽·구양첨歐陽詹·이관李觀·풍숙馮宿·왕애王涯·이박李博·장계우張季友·유준고劉遵古·허계동許季同·한유韓愈·이강李絳·유승선庾承宣·원결元結·호양胡諒·최군崔群·형책邢冊·배광보裴光輔·만당萬當 등이 급제자 명단에 이름을 올렸는데 세간에서는 이를 '용호방'으로 불렀다는 ≪신당서·구양첨≫권203의 고사에서 유래한 말로서 진사과 급제자 명단을 비유한다. '호방虎榜'으로 약칭하기도 하고, '방榜'은 '방牓'으로도 쓴다.

407) 骨鯁(골경) : 원래 고기나 생선의 뼈, 혹은 생선의 뼈와 가시를 일컫는 말로 강직한 신하의 충언忠言을 비유한다.

408) 酴醾酒(도미주) : 몇 차례에 걸쳐 빚어서 단 맛을 낸 술. '도미주荼蘼酒'로도 쓰고, '도청酴清'이라고도 한다.

◇清廟器(조정을 떠받힐 그릇)

●李珏, 字待價, 甫[409]冠擧明經. 李絳見之曰, "日角珠庭[410], 非庸人相. 明經碌碌[411], 非子所宜." 乃擧進士, 高第. 穆宗朝, 除侍御史, 宰相韋處厚曰, "淸廟[412]之器, 豈擊搏才[413]邪?" 開成[414]中, 拜相.

○(당나라) 이각(784-852)은 자가 대가로 막 약관의 나이가 되면서 명경과에 급제하였다. 이강이 그를 보고서는 "제왕이 될 만한 귀한 상을 타고 났으니 평범한 사람의 관상이 아니로다. 경전을 잘 아는 일은 누구나 할 수 있는 평범한 일이기에 그대가 마땅히 열중할 일이 아닐세." 그래서 진사과에 응시해 우수한 성적으로 합격하였다. 목종 때 시어사를 제수받자 재상 위처후는 "조정을 떠받힐 그릇이거늘 어찌 어사를 맡을 재목이리오?"라고 하였다. (문종) 개성(836-840) 연간에는 재상을 배수받았다.

◇古錦囊(오래된 비단주머니)

●李賀, 字長吉, 七歲能辭章, 苦吟. 每旦出, 騎弱馬, 小奚奴[415]背古錦囊, 隨後, 遇所得, 投其中. 暮歸, 母探囊, 見所書多, 卽怒曰, "是兒嘔出心肝, 乃已!" 憲宗朝, 爲協律郞[416]. 一日晝見緋衣[417]人駕赤虬, 持

---

409) 甫(보) : 막, 갓.

410) 日角珠庭(일각주정) : 이마 한가운데가 융기隆起한 관상觀相. 상술相術에서는 제왕이 될 만한 귀한 상으로 여겼다. '일각언월日角偃月' '일각용안日角龍顔' '일각월정日角月庭'이라고도 하였다.

411) 碌碌(녹록) : 평범한 모양. '녹록鹿鹿'으로도 쓴다.

412) 淸廟(청묘) : 제왕의 종묘宗廟인 태묘太廟의 별칭. 결국 조정을 비유적으로 가리킨다.

413) 擊搏才(격박재) : 남을 탄핵하는 재능. 즉 어사御史의 직책을 감당할 만한 인물을 비유한다.

414) 開成(개성) : 당唐 문종文宗의 연호(836-840).

415) 奚奴(해노) : 몸종, 노비. '해례奚隸'라고도 한다.

416) 協律郞(협률랑) : 태상시太常寺에 소속되어 음악을 관장하던 벼슬 이름. 시대에 따라 '협률도위協律都尉' '협률교위協律校尉'라고도 하였다.

417) 緋衣(비의) : 옅은 붉은 색 관복官服. 고관高官을 상징한다. 시대마다 차이는 있으나, 보통 1품 재상은 주의朱衣를, 3품 이상 고관은 자의紫衣를, 5품 이상 고관은 비의緋衣를, 비교적 직급이 낮은 7품 이상 관리는 녹의綠衣를, 9품 이상 관리는 청의靑衣를 입었다. '의衣'는 '복服'으로도 쓴다.

一板書云, "上帝成白玉樓, 召君作記." 遂卒, 時年二十七.

○(당나라) 이하(790-816)는 자가 장길로 일곱 살 때부터 글을 지을 줄 알더니 작시에 전념하였다. 매일 새벽에 외출하면서 망아지를 타면 어린 몸종이 오래된 비단주머니를 등에 메고서 뒤를 따랐는데 좋은 구절이 떠오르면 그 속에 던져넣곤 하였다. 날이 저물어 귀가했을 때 모친이 주머니를 뒤지다가 글이 많이 나오자 화를 내며 말했다. "이 아이는 심장이고 간이고 다 뱉어내야 비로소 그만두겠구나!" 헌종 때 협률랑을 지냈다. 하루는 낮에 비색 옷을 입은 사람이 붉은 규룡을 몰면서 목판에 쓴 글을 손에 든 채 말했다. "옥황상제께서 백옥루를 완성하였기에 그대를 불러 글을 쓰라고 하시네." 결국 생을 마쳤는데 당시 나이가 고작 27세였다.

◇盤谷(반곡)

●李愿隱居盤谷[418]. 韓愈送愿歸盤谷序[419], 有云, "是谷也, 隱者之所盤旋." 又云, "濯淸泉以自潔, 坐茂樹以終日. 採於山, 美可茹, 釣於水, 鮮可食. 此大丈夫不遇知於時之所爲也, 我則行之."

○(당나라) 이원은 (산서성 태항산) 반곡에 은거하였다. 한유가 <반곡으로 돌아가는 이원을 전송하는 글>을 지었는데, 이 글에서 "이 골짜기는 은자가 돌아다니는 곳이다"라고 하였고, 또 "맑은 샘물에 몸을 씻어 정결하게 하고, 무성한 나무 아래 앉아 하루를 마치시겠지요. 산에서 캐는 것은 맛이 좋아 먹을 만하고, 물에서 낚는 것은 신선하여 먹기에 좋을 것입니다. 이는 대장부가 당시에 시절을 만나지 못 하면 행하는 것이기에 저도 이를 따르렵니다"라고 하였다.

◇星鳳(경성景星과 봉황)

●李渤, 字濬之, 隱廬山, 後徙少室山. 元和初, 召拜右拾遺, 不就. 韓

---

418) 盤谷(반곡) : 산서성 태항산太行山 남쪽에 있는 골짜기 이름.

419) 序(서) : 이는 <반곡으로 돌아가는 이원을 전송하는 글(送李愿歸盤谷序)>이란 제목으로 송나라 위중거魏仲擧가 엮은 ≪오백가주창려문집五百家注昌黎文集≫권19에 전한다.

公[420]與之書[421], 有云, "朝廷士引頸東望, 若景星[422]鳳凰, 爭先覩之爲快." 又詩[423]云, "少室山人索價[424]高, 兩以諫官徵不起." 與兄涉俱隱南康山中, 嘗養一白鹿, 號白鹿先生.

○(당나라) 이발(773-831)은 자가 준지로 (강서성) 여산에 은거하다가 뒤에 (하남성) 소실산으로 이주하였다. (헌종) 원화(806-820) 초에 황제의 부름을 받고 우습유를 배수받았으나 취임하지 않았다. 한유韓愈가 그에게 서신을 보내 "조정의 선비들이 목을 길게 빼고 동쪽(소실산)을 바라보며 마치 경성이나 봉황이 나타났을 때 앞다퉈 이를 보려고 하면서 즐거워하는 것처럼 행동합니다"라고 하였다. 또 시를 지어 "소실산에 숨어사는 사람 몸 값을 높이 불러, 두 차례나 간관으로 불러도 벼슬에 오르지 않았네"라고 하였다. 형 이섭李涉과 함께 (강서성) 남강산에 은거하였는데 흰 사슴을 한 마리 키운 적이 있기에 '백록선생'으로 불렸다.

◇好脚迹門生(좋은 발자취를 얻은 문하생)

●李逢吉, 字虛舟, 元和間, 知貢擧[425], 所取多知名士. 榜未放[426]而入相, 及第人就中書[427], 見座主[428]. 時稱好脚迹門生.

---

420) 韓公(한공) : 당나라 때 학자이자 시인인 한유韓愈(768-824)에 대한 존칭. 자는 퇴지退之. 당송팔대가唐宋八大家의 한 사람으로 유학의 발전에도 큰 공헌을 하였다. 저서로 송나라 위중거魏仲擧가 엮은 ≪오백가주창려문집五百家注昌黎文集≫ 40권이 전한다. ≪신당서·한유전≫권176 참조.

421) 書(서) : 이는 <소실산의 은자 습유拾遺 이발李渤에게 주는 글(與少室李拾遺書)>이란 제목으로 송나라 왕백대王伯大가 엮은 ≪별본한문고이別本韓文考異≫외집外集권2에 전한다.

422) 景星(경성) : 태평성대에 나타난다는 상서로운 큰 별을 이르는 말.

423) 詩(시) : 이는 칠언고시七言古詩 <노동에게 부치다(寄盧仝)> 가운데 한 연을 인용한 것으로 송나라 위중거魏仲擧가 엮은 ≪오백가주창려문집五百家注昌黎文集≫권5에 전한다.

424) 索價(색가) : 값을 부르다. 명성과 지위를 구하는 것을 비유한다.

425) 知貢擧(지공거) : 당송 때 진사進士 시험을 총괄하기 위해 특별히 설치한 벼슬 이름. 처음에는 고공원외랑考功員外郎이 맡았으나 권위가 떨어지자 뒤에는 예부시랑禮部侍郎이 맡기도 하고, 각 부서의 상서尙書가 맡기도 하였다.

426) 放(방) : 과거시험 급제자 명단을 발표하는 것을 이르는 말.

427) 中書(중서) : 위진魏晉 이래로 국가의 기무機務·조령詔令·비기祕記 등을

○(당나라) 이봉길(758-835)은 자가 허주로 (헌종) 원화(806-820) 연간에 지공거를 맡아 많은 명사들을 선발하였다. 과거시험 급제자 명단을 발표하기 전에 입궐하여 재상에 오르자 급제자들이 중서성을 찾아 자신들의 시험감독관을 알현하였다. 그래서 당시 사람들은 그들을 '좋은 발자취를 얻은 문하생'이라고 불렀다.

◇紗籠人物(사롱 속의 인물)

●李藩, 字叔翰, 少時問卜於葫蘆生[429], 生曰, "紗籠[430]中人藩不省." 後有新羅僧, 言"凡位當宰相者, 冥司[431]必潛以紗籠護之, 恐爲異物所害也." 元和中, 拜相.

○(당나라) 이번(754-811)은 자가 숙한으로 어렸을 때 호로생에게 점괘를 물었더니 호로생이 "사롱 속의 사람인지라 보호막을 알 수 없다오"라고 하였다. 뒤에 신라 출신의 한 승려가 말했다. "무릇 지위가 재상에 오를 사람을 저승사자가 반드시 남몰래 사롱으로 보호하는 것은 괴물에게 해를 당할까 염려해서랍니다." (헌종) 원화(806-820) 연간에 재상을 배수받았다.

◇短李(키가 작은 이신)

●李紳, 字公垂, 爲人短小精悍, 精於詩, 號短李. 穆宗朝, 召拜翰林學士. 與李德裕・元稹同時, 號三俊. 武宗朝, 拜相. 始以文藝節操見用, 獨能以名位終.

○(당나라) 이신(?-846)은 자가 공수로 용모는 키가 작지만 성품이 날카롭고 시에 정통하여 '단리'로 불렸다. 목종 때 부름을 받고 한림학사를 배수받았다. 이덕유・원진과 함께 같은 시대를 살며 '삼준'으로

관장하는 최고 행정 기관인 중서성中書省의 약칭. '중성中省'이라고도 한다.

428) 座主(좌주) : 당송唐宋 때 진사進士들이 시험감독관을 일컫던 말.

429) 葫蘆生(호로생) : 당나라 때 점술가. 실명은 알려지지 않았다. ≪태평광기太平光記・방사方士2・호로생≫권77 참조.

430) 紗籠(사롱) : 푸른 깁으로 만든 일종의 감싸개를 이르는 말.

431) 冥司(명사) : 저승이나 저승사자를 이르는 말. '명간冥間' '명로冥路' '명부冥府'라고도 한다.

불렸다. 무종 때 재상을 배수받았다. 처음에는 문장과 절조로 기용되었지만 유독 명성과 지위를 유지하다가 생을 마칠 수 있었다.

◇柳汁染衣(버드나무 즙액으로 옷을 물들이다)

●李固言未第時, 古柳樹下有彈指聲曰, "吾柳神九烈君, 用柳汁染子衣矣, 宜以棗餻祠我." 後果爲狀元. 文宗朝, 拜中書同平章事[432].

○(당나라) 이고언은 과거시험에 급제하기 전에 오래된 버드나무 아래서 손가락을 튕기는 소리가 들리더니 "나는 버드나무의 신인 구열군으로서 버드나무 즙액으로 그대의 옷을 물들일 것이니 의당 대추떡으로 내게 제사를 올려야 할 것이네"라는 말을 들었다. 뒤에 정말로 과거시험에서 장원급제를 차지하였다. 문종 때 중서동평장사를 배수받았다.

◇丹扆六箴(붉은 병풍에 여섯 가지 잠언을 적어 바치다)

●李德裕, 字文饒, 唐寶曆[433]中, 爲浙西觀察使[434], 獻丹扆六箴, 曰宵衣[435], 曰正服, 曰罷獻, 曰納誨, 曰辨邪, 曰防微. 詞皆婉切. 上優詔[436]謝之. 大和[437]中, 徙劍南[438]西川[439], 建籌邊樓, 置平泉莊, 周

---

432) 中書同平章事(중서동평장사) : 벼슬 이름인 동중서문하평장사同中書門下平章事의 약칭. 당나라 때 핵심 권력 기관인 상서성尙書省·중서성中書省·문하성門下省의 장관인 상서령尙書令·중서령中書令·문하시중門下侍中을 재상이라 하였는데, 상설하지 않는 대신 다른 집정관執政官들 가운데 선임하여 '동중서문하평장사同中書門下平章事'라 하고 재상으로 대우하였다. 명나라 초까지 이어지다가 폐지되었고, 그 지위와 명칭은 시대마다 약간의 차이가 있다.

433) 寶曆(보력) : 당唐 경종敬宗의 연호(825-826).

434) 觀察使(관찰사) : 당나라 때 도道나 절도사節度使가 없는 주州에 두어 군사·재무·민사 등 모든 권한을 행사하던 벼슬. '도부都府'라고 칭할 만큼 권한이 막강하였으며, 중엽 이후로는 절도사가 겸직하다가 송나라에 들어서는 유명무실해졌다.

435) 宵衣(소의) : 날이 밝기 전에 일어나 옷을 입다. 임금이 정사政事에 부지런한 것을 비유한다. 보통은 '저녁 늦게 밥을 먹는 것'을 뜻하는 '간식旰食'과 연용하여 쓰기도 한다.

436) 優詔(우조) : 칭찬과 격려의 뜻을 담은 조서를 가리키는 말.

437) 大和(태화) : 당唐 문종文宗의 연호(827-835). '대大'는 '태太'와 통용자.

438) 劍南(검남) : 당나라 때 설치한 도道 이름. 중국 서남부 검문산劍門山 이남

回十里. 建臺榭百餘所, 奇花異卉, 珍松怪石, 靡不畢致. 會昌[440]初, 入相, 當相六年, 決策制勝, 平諸藩鎭[441], 策功[442], 拜太尉, 封衛國公. 末年一僧相之曰, "相公[443]當食萬羊, 其數將滿, 其不還乎!" 貶崖州司戶, 卒.

○이덕유(787-850)는 자가 문요로 당나라 (경종) 보력(825-826) 연간에 (절강성) 절서관찰사를 지내면서 붉은 병풍에 여섯 가지 잠언을 적어 바치며, 각기 (정사에 근면할 것을 내용으로 하는) '소의' (바른 복장을 갖출 것을 내용으로 하는) '정복' (놀이용 물품의 헌납을 막을 것을 내용으로 하는) '파헌' (간언을 잘 받아들일 것을 내용으로 하는) '납회' (간신을 잘 구별할 것을 내용으로 하는) '변사' (유희를 즐기는 일을 방비할 것을 내용으로 하는) '방미'라고 이름 지었다. 그러자 경종이 격려의 뜻이 담긴 조서를 내려 사례하였다. (문종) 태화(827-835) 연간에 (사천성) 검남서천절도사로 자리를 옮겨 변방의 성루를 건축하고 평천장을 설치하였는데 둘레가 10리에 달했다. 각종 누대와 정자를 백 군데 넘게 세우고 기화이초와 진귀한 소나무 및 기암괴석을 모두 모아들였다. (무종) 회창(841-846) 초에는 입궐하여 재상에 올랐는데, 재상직을 6년 동안 맡으면서 계책을 마련해 승기를 잡아서 여러 번진들을 평정하여 공로가 책서에 기재되고 태위를 배수받고 위국공에 봉해졌다. 말년에 한 승려가 그의 관상을 살피더니 "상공께서는 의당 양 만 마리를 드실 터인데 그 수치가 거의 다 찬 것으로 보아 아마도 조정으로 돌아가지 못 하실 듯합니다"라고 하였다. 결국 (해남성) 애주의 사호참군으로 폄적당했

의 사천성 일대를 가리킨다.

439) 西川(서천) : 당나라 때 검남도劍南道 소속 행정 구역. 당나라 현종玄宗 때 사천성 일대인 검남劍南은 동천東川과 서천西川으로 분할되면서 절도사가 두 명으로 증원된 적이 있다.

440) 會昌(회창) : 당唐 무종武宗의 연호(841-846).

441) 藩鎭(번진) : 당나라 이후로 변방에서 군정軍政을 관장하던 관서官署나 벼슬을 가리키던 말. 후에는 세력이 강해져 민정民政과 재정財政도 장악하면서 조정朝廷과 자주 갈등을 빚기도 하였다.

442) 策功(책공) : 공훈功勳을 책서策書에 기록하는 일. '책훈策勳'이라고도 한다.

443) 相公(상공) : 재상에 대한 존칭. 여기서는 이덕유를 가리킨다.

다가 생을 마쳤다.

◇牛李之怨(우승유牛僧孺와 이덕유李德裕 사이의 원한 관계)

●李宗閔擧賢良方正, 對策詆宰相李吉甫. 由是與德裕各立朋黨. 文宗朝, 宗閔入相, 引牛僧孺, 同秉政而排擯德裕, 牛李之怨益深, 更相傾軋[444], 垂四十年.

○(당나라) 이종민(?-846)은 현량방정과에 응시해 대책문에서 재상 이길보를 맹비난하였다. 이 때문에 이덕유와 서로 각기 붕당을 세우게 되었다. 문종 때 이종민은 입궐하여 재상을 맡자 우승유를 끌어들여 함께 정권을 쥐고는 이덕유를 배척하였는데, 우승유와 이덕유 사이의 원한 관계가 더욱 깊어지는 바람에 서로 갈등하게 된 것이 거의 40년에 이르렀다.

◇鳳閣鰲宮(중서성과 한림원)

●李昉, 字明遠, 所居鄕曰調元鄕秉鈞里. 仕漢周[445], 歸宋, 三入翰林, 兩入中書. 有詩[446]云, "衣染御香拖瑞錦[447], 筆宣皇澤洒春霖." "三載經綸棲鳳閣[448], 五年提筆直鰲宮[449]." 再入相詩云, "傷禽再展凌雲翼,

444) 傾軋(경알) : 갈등하다, 마찰하다.

445) 漢周(한주) : 오대십국五代十國 때 후한後漢(947-950)과 후주後周(951-959)를 아우르는 말.

446) 詩(시) : 앞의 두 구절은 칠언배율七言倍率 <천자께서 '옥당지서'라는 네 글자를 친히 비백체로 써서 한림원에 하사하셨는데, 지금 현판 거는 일을 다 마쳤기에 문득 형편없는 시를 한 수 지어 성대한 일을 노래한다(御書飛白'玉堂之署'四字, 頒賜禁苑, 今懸掛已畢, 輒述惡詩一章, 用歌盛事)> 가운데 한 연을 인용한 것으로 송나라 홍매洪邁(1123-1202)가 엮은 ≪한원군서翰苑羣書·금림연회집禁林讌會集≫권7에 전하고, 뒤의 두 구절은 ≪전송시全宋詩·이방李昉2≫권13에서도 두 구절만 수록한 것으로 보아 일시逸詩인 듯하다. 아래에 인용된 시들도 대부분 일시에 속한다.

447) 瑞錦(서금) : 당나라 두사륜竇師綸의 그림을 바탕으로 짠 비단을 일컫는 말. 예부원외랑禮部員外郎이 숙직할 때 특별히 '서금'을 하사한 고사에서 유래하였기에 예부원외랑의 미칭美稱이기도 하다.

448) 鳳閣(봉각) : 황명의 기초起草와 출납出納을 관장하는 중서성中書省의 별칭. 당나라 측천무후 때 중서성을 '봉각鳳閣'으로 개칭한 데서 유래하였다.

449) 鰲宮(오궁) : 황명이나 상주문 등 궁중의 주요 문서들을 관장하는 기관인 한

枯木重爲犯斗槎[450].” 退官詩云, “布裘[451]藜杖鹿胎冠[452], 散率身如不在官. 晝枕靜欹無遠夢, 秋牕閑坐有微寒.” 以司空[453]致仕. 至道[454]元年, 燈夕[455]太宗御樓, 以安輿[456]召至, 賜坐御樓之側, 敷對詳明. 上親酌御樽飮之, 選肴核之精者賜之曰, “善人君子也.” 時年七十一. 思洛中九老會[457], 與張好問·李運·宋琪·武允成·僧贊寧·魏實·楊徽之·朱昻欲繼其事, 而次年公卽世[458], 事竟不成.(容齋隨筆[459]) 謚文正公. 子宗諤.

○이방(925-996)은 자가 명원으로 거처하는 고을 이름을 ‘조원향 병

림원翰林院의 별칭. ‘금란원金蘭院’ ‘금서禁署’ ‘금림禁林’ ‘내서內署’ ‘북원北院’ ‘사림詞林’ ‘사액詞掖’ ‘오금鼇禁’ ‘오두鼇頭’ ‘오봉鼇峰’ ‘오액鼇掖’ ‘옥당玉堂’ ‘옥서‘玉署’ ‘한원翰苑’ 등 다양한 별칭으로도 불렸다.

450) 犯斗槎(범두사) : 북두성을 침범한 뗏목. 전한 장건張騫이 황명을 받들어 황하의 근원을 찾다가 실수로 은하수로 들어가 북두성과 견우성을 침범했다는 고사에서 유래한 말로 황제의 총애를 받아 재상에 오른 것을 비유한다.

451) 布裘(포구) : 베로 만든 갖옷. 뒤의 명아주지팡이와 함께 벼슬에 오르지 않은 평민 신분이나 몰락한 선비를 상징한다.

452) 鹿胎冠(녹태관) : 뱃속의 새끼 사슴의 가죽으로 만든 갓. 당나라 때 5품 이상의 관원이 착용하였기에 고관을 상징한다.

453) 司空(사공) : 벼슬 이름. 소호少昊 때 처음 설치되었는데, 주周나라 때는 동관冬官으로서 치수와 토목공사를 관장하였고, 한나라 이후로는 태위太尉·사도司徒와 함께 삼공三公의 하나였다.

454) 至道(지도) : 북송北宋 태종太宗의 연호(995-997).

455) 燈夕(등석) : 정월대보름 밤. ‘상원上元’ ‘원석元夕’ ‘원소元宵’와 같다.

456) 安輿(안여) : 연로한 고관이나 귀부인이 편히 탈 수 있게 제작한 수레를 이르는 말. ‘안거安車’라고도 한다.

457) 洛中九老會(낙중구로회) : 송나라 때 재상을 지낸 이방李昉(925-996)이 당나라 백거이白居易(772-846)의 향산구로회香山九老會를 모방하여 하남성 낙양에서 결성한 모임을 이르는 말. 이방을 비롯하여 장호문張好問·이운李運·송기宋琪·무윤성武允成·승려 찬녕贊寧·위석魏石·양휘지楊徽之·주앙朱昻을 가리키는데, 사천성 촉蜀 땅에서 반란이 일어나는 바람에 실행에 옮기지는 못 했다.

458) 卽世(즉세) : 세상을 뜨다, 죽다. ‘즉명卽命’ ‘거세去世’ ‘종세終世’라고도 한다.

459) 容齋隨筆(용재수필) : 송나라 홍매洪邁(1123-1202)가 경전이나 전고典故·문학 작품들에 대해 연구하면서 자신의 견해를 엮은 책. 수필 16권, 속필續筆 16권, 삼필三筆 16권, 사필四筆 16권, 오필五筆 10권으로 총 74권. 그러나 오필은 미완성으로 끝났다. ≪사고전서간명목록·자부·잡가류雜家類≫권13 참조.

균리'라고 하였다. (오대십국 때) 후한後漢과 후주後周에서 벼슬길에 올랐다가 송나라로 귀순해 세 차례나 한림원에 들어가고 두 차례나 중서성에 들어갔다. 이방은 시에서 "옷에 천자의 향을 물들인 채 (예부에서) 아름다운 비단을 하사받다가, 붓을 들어 황제의 은택을 널리 알리며 봄날 장맛비를 맞았지"라고 하였고, 또 "3년 동안 국가대사를 맡아 봉각(중서성)에 머물고, 5년 동안 붓을 들고 오궁(한림원)에서 숙직하였네"라고 하였다. 다시 입궐하여 재상을 맡으면서 지은 시에서는 "상처입은 새가 다시 구름을 뚫고 날아오르는 날개를 펼치게 되었다가, 썩은 나무가 다시금 북두성을 침범하는 땟목이 되었네"라고 하였다. 또 관직에서 물러나며 지은 시에서는 "삼베 갖옷과 명아주지팡이를 짚고 녹태관을 쓰니, 홀가분한 몸이라 마치 관직을 지내지 않은 듯하네. 낮잠을 조용하게 즐기기에 원대한 꿈이 없고, 가을 창가에 한가로이 앉으니 미미한 한기가 스며드네"라고 하였다. 사공을 지내다가 벼슬을 그만두었다. 지도 원년(995) 정월대보름날에 태종이 누각에 행차하여 편안한 수레를 준비해 그를 불러들이더니 누각 옆에 자리를 하사하여 소상한 대화를 나눴다. 태종이 몸소 궁중의 술을 따라 마시게 하고 좋은 안주를 골라 그에게 하사하며 말했다. "선인이자 군자라서 이리 하는 것이오." 당시 나이가 71세였다. 낙중구로회가 그리워 장호문·이운·송기·무윤성·승려 찬녕·위석·양휘지·주앙과 함께 그 일을 이어가려 하였으나 이듬해 이방이 세상을 뜨는 바람에 일은 결국 성사되지 않았다.(≪용재수필·지도구로至道九老≫사필四筆권12) 시호는 문정공이다. 아들은 이종악李宗諤이다.

◇父子掌誥(부자가 번갈아 황명을 관장하다)

●李宗諤, 字昌武, 宋眞宗朝, 擢知制誥. 在翰林九年, 以朱衣雙引而去其一. 宋朝父子掌綸誥[460]者九家, 李昉·子昌武, 王祐·子旦, 王忠獻[461]

460) 綸誥(윤고) : 황제의 조서를 일컫는 말. '윤綸'은 ≪예기·치의≫권55에서 유래한 말로 황제의 말을 비유한다.

461) 忠獻(충헌) : '혜헌惠獻'의 오기. ≪송사·왕화기전王化基傳≫권206에 의하

・子安簡, 晁迥・子文莊[462], 錢希白[463]・子修懿[464], 梁顥・子適昌[465], 呂夷簡・子公綽, 宋綬・子敏求, 蘇紳・子頌.

○이종악(965-1013)은 자가 창무로 송나라 진종 때 지제고에 발탁되었다. 한림원에서 9년 동안 있으면서 주색 관복을 두 벌 입는 겸직을 하다가 그중 하나를 그만두었다. 송나라 때 부자가 번갈아 황명을 관장한 것은 아홉 가문이 있었는데, 이방과 아들 이종악, 왕우와 아들 왕단王旦, 혜헌공惠獻公 왕화기王化基와 아들 안간공安簡公 왕거정王擧正, 조형과 아들 문장공文莊公 조종각晁宗慤, 희백希白 전역錢易과 아들 수의공修懿公 전명일錢明逸, 양호와 아들 양적梁適, 여이간과 아들 여공작呂公綽, 송수와 아들 송민구宋敏求, 소신과 아들 소송蘇頌이다.

◇廳容旋馬(청사를 말머리를 겨우 돌릴 정도로 좁게 만들다)

●李沆, 字太初. 雍熙[466]中, 太宗謂宰相曰, "李沆・宋湜, 皆嘉士也." 命中書召試, 除知制誥. 嘗侍宴, 上目送[467]之曰, "李沆風範端凝, 眞貴人也." 咸平[468]初, 拜相. 在位沈厚寡言, 日取四方水旱盜賊, 奏之. 王旦初以爲細事, 後乃嘆曰, "李文靖, 眞聖人也." 時稱聖相. 劉元城[469]

면 안간공安簡公 왕거정王擧正의 부친 왕화기는 사후에 '혜헌'이란 시호를 하사받았다.

462) 文莊(문장) : 조형晁逈의 아들인 조종각晁宗慤의 시호. ≪송사・조종각전≫권305 참조.

463) 錢希白(전희백) : 송나라 때 사람 전역錢易. '희백'은 자. 지제고知制誥・한림학사翰林學士를 역임하였고, 회화와 행서行書・초서草書에 뛰어난 솜씨가 있었다. 저서로 ≪남부신서南部新書≫ 10권이 전한다. ≪송사・전역전≫권317 참조.

464) 修懿(수의) : 전역錢易의 둘째 아들인 전명일錢明逸의 시호諡號. ≪송사・전명일전≫권317 참조.

465) 適昌(적창) : '창昌'은 연자衍字로 보인다. 양호梁顥의 아들 양적梁適은 자가 중현仲賢이고, 시호가 장숙莊肅이며, 손자는 양자미梁子美여서 '창昌'자는 양적의 가문과 아무런 관련성이 없다. ≪송사・양적전≫권285 참조.

466) 雍熙(옹희) : 북송北宋 태종太宗의 연호(984-987).

467) 目送(목송) : 멀리까지 따라가 직접 보면서 전송해 주는 일. 극진한 예우를 말한다.

468) 咸平(함평) : 북송北宋 진종眞宗의 연호(998-1003).

論, "本朝名相最得大體者沆也." 沆所居陋巷, 頹簷敗壁, 不以屑意. 及治第於封丘[470]廳事前, 僅容旋馬. 或言其太隘, 公笑曰, "居第當傳子孫, 此爲宰相廳事誠隘, 爲太祝[471]奉禮廳事已寬矣." 諡文靖

○(송나라) 이항(947-1004)은 자가 태초이다. 옹희(984-987) 연간에 태종이 재상에게 "이항과 송식은 모두 훌륭한 선비들이오"라고 말하고는 중서성에 명을 내려 그를 불러서 시험을 치르게 한 뒤 지제고에 제수하였다. 일찍이 황제를 모시고 연회에 참석했을 때 태종이 멀리까지 직접 그를 전송하며 말했다. "이항의 풍모는 단정하니 진정 귀인이로다!" (진종) 함평(998-1003) 초에 재상을 배수받았다. 재상직에 있으면서 진중하고 과묵하면서도 날마다 사방에서 일어나는 수재와 가뭄·도적질 따위를 취합하여 아뢰었다. 왕단이 처음에는 사소한 일이라고 여기다가 뒤에는 오히려 감탄해 하며 "이문정공(이항)은 진정 성인이로다!"라고 하였다. 그래서 당시에 '성상'으로 불렸다. 원성元城 유안세劉安世는 "우리 왕조의 명망 있는 재상 가운데 가장 대체를 터득한 사람은 이항이다"라고 평하였다. 이항의 거처는 누추한 골목에 있었기에 처마가 스러지고 벽이 허물었지만 전혀 마음에 두지 않았다. (하남성) 봉구현 청사 앞에 집을 지으면서는 말머리를 겨우 돌릴 정도로 길을 좁게 냈다. 누군가 너무 좁다고 하자 이항은 웃으면서 "사는 집이야 당연히 자손들에게 물려줄 것인데, 이곳은 재상의 청사로 쓰기에는 사실 좁긴 하지만 태축이 제사를 받드는 청사로 삼기에는 이미 넓은 편이지요"라고 하였다. 시호

---

469) 劉元城(유원성) : 송나라 사람 유안세劉安世(1048-1125). '원성'은 호. 자는 기지器之. 시호는 충정忠定. 사마광司馬光(1019-1086)의 제자로 성품이 강직하여 직간直諫을 잘 해서 '전상호殿上虎'라는 별명을 얻었고, 어사대부御史大夫를 지냈다. 저서로 ≪진언집盡言集≫ 30권이 전한다. ≪송사·유안세전≫권 345 참조.

470) 封丘(봉구) : 하남성의 속현屬縣 이름.

471) 太祝(태축) : 제사와 기도를 주관하는 벼슬. 은殷나라 때는 육태六太의 하나였고, 주나라 때는 춘관春官의 속관이었으며, 진한秦漢 이후로는 태축령太祝令·태축승太祝丞을 두었는데 태상경太常卿의 속관이었다. 여기서는 재상의 집무실로 쓰기에는 좁을지 몰라도 자손들에게 제삿밥 얻어 먹기에는 좁지 않다는 뜻으로 쓴 듯하다.

는 '문정'이다.

◇金鼎調元(재상으로서 조화로운 정치를 펼치다)

●李迪, 字復古, 宋景德472)二年, 試'天道猶張弓473)'賦, 擧進士第一. 天禧474)中, 與王沂公475)繼秉鈞軸476). 故王公寄詩477)云, "錦標478)得儁479)曾相繼, 金鼎480)調元481)亦屢更." 後與子東之, 皆早年告老482), 時以比漢二疏483). 謚文定.

○이적(971-1047)은 자가 복고로 송나라 (진종) 경덕 2년(1005)에 '천도는 활을 당기는 것과 같다'는 제목의 부를 시험쳐 진사과에서 장원급제를 차지하였다. (진종) 천희(1017-1021) 연간에는 기국공沂國公 왕증王曾과 서로 뒤를 이어가며 나라의 중임을 맡았다. 그래서 왕증이 시를 부쳐 "과거시험에서 장원급제하는 것도 일찍이 서로 뒤를 이었고, 재상직에 올라 조화로운 정치를 펼치는 일도 여러 차

472) 景德(경덕) : 북송北宋 진종眞宗의 연호(1004-1007).

473) 天道猶張弓(천도유장궁) : 이는 ≪노자・천도天道77≫권하의 "하늘의 도는 마치 활을 당기는 것과 같다(天之道, 其猶張弓乎!)"는 구절을 과거시험의 제목으로 삼은 것이다.

474) 天禧(천희) : 북송北宋 진종眞宗의 연호(1017-1021).

475) 王沂公(왕기공) : 송나라 인종仁宗 때 동중서문하평장사同中書門下平章事에 오르고 기국공沂國公에 봉해진 왕증王曾(978-1038)에 대한 존칭. 저서로 ≪왕문정필록王文正筆錄≫ 1권이 전한다. ≪송사・왕증전≫권310 참조.

476) 鈞軸(균축) : 원래는 질그릇을 만들 때 쓰는 돌림판과 수레의 축을 가리키는 말로서 재상처럼 국가의 중임을 맡은 사람을 비유한다.

477) 詩(시) : 이는 칠언절구七言絶句 가운데 전반부를 인용한 것으로 송나라 완열阮閱의 ≪시화총귀詩話總龜≫권17에 전한다.

478) 錦標(금표) : 용선龍船 경주에서 우승을 한 사람에게 주는 비단 깃발을 가리키는 말로 장원급제를 비유한다.

479) 得儁(득준) : 적장을 사로잡는 것을 뜻하는 말로 과거시험에 급제하는 것을 비유한다.

480) 金鼎(금정) : 쇠로 만든 세발솥을 뜻하는 말로 재상의 지위를 비유한다.

481) 調元(조원) : 음양의 조화를 잘 이루어 국정을 관장하는 것을 뜻하는 말로 조화로운 정치를 가리킨다.

482) 告老(고로) : 늙었다고 아뢰다. 즉 사직을 청하는 것을 말한다.

483) 二疏(이소) : 전한 때 소광疏廣과 그의 조카인 소수疏受를 아우르는 말. 소광은 태자태부太子太傅를 맡았고, 조카인 소수는 태자소부太子少傅를 맡았는데, 함께 벼슬을 그만두고 고향에 은거하였다. ≪한서・소광전≫권71 참조.

례 번갈아하였네"라고 하였다. 뒤에 아들 이동지李東之와 함께 일찌감치 사직을 청하였기에 당시 사람들이 그들을 (전한) 소광疏廣과 소수疏受에 비유하였다. 시호는 '문정'이다.

◇山房李氏(산방에 거처한 이상李常)

●李常, 字公擇, 居南康[484], 世號山房. 李氏少讀書廬山五老峯白石庵之僧舍, 書幾萬卷, 藏於山中. 時人目爲李氏藏書房. 東坡爲記[485]. 守秀州, 張子野[486]·劉孝叔[487]在焉. 楊元素[488]·蘇子瞻[489]·陳令擧[490]過之, 會飮碧瀾堂, 子野作六客詞. 故郡圃有六客亭. 後張復守是邦, 再繼前事[491]. 終兵尙書[492].

---

484) 南康(남강) : 강서성의 속군屬郡 이름.

485) 記(기) : 이는 <이씨 산방의 장서에 관한 글(李氏山房藏書記)>이란 제목으로 송나라 소식蘇軾(1036-1101)의 ≪동파전집東坡全集≫권36에 전한다.

486) 張子野(장자야) : 송나라 때 문인 장선張先(990-1078). '자야'는 자. 장손張遜의 손자로 안휘성 박주지주사亳州知州事를 지냈고, 사詞를 잘 지었다. 저서로 ≪안륙집安陸集≫ 1권이 전한다. ≪송사·장손전≫권268 참조.

487) 劉孝叔(유효숙) : 송나라 사람 유술劉述. '효숙'은 자. 신종神宗 때 시어사侍御史를 지내며 왕안석王安石(1021-1086)의 신법新法을 반대하다가 강서성 강주자사江州刺史로 폄적당했다. ≪송사·유술전≫권321 참조.

488) 楊元素(양원소) : 송나라 사람 양회楊繪. '원소'는 자. 호는 무위자無爲子. 한림학사翰林學士·천장각대제天章閣待制 등을 역임하였는데, 증공량曾公亮(999-1078)과 왕안석王安石(1021-1086)의 미움을 사 폄적당했다. ≪송사·양회전≫권322 참조.

489) 蘇子瞻(소자첨) : 송나라 때 대문호인 소식蘇軾(1036-1101). '자첨'은 자이고, 호는 '동파東坡'. 저서로 ≪동파전집東坡全集≫ 115권이 전한다. ≪송사·소식전≫권338 참조.

490) 陳令擧(진영거) : 송나라 사람 진순유陳舜兪. '영거'는 자. 호는 백우거사白牛居士. 저작좌랑著作佐郞·둔전원외랑屯田員外郞 등을 역임하였고, 청묘법靑苗法을 반대하다가 폄적당했다. 저서로 ≪도관집都官集≫ 14권과 ≪여산기廬山記≫ 4권이 전한다. ≪송사·진순유전≫권331 참조.

491) 再繼前事(재계전사) : 다시 전대의 고사를 이어가다. 장복張復이 소식蘇軾·조보曹輔·유계손劉季孫·소견蘇堅·장숙張璹과 함께 이상李常의 '육객六客' 고사를 계승하였다는 얘기는 소식의 ≪동파전집≫권12에 수록된 칠언율시七言律詩 <원소(양회楊繪)의 시에 차운하여 화답하다(次韻答元素)>에 전한다.

492) 兵尙書(병상서) : 조정의 핵심 행정 기관인 상서성尙書省 소속 육부六部 가운데 병무를 관장하는 병부兵部의 장관인 병부상서兵部尙書의 약칭. 휘하에 시랑侍郞과 낭중郞中·원외랑員外郞 등을 거느렸다.

○(송나라) 이상(1027-1090)은 자가 공택으로 (강서성) 남강군에 거처하였는데 세간에서는 그의 거처를 '산방'이라고 불렀다. 이상은 어려서부터 여산 오로봉에 있는 백석암의 승방에서 공부를 하면서 거의 만 권에 달하는 서책을 산속에서 소장하고 있었다. 당시 사람들은 그곳에 '일씨장서방'이라는 별명을 지어 주었다. 동파東坡 소식蘇軾이 그에 관한 글을 지었다. 이상이 (절강성) 수주를 진수할 때 자야子野 장선張先과 효숙孝叔 유술劉述이 그곳에 있었고, 원소元素 양회楊繪와 자첨子瞻 소식蘇軾·영거令擧 진순유陳舜俞가 그곳에 들러 벽간당에 모여서 술을 마시게 되자 장선이 <여섯 명의 문객을 읊은 노래>를 지었다. 그래서 고을의 채마밭에는 육객정이 남아 있다. 뒤에 장복이 이 고을을 다스리면서 다시 예전의 고사를 이어갔다. 이상은 병부상서를 지내다가 생을 마쳤다.

◇龍眠三李(용면산장의 이씨 삼형제)

●李公麟, 字伯時, 宋元祐中, 登第. 工草書·圖畫, 時以比顧陸. 元符[493]中, 歸老, 肆意泉石間, 作龍眠山莊圖, 自號龍眠居士[494]. 又與二弟公權·公寅, 號龍眠三李.

○(송나라) 이공린(1049-1106)은 자가 백시로 송나라 (철종) 원우(1086-1093) 연간에 과거시험에 급제하였다. 초서와 회화에 탁월한 솜씨를 보여 당시 사람들이 그를 (진晉나라) 고개지顧愷之와 (남조南朝 유송劉宋) 육탐미陸探微에 견주었다. (철종) 원부(1098-1100) 연간에 여생을 보내기 위해 귀향하여 자연 속에서 마음 내키는 대로 지내며 <용면산장도>를 그리고는 스스로 호를 '용면거사'라고 하였다. 또 두 동생인 이공권李公權·이공인李公寅과 함께 '용면삼이'로도 불렸다.

493) 元符(원부) : 북송北宋 철종哲宗의 연호(1098-1100).
494) 居士(거사) : 학식과 덕망을 겸비하고서도 벼슬하지 않거나 은거한 사람에 대한 호칭.

◇下第(과거시험에 낙방하다)

●李廌, 字方叔, 素[495]爲東坡所知. 元祐初, 坡知擧[496], 擬擢爲第一, 開榜則非. 坡詩云, "平生浪[497]說古戰場[498], 過眼空迷日五色[499]."(事見章姓) 廌母曰, "蘇公知擧而吾兒下第, 命也!"

○(송나라) 이치(1059-1109)는 자가 방숙으로 평소 동파東坡 소식蘇軾(1036-1101)에게 인정을 받았다. (철종) 원우(1086-1093) 초에 소식이 그를 장원급제자로 발탁하려고 하였으나 막상 급제자 명단을 발표하자 실상은 그렇지 못 했다. 그래서 소식은 시에서 "평생 <옛 전쟁터를 조문하는 글>이란 얘기를 함부로 했나 보다, 눈 앞을 지나쳐도 <오색 햇살>이란 글을 헛되이 놓치고 말았으니"라고 하였다. (상세한 내용은 앞의 '장'씨절 '형제갑과兄弟甲科'항에 보인다) 그러자 이치의 모친은 "소공(소식)이 지공거를 맡았는데도 우리 아들이 과거시험에 낙방한 것은 운명이로다!"라고 하였다.

◇抱才尙氣(재능이 뛰어나면서 기개를 중시하다)

●李元亮抱才尙氣. 宋崇寧[500]中, 處太學[501], 時蔡嶷[502]爲學錄[503], 元亮輕之. 後嶷守和州, 元亮猶布衣也, 過州不謁. 嶷命駕[504], 先至其館.

---

495) 素(소) : 평소, 원래.
496) 知擧(지거) : 과거시험을 관장하는 일이나 그러한 업무를 관장하는 시험감독관을 뜻하는 말인 지공거知貢擧의 약칭.
497) 浪(낭) : 함부로, 부질없이. '공空' '도徒'의 뜻.
498) 古戰場(고전장) : 이는 명문장으로 알려진 당나라 이화李華(약715-774)의 <옛 전장을 조문하는 글(弔古戰場文)>을 가리키는 말로 ≪이하숙문집李遐叔文集≫권4에 전한다.
499) 日五色(일오색) : 이는 당나라 이정李程이 과거시험에서 장원급제할 때 지은 부賦의 제목을 가리킨다. 이에 관한 기록은 이미 앞의 '팔전학사八磚學士'항에 보인다.
500) 崇寧(숭녕) : 북송北宋 휘종徽宗의 연호(1102-1106).
501) 太學(태학) : 고대 중국에서 귀족의 자제들을 위해 도읍에 설치하였던 교육기관을 이르는 말.
502) 蔡嶷(채의) : ≪송사·채의전蔡嶷傳≫권354에 의하면 '채의蔡嶷'의 오기이다. 자형의 유사성으로 인한 필사 과정상의 단순 오기로 보인다.
503) 學錄(학록) : 국자감國子監이나 태학太學 등 국가 최고 교육 기관에서 박사博士·학정學正 등과 함께 교육을 분담하던 벼슬 이름.

元亮以啓謝云, "定館而見長者[505], 古所不然. 輕身以先匹夫, 今無此事." 蔡嗟嘆, 餉以錢五十萬, 且致書延譽於諸公, 遂登科.

○이원량은 재능이 뛰어나면서 기개를 중시하였다. 송나라 (휘종) 숭녕(1102-1106) 연간에 태학에 머물렀는데 당시 채의蔡嶷가 학록을 맡고 있었지만 이원량은 그를 무시하였다. 뒤에 채의가 (안휘성) 화주를 진수할 때 이원량은 여전히 평민의 신분으로 화주에 들렀다가 그를 배알하지 않았다. 그러자 채의가 수레를 준비해 먼저 그의 숙소를 찾았다. 이원량이 글을 올려 사례하며 "숙소를 정하고 장자를 알현하는 것도 예로부터 그런 일이 없었지만, 처신을 가벼이하여 필부보다 앞서 방문하는 것도 지금껏 그런 일이 없었습니다"라고 하자, 채의가 감탄해 하며 돈 50만 냥을 선물로 주고 아울러 여러 고관에게 서신을 보내 그를 칭찬해 주었다. 그래서 결국 과거시험에 급제할 수 있었다.

◇中興[506]名相(중흥기의 명재상)

●李綱, 字伯紀, 才器過人, 有憂國愛民經綸天下之志. 高宗卽位, 首拜爲相, 上十議, 才[507]七十五日而罷. 紹興[508]不言和者, 前有李忠定[509], 後有張魏公[510]. 子宗之.

○(송나라) 이강(1083-1140)은 자가 백기로 재능이 누구보다 뛰어나면서 나라를 걱정하고 백성을 사랑하며 천하를 경영하고자 하는 의

504) 命駕(명가) : 마부에게 명하여 수레를 몰게 하다. 수레를 준비시키는 것을 말한다.

505) 長者(장자) : 나이나 신분, 인품이 높은 사람에 대한 존칭.

506) 中興(중흥) : 한 왕조가 세력이 약해진 뒤 동일 왕조가 부흥하는 시기를 통칭하는 말. 후한後漢·동진東晉·남송南宋 등의 시기에 상용되었는데, 여기서는 남송을 가리킨다.

507) 才(재) : 겨우, 고작. '재纔' '재裁'와 통용자.

508) 紹興(소흥) : 남송南宋 고종高宗의 연호(1131-1162).

509) 忠定(충정) : 이강李綱의 시호.

510) 張魏公(장위공) : 송나라 장준張浚(1097-1164)에 대한 존칭. 천섬경서제로선무사川陝京西諸路宣撫使·추밀사樞密事·도독강회군마都督江淮軍馬 등을 역임하였고 위국공魏國公에 봉해졌다. ≪송사·장준전≫권361 참조.

지를 품었다. 고종이 즉위하자 맨먼저 재상을 배수받아 열 가지 의견을 올렸으나 고작 75일만에 재상직을 그만두었다. (고종) 소흥(1131-1162) 연간에 (금나라와의) 화친을 언급하지 않은 사람으로 전에는 충정공 이강이 있었고, 뒤에는 위국공魏國公 장준張浚이 있었다. 아들은 이종지李宗之이다.

◇中興名將(중흥기의 명장)

●李顯忠, 字君錫, 靑澗[511]人. 初生, 卽立於蓐室[512], 有火光, 及長, 雄偉勇力絶人. 紹興九年, 自夏國[513]歸宋, 屢立大功, 爲中興名將. 氣雄萬夫, 官至二府[514]. 孝宗朝, 除大尉. 薨[515], 贈隴西郡開國公.

○(송나라) 이현충(1110-1178)은 자가 군석으로 (섬서성) 청간현 사람이다. 처음 태어났을 때 바로 분만실에서 일어서면서 화광이 돌더니 성장한 뒤에는 풍모와 용기가 타인을 능가하였다. (고종) 소흥 9년(1139)에 하국으로부터 송나라로 귀순하여 여러 차례 큰 공을 세워 중흥기(남송)의 명장으로 평가받는다. 기상이 그 누구보다도 드높아 관직이 중서령과 추밀사에 올랐다. 효종 때는 태위를 제수받았다. 생을 마친 뒤에는 농서군 개국공을 추증받았다.

---

511) 靑澗(청간) : 섬서성의 속현屬縣 이름.

512) 蓐室(욕실) : 요를 깔아놓은 방. 즉 아기를 낳는 분만실을 가리킨다. '욕蓐'은 '욕褥'과 통용자.

513) 夏國(하국) : 송나라 때 서강족西羌族의 일족인 당항족党項族이 세운 나라 이름. 서하국西夏國이라고도 하였다.

514) 二府(이부) : 황명을 관장하는 중서성中書省과 군사기밀을 관장하는 추밀원樞密院을 아우르는 말. 송나라 때는 중서성을 승상부丞相府, 추밀원을 추부樞府라고 하였다. 여기서는 결국 중서성의 장관인 중서령中書令과 추밀원의 장관인 추밀사樞密使를 가리킨다.

515) 薨(훙) : 제후나 공경公卿 등 고관이 죽었을 때 쓰는 말. ≪예기·곡례하曲禮下≫권5에 의하면 천자의 죽음은 '붕崩'이라고 하고, 공경의 죽음은 '훙薨'이라고 하고, 대부大夫의 죽음은 '졸卒'이라고 하고, 사士의 죽음은 '불록不祿'이라고 하고, 평민의 죽음은 '사死'라고 하여 신분에 따라 죽음에 대한 표현에도 차이를 두었다.

◇海外倡和(해남성에서 시를 주고받다)

●李光, 紹興中, 參大政[516], 與秦檜議論不合, 謫瓊州, 與胡銓海外倡和. 其吏隱堂詩[517]云, "旋移松石成岩壑, 時引笙歌入醉鄕. 吏散簾垂公事畢, 淸風一榻傲羲黃[518]."

○(송나라) 이광(1078-1159)은 (고종) 소흥(1131-1162) 연간에 참지정사에 올랐으나 진회와 의견이 들어맞지 않는 바람에 (해남성) 경주로 폄적당해 호전과 해외에서 시를 주고받았다. 그는 <이은당>이란 시에서 "이윽고 소나무와 돌을 옮겨 자연경관을 이루고, 때로 생황을 연주하고 노래를 부르며 술의 고을로 들어섰네. 관리들 퇴근하고 주렴이 내려져 공무를 마치고 나서, 걸상에 앉아 시원한 바람을 맞으면 복희伏羲와 황제黃帝 시대보다도 더 낫다네"라고 하였다.

◇氷壺秋月(얼음 항아리와 가을 달)

●李侗, 字愿中, 號延平先生. 幼從羅仲素[519]受春秋, 與朱松爲同門友. 退而屛居[520]山田, 簞瓢[521]屢空, 怡然自得. 閩[522]帥汪玉山[523]具書禮,

516) 參大政(참대정) : 주요 정사에 참여하다. 재상인 참지정사參知政事의 자리에 오르는 것을 말한다.

517) 詩(시) : 이는 동명의 칠언율시七言律詩 가운데 경련頸聯과 미련尾聯을 인용한 것으로 송나라 이광李光의 ≪장간집莊簡集≫권5에 전한다.

518) 羲黃(희황) : 전설상의 임금인 복희伏羲와 황제黃帝를 아우르는 말로 태평성대를 상징한다.

519) 羅仲素(나중소) : 송나라 사람 나종언羅從彦. '중소'는 자. 호는 예장선생豫章先生이고 시호는 문질文質. 양시楊時(1054-1135)의 제자로 주부主簿를 지냈다. 저서로 ≪예장문집≫ 17권이 전한다. ≪송사·나종언전≫권428 참조.

520) 屛居(병거) : 다른 사람들을 물리치고 혼자 쓸쓸히 지내다. 즉 은거를 뜻한다.

521) 簞瓢(단표) : 한 그릇의 밥과 국을 뜻하는 '단사표음簞食瓢飮'의 준말. 춘추시대 노魯나라 공자가 "어질구나! 안회顔回는 한 그릇의 밥과 한 그릇의 국으로 생계를 유지하다니!(賢哉! 回也, 一簞食, 一瓢飮!)"라고 말했다는 ≪논어·옹야雍也≫권6의 고사에서 유래한 말로 청렴한 삶을 상징한다.

522) 閩(민) : 중국의 동남방, 즉 복건성 일대의 옛 이름.

523) 汪玉山(왕옥산) : 송나라 사람 왕응신汪應辰(1119-1176). '옥산'은 호. 자는 성석聖錫이고 시호는 문정文定. 복건성 건주통판建州通判·이부상서吏部尙 등을 역임하였다. 저서로 ≪문정집≫ 24권이 전한다. ≪송사·왕응신전≫권387 참조.

聘之, 至之日, 疾作而卒. 鄧廸夫[524]曰, "延平如氷壺[525]秋月, 瑩徹無瑕."

○(송나라) 이동(1093-1163)은 자가 원중이고 호는 연평선생이다. 어려서 중소仲素 나종언羅從彦에게서 ≪춘추경≫을 전수받아 (주희朱熹의 부친인) 주송과 동문 친구가 되었다. 은퇴한 뒤 자연 속에 은거하며 청렴한 생활을 영위하면서 흔쾌하니 득의해 하였다. 민(복건성) 땅의 수령인 옥산玉山 왕응신汪應辰이 서신과 예물을 준비해 그를 초빙하였으나 도착하던 날 병이 생겨 생을 마쳤다. 등적鄧廸은 "연평(이동)은 얼음 항아리나 가을 달처럼 투명하니 흠결이 없다"고 평한 적이 있다.

◇地行仙(대지를 다니는 신선)

●李八百, 名眞, 蜀人. 得仙, 常游人間, 自稱年八百歲. 又白鹿先生[526]謂陳摶[527]曰, "此神仙李八百, 動則八百里. 故宅在筠州治." 楊誠齋[528]詩[529]云, "李眞宅子故依然, 道院西偏古洞前. 一日身遊八百里, 三番花

---

524) 鄧廸夫(등적부) : 위의 예문과 유사한 내용이 ≪송사·이동전≫권428에도 전하는데, 이에 의하면 '부夫'는 연자衍字이다. '등적鄧廸'은 복건성 사현沙縣 사람으로서 주희朱熹(1130-1200)의 부친인 주송朱松의 친구라는 것 외에는 신상이 알려지지 않았다.

525) 氷壺(빙호) : 옥으로 만든 얼음 항아리. 순결·고결함을 상징한다.

526) 白鹿先生(백록선생) : 고대 현인으로 알려진 전설상의 인물. 명나라 능적지凌迪知의 ≪만성통보萬姓統譜≫권138에 인용된 후한 응소應劭의 ≪풍속통風俗通≫ 참조.

527) 陳摶(진단) : 송나라 사람. 사호賜號는 희이希夷. 도사道士로서 이학理學을 추구하여 주돈이周敦頤(1017-1073)와 소옹邵雍(1011-1077)에게 영향을 주어 성리학性理學의 발단을 열었다는 평가를 받는다. ≪송사·진단전≫권457 참조.

528) 楊誠齋(양성재) : 송나라 사람 양만리楊萬里(1124-1206). '성재'는 호. 자는 정수廷秀이고 시호는 문절文節. 보문각대제寶文閣待制를 지냈고, 한탁주韓侂胄(1152-1207)의 전횡을 개탄하다가 병사하였다. 시문에 조예가 깊어 육유陸游(1125-1210)·범성대范成大(1126-1193)·우무尤袤(1127-1194)와 함께 남송사대가南宋四大家로 불렸다. 저서로 ≪성재집誠齋集≫ 132권과 ≪성재시화誠齋詩話≫ 1권이 전한다. ≪송사·양만리전≫권433 참조.

529) 詩(시) : 이는 칠언율시七言律詩 <이진의 집에 머무는 것을 사양하다. 대개 진나라 때 신선 이팔백의 옛 거처 터에 남겨진 초상화가 있다고 한다(辭棲眞

落九千年. 劍池丹井俱蒼蘚, 絳節[530]霓旌[531]已碧天. 借問飛仙那用步? 步行猶是地行仙."

○이팔백은 본명이 '진眞'으로 (삼국) 촉나라 때 사람이다. 신선이 되어서도 늘 인간세상을 떠돌며 자칭 나이가 8백 살이라고 하였다. 또 (송나라 때) 백록선생이 진단에게 말했다. "이 사람은 신선 이팔백으로 움직이면 8백 리를 가지요. 옛 저택은 (강서성) 균주의 치소에 있었답니다." 성재誠齋 양만리楊萬里는 시에서 "이진의 저택은 원래 그대로라서, 도원이 서쪽으로 옛 동굴 앞에 치우쳐 있다네. 하루에 몸소 8백 리를 움직이고, 세 차례 꽃잎이 떨어지면 9천 년이 지난다네. 검을 주조하던 연못과 단약을 조제하던 우물 모두 이끼가 낀 것을 보니, 붉은 의장과 깃발은 이미 하늘로 올라갔나 보다. 묻노니 신선이 어찌 걸음을 쓰랴? 걷는다 해도 여전히 대지를 다니는 신선이거늘"이라고 하였다.

●李斯, 楚人, 爲秦相, 變蒼頡[532]籒文[533]爲玉筯篆.

○이사(?-B.C.208)는 (전국시대) 초나라 사람으로 진나라의 승상이 되어 창힐 이후 문자인 주문을 옥저전(소전小篆)으로 변화시켰다.

●李通佐漢光中興, 封固始侯, 圖形雲臺[534],

○이통(?-42)은 후한 광무제의 중흥을 도와 고시후에 봉해지고 운대

室. 蓋晉仙人李八百故居之址中有遺像云)>를 인용한 것으로 ≪성재집≫권25에 전한다.

530) 絳節(강절) : 전설상의 옥황상제나 신선의 의장.

531) 霓旌(예정) : 신선의 깃발. 제왕의 깃발을 비유하기도 한다.

532) 蒼頡(창힐) : 황제黃帝 때 사관史官으로서 새의 발자국을 보고 한자를 창안했다고 전하는 전설상의 인물. '창힐倉頡'로도 쓴다.

533) 籒文(주문) : 주周나라 때 사관史官 주籒가 창안했다는 서체인 대전체大篆體의 별칭.

534) 雲臺(운대) : 누각 이름. 후한後漢 광무제光武帝 유수劉秀(B.C.6-A.D.57)가 중신들과 국사를 논의하였고, 명제明帝가 부친인 광무제 때의 공신들의 업적을 기리기 위해 등우鄧禹(2-58) 등 28명의 초상화를 그려 넣은 장소로 유명하다.

에 초상화가 걸렸다.

●李密少時以蒲韉[535]乘牛, 掛漢書一帙於角上, 讀之.

○(진晉나라) 이밀(224-287)은 어렸을 때 부들로 만든 언치를 이용해 소를 타면서 ≪한서≫를 뿔 위에 걸고서 읽었다.

●李淳風[536]爲太史令[537], 制渾天儀[538]. 父播棄官入道, 號黃冠子.

○(당나라) 이순풍(602-670)은 태사령을 맡아 혼천의를 제작하였다. 부친인 이파李播는 관직을 버리고 도를 닦으며 호를 '황관자'라고 하였다.

●李元爽年百三十六, 九老會[539]中人.(見胡泉)

○(당나라) 이원석李元奭은 136세까지 살았고 (백거이白居易가 결성한) 구로회 가운데 한 사람이다.(상세한 내용은 앞의 '호'씨절 '호고胡杲'에 관한 기록인 '구로九老'항에 보인다)

---

535) 蒲韉(포천) : 엉덩이를 편하게 하기 위해 부들로 만든 언치를 이르는 말.

536) 李淳風(이순풍) : 당나라 때 사람으로 역법曆法에 정통하였고, 장사랑將仕郎·태사령太史令을 역임하며 혼천의渾天儀를 제작하였다. ≪신당서·이순풍전≫권204 참조.

537) 太史令(태사령) : 진한秦漢 때 사서史書의 편찬과 천문·역법을 총괄하던 벼슬. 위진魏晉 이후로 사서 편찬을 저작랑著作郎이 전담하면서부터는 주로 천문과 역법을 관장하게 되었다.

538) 渾天儀(혼천의) : 천체의 운행을 관측하는 데 사용하던 기구.

539) 九老會(구로회) : 당나라 때 향산거사香山居士 백거이白居易(772-846)를 중심으로 결성한 모임을 이르는 말. '구로'는 백거이의 ≪백씨장경집白氏長慶集·율시律詩≫권37에 실린 칠언배율七言排律 <호고·길교·정거·유진·노진·장혼 등 여섯 현인은 모두 연세가 많고 나 역시 그 다음 간다. 어쩌다 우리 집에 모여 연장자를 존중하는 모임을 결성하였다. 일곱 노인이 서로를 돌아보며 술에 취해 기분이 무척 좋았는데, 곰곰이 생각해 보니 이런 모임도 드물기에 7언6운의 율시를 지어 기록해서 호사가들에게 전한다(胡·吉·鄭·劉·盧·張等六賢, 皆多年壽, 予亦次焉. 偶於弊居合, 成尙齒之會. 七老相顧, 旣醉甚歡. 靜而思之, 此會稀有, 因成七言六韻以紀之, 傳好事者)>라는 시의 후기後記에 의하면 호고胡杲·길교吉皎·유진劉眞·정거鄭據·노진盧眞·백거이白居易·장혼張渾·이원석李元奭과 승려 여만如滿 등 아홉 명을 가리킨다. 따라서 앞의 '이원상李元爽'은 '이원석'의 오기이고, 뒤의 '호천胡泉'은 '호고'의 오기이다.

●李栖筠, 代宗朝, 爲御史大夫[540], 封贊皇縣男. 時稱贊皇公.
○(당나라) 이서균(719-776)은 대종 때 어사대부를 지내다가 찬황현남에 봉해졌다. 그래서 당시 사람들이 그를 '찬황공'이라고 불렀다.

●李吉甫, 憲宗朝, 拜中書侍郞[541]·同平章事, 封贊皇縣侯.
○(당나라) 이길보(758-814)는 헌종 때 중서시랑과 동평장사를 배수받고 찬황현후에 봉해졌다.

●李商隱, 字義山, 文宗時人. 詩文瑰邁奇古, 號西崑[542]體.
○(당나라) 이상은(약 812-858)은 자가 의산으로 문종 때 사람이다. 시문이 웅장하면서 기이하여 '서곤체'로 불렸다.

●李成, 五代末人, 以詩酒自娛, 畵山水爲當世第一.
○이성(919-967)은 오대 말엽 사람으로 시와 술을 즐겼고, 산수화 솜씨가 당대 제일로 손꼽혔다.

●李谿, 後唐人, 家有奇書萬卷, 時號李書樓.
○이계는 (오대) 후당 때 사람으로 집에 진귀한 서책이 만 권이나 있어 당시에 '이서루'로 불렸다.

●李浩, 字德遠, 紹興末, 爲光祿丞[543], 輪對[544]陳無逸[545]之戒. 太

---

540) 御史大夫(어사대부) : 관리들의 비행을 규찰하고 탄핵하는 업무를 관장하는 기관인 어사대御史臺의 주무 장관. 버금 장관으로 어사중승御史中丞이 있고, 휘하에 시어사侍御史와 전중시어사殿中侍御史·감찰어사監察御史·어사승御史丞 등을 거느렸다.

541) 中書侍郞(중서시랑) : 황명의 기초와 출납을 관장하는 중서성中書省에서 장관인 중서령中書令 다음 가는 직책을 이르는 말.

542) 西崑(서곤) : 서쪽의 곤륜산. 선계나 비서祕書가 소장된 곳을 상징하는 말로서 송나라 초엽 양억楊億(974-1020)을 중심으로 당나라 이상은李商隱의 시풍을 추종한 일련의 시파를 가리킨다.

543) 光祿丞(광록승) : 황제의 호위와 궁중 음식을 관장하는 기관인 광록시光祿寺 소속 벼슬 이름.

學[546]作五賢[547]詩, 以述其事.(見胡憲)

○(송나라) 이호(1116-1176)는 자가 덕원으로 (고종) 소흥(1131-1162) 말엽에 광록승을 지내다가 순번이 되자 (≪서경·주서周書≫권15에 실린) <무일편>의 가르침을 진술하였다. 태학사가 <다섯 현자를 읊은 시>를 지어 그 일을 기술하였다.(상세한 내용은 앞의 '호'씨절 호헌에 관한 기록인 '오현五賢'항에 보인다)

●李裳, 夔州人. 子公京·弟襲·襲子公奭·次子公奕, 紹興中, 相繼登第, 時號李氏五桂[548].

○(송나라) 이상은 (사천성) 기주 사람이다. 아들 이공경李公京·동생 이습李襲·이습의 장남 이공석李公奭·차남 이공혁李公奕은 (고종) 소흥(1131-1162) 연간에 서로 뒤를 이어가며 과거시험에 급제하여 당시 '이씨오계'로 불렸다.

●李挺之謂康節[549]曰, "科擧之外, 有物理之學, 物理之外, 有性命之學."

○(송나라) 이정지는 강절선생康節先生 소옹邵雍(1011-1077)에게 "과

544) 輪對(윤대) : 송나라 때 신하들이 순번대로 입직入直하며 시정時政의 득실에 대해 상주하던 제도를 일컫는 말.

545) 無逸(무일) : ≪서경·주서周書≫의 한 편명篇名. 주周나라 주공周公이 지었다고 전하는데 안일함에 빠지지 말 것을 당부하는 교훈을 담은 글이다.

546) 大學(태학) : ≪송사·호헌전≫권459에서도 <오현시>를 지은 사람에 대해 태학사太學士라고 하였을 뿐 실명을 밝히지는 않았다. '대大'는 '태太'와 통용자.

547) 五賢(오현) : 남송 고종高宗 때 사람인 호헌胡憲·왕십붕王十朋·풍방馮方·사약査籥·이호李浩 등 다섯 명의 현자를 아우르는 말.

548) 桂(계) : 계수나무. 진晉나라 때 극선郤詵이 현량대책과賢良對策科에 급제하고 나서 과거시험 급제가 계림桂林의 가지 하나 꺾는 것에 불과하다고 말했다는 ≪진서晉書·극선전≫권52의 고사에서 유래한 말로 과거시험에 급제하는 것을 비유한다.

549) 康節(강절) : 송나라 때 학자인 소옹邵雍(1011-1077)의 시호. 사마광司馬光(1019-1086) 등 구법당파舊法黨派와 친교를 맺으면서 평생 재야의 학자로 남았다. 천문天文·역학易學에 정통하여 만물이 태극太極에서 비롯되었다는 선천학先天學을 창시하고 상수象數에 의한 우주관과 자연철학을 제창하였다. 저서로 ≪격양집擊壤集≫ 20권이 전한다. ≪송사·소옹전≫권427 참조.

거시험 외에도 물리에 관한 학문이 있고, 물리 외에도 성명에 관한 학문이 있습니다"라고 말한 일이 있다.

●李八百妹, 明香眞人[550], 修道華林山之玄秀峯, 後於五龍岡沖升.

○(삼국 촉蜀나라 때 도사) 이팔백의 여동생은 명향진인으로 (강서성) 화림산의 현수봉에서 도를 닦다가 뒤에 오룡강에서 승천하였다.

※女德婚姻(여덕과 혼인)

◇堅貞節婦(곧은 절조를 지닌 아낙)

●鄭廉妻李氏, 年十七, 夫死, 截髮麻衣, 塵膚垢面. 刺史號之曰, '堅貞節婦.' 名其所居曰, '節婦里.'

○(당나라 때) 정염의 아내 이씨는 나이 열일곱 살에 남편이 죽자 머리카락을 자르고 베옷을 입고서 (겁탈을 피하기 위해) 피부와 얼굴을 일부러 더럽혔다. 그래서 자사가 그녀를 '견정절부'라고 부르고, 그녀가 사는 고을을 '절부리'라고 이름 지었다.

◇斷髮終喪(머리카락을 자르고 상례를 마치다)

●汴女李氏, 八歲父亡, 殯于堂十年. 母欲嫁之, 斷髮, 丐終喪, 廬于墓, 蓬頭負土, 以完園塋. 唐武后詔, 旌表[551]門閭[552].

○(하남성) 변주 여인인 이씨는 여덟 살에 부친이 사망하자 10년 동안 대청에 영구를 안치하였다. 모친이 자신을 시집보내려고 하자 머리카락을 자르며 상례를 마치게 해 달라고 간청하였고, 무덤에 여막을 짓고 봉두난발을 한 채 흙을 짊어다가 무덤을 완성하였다. 당나라 무후가 조서를 내려 마을 입구에 정문旌門을 세우게 하였다.

550) 眞人(진인) : 득도한 도사나 신선에 대한 별칭. 보통 남자 도사는 '진인'이라고 하고, 여자 도사는 '원군元君'이라고 하나 여기서는 구분없이 사용하였다.
551) 旌表(정표) : 충효로 모범적인 사람에게 정문旌門을 세워 주거나 편액을 하사해 표창하는 일.
552) 門閭(문려) : 문에 대한 총칭. 마을 입구를 가리킨다.

◇晝田夜紡(낮에는 농사를 짓고 밤에는 옷감을 짜다)

●楊三安妻李氏, 京兆人. 舅姑[553]亡, 三安死, 子幼孤, 李氏晝田夜紡. 凡三年, 葬舅姑及夫兄弟七喪. 宋太宗異之, 詔賜帛三百段.

○양삼안의 아내 이씨는 (섬서성) 경조군 사람이다. 시부모님이 사망하고 남편인 양삼안이 죽어 아들이 어린 나이에 고아가 되자 이씨는 낮에는 농사를 짓고 밤에는 옷감을 짰다. 도합 3년 동안 시부모와 남편의 형제까지 일곱 차례 상례를 치렀다. 송나라 태종이 기특하게 생각해 비단 3백 단을 하사하라는 조서를 내렸다.

◇勝丈夫(대장부보다 낫다)

●王之才妻李夫人[554], 公擇之妹也. 山谷呼之爲姨母, 有詩[555]云, "小竹扶疏[556]大竹枯, 筆端眞有造化爐. 人間俗氣一點無, 健婦果勝大丈夫."

○(송나라 때) 왕지재의 아내 이부인은 공택公擇 이상李常(1027-1090)의 여동생이다. 산곡山谷 황정견黃庭堅이 그녀를 이모라고 부르며 시를 지어 "(수묵화 속의) 어린 대나무가 무성하게 자라고 큰 대나무가 매마른 것을 보니, 붓 끝에 조화옹의 화로라도 달렸나 보다. 인간세상의 속기가 하나도 없는 것을 보면, 건실한 아낙이 진정 대장부보다 낫구나"라고 하였다.

◇斷臂(팔을 자르다)

●五代王凝妻李氏扶凝喪, 自虢州歸東, 過開封, 止於旅舍. 主人不納, 牽其臂而出之. 李氏仰天慟曰, "我爲婦人, 不能守節, 而此手爲人所執." 引斧自斷其臂. 開封尹[557]以聞于朝, 厚恤李氏, 而笞其主人.

---

553) 舅姑(구고) : 시아버지와 시어머니. 시아버지를 '구舅'라고 하고, 시어머니를 '고姑'라고 한다. '공고公姑'라고도 한다.

554) 夫人(부인) : 황제의 후처後妻인 비빈妃嬪이나 제후의 적처嫡妻에 대한 존칭. 후에는 고관의 부인에 대한 존칭으로도 쓰였다.

555) 詩(시) : 이는 칠언절구七言絶句 <이모이신 이부인의 대나무 수묵화를 읊은 시 2수(姨母李夫人墨竹二首)> 가운데 제2수를 인용한 것으로 송나라 황정견黃庭堅(1045-1105)의 ≪산곡집山谷集≫권5에 전한다.

556) 扶疏(부소) : 나뭇가지가 무성하게 뻗은 모양.

○오대 때 왕응의 아내 이씨는 왕응의 상여를 끌고 (하남성) 괵주로부터 동쪽으로 돌아가다가 개봉에 들러 여관에 묵게 되었다. 그러나 주인이 받아들이지 않으며 그녀의 팔을 끌더니 그녀를 내쫓았다. 그러자 이씨는 하늘을 우러러 통곡하며 말했다. "나는 유부녀로서 절조를 지키지 못 하고 이 손이 남에게 잡히고 말았소." 그리고는 도끼를 들어 손수 자신의 팔을 잘랐다. 개봉윤이 이를 조정에 보고하자 이씨에게 후한 상을 내리고 그 주인에게 태형을 가했다.

◇漱玉集(≪수옥집≫)

●李易安558), 趙抃之子明誠妻也, 再適張汝舟. 能詩詞, 有漱玉集三卷. 八詠樓詩云, "千古風流八詠樓, 江山留與後人愁. 水通南國三千里, 氣壓江城十二州."

○(송나라) 이안거사易安居士 이청조李淸照는 조변의 아들인 조명성趙明誠의 아내로 장여주에게 재가하였다. 시와 사를 잘 지어 ≪수옥집≫ 3권을 남겼다. <팔영루를 읊은 시>에서 "천고의 풍류가 스며 있는 팔영루, 강산은 후세 사람들에게 시름만 남겼네. 강물은 남쪽 지방으로 3천 리까지 흐르며, 기세가 장강 따라 성이 있는 12개 주를 압도하누나"라고 하였다.

◇四子皆良士(네 아들 모두 훌륭한 선비가 되다)

●程文矩妻李氏, 字穆姜, 有二男, 而文矩前妻有四男. 文矩卒, 四子迭毁之, 穆姜恩愛益隆. 郡縣異之, 蠲其家徭. 四子爲良士. 李氏年八十餘卒.

○(후한) 정문거의 아내 이씨는 자가 목강으로 두 아들이 있고, 정문거의 전처에게는 네 아들이 있었다. 정문거가 죽자 네 아들이 번갈

---

557) 開封尹(개봉윤) : 하남성 개봉 일대를 관장하는 지방 수령을 이르는 말.

558) 李易安(이이안) : 송나라 때 사람 이격비李格非의 장녀인 이청조李淸照(1081-약1141). '이안'은 그녀의 호인 이안거사易安居士의 준말. 조명성趙明誠에게 시집갔다가 조명성이 죽은 뒤 장여주張汝舟에게 재가하였다. 사詞에 능하여 사집詞集으로 ≪수옥사漱玉詞≫ 1권이 전한다. 청나라 여악厲鶚(1692-1752)의 ≪송시기사宋詩紀事·이청조≫권87 참조.

아 핍박했지만 이목강은 오히려 더욱 많은 사랑을 베풀어 주었다. 군현에서 기특하게 여겨 그 집의 요역을 감면해 주었다. 네 아들은 훌륭한 선비가 되었다. 이씨는 나이 80세가 넘어 생을 마쳤다.

◇託孤(고아를 맡기다)

●趙伯英妻曰文姬, 李固之女也. 固誅, 二子基·滋俱死獄中, 小子燮在. 文姬告父門生王成曰, "君執義先公, 有古人之節, 今委公以六尺之孤." 成遂將燮浮江, 入徐州界, 變姓名, 爲酒家傭. 酒家異之, 以女妻燮. 後得還, 姊弟相見. 靈帝時, 爲河南尹559).

○(후한 때) 조백영의 아내는 이름을 '문희'라고 하였는데 이고(94-147)의 딸이다. 이고가 죽임을 당하자 두 아들인 이기李基와 이자李滋가 함께 감옥에서 죽고 막내아들인 이섭李燮만 살아남았다. 이문희가 부친의 문하생인 왕성에게 말했다. "공은 선친에게 의리를 지키고 고인의 절조가 있기에 이제 어린 고아인 동생을 공에게 맡기고자 합니다." 왕성이 결국 이섭을 데리고 장강에 배를 띄워 (강소성) 서주 경내로 들어가서는 성명을 바꾸고 술집 일꾼이 되었다. 술집 주인이 대견하게 여겨 딸을 이섭에게 시집보냈다. 뒤에 귀가하게 되어 누나와 남동생이 서로 만날 수 있었다. 이섭은 영제 때 (하남성) 하남윤에 올랐다.

◇寶牕之選(보석을 장식한 창을 통해서 남편감을 고르다)

●李林甫有女六人, 竝有姿色. 於廳事壁間開一橫牕, 飾以雜寶, 蒙以絳紗, 使六女戲牕下. 每貴族子弟入謁, 使女於牕中自選其可意者, 事之.

○(당나라) 이임보에게는 딸이 여섯 명 있었는데 모두 용모가 아름다웠다. 청사 벽 사이로 가로로 난 창문을 하나 만들고는 온갖 보석을 장식한 뒤 붉은 망사로 덮고서 여섯 딸에게 창문 아래서 놀게 하였다. 매번 귀족의 자제들이 알현차 들어오면 딸들에게 창문을 통해

---

559) 河南尹(하남윤) : 전한 때 동도東都이자 후한 때 수도인 하남성 낙양洛陽 일대를 관장하던 부윤府尹을 이르는 말.

마음에 드는 이들을 스스로 골라서 시집가게 하였다.

◇娶孤女(고아가 된 딸에게 장가들다)

●李仁鈞與崔晤爲中表兄弟[560], 求婚於晤. 晤曰, "我女縱薄命, 何能嫁田舍翁?" 後晤死, 有女孤幼, 仁鈞閔然曰, "崔之孤女視余猶兄, 余視彼猶女弟. 納爲繼室[561], 永固崔兄之夙眷."

○(당나라) 이인균은 최오와 내외형제지간으로서 최오에게 청혼을 하였다. 그러자 최오가 말했다. "내 딸이 설사 박명하다 해도 어찌 시골뜨기에게 시집보낼 수 있으리오?" 뒤에 최오가 죽고 그 딸이 고아가 되자 이인균이 측은하게 여기며 말했다. "최형의 고아 딸은 나를 보기를 오빠처럼 하고, 나는 그녀를 보기를 여동생처럼 하고 있으니, 그녀를 첩실로 받아들인다면 최형의 오랜 숙원을 영원히 풀어드릴 수 있겠구나."

◇翁婿能詩(장인과 사위 모두 시를 잘 짓다)

●李頻, 字德新, 擧進士, 遷武功[562]令, 有治績. 唐懿宗嘉之, 擢侍御史, 賜緋衣銀魚[563]. 姚合妻以女. 翁壻能詩.

○이빈은 자가 덕신으로 진사시험에 급제하여 (섬서성) 무공현의 현령으로 승진해 치적을 쌓았다. 당나라 의종이 그를 가상히 여겨 시어사에 발탁하고 비의와 은어를 하사하였다. 요합이 딸을 그에 시집보냈다. 장인과 사위 모두 시를 잘 지었다.

---

560) 中表兄弟(중표형제) : 내외형제內外兄弟의 별칭. '중中'은 '내內'와, '표表'는 '외外'와 각각 의미가 같다.

561) 繼室(계실) : 원래는 제후諸侯의 원비元妃가 죽은 뒤 후처後妻로 삼은 두 번째 왕비를 이르는 말이었으나, 후에는 일반인의 후처를 가리키는 말로도 쓰였다.

562) 武功(무공) : 섬서성의 속현屬縣 이름.

563) 銀魚(은어) : 은으로 만든 물고기 모양의 부절符節을 이르는 말. 학사學士가 차던 은으로 만든 도장을 가리키는 말로 보는 설도 있다.

◇佳士(훌륭한 선비)

●李訢, 字元盛. 魏大武謂杜超曰, “李訢佳士也, 可以女妻之.”

○이흔(?-477)은 자가 원성이다. (북조北朝) 북위北魏 태무제太武帝가 두초에게 “이흔은 훌륭한 선비이니 딸을 그에게 시집보내도 괜찮을 것이오”라고 말한 일이 있다.

◇李氏女多貴(이씨 가문의 딸들이 대부분 귀인이 되다)

●李昌齡長女妻范仲淹, 次女妻鄭戩, 皆自小官[564]布衣選配. 後皆位至兩府[565]. 李晉卿二女, 長妻判官[566]王陶樂道[567], 次妻布衣滕甫元發[568]. 自云, “我家得二壻, 足矣. 皆非常士也.” 後相繼爲翰林學士, 至兩府. 故世傳李氏女多貴.

○(송나라) 이창령의 장녀는 범중엄에게 시집가고, 차녀는 정진에게 시집갔는데, 모두 하급관리나 평민의 신분에서 배필을 골랐다. 뒤에는 사위들이 모두 지위가 중서성과 추밀원의 고관에 올랐다. 또 이진경의 두 딸 가운데 장녀는 판관으로서 자가 낙도인 왕도에게 시집가고, 차녀는 평민의 신분으로서 자가 원발인 등보에게 시집갔다. 이진경 스스로 “우리집에서 두 사위를 얻었는데 흡족하게 생각하오.

---

564) 小官(소관) : 직급이 낮은 하급 관리에 대한 범칭汎稱.

565) 兩府(양부) : 송나라 때 군사 업무를 총괄하던 중서성中書省과 추밀원樞密院을 아우르는 말. 여기서는 결국 고관을 가리킨다.

566) 判官(판관) : 당송唐宋 때 지방 장관이나 절도사節度使·관찰사觀察使·방어사防禦使·선무사宣撫使 등 여러 사신 밑에 두었던 속관屬官 가운데 하나. 속관에는 사신마다 차이가 있으나, ≪신당서·백관지≫권49에 의하면 대개 부사副使·행군사마行軍司馬·판관判官·지사支使·장서기掌書記·추관推官·순관巡官·아추衙推 등을 두었다.

567) 樂道(낙도) : 송나라 사람 왕도王陶의 자. 시호는 문각文恪. 어사중승御史中丞·한림학사翰林學士 등을 역임하였다. ≪송사·왕도전≫권329 참조.

568) 元發(원발) : 송나라 사람 등보滕甫의 자. 본명은 ‘보甫’이나 고로왕高魯王을 피휘避諱하기 위해 자字인 ‘원발元發’을 이름으로 대신하였다. 시호는 장민章敏. 개봉부추관開封府推官·한림학사翰林學士를 역임하면서 왕안석王安石(1021-1086)의 신법新法에 반대하였고, 철종哲宗 때 운주지주사鄆州知州事를 지냈으며 변방을 잘 다스려 ‘명수名帥’로 이름을 떨쳤다. ≪송사·등원발전≫권332 참조.

두 사위 모두 평범한 선비가 아니랍니다"라고 말한 일이 있다. 뒤에 서로 이어가며 한림학사에 임명되었다가 중서성과 추밀원의 고관에 올랐다. 그래서 세간에는 이씨 가문의 딸들이 대부분 귀인이 되었다는 말이 전한다.

◇因詩選壻(시 때문에 사위를 선택하다)

●李淸臣, 字邦直, 少有學問. 韓琦守中山[569], 淸臣謁, 其猶子[570]老兵辭以方寢. 淸臣題于壁云, "公子乘閒臥絳廚, 白衣老吏慢寒儒. 不知夢見周公[571]否? 曾說當年吐哺[572]無?" 琦曰, "吾知此人, 久矣." 遂有東牀[573]之選, 而以兄之子妻之.

○(송나라) 이청신(1032-1102)은 자가 방직으로 어려서부터 학문이 깊었다. 한기가 (하북성) 중산군을 진수할 때 이청신이 알현차 찾아왔지만 그의 조카인 한노병韓老兵이 마침 낮잠을 주무시고 계시다는 이유로 사절하였다. 이에 이청신이 벽에 다음과 같은 시를 남겼다. "공자께서는 짬을 내 붉은 휘장을 친 주방에서 주무시고, 흰 옷 입는 나이 든 관리가 빈한한 유생에게 오만하게 구네. 모르긴 해도 꿈

569) 中山(중산) : 춘추시대 말엽 선우족鮮虞族이 지금의 하북성 정현定縣과 당현唐縣 일대에 세운 나라 이름. 뒤에 조趙나라에 멸망당했다. 진한秦漢 이후로는 제후국이나 군郡으로 설치되었다.

570) 猶子(유자) : 조카. '아들과 같다'는 의미에서 유래하였다.

571) 周公(주공) : 주周나라 무왕武王 희발姬發의 동생이자 성왕成王 희송姬誦의 숙부인 희단姬旦에 대한 존칭. 성왕이 나이가 어려 섭정攝政을 하였고, 성왕이 성장한 뒤 물러나 노魯나라를 봉토封土로 받았다. ≪사기·노주공세가魯周公世家≫권33 참조.

572) 吐哺(토포) : 먹던 음식을 뱉어내다. 주周나라 주공周公 희단姬旦이 인재가 찾아오면 음식을 먹다가도 여러 번에 걸쳐 다 뱉어내고, 머리를 감다가도 수차례에 걸쳐 물기를 다 쥐어짜고서 나가 반갑게 맞이했다는 ≪한시외전韓詩外傳≫권3의 고사에서 유래한 말로, 현자나 인재를 극진하게 예우해 주는 것을 비유한다.

573) 東牀(동상) : 동쪽의 평상. 진晉나라 때 치감郗鑒(269-339)이 왕도王導(276-339)에게 사윗감을 부탁하자 왕도가 자제들을 살피게 하였는데, 다른 사람들은 모두 자기 자랑을 하지만 왕희지王羲之(321-379)만이 동쪽 곁채의 평상에서 배를 드러내 놓고 떡을 먹고 있는 것을 보고서는 그를 사위로 선택했다는 ≪진서晉書·왕희지전≫권80의 고사에서 유래한 말로 사위를 비유한다.

속에서 (주周나라) 주공을 뵙지 않을까? 그러면 결국 당시에 먹던 음식을 뱉어내고 손님을 맞았다고 말씀하시지 않을까?" 그러자 한기는 "내가 이 사람을 안 지 오래되었네"라고 말하고는 급기야 사위로 삼으려는 생각을 품어 조카딸을 그에게 시집보냈다.

◇婚感知己(혼사로써 자신을 알아준 것에 감사를 표하다)

●李迪爲擧子時, 携所業, 見柳開. 開出題, 令與諸子同賦. 賦成, 開曰, "必魁天下[574], 異日無忘也." 及迪拜相, 門下客有柳某者. 迪命長子東之娶其女, 欲志開之言也.

○(송나라) 이적(971-1047)이 과거시험 응시생이었을 때 공부한 것을 가지고 유개를 알현하였다. 유개가 문제를 제출하고서 자신의 아들들과 함께 부를 짓게 하였다. 부가 완성되자 유개가 말했다. "필시 과거시험에서 장원급제를 할 터이니 훗날 잊지 마시게." 이적이 재상을 배수받았을 때 문하생 가운데 유아무개란 사람이 있었다. 이적은 장남인 이동지에게 그의 딸을 아내로 맞게 하였으니 유개가 했던 말을 기억하고자 했던 것이다.

●李膺姑妻鍾皓, 復以妹妻皓子瑾.

○(후한) 이응(?-169)의 고모는 종호에게 시집갔다가 다시 여동생을 종호의 아들인 종근鍾瑾에게 시집보냈다.

●李膺娶桓叔元[575]女, 時謂桓女乘龍.

○(후한) 이응(?-169)이 숙원叔元 환언桓焉의 딸에게 장가들자 당시 사람들은 환언의 딸이 용을 탔다고 하였다.

●李淡, 字中庸. 蕭穎士愛其才, 以女妻之.

---

574) 魁天下(괴천하) : 천하에 으뜸을 차지하다. 장원급제하는 것을 말한다.

575) 桓叔元(환숙원) : 후한 사람 환언桓焉. '숙원'은 자. 경전에 정통하여 수많은 제자를 배출하였고, 태자소부太子少傅·태부太傅·태위太衛 등 고관을 역임하였다. ≪후한서·환언전≫권67 참조.

○(당나라) 이담은 자가 중용이다. 소영사(708-759)가 그의 재능을 좋아해 딸을 그에게 시집보냈다.

●李漢, 字南紀, 韓愈之門人, 以女妻之.

○(당나라) 이한은 자가 남기로 한유(768-824)의 문인이라서 한유가 딸을 그에게 시집보냈다.

●陶李洞三姓, 世爲婚姻.(見陶姓)

○도·이·동 세 성씨는 대대로 사돈관계를 맺었다.(상세한 내용은 앞의 '도'씨절 '도리동陶李洞'항에 보인다)

●李沆有愛女, 選王曾爲婿.(見王姓)

○(송나라) 이항(947-1004)은 사랑하는 딸이 있어서 왕증을 골라 사위로 삼았다.(상세한 내용은 앞의 '왕'씨 절 '공보기公輔器'항에 보인다)

●李夔之娶山陰吳氏, 李氏寒素, 後官至中大夫[576].(見吳姓)

○(송나라) 이기가 (절강성) 산음현 출신 오씨에게 장가들 때 이씨 가문은 빈한하였지만 뒤에 관직이 중대부까지 올랐다.(상세한 내용은 앞의 '오'씨성 '배명사配名士'항에 보인다)

●李翺長女妻狀元盧儲.(見盧姓)

○(당나라) 이고(772-841)의 장녀는 과거시험에서 장원급제한 노저에게 시집갔다.(상세한 내용은 앞의 '노'씨성 '여자택女自擇'항에 보인다)

●李監宅詩, "門闌多喜色, 女壻[577]近乘龍."(杜詩[578])

---

576) 中大夫(중대부) : 진한秦漢 이후로 의론을 주관하던 벼슬 가운데 하나. 태중대부太中大夫·중대부中大夫·간대부諫大夫가 있었다.

577) 女壻(여서) : 딸의 남편. 즉 사위를 가리킨다.

578) 杜詩(두시) : 이는 동명의 오언율시五言律詩 2수 가운데 제1수의 미련尾聯을 인용한 것으로 청나라 구조오仇兆鰲(1640-1714)의 ≪두시상주杜詩詳註≫ 권1에 전한다. 제목에서 '이대감'이 누구인지는 미상.

○<이대감의 저택에서 지은 시>에 "문과 난간에 희색이 넘치나니, 사위가 용을 탄 사람과 같아서라네"라고 하였다.(두보杜甫의 시)

●李象, 後唐天成[579]中登第. 宰相劉昫愛其才, 以女妻之.

○이상은 (오대) 후당 (명종) 천성(926-929) 연간에 과거시험에 급제하였다. 재상 유후가 그의 재능을 아껴 딸을 그에게 시집보냈다.

●魏李沖三世爲司空, 與侍郎[580]盧淵相善, 結爲婚姻.

○(북조北朝) 북위北魏 이충(450-498)은 삼대에 걸쳐 사공을 지내며 시랑을 지낸 노연과 사이가 좋았기에 사돈관계를 맺었다.

●盤根仙李. 華踰穠李. 道傍苦李[581]. 公門桃李[582]. 託根桃李[583].

○무성한 뿌리에서 나는 선계의 자두. 화려함이 농염한 자두꽃을 능가하다. 길가의 맛이 떫은 자두. 양국공(적인걸)의 문중에 복사꽃과 자두꽃이 만발하다. 복숭아나무와 자두나무에 뿌리를 의지하다.

---

579) 天成(천성) : 후당後唐 명종明宗의 연호(926-929).

580) 侍郎(시랑) : 조정의 각 행정 기관의 버금 장관에 해당하는 벼슬. 즉 중서시랑中書侍郎·문하시랑門下侍郎 및 상서성尙書省의 이부시랑吏部侍郎·호부시랑戶部侍郎 등을 말한다.

581) 道傍苦李(도방고리) : 길가의 맛이 떫은 자두. 진晉나라 때 길가에 열린 자두를 보고 다른 아이들이 다투어 따자 왕융王戎이 "자두가 길가에 있는데도 열매가 많은 것을 보면 떫은 자두임에 틀림없어!"라고 하며 거들떠보지 않았다는 ≪진서·왕융전≫권43의 고사에서 유래한 말로 총명한 인재를 상징한다.

582) 公門桃李(공문도리) : 당나라 때 훌륭한 인재들이 양국공梁國公 적인걸狄仁傑(630-700)의 문하에서 많이 배출되자 누군가 "천하의 복사꽃과 자두꽃이 모두 공의 문중에 있습니다(天下桃李, 悉在公門矣)"라고 말했다는 송나라 사마광司馬光(1019-1086)의 ≪자치통감資治通鑑·당기唐紀23≫권207의 고사에서 유래한 말로 훌륭한 인재를 많이 천거하는 것을 비유한다.

583) 託根桃李(탁근도리) : 이는 송나라 황정견黃庭堅(1045-1105)의 ≪산곡집山谷集≫권2에 수록된 <고시 2수를 지어 자첨子瞻 소식蘇軾에게 올리다(古風二首, 上蘇子瞻)> 가운데 제1수의 제1연인 "(야생 매화나무인) 강매에 좋은 열매가 열린 것은, 복숭아나무와 자두나무 터에 뿌리를 의지해서라네(江梅有佳實, 託根桃李場)"에서 따온 말로, 훌륭한 스승 밑에서 빼어난 제자가 나오는 것을 비유하는 듯하다.

◆史(사씨)

▶徵音. 京兆. 周大史[584]史佚之後, 以官爲氏. 春秋時有史趙·史魚·史墨·史黯.

▷음은 치음에 속하고 본관은 (섬서성) 경조군이다. 주나라 태사 사일의 후손이 관직명을 성씨로 삼은 것이다. 춘추시대 때 사조·사어·사묵·사암 등이 있었다.

◇屍諫(목숨을 바쳐 간언하다)

●史鰌, 字子魚, 衛大夫. 語曰, "直哉! 史魚! 邦有道如矢, 邦無道如矢!" 註云, "魚死而以尸諫[585]靈公進伯玉[586], 退子瑕[587], 其直可見."

○사추는 자가 자어로 (춘추시대) 위나라 대부이다. ≪논어·위령공衛靈公≫권15에 "강직하도다! 사어는! 나라에 도가 있어도 화살대처럼 곧고, 나라에 도가 없어도 화살대처럼 곧구나!"라고 하였는데, 주에 "사어가 죽으면서도 시신의 몸으로 영공에게 (충신인) 거백옥(거원蘧瑗)을 승진시키고 (간신인) 자하(미자하彌子瑕)를 물리쳐야 한다고 간언하였으니 그의 강직함을 알 수 있다"고 하였다.

◇民歌其政(백성들이 치적을 노래하다)

●史起, 魏人, 爲鄴令, 引漳水, 漑鄴, 以富河內[588]. 民歌之曰, "鄴有賢令兮爲史公. 決漳水兮灌鄴傍, 終古瀉鹵[589]兮生稻粱."

○사기는 (전국시대) 위나라 사람으로 (하남성) 업현의 현령을 지낼 때 장수를 끌어들여 업현에 물을 대서 하내군 사람들을 부유하게 만들었다. 그래서 백성들이 노래를 지어 "업현에 어진 현령이 계시니 사공(사기)이라고 하네. 장수를 터서 업현 주변으로 물을 대니 예로

---

584) 大史(태사) : 역사 편찬이나 천문天文을 관장하던 벼슬 이름. '대大'는 '태太'와 통용자.

585) 尸諫(시간) : 시신이 되어 간언하다. 목숨을 바쳐 간언하는 것을 말한다.

586) 伯玉(백옥) : 춘추시대 위衛나라의 대부大夫 거원蘧瑗의 자. 개과천선에 힘써 현자로 이름이 알려졌다. 그에 관한 고사는 ≪논어·헌문憲問≫권14에 전한다.

587) 子瑕(자하) : 춘추시대 위衛나라 영공靈公의 총신寵臣인 미자하彌子瑕.

588) 河內(하내) : 하남성의 속군屬郡 이름.

589) 瀉鹵(사로) : 염분이 많은 토양을 이르는 말.

부터 염분이 많던 땅에 벼와 기장이 자라게 되었네"라고 하였다.

◇外屬舊恩(외척에 대한 오랜 온정)

●史恭有女弟, 漢武時, 爲衛太子[590]良娣[591], 生史皇孫[592], 皇孫生宣帝. 帝微時, 依倚史氏, 及卽位, 恭已死, 三子皆以外屬[593]舊恩受封. 長子高岳陵侯, 次子曾將陵侯, 少子玄平臺侯. 霍氏[594]衰, 諸領羽林[595]及兩宮[596]衛將, 悉以所親許史[597]子弟代之.

○사공의 여동생은 전한 무제 때 위태자의 양제가 되어 사황손을 낳았고, 사황손은 선제를 낳았다. 선제는 평민이었을 때 사씨 집안에 의지하였는데, 즉위하였을 때 사공은 이미 죽었지만 세 아들은 모두 외척에 대한 오랜 온정 때문에 봉호를 받았다. 장남 사고史高(?-B.C.43)는 악릉후에 봉해지고, 차남인 사증史曾은 장릉후에 봉해지고, 막내아들인 사현史玄은 평대후에 봉해졌다. (외척인) 곽씨의 세력이 약해지자 우림을 통솔하는 여러 장수와 궁궐을 지키는 위장군을 모두 (선제 자신이) 신임하던 허씨와 사씨 가문의 자제들로 대체하였다.

---

590) 衛太子(위태자) : 전한 무제武帝의 장남인 여태자戾太子 유거劉據. 위황후衛皇后의 소생으로 뒤에 망명하여 폐위당했기 때문에 모친의 성씨를 따라 '위태자'로도 불렸다. 선제宣帝는 위태자가 폐위당하기 전에 태어난 친손자이자 무제의 증손자이다. ≪한서・무오자전武五子傳・여태자유거전≫권63 참조.

591) 良娣(양제) : 태자의 후첩 가운데 하나. 한나라 이후로 태자의 적처嫡妻는 '비妃'라고 하였고, 후첩으로는 '양제良娣'와 '유자孺子'가 있었다.

592) 史皇孫(사황손) : 전한 무제武帝의 아들인 위태자衛太子 유거劉據가 양제良娣 사史씨를 들여 낳은 아들인 유진劉進의 별호.

593) 外屬(외속) : 외척.

594) 霍氏(곽씨) : 전한 선제宣帝의 부인인 곽황후霍皇后와 그 외척을 가리킨다.

595) 羽林(우림) : 전한 무제武帝가 6군郡의 자제들을 뽑아 훈련을 시켜 건장궁建章宮을 호위하게 하면서 부대명을 '건장궁기建章宮騎'라고 하였는데, 뒤에 '우림기羽林騎'로 이름이 바뀐 데서 유래하였다. '하늘의 우림성羽林星을 본받은 것'이라는 설도 있고, '울창한 숲에서 뜻을 취했다'는 설도 있다.

596) 兩宮(양궁) : 황제와 태자, 혹은 황제와 태후太后, 황제와 태상황太上皇의 궁궐을 일컫는 말. 결국 궁궐을 가리킨다.

597) 許史(허사) : 전한 선제宣帝 때 세력을 떨쳤던 외척인 허황후許皇后 일가와 사황손史皇孫의 처가를 아우르는 말. ≪한서・외척열전≫권97 참조.

◇伏青蒲(청포 위에 엎드리다)

●史丹, 字君仲, 高之子也. 元帝朝, 拜侍中. 帝寢疾, 有廢立太子之意, 丹直入臥內, 伏青蒲[598]上, 泣諫. 帝意悟, 太子遂安. 成帝卽位, 封武陽[599]侯. 爲將軍前後十六年, 以名位終. 子二十人, 九爲侍中, 四人封侯, 餘皆至大夫二千石.

○(전한) 사단(?-B.C.14)은 자가 군중으로 사고史高(?-B.C.43)의 아들이다. 원제 때 시중을 배수받았다. 원제가 병석에 누워 태자를 폐위하려는 생각을 품자 사단이 곧장 침실로 들어가 청포 위에 엎드려 눈물로 간언하였다. 원제가 내심 깨달은 바가 있어 태자가 마침내 지위를 보전하였다. 성제가 즉위하고서 무양후에 봉해지고 전후로 16년 동안 장군을 지내다가 명성과 지위를 유지한 채 생을 마쳤다. 아들 20명 중에 9명이 시중을 지내고, 4명이 제후에 봉해졌으며, 나머지도 모두 대부나 봉록이 2천 석에 달하는 고관에 올랐다.

◇平原無黨(평원왕에게는 붕당이 없었다)

●史弼, 字公謙, 桓帝時, 爲平原相[600]. 時詔擧鉤黨[601], 弼獨無所上, 全活千餘人.

○(후한) 사필은 자가 공겸으로 환제 때 평원왕의 승상을 지냈다. 당

---

598) 青蒲(청포) : 푸른 물감으로 바닥에 동그랗게 그린 자리, 혹은 푸른 부들로 엮어 만든 방석을 뜻하는 말로서 결국 천자의 내정內廷을 가리킨다. ≪한서・사단전史丹傳≫권82의 당나라 안사고顔師古 주에 "(후한) 복건은 '푸른 부들 방석이다'라고 하였고, (후한) 응소는 '푸른 물감으로 바닥에 동그랗게 그린 것을 청포라고 하는데, 황후가 아니면 그곳에 자리할 수 없다'고 하였으며, (삼국 위魏나라) 맹강은 '푸른 부들로 방석을 만들어 맨땅을 가리는 데 쓴다'고 하였는데, 내 생각에는 응소의 설이 맞을 듯하다(服虔曰, 青綠蒲席也. 應劭曰, 以青規地, 曰青蒲, 自非皇后, 不得至此. 孟康曰, 以蒲青爲席, 用蔽地也. 師古曰, 應說是也)"라고 풀이하였다.

599) 武陽(무양) : 사천성의 속군屬郡 이름.

600) 平原相(평원상) : 산동성 평원군平原郡에 봉해진 친왕親王의 승상을 가리킨다.

601) 鉤黨(구당) : 서로 끌어들여 붕당을 만드는 일. 후한 말엽에 환관들이 이응李膺(?-169)・두밀杜密(?-169) 등을 당인으로 몰아 하옥시킨 당고黨錮 사건을 가리킨다. ≪후한서・당고열전≫권97 참조.

시 붕당을 결성한 인물들을 올리라는 조서가 내려졌지만 사필 홀로 올리지 않아 천 명 넘는 사람들이 목숨을 보전할 수 있었다.

◇良將(훌륭한 장수)

●史萬歲, 杜陵人, 仕隋, 權大將軍, 以功加上開府. 時南寧602)夷人叛, 因詔萬歲討之, 入自蜻蛉603)川, 行數百里, 見諸葛亮紀功碑. 銘其背曰, "萬歲之後, 有勝我者過此." 仆碑而進, 破其三千餘部, 勒石頌美隋德而還. 時號良將.

○사만세(550-600)는 (섬서성) 두릉현 사람으로 수나라에서 벼슬길에 올라 임시로 대장군을 맡아서 전공을 세워 개부가 보태졌다. 당시 (광서성) 남녕군의 이민족이 반란을 일으키자 사만세에게 조서를 내려 그들을 토벌케 하였는데, 청령천으로부터 진입하여 수백 리를 가다가 (삼국 촉蜀나라 때) 제갈양이 공적을 새긴 비석을 발견하게 되었다. 비석 뒤에는 "오랜 세월 뒤에 나를 능가하는 자가 이곳을 지날 것이다"라고 새겨져 있었다. 비석을 쓰러뜨리고 진격하여 3천 개가 넘는 부락을 함락하고 돌을 깎아 수나라의 덕을 찬미하는 글을 새기고 돌아왔다. 그래서 당시에 '양장'으로 불렸다.

◇五步成詩(다섯 걸음 안에 시를 완성하다)

●史育604)博聞强記. 唐開元中, 上書自薦能詩云, "曹子建605)七步606),

---

602) 南寧(남녕) : 광서성의 속군屬郡 이름.

603) 蜻蛉(청령) : 잠자리. '청정蜻蜓' '제승諸乘' '강이蝀蛜' '낭령螂蛉'이라고도 하는데, 여기서는 냇물 이름을 가리킨다.

604) 史育(사육) : 송나라 때 저자 미상의 ≪금수만화곡錦繡萬花谷 · 세제歲除≫전집권4나 완열阮閱의 ≪시화총귀詩話總龜 · 아십문하雅什門下≫권11, ≪전당시全唐詩 · 사청≫권115 등의 기록에 의하면 '사청史靑'의 오기이다.

605) 曹子建(조자건) : 삼국시대 위魏나라 때 시인 조식曹植(192-232). '자건'은 자. 무제武帝 조조曹操(155-220)의 아들이자, 문제文帝 조비曹丕(187-226)의 동생. 문재文才가 뛰어났으나 그 때문에 형인 조비의 시기를 받아 불행한 삶을 살았다. 봉호가 진왕陳王이고 시호가 사思여서 진사왕陳思王으로도 불렸다. 저서로 ≪조자건집曹子建集≫ 10권이 전한다. ≪삼국지 · 위지 · 진사왕조식전陳思王曹植傳≫권19 참조.

606) 七步(칠보) : 조식曹植의 글재주를 시기한 조비曹丕가 일곱 걸음 안에 시를

臣五步之內, 可塞明詔607)." 明皇608)試以除夜・上元609)等詩, 除夜詩云, "今歲今宵盡, 明年明日來. 寒隨一夜去, 春逐五更610)回. 氣色空中改, 容顔暗裏催. 風光人不覺, 已入後園梅." 上稱賞, 授左監門衛將軍611).(詩話612)以爲王涯詩, 非也)

○사청史靑은 학식이 해박하고 기억력이 뛰어났다. 당나라 (현종) 개원(713-741) 연간에 글을 올려 시를 잘 짓는다고 스스로를 추천하며 말했다. "(삼국 위魏나라) 조자건(조식曹植)은 일곱 걸음에 시를 지었지만 신은 다섯 걸음 안에 폐하의 영명하신 하명에 답할 수 있나이다." 명황(현종)이 <선달 그믐밤> <정월대보름> 등의 제목의 시를 시험하자 <선달 그믐밤을 읊은 시>에서 다음과 같이 읊었다. "올해 오늘 밤도 다 가고, 내년 내일이 올지니, 추위는 하룻밤 따라 떠나고, 봄이 결국 새벽 시간에 돌아오겠지. 기운이 허공에서 바뀌니, 얼굴은 어둠 속에 빨리도 늙어 가건만, 풍광을 사람들이 느끼지 못하는 사이에, 어느새 후원의 매화나무로 스며드누나." 명황이 칭찬

짓지 못 하면 큰 벌을 내릴 것이라고 윽박지르자, 조식이 "콩을 끓이느라 콩깍지를 태우니, 콩이 솥 안에서 눈물을 흘리네. 본시 같은 뿌리에서 태어났건만, 들들 볶아대는 것이 어찌 이리도 급할까?(煮豆燃豆萁, 豆在釜中泣. 本是同根生, 相煎何太急?)"라고 풍자시를 지었다는 고사가 진위眞僞 여부를 떠나 남조南朝 유송劉宋 유의경劉義慶(403-444)의 ≪세설신어世說新語・문학文學≫ 권상에 전한다.

607) 明詔(명조) : 황제의 조서에 대한 미칭美稱.

608) 明皇(명황) : 당나라 현종玄宗의 시호인 '지도대성대명효황제至道大聖大明孝皇帝'의 약칭. ≪신당서・현종본기≫권5 참조. 보통 황제를 칭할 때 당나라 이전에는 시호를 주로 사용하다가 당나라 이후로는 묘호를 주로 사용하였는데, 이는 후대로 갈수록 시호의 명칭이 길어져 사용하기 불편한 데서 비롯된 듯하다.

609) 上元(상원) : 정월대보름. '원소元宵' '원석元夕'이라고도 한다.

610) 五更(오경) : 새벽 3시-5시의 시간대를 이르는 말. '오고五鼓' '무시戊時'라고도 한다.

611) 左監門衛將軍(좌감문위장군) : 궁문의 수위를 관장하는 기관의 사령관. 수나라 때 설치했던 좌・우감문부左右監門府를 당나라 고종高宗 용삭龍朔 2년(662)에 좌・우감문위左右監門衛로 개칭하였다.

612) 詩話(시화) : 시에 관한 평론이나 일화를 담은 책. 여기서는 송나라 계민부計敏夫의 ≪당시기사唐詩紀事≫권23을 가리키는데, 뒤의 '왕애王涯'는 '왕인王諲'의 오기이다.

을 하고 그를 좌감문위장군에 배수하였다.(≪당시기사唐詩紀事≫권23에서는 '왕인王諲'의 시라고 하였으나 틀린 말이다)

◇來何晩(어찌 이리도 늦게 오셨을까?)

●史謙恕, 唐末, 爲梁州刺史, 百姓歌之曰, "使君[613]來何晩? 昔日無儲今有飯."

○사겸서가 당나라 말엽에 (섬서성) 양주자사를 맡자 백성들이 다음과 같이 노래하였다. "자사께서 어찌 이리도 늦게 오셨을까? 옛날에는 비축한 식량이 없다가 지금은 밥이 생겼다네."

◇神智(가장 지혜로운 사람)

●史寧, 字永和, 少以軍功加持節[614]征東將軍. 突厥[615]憚之曰, "此中國神智人也."

○(북조北朝 북위北魏) 사영(?-563)은 자가 영화로 젊어서 전공을 세워 지절 겸 정동장군에 임명되었다. 돌궐족이 그를 꺼림직하게 여기며 "이 자는 중국에서도 가장 지혜로운 사람일 것이다"라고 하였다.

◇學士升殿(학사가 내전에 오르다)

●史圭, 後唐時, 爲直學士. 時宰相安重誨不知書, 倚圭以備顧問, 許令升殿侍立. 學士升殿自圭始.

○사규는 (오대五代) 후당 때 직학사를 지냈다. 당시 재상 안중회(?-931)가 글을 읽을 줄 몰라 사규에 의지해 자문을 하였기에 그에게

---

613) 使君(사군) : 한나라 이후로 임금의 명을 받들고 외국에 사신으로 나가는 사람이나 지방에 내려가 근무하는 자사刺史·태수太守 등에 대한 존칭.

614) 持節(지절) : 부절符節, 혹은 이를 행사하는 권한이나 벼슬을 가리키는 말. 위진魏晉 이후로 지절·사지절使持節·가지절假持節·가절假節 등이 있었는데, 자사刺史나 태수太守가 군대를 동원할 수 있는 권한을 나타낸다. 당나라 때 절도사節度使가 생겨 폐지되면서 절도사의 별칭으로 쓰이기도 하였다.

615) 突厥(돌궐) : 6세기 초에 알타이산맥을 중심으로 일어나 약 2세기 동안 몽골고원에서 중앙아시아 일대를 지배했던 터키계 유목민족을 이르는 말. 수隋나라의 이간책으로 동돌궐과 서돌궐로 분리되었다.

내전에 올라 시립하도록 허락하였다. 학사가 내전에 오른 것은 사규로부터 비롯되었다.

◇安用毛錐(어찌 붓을 사용하랴?)

●史弘肇仕後晉, 典宿衛, 嘗曰, "安朝廷, 定禍亂, 直須長鎗大劍, 若毛錐子[616], 安足用哉?"

○사홍조(?-950)는 (오대) 후진에서 벼슬길에 올라 숙위를 관장하면서 "조정을 안정시키고 반란을 평정하려면 단지 긴 창과 큰 검을 쓰면 되거늘 붓 따위를 어찌 사용할 필요가 있으랴?"라고 말한 일이 있다.

◇都堂盛觀(조정의 성대한 볼거리)

●史浩, 字直翁, 宋孝宗朝, 拜相. 上大書'舊學'二字, 賜之. 執政[617]歎曰, "自古依光日月, 際會[618]風雲, 未有如今日之盛者. 請鏤諸石, 永爲都堂[619]盛觀." 封衛國公.

○사호(1106-1194)는 자가 직옹으로 송나라 효종 때 재상을 배수받았다. 효종이 ('노련한 학자'라는 의미에서) '구학'이란 두 글자를 큰 글씨로 써서 그에게 하사하였다. 그러자 집정관이 감탄해 하며 "예로부터 해와 달(천자)에 빛을 의지한 채 바람과 구름(신하)이 한데 모여 왔으나 오늘날처럼 성대한 적이 없었나이다. 청하옵건대 바위에 이를 새겨 길이 도당(조정)의 성대한 볼거리로 삼으시옵소서"라고 아뢰었다. 위국공에 봉해졌다.

---

616) 毛錐子(모추자) : 붓의 별칭. 붓이 송곳(錐)과 비슷하게 생긴 데서 유래하였다.

617) 執政(집정) : 조정의 고관高官에 대한 총칭인 집정관執政官을 이르는 말.

618) 際會(제회) : 한데 모이다, 서로 어울리다. 여기서는 임금과 신하가 조화를 이루는 것을 비유하는 듯하다.

619) 都堂(도당) : 당송 때 상서성尙書省의 집무실을 가리키던 말. 이·호·예·병·형·공의 육부六部를 총괄하기에 이런 명칭이 붙었다. 여기서는 결국 조정을 가리킨다.

◇淳熙六老(순희 연간의 여섯 노인)

●史浩淳熙乙巳挂冠620), 歸四明621). 年登622)八十, 女兄623)年八十二, 四弟皆高年, 同氣至親. 擧觴相屬, 朱顔華髮, 咸壽而康, 繪爲六老圖.(樓參政624)作六老圖序)

○(송나라) 사호(1106-1194)는 (효종) 순희 을사년(1185)에 관직을 그만두고 (절강성) 사명산으로 돌아갔다. 그의 나이 80세였고, 누나는 나이가 82세였으며, 네 동생 모두 노년의 나이임에도 뜻을 같이하여 화목하게 지냈다. 술잔을 들어 서로 권하고 붉으스레한 안색에 백발을 한 채 함께 장수와 건강을 누리면서 이를 '육로도'로 그렸다. (참지정사參知政事 누약樓鑰이 '육로도'의 서문을 지었다)

◇三葉宰相(삼대에 걸쳐 재상을 지내다)

●史浩(孝宗朝)·史彌遠(寧宗朝)·史嵩之(彌遠之子, 理宗朝), 三葉宰相. 春帖625)云, "一門三宰相, 四世八公卿626)."

---

620) 挂冠(괘관) : 갓을 걸어 놓다. 전한 때 봉맹逢萌이 왕망王莽(B.C.45-A.D.23)의 신하가 되는 것이 싫어서 낙양洛陽 성문에 의관衣冠을 걸어 놓고 요동遼東으로 떠났다는 고사에서 유래한 말로, 벼슬을 그만두는 것을 비유한다. 반대로 벼슬에 나가는 것은 갓을 쓰기 위해 '갓의 먼지를 턴다'는 뜻의 '탄관彈冠'이라고 한다.

621) 四明(사명) : 절강성에 있는 산 이름.

622) 登(등) : 이르다. '지至'의 뜻.

623) 女兄(여형) : 손윗누이를 이르는 말.

624) 樓參政(누참정) : 송나라 때 참지정사參知政事를 지낸 누약樓鑰(1137-1213)의 별칭. 호는 공괴주인攻媿主人. 동지추밀원사同知樞密院事·참지정사參知政事 등을 역임하였고, 직언을 잘 하였으며 학술과 문장에 정통하였다. 저서로 ≪공괴집攻媿集≫ 112권이 전한다. ≪송사·누약전≫권395 참조. 누약이 지은 <여섯 노인을 그린 그림에 쓴 서문(六老圖序)>은 ≪공괴집≫권53에 전한다.

625) 春帖(춘첩) : 입춘날에 대문이나 기둥에 써 붙이는 대련對聯을 이르는 말. 송나라 때 한림원翰林院에서 송축頌祝이나 규간規諫의 뜻으로 문구를 써서 궁중의 대문에 붙이던 데서 유래하였다. '춘련春聯' '춘서春書'라고도 한다.

626) 公卿(공경) : 중국 고대 조정의 최고위 관직인 삼공三公과 구경九卿. 결국은 모든 고관에 대한 총칭이다. '삼공'은 시대마다 차이가 있는데, 주周나라 때는 태사太師·태부太傅·태보太保를 지칭하였고, 진秦나라 때는 승상丞相·어사대부御史大夫·태위太尉를 지칭하였으며, 한나라 때는 진나라의 제도를 답습하다가 애제哀帝와 평제平帝 때에 대사마大司馬·대사도大司徒·대사공大司空을 지칭하였으며, 후대에는 태사太師·태부太傅·태보太保를 '삼사三師'로 승

○(송나라) 사호(1106-1194 효종 때)와 사미원(1164-1233 영종 때)·사숭지(?-1257 사미원의 아들로 이종 때)는 삼대에 걸쳐 재상을 지냈다. 그래서 춘첩에 "한 가문에서 재상이 세 명 배출되고, 사대에 걸쳐 공경이 여덟 명 나왔네"라는 문구를 적었다.

●史扶, 宋瀘州人, 能詩, 有瀘南詩卷, 行于世.

○사부는 송나라 때 (사천성) 노주 사람으로 시를 잘 짓더니 저서로 ≪노남시권≫을 남겨 세간에 유행시켰다.

※婚姻(혼인)

●史曜素微賤, 周浚以妹妻之.(見周姓)

○(진晉나라) 사요는 원래 미천한 신분이었음에도 주준(?-289)이 여동생을 그에게 시집보냈다.(상세한 내용은 앞의 '주'씨성 '택서擇婿'항에 보인다)

●青史[627]. 穢史[628]. 柱下史. 呈身御史[629].

○청사. 예사. 주하사. 정신어사.

격시키고 대신 태위太尉·사도司徒·사공司空을 '삼공'이라고 하기도 하였다. '구경'의 칭호도 시대마다 명칭과 서열에 차이가 있는데, 한나라 때는 태상太常·광록훈光祿勳·위위衛尉·태복太僕·정위廷尉·홍려鴻臚·종정宗正·대사농大司農·소부少府를 '구경'이라 하였고, 수당隋唐 이후로는 구시九寺, 즉 태상太常·광록光祿·위위衛尉·종정宗正·태복太僕·대리大理·홍려鴻臚·사농司農·태부太府의 장관을 '구경'이라고 하였다.

627) 青史(청사) : 역사의 별칭. 푸른 껍질을 제거한 죽간에 글을 쓴 데서 별칭이 유래하였다.

628) 穢史(예사) : 더러운 사서史書. 북조北朝 북제北齊 때 위수魏收가 인정에 얽매여 사실을 날조해서 사서를 짓자 사람들이 '더러운 역사책'이라고 욕하였다는 고사가 ≪북제서·위수전≫권37에 전한다.

629) 呈身御史(정신어사) : 자신의 재능을 일부러 내보여 어사가 되는 것을 일컫는 말. 당나라 때 위온韋溫이 동생인 위오韋澳를 어사중승御史中丞 고원유高元裕에게 소개시키려고 하자 위오가 '정신어사'는 받아들일 수 없다고 일침을 가한 고사에서 유래하였다.

◆紀(기씨)

▶徵音. 平陽. 炎帝630)之後封于紀, 以國爲姓.

▷음은 치음에 속하고 본관은 (산서성) 평양군이다. 염제(신농)의 후손이 기나라에 봉해졌기에 나라 이름을 성씨로 삼은 것이다.

◇代君任患(군주를 대신해 화를 당하다)

●紀信事漢王631), 爲將軍. 項羽攻滎陽, 急自請乘漢王車, 黃屋632)左纛633)以誑楚, 漢王間出. 後立廟於順慶府太平門, 曰忠祐廟. 誥詞634)云, "以忠徇國, 代君任患, 實開漢業. 使後世知君爲重, 身爲輕, 侯何有焉?"

○(진秦나라 말엽에) 기신은 한왕(유방劉邦)을 섬겨 장군이 되었다. 항우(항적項籍)가 (하남성) 형양군을 공격하자 급히 한왕의 수레에 타겠다고 자청하고는 한왕의 수레처럼 꾸며서 초왕(항적)을 속였기에 한왕이 몰래 탈출할 수 있었다. 뒤에 (사천성) 순경부 태평문에 사당을 세우고는 이름을 '충우묘'라고 하였다. 그에게 작위를 내리는 글에 "충심으로 나라에 목숨을 바치고 군주를 대신해 화를 당했으니 실로 한나라 국업을 열었도다. 후세 사람들에게 군주가 중요하고 자기 목숨이 가볍다는 알게 하였으니 제후의 작위가 무슨 대수이겠는가?"라는 말이 있다.

◇隔坐屛風(병풍을 사이에 두고 떨어져 앉다)

●紀亮仕吳, 爲尙書令635), 子隲爲中書令. 每朝會, 以雲母636)屛風隔坐.

---

630) 炎帝(염제) : 전설상의 임금인 삼황三皇 가운데 두 번째 황제인 신농神農의 별호이자 남방의 신.

631) 漢王(한왕) : 전한 고조高祖의 별칭. 고조 유방劉邦이 황제에 즉위하기 전의 봉호이다.

632) 黃屋(황옥) : 천자가 타는 수레를 이르는 말. 수레덮개가 노란 색인 데서 유래하였다. 여기서는 한왕의 수레를 가리킨다.

633) 左纛(좌독) : 쇠꼬리나 꿩의 깃털로 만든 제왕의 수레 장식물. 당송 때는 절도사節度使의 깃발로도 사용하였다.

634) 誥詞(고사) : 제왕이 관작을 내릴 때 하사하는 글을 이르는 말.

635) 尙書令(상서령) : 한나라 이후로 문서의 수발과 행정을 총괄하던 상서성尙書

(吳志637))

○기양은 (삼국) 오나라에서 벼슬길에 올라 상서령을 지냈고, 아들 기즐紀騭은 중서령을 지냈다. 그래서 매번 조회가 열리면 운모 병풍을 사이에 두고 떨어져 앉았다.(≪오록吳錄≫)

◇社稷臣(종묘사직을 지키는 신하)

●紀瞻, 字思遠, 初入洛, 張華見而奇之. 晉元帝朝, 拜尙書右僕射. 才兼文武, 忠亮雅正, 明帝嘗獨引之於廣堂, 慨然憂天下曰, "社稷之臣, 無復十人," 因屈指曰, "君便其一." 王敦叛, 帝謂之曰, "但爲朕臥護638)六軍639), 所益多矣."

○기첨(약 253-약 324)은 자가 사원으로 처음 (하남성) 낙양에 들어갔을 때 장화가 그를 보고서는 높이 평가하였다. 진나라 원제 때 상서우복야를 배수받았다. 재주는 문무를 겸비하였고 마음가짐은 충성스러우면서 아정하였다. 명제가 일찍이 혼자서 널찍한 대청으로 그를 불러들이고는 슬픈 표정으로 천하를 걱정하며 말했다. "종묘사직을 지키는 신하가 더 이상 열 명도 되지 않소." 그참에 손가락을 꼽으며 "그대가 바로 그중 한 사람이오"라고 하였다. 왕돈이 반란을 일으키자 원제가 그에게 말했다. "단지 짐을 위해 육군을 잘 다스린다면 많은 보탬이 될 것이오."

省의 장관을 이르는 말. 휘하에 육부六部를 설치하였고, 각 부의 장관인 상서尙書, 차관인 시랑侍郎, 실무자인 낭관郎官 등을 거느렸다.

636) 雲母(운모) : 돌비늘. '운영雲英'이라고 한다.

637) 吳志(오지) : 위의 예문은 현전하는 ≪삼국지·오지≫에 보이지 않는다. 일문逸文이거나 출처에 착오가 있는 듯하다. 한편 당나라 구양순歐陽詢(557-641)의 ≪예문류취藝文類聚·복식부服飾部≫권69에서는 출처에 대해 실전된 책인 진晉나라 장발張勃의 ≪오록吳錄≫이라고 하였다. 여기서는 이를 따른다.

638) 臥護(와호) : 정사를 쉽게 처리하는 것을 비유하는 말. 전한 때 급암汲黯(?-B.C.112)이 병석에 누워서도 산동성 동해태수東海太守의 업무를 잘 처리한 데서 유래하였다. '와치臥治'라고도 한다.

639) 六軍(육군) : 천자의 군대를 가리키는 말. ≪주례周禮·하관夏官·서관序官≫ 권28에 의하면 12,500명이 1군으로 천자는 6군을, 제후는 작위에 따라 3군·2군·1군을 거느릴 수 있었다.

◇夢筆(붓을 꿈꾸다)

●紀少瑜, 字幼瑒, 梁人, 幼有志節. 嘗夢陸倕以一束靑鏤管筆授之曰, "君自擇其善者." 其文因此大進.(南史文學傳)

○기소유는 자가 유창이고 (남조南朝) 양나라 때 사람으로 어려서부터 지조가 있었다. 일찍이 꿈에 육수가 나타나 청색에 아름다운 문양이 새겨진 대롱이 달린 붓을 한 묶음 그에게 주면서 말했다. "그대 스스로 그중 좋은 것을 골라 보시오." 그의 문장이 이로 인해 크게 발전하였다.(≪남사 · 문학열전 · 기소유전≫권72)

◇貫蝨(이의 심장을 꿰뚫다)

●紀昌學射于飛衛[640], 衛曰, "視小如大, 視微如著, 而後告我." 昌以氂[641]垂蝨於牖間, 南面而望之, 寖大, 三年如車輪焉. 射之, 貫蝨之心, 而垂不絶.(列子[642])

○기창이 비위에게서 활쏘기를 배울 때 비위가 말했다. "작은 것을 큰 것처럼 보고 미세한 것을 분명한 것처럼 본 뒤에 내게 알리거라." 기창이 소털로 이를 묶어 창문에 매달고 남쪽을 향해 바라보자 이가 점점 커지더니 3년 뒤에는 수레바퀴만큼 커 보였다. 그것을 맞추자 이의 심장을 꿰뚫었는데도 걸려 있던 소털이 끊어지지 않았다.(≪열자 · 탕문湯問≫권5)

※婚姻(혼인)

●紀僧珍仕齊, 武帝恩倖無比. 請曰, "臣小人, 出自武吏, 榮階至此. 爲兒婚, 得荀昭光女, 惟就陛下[643], 乞作士矣."(南史)

---

640) 飛衛(비위) : 감승甘蠅의 제자로 활쏘기의 명수라는 전설상의 인물.

641) 氂(모) : 소털. 푼(分)의 10분의 1을 뜻하는 말인 '리釐'로 된 판본도 있는데 오기이다.

642) 列子(열자) : 구본舊本에는 전국시대 정鄭나라 사람인 열어구列禦寇가 지었다고 하였으나, 그의 사후의 기록도 있는 것으로 보아 그의 문인들이 지은 것으로 보인다. 위진魏晉 때 위작으로 보는 설도 있다. 진晉나라 장담張湛이 주를 달았다. 총 8권. ≪사고전서간명목록 · 자부 · 도가류道家類≫권14 참조.

○기승진은 (남조南朝) 남제南齊에서 벼슬길에 올랐는데 무제가 그를 비할 데 없이 총애하였다. 그러자 기승진은 "신은 보잘것없는 인물로서 무관으로부터 시작해 영광스럽게도 품계가 여기까지 올랐나이다. 아들을 위해 혼사를 진행하다가 순소광의 딸을 얻었으니 단지 폐하 덕에 아들이 사대부가 될 수 있기를 바라나이다"라고 하였다. (≪남사・강효전江斅傳≫권36)

●阿紀[644], 謝尙妾也, 有國色, 善吹笛. 尙死, 誓不嫁. 郄曇設計得之, 紀終身不答.

○(진晉나라 때) 아기는 사상의 첩실로 용모가 빼어나고 피리를 잘 불었다. 사상이 죽자 재가하지 않겠다고 맹서하였다. 치담이 꾀를 써서 그녀를 차지하려고 하였지만 아기는 죽을 때까지 응하지 않았다.

●秦紀[645]. 人紀[646]. 權萬紀[647].

○≪사기・진본기≫권5. 기강. (당나라 태종 때 사람) 권만기.

◆士(사씨)

▶帝堯之胤杜伯之子隰爲晉士師[648], 子孫以官爲氏. 晉士蔿爲大司空[649], 蔿子士成

---

643) 陛下(폐하) : 황제에 대한 존칭. '섬돌 아래 공손히 자리한다'는 의미에서 유래하였다. 황제皇帝에게는 '섬돌 아래 있다'는 의미의 '폐하陛下'를, 친왕親王이나 제후에게는 '전각 아래 있다'는 의미의 '전하殿下'를, 고관에게는 '누각 아래 있다'는 의미의 '각하閣下'를, 그리고 신분이나 연령이 높은 사람에게는 '발 아래 있다'는 의미의 '족하足下'를 사용함으로써 상대방의 지위가 낮아질수록 점차 거리를 가까이하는 의미가 담겨 있다.

644) 阿紀(아기) : 기씨 여인에 대한 애칭. '아阿'는 친근감을 나타내기 위해 성씨나 이름 앞에 쓰는 접두사이다.

645) 秦紀(진기) : ≪사기≫권5의 편명인 '진본기秦本紀'의 약칭.

646) 人紀(인기) : 사람이 지켜야 할 기강이나 도리를 이르는 말.

647) 權萬紀(권만기) : 당나라 태종 때 사람. 치서시어사治書侍御史를 지내다가 산을 파서 은을 주조할 것을 상주한 일 때문에 축출당했다. 앞의 '권'씨절 '권만기'항 참조.

648) 士師(사사) : 주周나라 때 형벌을 관장하던 추관秋官 소속 벼슬 이름.

649) 大司空(대사공) : 벼슬 이름. 소호少昊 때 처음 설치되었는데, 주周나라 때는 동관冬官으로서 치수와 토목공사를 관장하였고, 전한 때는 어사대부御史大

伯, 成伯子士會, 字季氏, 食采於隨, 稱隨季. 後又封范, 自是又稱范氏.

▷(당나라) 요왕의 후손이자 두백의 아들인 온溫이 (춘추시대) 진나라에서 사사를 지내자 자손들이 벼슬 이름을 성씨로 삼은 것이다. 진나라 사위는 대사공을 지냈고, 사위의 아들은 사성백이며, 사성백의 아들 사회는 자가 계씨로 수 땅을 식읍으로 받았기에 '수계'로 불렸다. 뒤에 다시 범 땅에 봉해지자 그때부터 다시 '범'씨로 불렸다.

◇世爲晉卿(대를 이어 진나라에서 구경九卿을 지내다)

●士會爲范文子650), 子士燮爲范武子, 子士匄爲范宣子, 子士鞅爲范獻子, 子士吉射世爲晉卿.

○(춘추시대 때) 사회는 범무자范武子로 불리고, 아들 사섭(?-B.C.574)은 범문자范文子로 불리고, 아들 사개는 범선자로 불리고, 아들 사앙은 범헌자로 불렸는데, 아들 사길사까지 대를 이어 진나라에서 구경에 올랐다.

◇兄弟列郡(형제들이 모두 태수에 오르다)

●士燮漢末爲交趾651)太守, 次弟䵋九眞652)太守, 小弟武南海653)太守. 兄弟竝爲列郡雄長, 一州出入, 鳴鐘笳鼓吹654), 車騎滿道, 胡人夾轂焚香者, 常數千人. 在郡四十餘年, 年九十.(吳志)

○사섭(137-226)은 후한 말엽 (광서성) 교지태수를 지내고, 둘째 동생인 사유士䵋는 (베트남) 구진태수를 지내고, 막내동생인 사무士武는 (광동성) 남해태수를 지냈다. 형제들 모두 여러 군의 수장이 되어 고을에서 출입할 때마다 종과 호드기 등 악기를 연주하며 수레와 기

夫의 별칭이었으며, 뒤에는 대사마大司馬(태위太尉)·대사도大司徒와 함께 삼공三公의 하나였다. 명청 때는 공부상서工部尙書의 별칭으로도 쓰였다.

650) 文子(문자) : '무자武子'의 오기이다. 아들 사섭士燮의 시호와 바뀌었다.

651) 交趾(교지) : 지명. 전한 무제武帝 이전에는 오령五嶺 이남을 일컬었고, 무제 이후로는 광동성과 광서성 및 월남 북부에 대한 통칭으로 쓰였다. '교지交阯'로도 쓴다.

652) 九眞(구진) : 한나라 때 안남安南(베트남)에 설치하였던 군郡 이름.

653) 南海(남해) : 광동성의 속군屬郡 이름.

654) 鼓吹(고취) : 타악기와 관악기를 아우르는 말로 악기에 대한 총칭.

병이 길을 가득 메웠고, 호족 사람으로서 수레 양쪽에 도열하여 향을 태우는 이들이 늘 수천 명이나 되었다. 고을에서 40년 넘게 근무하다가 나이 90세에 생을 마쳤다.(≪삼국지・오지・사섭전≫권49)

●卿士. 國士. 木居士[655]. 瓦學士[656].
○(고위 관료인) 경사. 나라를 대표하는 선비. 목거사. 와학사.

◆是(시씨)

▶齊大夫之後. 漢末北海有氏儀, 孔融嘲之曰, "氏字乃民無上[657]," 遂改爲是.
▷(춘추시대) 제나라 대부의 후손이다. 후한 말엽에 (산동성) 북해군에 씨의라는 사람이 있자 공융이 그를 놀리며 "성씨가 '씨'자이니 결국 백성에게 군주가 없는 모양새일세 그려"라고 하였기에 급기야 '시'씨로 고친 것이다.

●是儀, 字子羽, 北海人. 孫權徵爲太傅[658], 專典機密. 忠亮公正, 輒進規諫. 屋舍才足自容, 食不重膳, 家無餘儲. 權嘗幸其舍, 求視蔬飯, 親嘗之, 對之歎息, 拜尙書僕射.(吳志)
○시의는 자가 자우로 (산동성) 북해군 사람이다. (삼국 오나라) 손권이 그를 불러 태부에 임명하고 기밀을 전담케 하였다. 시의는 충성스럽고 공정하여 늘 간언을 올리곤 하였다. 집은 고작 자기 몸만 들어갈 정도로 비좁았고, 음식은 진수성찬을 대수롭게 여기지 않아 집

---

655) 木居士(목거사) : 나무를 깎아서 만든 신상神像을 이르는 말.
656) 瓦學士(와학사) : 기와처럼 깨지기 쉬운 학사. 송나라 석연년石延年이 말에서 떨어지자 너털웃음을 터뜨리며 "내가 석씨 성을 가진 학사(돌처럼 단단한 학사)라서 망정이지, 만약 와씨 성을 가진 학사(기와처럼 깨지기 쉬운 학사)였으면 어찌 넘어져 산산조각이 나지 않았겠소?(賴我是石學士, 若瓦學士, 豈不跌碎乎?)"라고 말했다는 고사가 승려 혜홍惠洪이 지은 ≪냉재야화冷齋夜話・석학사≫권8에 전한다.
657) 民無上(민무상) : 백성에게 주상이 없다. '씨氏'자의 모양새가 '백성 민民'자에서 머리 부분이 없는 것을 가지고 빗댄 말이다.
658) 太傅(태부) : 재상의 지위인 삼공三公, 즉 태사太師・태부太傅・태보太保 가운데 하나. 그러나 후에는 태위太尉・사도司徒・사공司空을 삼공으로 설치하고, '큰 스승'이란 의미에서 삼공보다 높여 별도로 '상공上公'이라고 하면서 '삼사三師'로 세우기도 하였다.

에 비축한 식량이 없었다. 손권이 그의 집에 행차했다가 채소와 밥을 살펴보겠다고 하며 몸소 맛보고는 그의 면전에서 탄식하더니 상서복야에 배수하였다.(≪삼국지・오지・시의전≫권62)

◆蔿(위씨)

◇後賀(축하하는 자리에 지각하다)

●蔿賈, 字伯嬴, 楚大夫. 楚子玉[659]治兵於蔿[660], 終日而畢, 國老皆賀子文[661], 賈尙幼, 後至不賀曰, "不知所賀."(僖二十七年)

○위가는 자가 백리로 (춘추시대) 초나라의 대부이다. 초나라 자옥(성득신成得臣)이 위 땅에서 군대를 정비하면서 하루만에 마치자 국가원로들이 모두들 (인재를 잘 추천했다고) 자문(투구오도鬭穀於菟)에게 축하인사를 올렸다. 그러나 위가는 아직 어린 나이로 뒤늦게 도착해 축하인사를 올리지 않으며 말했다. "무엇을 축하해야 할지 모르겠습니다."(≪좌전・희공僖公27년≫권15)

◇三仕三去(세 번 벼슬길에 올랐다가 세 번 쫓겨나다)

●蔿艾獵, 賈之子, 卽孫叔敖[662]也. 傳[663]云, "蔿敖爲宰, 擇楚國之令

659) 子玉(자옥) : 춘추시대 초楚나라의 경卿 성득신成得臣의 자. 투구오도鬭穀於菟의 추천으로 벼슬길에 올라 영윤令尹을 지내다가 진晉나라와의 전투에서 사망하였다.

660) 蔿(위) : 춘추시대 초나라의 땅 이름. 소재지는 미상.

661) 子文(자문) : 춘추시대 초나라 때 대부大夫인 투구오도鬭穀於菟의 자. 투백비鬭伯比의 아들인데 버림을 받아 호랑이(於菟) 젖(穀)을 먹고 자랐다고 해서 이름을 '구오도'로 지었다고 한다. 성왕成王 때 영윤令尹이 되어 선정을 베풀며 많은 업적을 남겼다. 그에 관한 고사는 ≪좌전・희공僖公≫에 산재되어 전한다.

662) 孫叔敖(손숙오) : 춘추시대 초楚나라 사람으로 장왕莊王 때 영윤令尹을 맡아 명성을 떨쳤다. 어려서 남을 위해 양두사兩頭蛇를 죽인 고사로 유명하다. '위애렵蔿艾獵'으로도 불렸다.

663) 傳(전) : 노魯나라 은공隱公 원년元年(B.C.722년)부터 애공哀公 27년(B.C.468년)까지 약 250년 간의 춘추시대 역사를 기록한 ≪춘추경春秋經≫에 대한 전국시대 노魯나라 좌구명左丘明의 해설서인 ≪춘추좌씨전春秋左氏傳≫의 약

典."(宣十一) 相楚莊王以霸, 三得相, 不喜, 三去相, 不慍.(國語664))

○(춘추시대 때 사람) 위애렵은 위가蔿賈의 아들로서 바로 손숙오이다. ≪좌전≫에 "위오(손숙오)는 승상을 맡자 초나라의 법전을 정비하였다"고 하였다.(≪좌전·선공宣公11년≫권22) 초나라 장왕을 도와 패자에 오르게 하였는데, 세 번 승상에 올라도 기뻐하지 않았고 세 번 승상에서 쫓겨나도 화내지 않았다.(≪국어·초어하楚語下≫권18)

◆薳(위씨)

◇生死骨肉(죽은 자를 다시 살리고 뼈에 살이 돋게 하다)

●薳子馮, 楚子665)使爲令尹666), 以疾辭. 方暑, 闕667)地下氷而牀焉, 重繭衣668)裘, 鮮669)食而寢.(襄二十一年) 後爲令尹, 有寵者八人, 無祿而多馬. 聞申叔豫670)言而懼曰, "吾見申叔, 夫子所謂'生死而肉骨'也."(襄二十二年)

○위자빙은 초나라 강왕康王이 영윤을 맡으라고 하였으나 병을 핑계로 사양하였다. 한창 무더울 때는 땅을 파고 얼음을 집어 넣고서 그곳에 침상을 가져다 두고는 솜옷을 겹겹이 입고 갖옷을 걸치고서 음식을 거의 먹지 않은 채 잠이 들곤 하였다.(≪좌전·양공襄公21년≫권3

칭. ≪춘추좌전≫ ≪좌씨전≫ ≪좌전≫으로 약칭하기도 한다.

664) 國語(국어) : 춘추시대春秋時代의 역사를 주周나라와 제후국 별로 나누어 기술한 역사책. 총 21권. 저자에 대해서는 여러 가지 설이 있으나 전한 이후로 좌구명左丘明이 지었다는 것이 통설로 되었다. 후한 때 정중鄭衆·가규賈逵(30-101)·우번虞翻·당고唐固 등 여러 사람의 주注가 있었다고 하나 모두 실전되고, 지금은 삼국 오吳나라 위소韋昭의 주만이 전한다. ≪사고전서간명목록·사부·잡사류雜史類≫권5 참조.

665) 楚子(초자) : 춘추시대 초楚나라 군주. 여기서는 강왕康王을 가리킨다.

666) 令尹(영윤) : 춘추시대 초나라에서 정치를 집행하던 최고 벼슬인 상경上卿을 지칭하던 말. 후대에는 진한秦漢 이래 현령縣令이나 원나라 때 현윤縣尹 등 지방 장관을 아우르는 말로 쓰였다.

667) 闕(궐) : 파다. '굴掘'과 통용자.

668) 衣(의) : 입다. 동사이기에 거성去聲(yi)으로 읽는다.

669) 鮮(선) : 드물다, 거의 없다. 상성上聲(xiǎn)으로 읽는다.

670) 申叔豫(신숙예) : 춘추시대 초楚나라 강왕康王 때의 대부大夫.

4) 뒤에 영윤을 맡았을 때 신임한 자 여덟 명은 봉록이 없었으나 말을 많이 가졌다. 그러자 신숙예의 말을 듣고서 두려워하며 "내 신숙예를 만났더니 그 선생은 이른바 '죽은 자를 다시 살리고 뼈에 살이 돋게 하는 사람'이더이다"라고 하였다.(≪좌전 · 양공襄公22년≫권35)

●薳罷, 字子蕩, 爲楚令尹, 承君命, 不忘敏.(襄二十七年)

○위파는 자가 자탕으로 (춘추시대) 초나라의 영윤을 맡아 군주의 명령을 받들 때는 기민하게 실천에 옮기는 것을 잊지 않았다.(≪좌전 · 양공襄公27년≫권38)

●薳啓强爲楚太宰671), 能諫君以禮, 君聽之.(昭五年)

○위계강은 (춘추시대) 초나라의 태재를 맡았는데 예를 갖춰 군주에게 간언을 하였기에 군주가 그의 말을 받아들였다.(≪좌전 · 소공昭公5년≫권43)

◆子(자씨)

▶殷姓子. 殷滅, 武王封微子啓於宋. 今子姓皆其後也. 宋司馬子魚672)(僖十九), 宋公子鮑(文十八).

▷은나라 종실의 성은 '자'씨이다. 은나라가 멸망한 뒤 (주나라) 무왕은 미자계를 송나라에 봉하였다. 지금의 '자'씨 성은 모두 그 후손이다. (춘추시대 때) 송나라에서 사마를 맡았던 자어(≪좌전 · 희공僖公19년≫권13)와 송나라 공족 출신의 자포(≪좌전 · 문공文公18년≫권20)가 그러한 예이다.

---

671) 太宰(태재) : 은殷나라 때는 육태六太의 하나였고, 주周나라 때는 육경六卿의 우두머리인 천관天官 총재冢宰의 별칭. 진秦 · 한漢 · 위魏나라 때는 설치하지 않았다가 진晉나라 때 경제景帝 사마사司馬師(209-255)의 이름을 피휘避諱하기 위해 태사太師를 '태재'라고 개칭하기도 하였다. 수당隋唐 때는 폐치廢置가 일정하지 않았고, 송나라 때는 좌복야左僕射를 '태재', 우복야右僕師를 '소재少宰'라고 하였다가 폐지되었다.

672) 子魚(자어) : 춘추시대 송宋나라 환공桓公의 아들 목이目夷의 자. 양공襄公 때 사마司馬에 올랐고, 초楚나라와 전쟁에서 여러 차례 계책을 아뢰었으나 받아들여지지 않는 바람에 송나라가 전쟁에 패하였다. ≪사기 · 송미자세가宋微子世家≫권38 참조.

◆梓(재씨)

▶魯大夫梓愼之後

▷(춘추시대) 노나라 대부 재신의 후손이다.

◆里(이씨)

▶本理氏, 春秋時改爲里. 故晉有里克, 鄭有里析. 後居襄城者, 爲相里氏.

▷본래는 '이理'씨였는데 춘추시대 때 '이里'씨로 개성하였다. 그래서 진나라에는 이극이란 사람이 있었고, 정나라에는 이석이란 사람이 있었다. 뒤에 (하남성) 양성에 거주한 사람은 '상리'씨라고 하였다.

◆杞(기씨)

▶周武王封東樓公於杞, 子孫因氏焉.

▷주나라 무왕이 동루공을 기나라에 봉하자 자손들이 그참에 이를 성씨로 삼은 것이다.

◆綺(기씨)

▶商山綺里季673)之後.

▷(진秦나라 말엽 전한 초에) 상산에 은거한 기리계의 후손이다.

■氏族大全卷十三■

673) 綺里季(기리계) : 진秦나라 말엽에 혼란한 세상을 피해 섬서성 상산商山에 은거했던 네 명의 은자인 동원공東園公·기리계綺里季·하황공夏黃公·녹리선생甪里先生 가운데 일인. 통칭 '상산사호商山四皓'로 불렸다. 네 사람 모두 눈썹과 수염이 하얗기에 '호皓'라는 별명이 붙었다. 그들에 대한 기록은 ≪한서·장양전張良傳≫권40과 ≪한서·왕공량공포전王貢兩龔鮑傳≫권72에 자세히 전한다.

■氏族大全卷十四■

□八語(8어)

◆許(허씨)

▶羽音. 高陽. 周武王封炎帝[1]之後文叔於許, 子孫以國爲姓.

▷음은 우음에 속하고 본관은 (하북성) 고양군이다. 주나라 무왕이 염제(신농)의 후손인 문숙을 허나라에 봉하자 자손들이 나라 이름을 성씨로 삼은 것이다.

◇重侯累將(계속해서 제후와 장수에 오르다)

●許廣漢封昌成君, 女爲宣帝后, 弟舜封博望侯, 弟延壽樂成侯. 延壽子嘉平恩侯, 嘉女爲成帝后. 許・史・丁・傅之家, 皆重侯累將, 窮貴極富.

○(전한) 허광한(?-B.C.61)은 창성군에 봉해지고, 딸은 선제의 황후가 되었으며, 동생 허순許舜은 박망후에 봉해지고, 동생 허연수許延壽는 낙성후에 봉해졌다. 허연수의 아들인 허가許嘉(?-B.C.28)는 평은후에 봉해지고, 허가의 딸은 성제의 황후가 되었다. 허씨・사씨・정씨・부씨의 집안 사람들은 모두 계속해서 제후와 장수에 올라 고귀한 신분과 엄청난 부를 누렸다.

◇書學(≪서경≫에 관한 학문)

●許商從周堪受尚書[2], 著五行論, 歷仕, 至九卿[3]. 號其門人(唐)林子高[4]

---

1) 炎帝(염제) : 전설상의 임금인 삼황三皇 가운데 두 번째 황제인 신농神農의 별호이자 남방의 신.

2) 尙書(상서) : ≪서경≫의 별칭. '상尙'은 '고古'의 뜻이므로 '오래된 역사책'이란 의미에서 유래하였다.

3) 九卿(구경) : 중국 고대 조정에서 삼공三公 다음 가는 최고위 관직을 이르는 말. 시대마다 명칭과 서열에 차이가 있는데, 한나라 때는 태상太常・광록훈光祿勳・위위衛尉・태복太僕・정위廷尉・홍려鴻臚・종정宗正・대사농大司農・소부少府를 '구경'이라 하였고, 수당隋唐 이후로는 구시九寺, 즉 태상太常・광록光祿・위위衛尉・종정宗正・태복太僕・대리大理・홍려鴻臚・사농司農・태부太府의 장관을 '구경'이라고 하였다.

4) 子高(자고) : 전한 사람 당임唐林의 자. 따라서 '임林'자 앞에 '당唐'자가 누락

爲德行, 吳章爲言語, 王吉爲政事, 齊幼卿[5]爲文學.(如孔門四科[6]) 王莽時, 林·吉至九卿, 自表上師家[7], 大夫[8]·博士·郞[9]吏爲許氏學者, 各從門人, 會車數百兩[10], 儒者榮之.(周堪傳)

○(전한) 허상은 주감에게서 ≪서경≫을 전수받아 ≪오행론≫을 짓고 여러 관직을 거쳐 구경에 올랐다. 그의 문인 가운데 자고子高 당임唐林은 덕행이 훌륭하다고 하고, 오장은 말솜씨가 뛰어나다고 하고, 왕길은 정사가 훌륭하다고 하고, 유경幼卿 제쾌흠齊快欽은 글솜씨와 학문이 뛰어나다고 하였다.(공자 문하의 4과와 같다) 왕망 때 당임과 왕길은 구경에 오르자 손수 상소문을 올려 스승의 무덤에 성묘하겠다고 하였는데, 대부·박사·낭관 등의 관리들이 허씨의 제자임을 자처하며 각기 문인을 거느리자 수레가 수백 대나 모였기에 유생들이 이를 영광스런 일로 여겼다.(≪한서·주감전≫권88)

◇張許師友(장씨 가문과 허씨 가문이 사우관계를 갖다)

●許武, 漢明帝時, 擧孝廉[11], 産業悉以推二弟晏普, 一無所留. 晏受魯

되었기에 첨기한다. ≪한서·주감전≫권88 참조.

5) 齊幼卿(제유경) : 전한 말엽의 학자 제쾌흠齊快欽. '유경'은 자. ≪한서·주감전周堪傳≫권88 참조.

6) 四科(사과) : 공자의 유가학파에서 내세우는 덕행·언어·정치·문학의 네 가지 과목을 아우르는 말. 덕행은 안연晏淵(안회顔回)과 민자건閔子騫(민손閔損)을, 언어는 재아宰我(재여宰予)와 자공子貢(단목사端木賜)을, 정치는 염유冉由(염구冉求)와 계로季路(중유仲由)를, 문학은 자유子游(언언言偃)와 자하子夏(복상卜商)를 우수한 자로 꼽았다.

7) 家(가) : ≪한서·주감전≫권88에 의하면 '무덤'을 뜻하는 말인 '총冢'의 오기이다. 자형의 유사성으로 인한 필사 과정상의 단순 오기로 보인다.

8) 大夫(대부) : 주周나라 때 신분 구분인 공公·경卿·대부大夫·사士의 하나. 삼공三公과 구경九卿 아래로 상대부上大夫·중대부中大夫·하대부下大夫가 있고, 그 밑으로 다시 상사上士와 중사中士·하사下士가 있었다. 후대에는 벼슬아치에 대한 범칭汎稱으로 쓰기도 하였다. 여기서는 한나라 때 벼슬인 태중대부大中大夫·중대부中大夫·간대부諫大夫 등을 가리키는 듯하다.

9) 郞(낭) : 황제의 호위와 시종·자문 등을 맡은 시종관侍從官에 대한 총칭. 의랑議郞·중랑中郞·상서랑尙書郞·시랑侍郞·낭중郞中·원외랑員外郞 등 다양한 직책이 생겼다.

10) 兩(양) : 수레를 세는 양사. '양輛'과 통용자.

11) 孝廉(효렴) : 한나라 때 관리를 선발하는 제도의 하나. 효렴과孝廉科 외에도

詩12)於張游卿, 爲博士. 由是張家有許氏學.

○허무는 후한 명제 때 효렴과에 급제하자 재산을 모두 두 동생인 허안許晏과 허보許普에게 양도하고 하나도 남기지 않았다. 허안은 장유경에게서 ≪노시≫를 전수받아 박사를 지냈다. 그래서 장씨 가문에 허씨의 학파가 생겨났다.

◇月旦評(매월 초하루에 인물을 품평하다)

●許劭, 字子將, 平輿(音預)人. 與從兄靖俱有高名, 好共覈論人物, 每月輒更其品題. 故汝南俗有月旦評13). 靖, 字文休, 有廊廟14)器, 靈帝時, 爲尙書15). 劭兄虔亦知名. 汝南人稱平輿有二龍16)焉.

○(후한) 허소(152-197)는 자가 자장으로 (하남성 여남군) 평예현('輿'의 음은 '예'이다) 사람이다. 종형인 허정許靖(?-222)과 함께 명성을 떨치며 함께 모여 인물에 대해 토론하기를 좋아하였는데 매달마다 품평의 제목을 바꿨다. 그래서 여남군에는 '월단평'이란 풍속이 생겨났다. 허정은 자가 문휴로 재상으로서의 자질이 있어 영제 때 상서를 지냈다. 허소의 형인 허건許虔도 명성을 떨쳤다. 그래서 여남군 사람들은 평예현에 용이 세 마리 있다고 하였다.

현량방정賢良方正·직언극간直言極諫 등의 과목이 있었다.

12) 魯詩(노시) : 한나라 때 유행한 금문시경今文詩經 가운데 하나. ≪노시魯詩≫를 비롯하여 ≪제시齊詩≫ ≪한시韓詩≫는 금문으로 쓰여져 '금문시경'이라고 한 반면, 공자의 집에서 출토된 고문으로 쓰여진 ≪시경≫에 모공毛公이 주를 단 ≪모시毛詩≫는 '고문시경古文詩經'이라고 하였다. 고문시경의 출현 후 금문시경은 진실성 문제로 퇴출당해 대부분 실전되었다.

13) 月旦評(월단평) : 인물에 대한 품평을 이르는 말. 후한 때 허소許劭가 매월 초하루에 품제品題를 정해 놓고 향당鄕黨의 인물을 품평한 고사에서 유래한 말로서 '월평月評'으로 약칭하기도 한다.

14) 廊廟(낭묘) : 궁전의 외곽 건물과 태묘太廟. 즉 조정을 일컫는 말로 여기서는 재상을 비유적으로 가리킨다.

15) 尙書(상서) : 한나라 때 정무政務와 관련한 문서의 발송을 주관하는 일, 혹은 그러한 업무를 관장하던 벼슬을 가리킨다. '상尙'은 '주관한다(主)'는 뜻이다. 후대에는 이부상서吏部尙書나 병부상서兵部尙書와 같이 그런 업무를 관장하는 상서성尙書省 소속 장관을 뜻하는 말로 쓰였다. 휘하에 시랑侍郎과 낭중郎中·원외랑員外郎 등을 거느렸다.

16) 二龍(이룡) : 문맥상으로 볼 때 '삼룡三龍'이 적절할 듯하다.

◇五經無(雙[17])(경전에 관한 지식에 적수가 없다)

●許愼, 字叔重, 少博學. 時人語曰, "五經[18]無雙許叔重." 作五經異義[19]及說文解字[20]十四篇, 行於世. 漢獻時, 擧孝廉.

○허신(약 58-147)은 자가 숙중으로 어려서부터 박학하였다. 그래서 당시 사람들 사이에 "경전에 관한 지식에 적수가 없는 이는 허숙중(허신)이라네"라는 말이 돌았다. ≪오경이의≫ 및 ≪설문해자≫ 14편을 지어 세간에 유행시켰다. 후한 헌제 때 효렴과에 급제하였다.

◇癡虎(어리석은 호랑이)

●許褚事魏武, 爲都尉[21]. 勇力絶人, 能逆曳牛尾. 軍中以褚力如虎而癡, 號曰癡虎, 又曰虎侯. 遷武衛將軍.

○허저는 (삼국) 위나라 무제(조조曹操)를 섬기며 도위를 지냈는데, 힘이 누구보다도 뛰어나 소꼬리를 거꾸로 당길 수 있었다. 군중에서는 허저가 힘은 호랑이처럼 세지만 어리석다고 생각해 '치호'로도 부르고 '호후'로도 불렀다. 무위장군으로 승진하였다.

◇拔宅升天(온가족이 다함께 신선이 되다)

●許遜, 字敬之, 爲旌陽[22]令, 棄官入道. 道成, 晉元康[23]三年八月十五日, 擧家四十二口, 拔宅上升[24].

---

17) 雙(쌍) : 본문 내용에 의하면 이 글자가 누락되었기에 첨기한다.

18) 五經(오경) : ≪역경≫ ≪서경≫ ≪시경≫ ≪예기≫ ≪춘추경≫을 아우르는 말. 결국 경전을 가리킨다.

19) 五經異義(오경이의) : 후한 허신許愼(약 58-147)이 오경에 대해 쓴 책. ≪수서・경적지≫권30에 15권본이라고 하였으나, ≪송사・예문지≫에 수록되지 않은 것으로 보아 당송 때 이미 실전된 듯하다.

20) 說文解字(설문해자) : 후한 허신許愼이 소전小篆 9,353자와 고문자古文字 1163자에 대해 음의音義와 유래를 해설한 책. 총 30권. ≪사고전서간명목록・경부・소학류小學類≫권4 참조. 송나라 서현徐鉉(917-992)이 주를 달았다.

21) 都尉(도위) : 벼슬 이름. 전국시대 때는 장수의 속관이었고, 전한 경제景帝 이후로는 태수의 군무軍務를 보좌하는 속관이었으며, 당송唐宋 이후로는 훈관勳官이었다. 군위軍尉라고도 한다.

22) 旌陽(정양) : 호북성의 속현屬縣 이름.

23) 元康(원강) : 진晉 혜제惠帝의 연호(291-299).

○허손은 자가 경지로 (호북성) 정양현의 현령을 지내다가 관직을 버리고 도관으로 들어갔다. 도술을 완성하자 진나라 (혜제) 원강 3년(293) 8월 15일에 식솔 42명을 데리고 온가족이 다함께 신선이 되었다.

◇服氣(신선한 공기를 들이마시고 묵은 공기를 내보내다)

●許邁, 字敬玄, 六代祖肇・父副皆仙. 台州有玉京洞, 邁常居之. 父母終, 遣婦孫氏還家, 徧遊名山, 餌朮三年, 辟穀服氣[25], 一氣千息. 後入蓋竹山[26], 爲地仙[27]. 子穆五世皆仙.

○(진晉나라) 허매는 자가 경현으로 6대조 할아버지인 허조許肇와 부친 허부許副 모두 신선이 되었다. (절강성) 태주에는 옥경동이 있는데 허매는 늘 그곳에 거주하였다. 부모가 돌아가시자 아내 손씨를 친정으로 돌려보내고 명산을 두루 유람하면서 3년 동안 차조밥을 먹다가 곡기를 끊고 호흡을 조절하였는데 한 번 숨을 쉬면 천 번을 참았다. 뒤에 개죽산에 들어가 지선이 되었다. 아들 허목許穆까지 오대에 걸쳐 모두 신선이 되었다.

◇交梨火棗(교리와 화조)

●許穆入華陽洞, 得道, 遇王母[28]女雲林夫人[29]降, 敎之得爲左卿仙侯[30]. 幼子翽, 小字玉斧, 爲侍宸仙翁. 後雲林與穆書云, "玉醴[31]・金漿[32]・

24) 拔宅上升(발택상승) : 집을 통째로 뽑아서 승천하다. 온가족이 함께 신선이 되는 것을 말한다.
25) 服氣(복기) : 코로 신선한 공기를 들이마시고 입으로 묵은 공기를 내보내는 호흡법을 이르는 말.
26) 蓋竹山(개죽산) : 절강성에 있는 산 이름. 도교에서 말하는 제2복지福地이다.
27) 地仙(지선) : 인간 세계에 머물러 사는 신선을 이르는 말.
28) 王母(왕모) : 중국 전설에 나오는 불로장생不老長生을 상징하는 신녀神女 이름인 서왕모西王母의 약칭. 여신선들을 총괄하는 일을 관장하였다.
29) 夫人(부인) : 황제의 후처後妻인 비빈妃嬪이나 제후의 적처嫡妻에 대한 존칭. 후에는 고관의 부인에 대한 존칭으로도 쓰였다.
30) 左卿仙侯(좌경선후) : 선계에 있다는 벼슬 이름.
31) 玉醴(옥례) : 마시면 신선이 된다는 전설상의 술 이름.
32) 金漿(금장) : 마시면 신선이 된다는 전설상의 선약 이름. '금액金液'이라고도

交梨[33]・火棗[34], 當與山中許道士, 不與人間許長史."(長史謂穆, 道士謂玉斧) 穆, 旌陽族子[35]也.

○(진晉나라) 허목이 화양동에 들어가 도술을 터득하자 서왕모의 딸인 운림부인이 강림하여 그에게 좌경선후가 될 수 있는 방법을 가르쳤다. 막내아들 허홰許翽는 어렸을 때 자가 옥부로 시신선옹이 되었다. 뒤에 운림부인이 허목에게 서신을 보내 "옥례・금장・교리・화조는 의당 산속 허도사(허홰)에게 주어야지 인간세상에서 사는 허장사(허목)에게 줄 수가 없다오"라고 하였다.('장사'는 허목을 말하고, '도사'는 허홰를 말한다) 허목은 (호북성) 정양현의 현령을 지낸 허손許遜의 조카이다.

◇清風明月(시원한 바람과 밝은 달)

●許詢, 晉高士也. 劉惔云, "清風明月, 恨無玄度[36]!."(又見支姓)

○허순은 진나라 때 은자이다. 유담이 "시원한 바람과 밝은 달이 있지만 현도(허순)가 없는 것이 아쉽구나!"라고 말한 일이 있다.(관련 내용은 앞의 '지'씨절 '강경講經'항에 보인다)

◇孝順里(효자의 고을)

●許孜, 字季義, 親沒, 負土作墳, 列植松栢. 鹿犯觸者皆死. 晉元康中, 擧孝廉, 不起. 詔旌表[37]門閭[38], 號所居里曰孝順里.

○허자는 자가 계의로 부모가 돌아가시자 흙을 짊어다가 봉분을 만들

한다. 맛 좋은 술을 비유할 때도 있다.

33) 交梨(교리) : 서로 마주보고 맺힌다는 전설상의 배 이름.

34) 火棗(화조) : 먹으면 신선이 될 수 있다는 전설상의 대추 이름.

35) 族子(족자) : 동족 형제의 아들, 즉 조카뻘의 일가친척을 이르는 말.

36) 玄度(현도) : 진晉나라 때 사람 허순許詢의 자. 사도司徒의 속관屬官인 사도연司徒掾을 지내 '허연許掾'으로도 불렸다. 황로사상黃老思想을 좋아하고 현언시玄言詩를 즐겨 지었다. 명나라 요용현廖用賢의 ≪상우록尙友錄・허순전≫권15 참조.

37) 旌表(정표) : 충효로 모범적인 사람에게 정문旌門을 세워 주거나 편액을 하사해 표창하는 일.

38) 門閭(문려) : 문에 대한 총칭. 마을 입구를 가리킨다.

고는 소나무와 측백나무를 줄지어 심었다. 그러자 사슴이 함부로 침범하였다가 부딪혀 죽곤 하였다. 진나라 (혜제) 원강(291-299) 연간에 효렴과에 급제하였으나 벼슬에 나가지 않았다. 그러자 조서를 내려 마을 입구에 정문旌門을 세우게 하고 거처하는 마을 이름을 '효순리'라고 하였다.

◇長髯公(긴 수염을 한 재상)

●許惇仕東魏, 爲司徒[39]主簿[40], 有明斷, 時號鉄主簿, 遷殿中尚書. 美鬚下垂至帶, 省中[41]號長髯公.

○허돈은 (북조北朝) 동위에서 벼슬길에 올라 사도 휘하의 주부를 지냈는데, 판단력이 뛰어나 당시에 '철주부'로 불리다가 전중상서로 승진하였다. 멋진 수염을 아래로 허리띠까지 늘어뜨렸기에 궁중에서는 그를 '장염공'으로 불렀다.

◇神童(신동)

●許善心, 家有書萬卷, 無不徧覽. 時稱爲神童. 仕隋, 爲祕書丞[42]. 嘗製神雀頌, 文不加點, 筆不停麾. 子敬宗姦人.

○허선심(558-618)은 집에 서책 만 권을 소장하고서 두루 다 열람하였다. 그래서 당시에 신동으로 불렸다. 수나라에서 벼슬길에 올라 비서승을 지냈다. 일찍이 <신작을 읊은 송문>을 지을 때는 문장을

---

39) 司徒(사도) : 상고시대 관직의 하나로서 국가 재정과 관련한 업무를 관장하였다. 주나라 때는 지관地官이었고, 후대에는 민부民部·호부상서戶部尙書에 해당한다. 한나라 이후로는 이 직명을 민정民政을 관장하는 삼공三公의 하나로 지정하기도 하였다.

40) 主簿(주부) : 한나라 이후로 문서 처리를 관장하는 속관屬官을 이르던 말. 중앙 및 지방의 각 행정 기관에 모두 설치하였다.

41) 省中(성중) : 조정, 궁중宮中. 원래는 '금중禁中'이라고 하다가 한漢나라 효원황후孝元皇后 부친의 휘諱가 '금禁'이기 때문에 '성중'이란 표현이 생겼다고 한다. '궁중에 들어가면 잘 살펴서 함부로 행동하지 않는다'는 뜻에서 유래하였다.

42) 祕書丞(비서승) : 국가의 주요 문서와 도서를 관장하는 비서성祕書省 소속 관원. 비서감祕書監·비서소감祕書少監보다는 낮고 비서랑祕書郞보다는 높은 직책이었다.

전혀 수정하지 않았고 붓을 한시도 멈춘 적이 없었다. 그러나 (당나라 때) 아들 허경종許敬宗(592-672)은 간사한 인물이었다.

◇淸白箴(청백리로서 지켜야 할 잠언)

●許紹, 字嗣宗, 隋末任夷陵[43]守, 開倉, 活流民數十萬. 歸唐, 封譙國公. 子圉師有器幹, 爲相州刺史, 部內有受賕者, 不忍按, 但以淸白箴賜之. 其人自愧, 卒爲廉士. 龍朔[44]中, 拜左相, 會孫欽寂·欽明, 皆死王事[45].

○허소는 자가 사종으로 수나라 말엽에 (호북성) 이릉태수를 맡자 곳간을 열어서 떠돌이 백성 수십만 명을 구제하였다. 당나라로 귀순하여 초국공에 봉해졌다. 아들 허어사許圉師(?-679)는 능력이 뛰어나 (하남성) 상주자사를 지냈는데, 관할 구역 내에 뇌물을 받는 관리가 있으면 차마 조사하지 않고 단지 청백리로서 지켜야 할 잠언을 그에게 하사하였다. 그러자 그 사람이 스스로 부끄러운 생각이 들어 결국 청렴한 선비가 되었다. (고종) 용삭(661-663) 연간에 좌승상을 배수받았는데, 마침 손자인 허흠적許欽寂과 허흠명許欽明은 모두 나라를 위해 거란족과 싸우다가 전사하였다.

◇死節(절조를 지키다가 전사하다)

●許遠與張巡同守睢陽, 專治軍糧戰具, 城陷, 死之. 睢陽至今祠享, 號雙廟云. 宣帝[46]時, 圖像淩煙閣[47].

○(당나라) 허원은 장순과 함께 (안휘성) 수양군을 지키며 군량과 전

---

43) 夷陵(이릉) : 호북성의 속군屬郡 이름.

44) 龍朔(용삭) : 당唐 고종高宗의 연호(661-663).

45) 王事(왕사) : 황제를 위한 일. ≪신당서·허흠적전≫권90에 의하면 거란과의 전투를 가리킨다.

46) 宣帝(선제) : 시호謚號가 아니라 묘호廟號이므로 선종宣宗으로 표기하는 것이 적절할 듯하다.

47) 淩煙閣(능연각) : 공신을 표창하기 위해 지은 누각 이름. 당나라 태종太宗이 정관貞觀 17년(643) 공신 24명의 초상화를 그려넣은 것으로 유명하다. 여기서는 결국 조정을 가리킨다.

투 장비를 정비하는데 전력을 기울였으나 성이 함락당하는 바람에 그곳에서 전사하였다. 수양군에서는 오늘날까지도 제사를 올리며 '쌍묘'로 부른다고 한다. 선종 때 능연각에 초상화가 걸렸다.

◇中和之氣(중용적이고 조화로운 기상)

●許景先, 開元[48]初, 知制誥[49], 以雅厚稱. 張說曰, "許舍人[50]文, 雖乏峻峯激流, 然詞旨豐美, 得中和之氣."

○(당나라) 허경선은 (현종) 개원(713-741) 초에 지제고를 맡아 우아하고 중후한 문풍으로 칭송을 받았다. 그래서 장열이 "허사인(허경선)의 문장은 비록 험준한 봉우리와 격렬한 물줄기처럼 웅장하고 거친 기풍은 부족하지만 글에 담긴 뜻이 풍부하고 아름다워 중용적이고 조화로운 기상이 담겨 있다"고 평한 일이 있다.

◇甘露嘉禾(감로가 내리고 가화가 자라다)

●許法眞至孝, 親喪, 廬墓, 有甘露嘉禾[51]之祥. 天寶[52]中, 表異其閭, 拜文館[53]直學士[54].

○(당나라) 허법진은 효심이 지극해 부모가 돌아가셨을 때 무덤 옆에 여막을 짓자 감로가 내리고 가화가 자라는 길조가 나타났다. (현종) 천보(742-756) 연간에 고을 입구에 정문旌門을 세우고 그를 문학관

48) 開元(개원) : 당唐 현종玄宗의 연호(713-741).

49) 知制誥(지제고) : 황명의 초안을 작성하는 일이나 그러한 업무를 관장하는 벼슬을 이르는 말.

50) 舍人(사인) : 황명의 기초起草와 출납出納을 관장하는 중서성中書省 소속의 벼슬인 중서사인中書舍人의 약칭. 장관인 중서령中書令과 버금 장관인 중서시랑中書侍郎 다음 가는 고관高官이다.

51) 嘉禾(가화) : 옛날 사람들이 길조로 여기던 특이한 모양의 벼를 가리키는 말. 혹은 품질이 좋은 쌀을 의미하기도 한다.

52) 天寶(천보) : 당唐 현종玄宗의 연호(742-756).

53) 文館(문관) : 당송 때 궁중의 장서각인 홍문관弘文館이나 숭문관崇文館에 대한 범칭인 문학관文學館의 준말.

54) 直學士(직학사) : 위진魏晉 이후로 문학과 저술을 관장하던 벼슬인 학사學士에 준하는 벼슬을 이르는 말. 당송唐宋 때는 학사원學士院을 두어 제고制誥를 전담케 하였는데, 5품 이상은 학사, 6품 이상은 직학사直學士라고 구분하였다.

직학사에 배수하였다.

◇兄弟尹京(형제가 경조부京兆府를 다스리다)

●許孟容, 字公範, 擢進士異等. 元和[55]初, 遷京尹[56], 奏曰, "臣職司輦轂[57], 當抑豪强." 捕責神策軍[58]吏, 償富民錢八百萬, 豪右[59]大震. 弟季同相繼爲京兆少尹[60]. 龍虎榜[61]中人.

○(당나라) 허맹용(743-818)은 자가 공범으로 진사시험에서 우수한 성적으로 급제하였다. (헌종) 원화(806-820) 초에 경조윤으로 승진하자 상소문을 올려 "신은 직책이 도성을 관장하는 것이라서 권세가들을 통제해야 하옵니다"라고 아뢰고는 신책군의 관리를 체포하고 부자 백성에게 8백만 냥을 배상하여 권세가들이 크게 동요하였다. 동생인 허계동許季同은 그의 뒤를 이어 경조소윤을 맡았다. (덕종 때) 용호방에 이름을 올린 급제자 가운데 한 사람이다.

◇孤進還舟[62](과거시험에 급제하니 선약을 먹은 듯하다)

●許棠以晩年登第曰, "自得一第, 輕健愈於少年, 乃知一名孤進[63]之還

55) 元和(원화) : 당唐 헌종憲宗의 연호(806-820).

56) 京尹(경윤) : 경기 일대를 관장하는 벼슬인 경조윤京兆尹의 약칭.

57) 輦轂(연곡) : 황제가 타는 수레를 뜻하는 말로 황제나 경사京師·도성을 비유한다.

58) 神策軍(신책군) : 당나라 때 세력을 떨쳤던 금군禁軍의 하나로 현종玄宗 때 가서한哥舒翰이 토번吐蕃을 평정한 뒤에 세운 군대를 가리킨다.

59) 豪右(호우) : 토호나 귀족처럼 힘있는 사람들을 이르는 말.

60) 少尹(소윤) : 경조윤京兆尹의 부관을 이르는 말. 자사刺史의 부관인 사마司馬의 별칭을 가리킬 때도 있다.

61) 龍虎榜(용호방) : 당나라 덕종德宗 때 육지陸贄가 진사시험의 감독관을 맡았을 때 가능賈稜·진우陳羽·구양첨歐陽詹·이관李觀·풍숙馮宿·왕애王涯·이박李博·장계우張季友·유준고劉遵古·허계동許季同·한유韓愈·이강李絳·유승선庾承宣·원결元結·호양胡諒·최군崔群·형책邢冊·배광보裴光輔·만당萬當 등이 급제자 명단에 이름을 올렸는데 세간에서는 이를 '용호방'으로 불렀다는 ≪신당서·구양첨≫권203의 고사에서 유래한 말로서 진사과 급제자 명단을 비유한다. '호방虎榜'으로 약칭하기도 하고, '방榜'은 '방牓'으로도 쓴다.

62) 孤進還舟(고진환주) : 본문에 의하면 과거시험에 급제하는 것이 선약을 먹는 것처럼 몸에 좋다는 말인 '고진환단孤進還丹'의 오기이다. 자형의 유사성으로 인한 필사 과정상의 단순 오기로 보인다.

丹[64]也." 十哲中人.(見吳罕)

○(당나라) 허당은 만년에 과거시험에 급제하자 "과거시험에 급제하고서부터 몸이 가볍고 건강해져 젊었을 때보다도 나은 듯하니 이제사 과거시험에 급제하는 것이 선약을 먹는 것과 같다는 것을 알겠구나"라고 하였다.

◇丁卯橋(정묘교)

●許渾, 唐詩人, 居鎭江府口, 有別墅在丁卯橋. 有詩[65]云, "裴相[66]功名冠四朝[67], 許渾身世老漁樵. 若論風月江山主, 丁卯橋[68]應作[69]午橋[70]."

○허혼은 당나라 때 시인으로 (강소성) 진강부 입구에 거주하며 정묘

---

63) 孤進(고진) : 특출나다, 각별히 뛰어나다. 여기서는 과거시험에 급제하는 것을 가리킨다.

64) 還丹(환단) : 도가에서 신선이 되기 위해 구전단九轉丹과 주사朱砂를 합성하여 만든 단약丹藥을 이르는 말.

65) 詩(시) : 이는 칠언절구七言絶句 <허혼의 시를 읽다(讀許渾詩)>를 인용한 것으로 송나라 때 시인 육유陸游(1125-1210)의 시집인 ≪검남시고劍南詩稿≫권82에 전한다.

66) 裴相(배상) : 당나라 때 재상을 지낸 배도裴度(765-839)의 별칭. 산남동도절도사山南東道節度使을 지냈고, 중서령中書令에 올라 '배영공裴令公'으로도 불렸다. 자는 중립中立이고, 시호는 문충文忠이며, 진국공晉國公에 봉해졌다. 문종文宗 때 낙양洛陽에서 백거이白居易(772-846)·유우석劉禹錫(772-842) 등과 친교를 가졌다. ≪신당서·배도전≫권173 참조.

67) 四朝(사조) : 배도가 재상의 신분으로서 모신 네 임금, 즉 덕종德宗(785-805)·헌종憲宗(806-820)·목종穆宗(821-824)·문종文宗(827-835)을 가리킨다. 중간에 순종順宗(805)과 경종敬宗(825-826)이 있긴 하였으나 단명하였기에 포함시키지 않은 듯하다.

68) 丁卯橋(정묘교) : 동서(丁卯)로 난 다리 이름. 허혼許渾이 정묘교 옆에 별장을 가지고 있어서 시집 이름도 ≪정묘시집丁卯詩集≫이라고 하였다. 사고전서에 보유補遺 1권 포함, 3권본으로 전한다. 여기서는 결국 허혼을 비유적으로 가리킨다.

69) 作(작) : 사고전서본 ≪검남시고≫권82에 '승勝'으로 되어 있기에 이를 따른다.

70) 午橋(오교) : 하남성 낙양현 남쪽 10리 되는 곳에 있던 당나라 배도의 별장인 오교장午橋莊의 약칭. 남북(子午)으로 난 다리인 자오교子午橋 옆에 있는 데서 이름이 유래하였다. 여기서는 결국 배도를 비유적으로 가리킨다.

교에 별장을 가지고 있었다. (송나라 때 육유陸游는) 시에서 "재상 배도裴度는 공명이 네 왕조의 으뜸이고, 허혼의 신세는 늙어서도 고기 잡고 땔감하는 것이지만, 만약 풍월을 읊조리는 강산의 주인을 가지고 따진다면, 정묘교(허혼)가 응당 오교장(배도)보다 나으리라"고 하였다.

◇大許小許(대허와 소허)

●許將, 字元沖[71], 宋嘉祐[72]八年及第, 試'寅畏[73]以享天'賦. 元祐[74]臣僚乞發司馬光墓, 將曰, "發人墓, 非盛德事." 乃不從. 許世安治平[75]四年狀元及第, 試'剛中[76]履帝位'賦. 時謂大許小許. 元沖官至尚書, 謚文定. 子份.

○허장(1037-1111)은 자가 충원沖元으로 송나라 (인종) 가우 8년(1063)에 과거시험에 급제할 때 '공경하는 마음으로 하늘에 제를 올리다'라는 제목의 부로 시험을 치렀다. (철종) 원우(1086-1093) 연간에 신료들이 (구법당파舊法黨派의 수장인) 사마광의 무덤을 발굴할 것을 주청하자 허장이 "남의 무덤을 파헤치는 것은 군주로서 할 일이 아니옵니다"라고 아뢰었지만 황제가 결국 따르지 않았다. 허세안은 (영종) 치평 4년(1067)에 과거시험에서 장원급제를 차지할 때 '순조롭게 제위에 오르다'라는 제목의 부로 시험을 치렀다. 그래서 당시 사람들이 그들을 '대허'와 '소허'라고 하였다. 허장은 관직이 상서에 오르고 '문정'이란 시호를 하사받았다. 아들은 허빈許份이다.

◇百花洲(온갖 꽃이 만발하는 모래섬)

●許份, 字子大, 宋崇寧[77]中, 擢甲科[78], 知鄧州, 政尚寬. 郡有百花洲,

---

71) 元沖(원충) : ≪송사・허장전≫권343에 의하면 '충원沖元'의 오기이다.
72) 嘉祐(가우) : 북송北宋 인종仁宗의 연호(1056-1063).
73) 寅畏(인외) : 매우 공경하는 모양.
74) 元祐(원우) : 북송北宋 철종哲宗의 연호(1086-1093).
75) 治平(치평) : 북송北宋 영종英宗의 연호(1064-1067).
76) 剛中(강중) : 원래는 ≪역경≫에서 제2효에 양효陽爻(⚊)가 자리잡는 것을 뜻하는 말로 안정되고 순조로운 상황을 비유한다.

建堂其上，與民同樂．值[79]歲饑，公置場給食，全活饑民二萬九百有[80]奇[81]．去之日，百姓遮道拜泣，方之召父杜母[82]．上聞之曰，“許將之子，賢能世其家，徙維揚[83]帥.”

○허빈은 자가 자대로 송나라 (휘종) 숭녕(1102-1106) 연간에 갑과에 급제하여 (하남성) 등주의 지주사(자사)를 맡으면서 관대한 정사를 펼쳤다. 고을에 백화주란 모래섬이 있어 그 위에 건물을 세우고 백성들과 함께 동고동락하였다. 어느 해에 기근이 들자 허빈은 마당을 마련하여 음식을 공급해서 굶주린 백성 2만9백여 명을 살렸다. 관직을 그만두고 떠나는 날 백성들이 길을 막은 채 절을 하고 눈물을 흘리며 그를 (전한 때) 아버지 같다는 칭송을 받은 소신신召信臣과 (후한 때) 어머니 같다는 칭송을 받은 두시杜詩에 견주었다. 황제가 이 얘기를 듣고서 “허장의 아들이 어진 성품과 능력으로 집안의 대를 이었으니 (강소성) 양주자사로 자리를 옮기도록 하라”고 하였다.

◇丞相漕使(승상과 조사)

●許申初從陳堯佐，爲潮州倅[84]．艤舟於岸，月夜有馬騎數人云，“丞相漕

77) 崇寧(숭녕) : 북송北宋 휘종徽宗의 연호(1102-1106).

78) 甲科(갑과) : 과거시험의 하나. 한나라 때 과거시험을 갑과甲科·을과乙科·병과丙科로 구분하던 것을, 당나라 초기에는 명경과明經科를 갑·을·병·정 4과로 구분하였고, 당송 때는 진사과進士科를 갑·을로 구분하기도 하였다.

79) 値(치) : 만나다, 마주치다.

80) 有(우) : 수효를 덧보탤 때 쓰는 말. 또. ‘우又’와 통용자.

81) 奇(기) : 나머지 수인 우수리를 뜻하는 말.

82) 召父杜母(소부두모) : 전한 사람인 소신신召信臣과 후한 사람인 두시杜詩를 아우르는 말. 두 사람 모두 하남성 남양태수南陽太守를 지내며 선정善政을 베풀어 남양군의 백성들이 “전에는 소씨 성을 가진 아버지 같은 사또(소신신)가 계시더니, 뒤에는 두씨 성을 가진 어머니 같은 사또(두시)가 계시네(前有召父, 後有杜母)”라고 칭송했다는 ≪후한서後漢書·두시전杜詩傳≫권61의 고사에서 유래한 말로 선정을 베푸는 어진 관리를 상징한다.

83) 維揚(유양) : 양주揚州의 별칭. ‘유維’는 어조사로 ≪서경·하서夏書·우공禹貢≫권5에서 “회수와 동해 일대가 양주이다(淮海維揚州)”라고 한 표현법에서 유래하였다.

84) 倅(쉬) : 보좌하다. 자사刺史의 부관副官을 뜻하는 말로서 당나라 때는 별가別駕, 송나라 때는 통판通判이 자사 다음 가는 직책이었다.

使[85], 會宿於此." 後陳大拜[86], 許爲廣東漕.

○(송나라) 허신은 처음에 진요좌를 따라 (광동성) 조주의 통판을 지냈다. 해안에 배를 대자 달밤에 기병 몇 사람이 나타나더니 "승상과 조사(전운사)께서 마침 이곳에 묵고 계시오"라고 하였다. 뒤에 진요좌는 재상에 오르고, 허신은 광동 일대의 조사에 임명되었다.

◇婚制(혼인제도)

●許荊, 漢和帝時, 爲桂陽太守, 爲百姓設喪紀婚姻制度, 使知禮禁.(循吏傳)

○허형은 후한 화제 때 (호남성) 계양태수를 맡자 백성들을 위해서 상례와 혼인제도를 마련하여 예법을 알게 해 주었다.(≪후한서·순리열전·허형전≫권106)

※女德婚姻(여덕과 혼인)

◇投詩免夫罪(시를 투서하여 남편의 죄를 사면받다)

●許虞部[87]女好學能詩, 爲方勉妻. 夜與勉看晁錯傳, 作詩[88]云, "匣劍未磨晁錯[89]血, 已聞刺客殺袁絲[90]." 後勉與友人飮於市, 犯夜禁, 時鄭毅

---

85) 漕使(조사) : 송나라 때 군량의 수송과 교통을 관장하던 전운사轉運使의 별칭.

86) 大拜(대배) : 재상에 임명되는 것을 말한다.

87) 虞部(우부) : 상서성尙書省의 육부六部 가운데 공부상서工部尙書 휘하의 네 부서(司)인 공부工部·둔전屯田·우부虞部·수부水部 가운데 황제의 사냥터와 산림에 관한 업무를 관장하는 부서나 그 속관을 이르는 말. 속관으로 우부낭중虞部郎中과 우부원외랑虞部員外郎이 있다. 위의 예문과 유사한 내용이 송나라 완열阮閱의 ≪시화총귀詩話總龜·기실문하紀實門下≫권19에 전하는데, '허우부'가 누군인지 밝히지 않아 신상은 알려지지 않았다.

88) 詩(시) : 이는 칠언율시七言律詩 <≪한서·조조전≫을 읽다(讀晁錯傳)> 가운데 수련首聯을 인용한 것으로 아래의 시와 함께 송나라 하계문何谿汶의 ≪죽장시화竹莊詩話≫권22에 전한다.

89) 晁錯(조조) : 전한 경제景帝 때 사람. 경학經學에 정통하고 총명하여 '지낭智囊'(꾀주머니)으로 불렸다. 어사대부御史大夫에 올라 황실의 권한을 강화시키려고 하다가 오국吳國과 초국楚國 등 7개 제후국의 반란을 야기하는 바람에 원앙袁盎의 참소로 사형당했다. ≪한서·조조전≫권49 참조.

夫[91]作尹, 囚之. 許氏投詩云, "明時樂事娛詩酒, 帝里風光別占春. 況是白衣[92]重得侶, 不堪青旆[93]自招人? 早知玉漏[94]催三鼓[95], 不把金貂[96]換百巡. 大抵仁人憐氣節, 不敎孤客作囚身." 遂釋之.

○(송나라 때 상서성尙書省) 우부 소속 관원인 허씨의 딸은 학문을 좋아하고 시를 잘 짓다가 방면의 아내가 되었다. 밤에 방면과 ≪한서·조조전≫을 보다가 시를 지어 말했다. "상자 안의 검에 묻은 조조의 피를 아직 닦아내지도 않았는데, 벌써 자객이 원사(원앙袁盎)를 살해했다는 말이 들리네." 뒤에 방면이 친구와 함께 저자에서 술을 마시다가 야간 통행 금지를 어겼는데, 당시 의부毅夫 정해鄭獬(1022-1072)가 부윤을 맡고 있다가 그를 감옥에 가두었다. 그러자 허씨가 다음과 같은 시를 투서하였다. "태평성대에 시와 술을 즐기던 중, 황제의 고을에 풍광이 또다른 봄날을 알려주는데, 하물며 흰옷 입은 백성이 다시금 친구를 만나, 주점의 깃발이 사람을 부르는 것을 감내하지 못 한 바에랴? 일찌감치 물시계가 자정을 재촉하는 것을 알면서도, 고관께서 여러 번 순찰을 바꿨다는 것을 미처 알아채지 못했네. 무릇 어진 분께서는 기개를 가엾이 여겨, 외로운 나그네가 죄수의 몸이 되도록 내버려두지 마소서." 그래서 결국 방면을 풀어주었다.

---

90) 袁絲(원사) : 전한 때 사람 원앙袁盎(?-B.C.148). '사絲'는 자. '원앙爰盎'이라고도 하였다. 경제景帝 때 오왕吳王의 승상을 지내다가 조조晁錯(B.C.200-B.C.154)와 갈등을 빚어 서인庶人으로 폐위당했고, 양효왕梁孝王을 태자에 책봉하는 것을 반대하다가 자객에게 암살당했다. ≪한서·원앙전≫권49 참조.

91) 鄭毅夫(정의부) : 송나라 때 사람 정해鄭獬(1022-1072). '의부'는 자. 저서로 ≪운계집鄖溪集≫ 28권이 전한다. ≪송사·정해전≫권321 참조.

92) 白衣(백의) : 흰 옷. 평민의 신분을 상징한다.

93) 青旆(청패) : 주점에 거는 청색 깃발을 이르는 말로 결국 주점을 가리킨다.

94) 玉漏(옥루) : 물시계에 대한 미칭美稱.

95) 三鼓(삼고) : 삼경三更 때 치는 북소리. 결국 '삼경'과 뜻이 같다. '병시丙時'라고도 한다. '경更'은 '두 시간마다 번갈아 가며 북을 친다'는 뜻에서 유래하였다.

96) 金貂(금초) : 금고리와 담비 꼬리. 한나라 때 시중侍中이나 중상시中常侍가 쓰던 모자의 장식물로서 황제의 측근이나 고관을 비유한다.

◇大貴(아주 고귀한 자리에 오르다)

●許廣漢女平君, 年十四五, 與歐侯氏子爲姻. 臨當入門, 歐侯氏子死, 卜相者言, "大貴." 後爲宣帝后.

○(전한) 허광한(?-B.C.61)의 딸 허평군許平君은 나이 열네다섯 살 때 구후씨의 아들과 혼인을 하였다. 시댁에 들어설 때가 막 되었을 때 구후씨의 아들이 죽자 점쟁이가 말했다. "아주 고귀한 자리에 오르실 것입니다." 뒤에 선제의 황후가 되었다.

●許穆孫女(娥黃)·道育[97)]·瓊輝, 竝得仙.

○(진晉나라) 허목의 손녀(아황)와 도육·경휘는 나란히 신선이 되었다.

●許飛瓊, 王母侍女也.(見董氏)

○허비경은 서왕모의 시녀이다.(관련 내용이 앞의 '동'씨절 '주운화奏雲和'항에도 보인다)

●燕許[98)]. 巢許[99)]. 心許.

○(당나라) 연국공燕國公 장열張說(667-731)과 허국공許國公 소정蘇頲(670-727). (당唐나라 요왕堯王 때 은자) 소보巢父와 허유許由. 마음 속으로 허락하다.

◆몸(여씨)

▶羽音. 河東. 虞夏之際封姜姓之後於呂, 至周失國, 子孫氏焉. 呂尙, 姓姜, 號太公,

---

97) 道育(도육) : 남조南朝 양梁나라 때 달마대사의 제자라는 기록이 전하는 것으로 보아 여러 가공의 인물이 있었던 듯하다.

98) 燕許(연허) : 당나라 때 연국공燕國公에 봉해진 장열張說(667-731)과 허국공許國公에 봉해진 소정蘇頲(670-727)을 아우르는 말. 두 사람 모두 문장으로 명성을 떨쳐 '연허대수필燕許大手筆'로 불렸다.

99) 巢許(소허) : 당唐나라 요왕堯王 때 전설상의 은자인 소보巢父와 허유許由를 아우르는 말. 허유가 요왕에게서 구주장九州長을 맡으라는 세속적인 얘기를 들었다고 영수潁水에서 귀를 씻자, 소보가 그 물을 자기 소에게 먹일 수 없다며 소를 끌고 상류로 올라갔다는 고사가 진晉나라 황보밀皇甫謐(215-282)의 ≪고사전高士傳≫권상에 전한다.

事見姜姓. 可通作呂姓用.

▷음은 우음에 속하고 본관은 (산서성) 하동군이다. 우나라와 하나라 때 '강'씨 성의 후손을 여나라에 봉하였는데, 주나라에 이르러 나라를 잃자 자손들이 이를 성씨로 삼은 것이다. 여상은 성이 '강'이고 호가 '태공'으로 이에 관한 고사는 앞의 '강'씨절에 보인다. '여'씨 성과 통용하여 쓰기도 한다.

◇著月令(월령에 관한 글을 짓다)

●呂不韋, 陽翟[100]大賈人, 秦莊襄以爲相, 封文信侯. 作月令[101]集, 著所聞爲十二紀・八覽・六論, 合十餘萬言, 名曰呂氏春秋. 懸千金[102]於市, 能增損一字者與之.

○여불위(?-B.C.235)는 (하남성) 양적현의 거상 출신인데, (전국시대) 진나라 장양왕이 그를 승상에 임명하고 문신후에 봉하였다. 월령에 관한 문집을 지으면서 자신의 견문을 기술하여 12기・8람・6론을 만든 뒤 10만 자가 넘는 글을 모으고는 이름하여 ≪여씨춘추≫라고 하였다. 저자에 거금의 현상금을 내걸고는 한 글자라도 보태거나 덜어낼 수 있는 사람이 있으면 그에게 주겠다고 하였다.

◇赤兎(적토마)

●呂布, 字奉先, 驍武. 有駿馬, 名赤兎. 時語曰, "馬中有赤兎, 人中有呂布." 漢初平[103]中, 以誅董卓功, 封溫侯. 曹操殺之.

○여포(?-198)는 자가 봉선으로 날래고 용맹하였다. 적토마라는 이름의 준마를 가지고 있어 당시에 "말 가운데는 적토마가 있고, 사람 가운데는 여포가 있다네"란 말이 돌았다. 후한 (헌제) 초평(190-193) 연간에 동탁을 주살한 공으로 온후에 봉해졌다. 조조가 그를 살

---

100) 陽翟(양적) : 하남성의 속현屬縣 이름.

101) 月令(월령) : 계절에 맞춰 정해 놓은 농사에 관한 정령政令. '시령時令'이라고도 한다. ≪예기≫의 편명이자, 후한 채옹蔡邕(133-192)이 지은 ≪월령장구月令章句≫의 약칭으로도 쓰였는데, 여기서는 여불위의 저서로 알려진 ≪여씨춘추≫가 월령의 형식으로 구성된 것을 가리킨다.

102) 千金(천금) : 금 천 근斤. '금金'은 '근斤'이나 '일鎰'과 같은 말이고, '천금'은 실수實數라기보다는 많은 양의 금이나 거액을 강조하기 위한 표현이다.

103) 初平(초평) : 후한後漢 헌제獻帝의 연호(190-193).

해하였다.

◇吳蒙(오나라 여몽)

●呂蒙, 字子明, 仕吳, 爲偏將軍[104]. 魯肅嘗過蒙, 拊其背曰, "吾謂大弟[105]有武勇耳. 今學識英博, 非復吳下阿蒙[106]." 蒙曰, "士別三日, 卽當刮目相待[107]." 孫權曰, "子明學問開益, 籌略奇至, 可次於周瑜." 封孱陵[108]侯.

○여몽(178-220)은 자가 자명으로 (삼국) 오나라에서 벼슬길에 올라 편장군을 지냈다. 노숙이 일찍이 여몽의 집에 들렀다가 그의 등을 토닥이며 "나는 동생이 용맹하기만 하다고 생각하네. 이제 학식을 넓히면 더 이상 오 땅의 아몽에 머물지는 않을 것이네"라고 하였다. 그러자 여몽이 대답하였다. "선비가 헤어진 뒤 사흘이 지나면 의당 눈을 비비고 상대를 대해야 하는 법이지요." 손권이 말했다. "자명(여몽)은 학문이 폭넓어졌고 책략이 기발하니 주유에 버금간다고 할 만하오." 잔릉후에 봉해졌다.

◇封侯相(제후나 재상에 봉해지다)

●呂僧珍, 字元瑜, 童兒時, 有相士曰, "此兒有奇聲, 封侯相也." 梁武卽位, 以軍功封平固縣侯, 遷直祕書省[109]. 宋季雅市宅於其屋側, 問其價, 曰, "一千一百萬." 怪其貴, 宋曰, "一百萬買宅, 一千萬買鄰." 及僧珍生子, 季雅賀以錢一千, 乃金錢.

---

104) 偏將軍(편장군) : 일부 군대를 관장하는 장군이나 부장군副將軍을 가리키는 말.

105) 大弟(대제) : 나이가 어린 사람에 대한 애칭.

106) 阿蒙(아몽) : 여몽呂蒙에 대한 애칭. '아阿'는 친근감을 나타내기 위해 성씨나 이름 앞에 쓰는 접두사이다.

107) 刮目相待(괄목상대) : 눈을 비비고 상대방을 대하다. 학문이나 실력이 일취월장日就月將하는 것을 말한다.

108) 孱陵(잔릉) : 호남성의 속현屬縣으로 여기서는 봉호를 가리킨다.

109) 祕書省(비서성) : 위진魏晉 이후로 국사의 편찬과 국가 도서에 관한 업무를 관장하던 기관을 이르는 말. 장관인 비서감祕書監과 차관인 비서소감祕書少監, 비서승祕書丞·비서랑祕書郎·저작랑著作郎·교서랑校書郎 등의 속관이 있다.

○여승진(454-511)은 자가 원유로 어렸을 때 어느 관상가가 "이 아이는 목소리가 특이한 것으로 보아 제후나 재상에 봉해질 것입니다"라고 하였다. (남조南朝) 양나라 무제가 즉위하고서 군대에서 공을 세워 평고현후에 봉해지고 비서성 관원으로 승진하였다. 송계아가 자신의 집 옆에 주택을 구입하였기에 그 가격을 물었더니 "천백만 냥입니다"라고 하였다. 너무 비싼 것을 이상하게 여기자 송계아가 대답하였다. "백만 냥으로는 주택을 매입하고, 천만 냥으로는 이웃을 산 것이랍니다." 여승진이 아들을 낳자 송계아는 돈 천 냥을 축하금으로 주었는데 모두 금전이었다.

◇四俊(네 명의 준걸)

●呂太一自負才華. 唐開元中, 張嘉貞爲中書令[110], 薦苗延嗣・呂太一・員加靜[111]・崔訓, 皆位淸要[112]. 時語曰, "令君[113]四俊, 苗・呂・崔・員."(加靜[114]傳) 後爲監察御史[115].

○여태일은 재능에 대한 자부심이 강했다. 당나라 (현종) 개원(713-741) 연간에 장가정이 중서령을 지내면서 묘연사・여태일・운가정員嘉靜・최훈을 천거하여 모두 요직에 올랐다. 그래서 당시에 "중서령이 천거한 네 명의 준걸은 묘연사・여태일・최훈・운가정이라네"라는 말이 돌았다.(≪신당서・장가정전≫권127) 뒤에 감찰어사를 지냈다.

---

110) 中書令(중서령) : 위진魏晉 이래로 국가의 기무機務・조령詔令・비기祕記 등을 관장하는 최고 행정 기관인 중서성中書省의 장관을 이르는 말.

111) 員加靜(운가정) : 위의 예문은 ≪신당서・장가정전張嘉貞傳≫권127에 보이는데, 이에 의하면 '운가정員嘉靜'의 오기이다.

112) 淸要(청요) : 지위가 높고 업무가 중요한 요직을 일컫는 말. '청관淸官' '청관淸貫' '청직淸職' '청환淸宦'이라고도 한다.

113) 令君(영군) : 한나라 이후로 상서령尙書令에 대한 존칭으로 쓰이다가 당송 이후로는 현령縣令에 대한 존칭으로도 쓰였다.

114) 加靜(가정) : 장가정張嘉貞의 이름인 '가정嘉貞'의 오기.

115) 監察御史(감찰어사) : 관리들의 비행을 규찰하고 탄핵하는 업무를 관장하는 기관인 어사대御史臺의 속관屬官. 어사대에는 위로 장관인 어사대부御史大夫와 버금 장관인 어사중승御史中丞, 그리고 시어사侍御史・전중시어사殿中侍御史 등의 상관이 있다. 감찰어사는 비록 품계品階는 낮으나, 실무를 관장하였기에 관원들이 가장 두려워하는 존재였다고 한다.

◇連錦書(아름다운 비단을 이어놓은 듯한 글씨)

●呂向, 字子回, 工草隸, 能一筆環寫百字, 若縈髮, 世號連錦書. 以李善釋文選[116]爲繁, 與呂延濟・劉良・張銑・李周翰更爲詁解, 時號五臣註. 開元中, 召入翰林[117], 遷工侍[118].

○(당나라) 여향은 자가 자회로 초서와 예서를 잘 썼는데, 한 번에 100자를 둥글게 쓰면 마치 머리카락을 둘러놓은 듯하였기에 세간에서는 '연금서'라고 불렀다. 그는 이선이 ≪문선≫을 해석한 것이 너무 번다하다고 생각해 여연제・유양・장선・이주한과 함께 번갈아 해석을 달았다. 당시에 '오신주'로 불렸다. (현종) 개원(713-741) 연간에 황제의 부름을 받고 한림원에 들어갔다가 공부시랑으로 승진하였다.

◇瑞柳(상서로운 버드나무)

●呂渭, 字君載, 唐建中[119]末, 爲禮侍[120]. 時中書省[121]有古柳枯死, 德宗自梁州還, 復榮茂, 人以爲瑞柳. 渭令貢士[122]賦之. 子四人溫・恭・儉・讓.

---

116) 文選(문선) : 남조南朝 양梁나라 무제武帝 소연蕭衍(464-549)의 맏아들인 소명태자昭明太子 소통蕭統(501-531)이 역대의 시・부賦・산문 등을 모아 엮은 시문詩文 선집選集. 원래는 30권이었으나 현재는 60권본으로 전한다. ≪사고전서간명목록・집부・총집류總集類≫권19 참조.

117) 翰林(한림) : 당나라 초기에 각계의 전문가로 구성한 황제의 자문기구인 한림원翰林院을 이르는 말. 송나라 때는 천문・서예・도화圖畵・의관醫官 4국을 총괄하였고, 명청明淸 때는 사서史書의 편찬이나 저작著作・도서圖書 등의 업무를 관할하였다.

118) 工侍(공시) : 조정의 핵심 행정 기관인 상서성尙書省 휘하의 육부六部 가운데 국가의 중요한 건설과 수리・교통 등에 관한 일을 관장하는 기관인 공부의 버금 장관인 공부시랑工部侍郎의 약칭. 장관은 '상서尙書'라고 하고, 차관을 '시랑'이라고 하며, 휘하에 낭중郎中과 원외랑員外郎을 거느렸다.

119) 建中(건중) : 당唐 덕종德宗의 연호(780-783).

120) 禮侍(예시) : 상서성尙書省 소속 육부六部 가운데 국가의 제례祭禮와 고시考試를 관장하는 예부의 버금 장관인 예부시랑禮部侍郎의 약칭.

121) 中書省(중서성) : 위진魏晉 이래로 국가의 기무機務・조령詔令・비기祕記 등을 관장하는 최고 행정 기관. '중성中省'으로도 약칭略稱하였다.

122) 貢士(공사) : 지방에서 중앙으로 인재를 선발하여 보내는 일이나 그러한 사람을 일컫는 말. 과거시험 응시생을 가리킨다.

○여위는 자가 군재로 당나라 (덕종) 건중(780-783) 말엽에 예부시랑을 지냈다. 당시 중서성에 오래된 버드나무가 말라죽어 있다가 덕종이 (섬서성) 양주에서 돌아오자 다시 꽃이 무성하게 피어났기에 사람들이 상서로운 버드나무라고 하였다. 여위는 과거시험 응시생들에게 이에 관한 글을 짓게 하였다. 네 아들은 여온呂溫·여공呂恭·여검呂儉·여양呂讓이다.

◇藻翰(아름다운 문장)

●呂溫, 字和叔, 有奇表[123], 藻翰精好, 一時推尙. 作凌煙閣功臣贊二十二首, 官至尙書郞[124].

○(당나라) 여온은 자가 화숙으로 범상치 않은 기운이 있고 문장이 정교하면서 아름다워 당대에 존경을 받았다. <능연각 공신에 관한 찬문> 22수를 짓고 관직이 상서랑까지 올랐다.

◇回先生(회선생)

●呂嵓, 字洞賓, 唐咸通[125]中, 再擧進士, 不第, 遊廬山, 遇異人, 得長生訣, 多遊湘·潭·岳·鄂之間. 嘗題岳陽樓云, "朝遊北越[126]暮蒼梧[127], 袖有青蛇[128]膽氣粗. 三入岳陽人不識, 朗吟飛過洞庭湖." 自稱回道人. 四月生, 號純陽眞人[129].

---

123) 奇表(기표) : 범상치 않은 기운, 비범한 의표를 이르는 말.

124) 尙書郞(상서랑) : 조정의 핵심 행정 기관인 상서성尙書省에서 실질적인 업무를 처리하던 벼슬인 낭관郞官에 대한 총칭. 당송唐宋 때는 낭중郞中과 원외랑員外郞으로 나뉘기도 하였다.

125) 咸通(함통) : 당唐 의종懿宗의 연호(860-873).

126) 北越(북월) : 위의 예시는 칠언절구七言絶句 <(호북성) 악주의 오래된 사찰에서 지은 시 2수(題岳州古寺二首)> 가운데 제1수를 인용한 것으로 청나라 여악厲鶚(1692-1752)의 ≪송시기사宋詩紀事·여암≫권90에 전하는데, 이에 의하면 '북해北海'의 오기이다.

127) 蒼梧(창오) : 호남성의 속군屬郡이자 산 이름. 순왕舜王의 장지葬地가 있는 곳으로 유명하다.

128) 青蛇(청사) : 전설상의 보검 이름.

129) 眞人(진인) : 득도한 도사나 신선에 대한 별칭. 남자 도사는 '진인'이라고 하고, 여자 도사는 '원군元君'이라고 한다.

○여암(약 798-?)은 자가 동빈으로 당나라 (의종) 함통(860-873) 연간에 재차 진사시험에 응시하였으나 낙방하자 (강서성) 여산을 떠돌다가 기인을 만나 장생술을 터득하고는 (호남성) 상주·담주와 (호북성) 악주·악주 등지를 떠도는 데 많은 시간을 보냈다. 일찍이 악양루에서 시를 지어 "아침에는 북해에서 노닐다가 저녁에는 (남쪽의) 창오산, 소매 안에 청사검이 있어 담력이 크다네. 세 번이나 악양루에 들어섰건만 사람들이 알아보지 못 하기에, 낭랑하게 시를 읊조리고 날아서 동정호를 지나네"라고 하면서 자칭 '회도인'이라고 하였다. 초여름 4월에 태어났기에 호를 '순양진인'이라고 하였다.

◇台輔器(재상감)

●呂端, 字易直. 宋太宗欲相之, 或言"端爲人糊塗." 上曰, "小事糊塗, 大事不糊塗." 趙普相, 端參政[130], 普曰, "台輔[131]器也!" 與李昉同踐文館, 後皆登台輔. 昉詩[132]云, "青衫[133]共直昭文館[134], 白首同登政事堂[135]." 淳化[136]中, 拜相. 謚正惠. 父琦, 孫誨.

○여단(935-1000)은 자가 이직이다. 송나라 태종이 그를 재상에 임명하려고 하자 누군가 "여단은 사람됨이 매사에 애매모호합니다"라고

---

130) 參政(참정) : 당송 때 재상에 버금가는 권한을 부여했던 참지정사參知政事의 약칭.

131) 台輔(태보) : 태위太尉·사도司徒·사공司空 등 삼공三公을 비유하는 삼태三台와 태사太師·태부太傅·태보太保·소부少傅를 뜻하는 사보四輔를 아우르는 말. 삼공·재상 등 고관을 두루 일컫는다.

132) 詩(시) : 이는 칠언율시七言律詩 가운데 함련頷聯을 인용한 것으로 청나라 여악厲鶚(1692-1752)의 ≪송시기사宋詩紀事·여단≫권2에 전한다. 저자에 대해 송나라 오처후吳處厚의 ≪청상잡기青箱雜記≫권5에서는 '여단呂端'이라고 한 반면, 완열阮閱의 ≪시화총귀詩話總龜≫권26에서는 '이방李昉'이라고 하였는데, 어느 것이 맞는지 불분명하기에 위의 예문을 따른다.

133) 青衫(청삼) : 청색 적삼. 신분이 낮은 것을 상징한다.

134) 昭文館(소문관) : 당나라 때 장서각인 홍문관弘文館을 개칭한 이름.

135) 政事堂(정사당) : 당송 때 재상이 정사를 총괄하여 처리하던 곳을 가리키는 말. 당나라 때는 문하성門下省에 두었다가 중서성中書省으로 옮기기도 하였고, 송나라 때는 상서성尚書省에 두기도 하였다.

136) 淳化(순화) : 북송北宋 태종太宗의 연호(990-994).

하였다. 그러자 태종은 "작은 일은 대충해도 큰 일은 대충하지 않더이다"라고 하였다. 조보는 재상에 올랐을 때 여단이 참지정사를 맡자 "재상감이다!"라고 하였다. 이방과 함께 문학관에서 근무하다가 뒤에는 모두 재상에 올랐다. 그래서 이방은 시에서 "푸른 적삼을 입고 함께 소문관에서 숙직하다가, 백발의 나이에는 함께 정사당에 올랐네"라고 하였다. (태종) 순화(990-994) 연간에 재상을 배수받았다. 시호는 '정혜'이다. 부친은 여기呂琦이고, 손자는 여회呂誨이다.

◇袖中彈文(소매 안의 탄핵문)

●呂誨, 字獻可, 熙寧[137]中, 爲御史中丞[138]. 王安石新拜參政, 衆喜得人, 誨當對擧手, 謂溫公[139]曰, "袖中彈文, 乃新參." 後溫公論人才, 必曰, "獻可之先見, 范景仁[140]之勇決, 予所不及." 公捐館[141], 有朱明[142], 見之, 乘靑角鹿云, "吾侍玉帝[143]南遊, 爲司糾[144]也." 子由庚.

○여회(1014-1071)는 자가 헌가로 (신종) 희녕(1068-1077) 연간에 어사중승을 지냈다. (신법당파新法黨派인) 왕안석이 새로 참지정사를 배수받았을 때 사람들이 인재를 얻었다고 기뻐하자 여회가 면전에서 손을 들어올리며 (구법당파舊法黨派인) 온국공溫國公 사마광司馬光

---

137) 熙寧(희녕) : 북송北宋 신종神宗의 연호(1068-1077).

138) 御史中丞(어사중승) : 관리들의 비행을 규찰하고 탄핵하는 업무를 관장하는 기관인 어사대御史臺에서 어사대부御史大夫 다음 가는 벼슬. 시대마다 차이는 있으나 당송唐宋 때는 어사대부 휘하에 어사중승 외에도 시어사侍御史·전중시어사殿中侍御史·감찰어사監察御史 등이 있었다.

139) 溫公(온공) : 송나라 때 재상을 지낸 사마광司馬光(1019-1086)의 봉호封號인 온국공溫國公의 약칭. 저서로 ≪전가집傳家集≫ 80권, ≪자치통감資治通鑑≫ 294권, ≪속수기문涑水記聞≫ 16권 등이 전한다. ≪송사·사마광전≫권336 참조.

140) 范景仁(범경인) : 송나라 때 사람 범진范鎭(1008-1089). '경인'은 자. 저서로 ≪동재기사東齋記事≫ 6권이 전한다. ≪송사·범진전≫권337 참조.

141) 捐館(연관) : 살던 집을 버리다. 죽음을 완곡하게 표현하는 말이다.

142) 朱明(주명) : 여름이나 태양의 별칭. 오행상 주색은 여름과 남방을 상징한다.

143) 玉帝(옥제) : 도교에서 받드는 최고의 천신天神인 옥황상제의 준말.

144) 司糾(사규) : 선계에서 분규를 관장하는 가상의 벼슬 이름인 듯하다.

에게 말했다. "소매 안에 들어 있는 탄핵문의 대상이 바로 새로 참지정사를 받은 인물입니다." 그래서 뒤에 사마광은 인재를 논하면 필히 "헌가(여회)의 선견지명과 범경인(범진范鎭)의 결단력을 나는 따라잡을 수가 없소"라고 하였다. 여회가 생을 마칠 때 붉은 태양이 나타났기에 그것을 보자 푸른 뿔이 달린 사슴을 타고서는 "나는 옥황상제를 모시고 남쪽으로 유람을 떠나 사규가 될 것이오"라고 하였다. 아들은 여유경呂由庚이다.

◇夾袋冊(주머니 속의 책자를 늘 끼고 다니다)

●呂蒙正, 字聖功, 微時薄遊[145]一縣. 胡旦父宰[146]是邑, 遇之薄, 客有擧其詩者曰, "挑盡寒燈夢不成." 胡曰, "一渴睡漢[147]耳." 太平[148]初, 呂中甲科, 寄聲[149]曰, "渴睡漢狀元及第矣." 嘗有詩云, "怪得池塘春水滿, 夜來雷雨動南山." 宰相狀元器業[150]也. 淳化・咸平[151]中, 凡兩入相, 在位夾袋, 中有冊子, 每四方人謁見, 必問"有何人才?" 卽疏之, 悉分門類, 朝廷求賢, 求之囊中. 封許國公, 諡文穆. 父龜圖・子居簡, 龍圖[152]直學士.

---

145) 薄遊(박유) : 자유롭게 유람하다. 혹은 박봉을 받고 지방의 하급관리를 전전하는 것을 뜻하는 말로 보는 설도 있다.

146) 宰(재) : 현령縣令을 맡는 것을 이르는 말. 주州의 장관인 자사는 '목牧'이라고 하고, 현縣의 장관인 현령은 '재宰'라고 한다.

147) 渴睡漢(갈수한) : 잠에 목 말라 하는 사내란 말로 잠꾸러기를 비유한다.

148) 太平(태평) : 북송北宋 태종太宗의 연호인 태평흥국太平興國(976-983)의 준말.

149) 寄聲(기성) : 남에게 부탁하여 소식을 전하는 것을 이르는 말.

150) 器業(기업) : 재능과 학식을 이르는 말.

151) 咸平(함평) : 북송北宋 진종眞宗의 연호(998-1003).

152) 龍圖(용도) : 송나라 때 자정전資政殿과 술고전述古殿 사이에 있었던 장서각藏書閣 이름으로, 태종太宗의 서예와 문집 및 여러 전적과 그림・보물 등을 소장하였다. 송나라 때는 황제가 사망하고 나면 유작과 유품을 소장하는 장서각을 마련하고, 이를 관장하는 관원으로 학사學士・직학사直學士・대제待制를 배치하는 관례가 있었다. 태종太宗의 용도각龍圖閣, 진종眞宗의 천장각天章閣, 인종仁宗의 보문각寶文閣, 신종神宗의 현모각顯謨閣, 철종哲宗의 휘유각徽猷閣, 휘종徽宗의 부문각敷文閣, 고종高宗의 환장각煥章閣, 효종孝宗의 화문각華文閣, 광종光宗의 보모각寶謨閣, 영종寧宗의 보장각寶章閣, 이종理宗의 현문각

○여몽정(944-1011)은 자가 성공으로 평민일 때 한 현을 떠돌게 되었다. 호단의 부친이 이 고을의 현령을 지내면서 그를 박대하자 손님 중에 누군가 그의 싯귀를 거론하여 "겨울 등잔불 심지를 다 돋우었건만 꿈을 이루지 못 했네"라고 하였다. 그러자 호씨가 말했다. "그래봐야 일개 잠꾸러기일 뿐이잖소." (태종) 태평흥국(976-983) 초에 여몽정은 갑과에 급제하자 소식을 전했다. "잠꾸러기가 장원급제를 하였습니다." 일찍이 시를 지어 "연못에 봄물이 가득한 것이 이상했는데, 밤새 우레가 치고 비가 내리더니 남산을 움직였나 보다"라고 한 것은 재상에 오르고 장원급제를 차지할 것을 알려주는 기미였다. (태종) 순화(990-994)와 (진종) 함평(998-1003) 연간에 도합 두 차례 입궐하여 재상에 올랐는데, 자리에 있을 동안 주머니를 끼고 다니면서 안에 책자를 넣고 매번 사방에서 찾아온 사람들이 알현할 때마다 반드시 "어떤 인재가 있소?"라고 묻고는 바로 그것을 기록하여 모두 부문별로 분류하였다가 조정에서 현자를 구하면 주머니 속에서 그것을 찾았다. 허국공에 봉해지고 '문목'이란 시호를 하사받았다. 부친 여귀도呂龜圖와 아들 여거간呂居簡은 용도각직학사를 지냈다.

◇宰相才(재상의 자질)

●呂夷簡, 字坦夫. 宋眞宗嘗問蒙正曰, "卿諸子, 孰可用?" 對曰, "諸子皆豚犬. 有姪夷簡, 宰相才也." 仁宗朝, 大拜, 在中書二十年, 三冠輔相[153]. 上嘗大書'方正忠良'四字, 又書懷忠之碑以賜之. 嘗薦范仲淹・韓琦・文彦博・龐籍・梁適・會公亮[154], 皆至大用[155]. 又薦陳堯佐, 遂大拜. 陳作歸燕詞, 有'主人恩重朱簾捲'之句. 封許國公, 謚文靖. 祖龜

顯文閣 등이 그러한 예이다. ≪송사・직관지職官志≫권162 참조.

153) 輔相(보상) : 재상의 별칭. 보신輔臣・보재輔宰・재상宰相・재신宰臣・재보宰輔・재집宰執・태보台輔・단규端揆 등 다양한 명칭으로 불렸다.

154) 會公亮(회공량) : '증공량曾公亮'(999-1078)의 오기. 자형의 유사성으로 인한 필사 과정상의 단순 오기로 보인다.

155) 大用(대용) : 크게 중용하다. 재상에 임명하는 것을 말한다.

祥, 父蒙亨, 五子公沔・公著・公亮・公孺・公綽.

○여이간(979-1044)은 자가 탄부이다. 송나라 진종이 일찍이 여몽정呂蒙正(944-1011)에게 "경의 아들들 가운데 누가 등용할 만하오?"라고 묻자 여이간은 "아들들 모두 돼지나 개 수준입니다. 도리어 조카 여이간이 재상의 자질을 지녔나이다"라고 대답한 적이 있다. 인종 때 재상을 배수받아 중서성에서 20년 동안 있으면서 세 차례나 재상 가운데 가장 높은 자리에 올랐다. 인종이 일찍이 '방정충량'이란 네 글자를 큰 글씨로 쓰고, 또 '회충지비'라는 글씨를 써서 그에게 하사한 일이 있다. 일찍이 범중엄・한기・문언박・방적・양적・증공량을 추천한 일이 있는데 그들 모두 재상에 올랐다. 또 진요좌를 추천하여 결국 재상에 올랐다. 그래서 진요좌는 <돌아가는 제비를 읊은 노래>를 지어 '주인의 은혜 막중하여 붉은 발이 말아올라갔네'라는 구절을 남겼다. 허국공에 봉해지고 시호는 '문정'이다. 조부는 여귀상呂龜祥이고, 부친은 여몽형呂蒙亨이며, 다섯 아들은 여공면呂公沔・여공저呂公著・여공량呂公亮・여공유呂公孺・여공작呂公綽이다.

◇公輔器(재상감)

●呂公著, 字晦叔, 識慮深遠. 夷簡曰, "此子公輔[156]器也." 宋熙寧中, 起知河南尹[157]. 賈昌朝・溫公・程伯淳[158]餞於福先寺, 溫公與公辨論出處不已, 伯淳以詩[159]解之曰, "二龍閒臥洛波淸, 此日都門獨餞行. 願得賢人均出處, 始知深意在蒼生." 元祐中, 與溫公同相, 歷事四朝[160].

---

156) 公輔(공보) : 천자를 보좌하는 삼공三公과 사보四輔, 즉 재상을 이르는 말. '재보宰輔' '보신輔臣'이라고도 한다.

157) 河南尹(하남윤) : 전한 때 동도東都이자 후한 때 수도인 하남성 낙양洛陽 일대를 관장하던 부윤府尹을 이르는 말.

158) 程伯淳(정백순) : 송나라 때 대유大儒 정호程顥(1032-1085). '백순'은 자. 세칭 명도선생明道先生. 태자중윤太子中允・감찰어사監察御史를 역임하였고, 동생인 정이程頤(1033-1107)와 함께 '이정자二程子'로 불리며 도학道學의 대가로 유명하다. 저서로 ≪이정문집二程文集≫ 15권이 전한다. ≪송사・도학열전道學列傳・정호전≫권427 참조.

159) 詩(시) : 이는 칠언절구七言絶句 <군실君實 사마광司馬光에게 드리다(贈司馬君實)>를 인용한 것으로 ≪이정문집≫권1에 전한다.

夷簡善任智，公著則持正賢，於父遠矣．公簡重淸儉，出於天性，冬月不附火，夏月不用扇．寡嗜慾，薄滋味，聲色華耀，視之漠如[161]也．御書墓碑曰，"純誠厚德之碑．" 封忠國公，諡正獻．三子希哲·希績·希純．

○여공저(1018-1089)은 자가 회숙으로 판단력이 뛰어나고 사려가 깊었다. 그래서 (부친인) 여이간呂夷簡(979-1044)이 "이 아이는 재상감이다"라고 말한 일이 있다. 송나라 (신종) 희녕(1068-1077) 연간에 벼슬길에 올라 (하남성) 하남윤을 맡게 되자 가창조·온국공溫國公 사마광司馬光·백순伯淳 정호程顥가 복선사에서 전송연을 베풀게 되었는데, 사마광이 여공저와 출사와 은거에 대해 끊임없이 논쟁을 벌이자 정호가 다음과 같은 시를 지어 이에 대해 해명하였다. "두 마리 용(사마광과 여공저)이 한가로이 누워 있어 낙수에 물결 맑게 일어나는데, 이 날 도성문에서 홀로 떠나는 사람 전송하게 되었네. 현자를 얻고 싶어 모두 출사와 은거를 논하니, 비로소 깊은 뜻이 백성에게 있음을 알겠네." (철종) 원우(1086-1093) 연간에 사마광과 함께 재상에 올라 네 황제를 두루 섬겼다. 여이간이 지혜를 잘 쓴 반면, 여공저는 바르고 어진 덕목이 부친보다 뛰어났다. 여공저는 간출한 것을 좋아하고 청렴한 성품을 천부적으로 타고났기에 겨울에는 불을 가까이하지 않고 여름에는 부채를 쓰지 않았다. 욕심이 적고 흥미를 끄는 일에 관심이 적었기에 음악이나 여색이 화려해도 이를 아무것도 아닌 것처럼 여겼다. 황제가 친필로 묘비에 "순수하고 성실하며 후덕한 이의 묘비"라고 써 주었다. 충국공에 봉해지고 '정헌'이란 시호를 하사받았다. 세 아들은 여희철呂希哲·여희적呂希績·여희순呂希純이다.

◇德器夙成(인품과 도량을 일찍 완성하다)

●呂希哲，字原明，方十餘歲，師焦千之．及長，從胡安定[162]於太學[163]，

160) 四朝(사조) : ≪송사·여공저전≫권336에 의하면 인종仁宗·영종英宗·신종神宗·철종哲宗의 네 임금을 가리킨다.

161) 漠如(막여) : 냉담한 모양, 무관심한 모양.

162) 胡安定(호안정) : 송나라 때 대유大儒 호원胡瑗(993-1059). '안정'은 시호. 강소성 소주蘇州와 절강성 호주湖州에서 교수직을 맡아 30여 년 동안 제자 수

與黃履·邢恕同舍, 至相, 友善. 後又從石徂徠[164]·孫明復[165]講讀辨問, 故德器成就, 大異衆人. 元祐中, 除崇政殿說書[166]. 晚年退居, 宿洲眞揚[167]間十餘年, 靜坐一室, 日讀易一爻[168], 家事一切不問. 其在和州, 有詩[169]云, "除却借書沽酒外, 更無一事擾公私." 徽宗卽位, 召爲光祿少卿[170], 封滎陽公. 子好問, 好問二子弸中·本中, 弸中子大器, 大器子祖謙.

○(송나라) 여희철(1039-1116)은 자가 원명으로 고작 열 살 남짓 되었을 때 초천지를 스승으로 섬겼다. 장성해서는 태학에서 안정공安定公 호원胡瑗을 따르며 황이·형서와 함께 공부하더니 재상에 올라서도 사이좋게 지냈다. 뒤에 다시 조래徂徠 석개石介와 명복明復 손복孫復을 따라 공부하면서 의문을 해결하였다. 그래서 인품과 도량을 완성하여 일반 사람과 전혀 다른 출중한 모습을 보였다. (철종) 원우(1086-1093) 연간에는 숭정전설서를 제수받았다. 만년에는 은

천 명을 배출하면서 국자제주國子祭酒를 지냈다. 당시 시詩와 부賦 등 문학을 중시하던 풍조와 달리 호원은 경의經義와 시무時務를 중시하여 학교에 경전의 뜻을 공부하는 '경의재經義齋'와 실무를 연구하는 '치사재治事齋'를 설치하였다. ≪송사·유림열전儒林列傳·호원전≫권432 참조.

163) 太學(태학) : 고대 중국에서 귀족의 자제들을 위해 도읍에 설치하였던 교육기관을 이르는 말.

164) 石徂徠(석조래) : 송나라 사람 석개石介(1005-1045). '조래'는 호. 자는 수도守道. 국자감직강國子監直講·태자중윤太子中允 등을 역임하며 유학에 전념하여 도가와 불교를 배척하였다. ≪송사·유림열전·석개전≫권432 참조.

165) 孫明復(손명복) : 송나라 사람 손복孫復. '명복'은 자. 호는 수양자睢陽子. 경학經學에 정통하여 송나라 유학의 선구가 되었다. 국자감직강國子監直講과 전중승殿中丞 등을 역임하였다. 저서로 ≪손명복소집孫明復小集≫ 1권이 전한다. ≪송사·유림열전·손복전≫권432

166) 說書(설서) : 제왕帝王에게 경전經典을 강론하는 일을 전담하던 벼슬을 이르는 말.

167) 眞揚(진양) : 강소성의 속주屬州인 진주眞州와 양주揚州를 아우르는 말.

168) 爻(효) : ≪역경≫의 64괘에서 괘를 이루는 최소 단위. 음은 '--'로 표기하고, 양은 '—'로 표기한다.

169) 詩(시) : 이는 청나라 여악厲鶚(1692-1752)의 ≪송시기사宋詩紀事≫권35 등 다른 문헌에도 모두 두 구절만 전하는 것으로 보아 일시逸詩인 듯하다.

170) 光祿少卿(광록소경) : 황제의 호위와 궁중 음식을 관장하던 기관인 광록시光祿寺에서 광록경光祿卿 다음 가는 벼슬 이름.

되하여 (강소성) 진주와 양주 일대에서 10년 넘게 물가생활을 하면서 방에 조용히 앉아 매일 ≪역경≫의 효를 하나씩 읽기만 할 뿐 집안일에는 일체 신경쓰지 않았다. 그는 (안휘성) 화주에 있을 때 시를 지어 "책을 빌리고 술을 사는 일 외에는, 공적으로든 사적으로든 정신을 어지럽히는 일이 한 가지도 없다네"라고 하였다. 휘종이 즉위한 뒤 황제의 부름을 받아 광록소경에 임명되고 형양공에 봉해졌다. 아들은 여호문呂好問이고, 여호문의 두 아들은 여붕중呂弸中과 여본중呂本中이며, 여붕중의 아들은 여대기呂大器이고, 여대기의 아들은 여조겸呂祖謙이다.

◇江西詩派(강서시파)

●呂本中, 字居仁, 紹興[171]初, 賜進士第, 除中書舍人[172]. 平生因詩以窮耽禪, 而病淸癯[173]如不勝衣, 有孟浩然跨驢[174]之象, 一室蕭然[175], 凝塵滿席, 裕如也. 作江西詩派[176]圖.(見徐俯) 子大猷・大同, 孫祖平・祖仁.

○(송나라) 여본중(1084-1145)은 자가 거인으로 (고종) 소흥(1131-1162) 초에 진사급제를 하사받고 중서사인을 제수받았다. 평생 시를 통해 선학을 다 탐구하느라 병이 들어 옷의 무게도 이기지 못 할 정도로 몸이 야위었지만, (당나라) 맹호연이 나귀를 타는 초상화를 걸어놓은 채 방에 살림살이를 들여놓지 않아 먼지만 자리에 가득 쌓여

171) 紹興(소흥) : 남송南宋 고종高宗의 연호(1131-1162).

172) 中書舍人(중서사인) : 황명의 기초起草와 출납出納을 관장하는 중서성中書省 소속의 벼슬 이름. 장관인 중서령中書令과 버금 장관인 중서시랑中書侍郞 다음 가는 고관高官이다.

173) 淸癯(청구) : 몸이 야위고 수척해지다. '청수淸瘦'라고도 한다.

174) 跨驢(과려) : 나귀를 타다. 벼슬에 오르지 못 한 신분을 상징한다. 당나라 때 관리가 아닌 사람들도 말을 화려하게 치장하는 사치풍조가 일자 측천무후가 벼슬아치가 아니면 말을 타지 못 하게 금령을 내렸다는 고사가 전한다.

175) 蕭然(소연) : 쓸쓸한 모양, 초라한 모양.

176) 江西詩派(강서시파) : 송나라 때 두보杜甫(712-770)의 시풍을 추종한 황정견黃庭堅(1045-1105)과 진사도陳師道(1053-1101) 등 일련의 시인들을 지칭하는 말. 송나라 여본중呂本中이 지은 ≪강서시사종파도江西詩社宗派圖≫란 서명에서 유래하였기에 '강서종파江西宗派'라고도 한다.

도 마음에 여유가 있었다. ≪강서시사종파도江西詩社宗派圖≫를 지었다.(상세한 내용은 앞의 '서'씨절 서부에 관한 기록인 '시파법사詩派法嗣'항에 보인다) 아들은 여대유呂大猷와 여대동呂大同이고, 손자는 여조평呂祖平과 여조인呂祖仁이다.

◇心涵千古(성심을 다해 천고의 학문을 탐구하다)

●呂祖謙, 字伯恭, 號東萊先生. 隆興[177]初, 中[178]宏詞科[179], 除祕書[180]兼編修[181], 奉詔編類宋朝文鑑[182], 書成, 除直閣[183]. 晦庵[184]贊其像云[185], "一身備四氣之和, 以一心通千古之祕, 推其有, 足以尊主庇民, 出其餘, 足以範俗垂世."

○여조겸(1137-1181)은 자가 백공이고 호가 동래선생이다. (효종) 융흥(1163-1164) 초에 굉사과에 합격하여 비서랑 겸 국사원편수를 제수받아 조서를 받들어 ≪송조문감≫을 편수하였다가 책이 완성되

177) 隆興(융흥) : 남송南宋 효종孝宗의 연호(1163-1164).

178) 中(중) : 들어맞다, 합격하다. 동사이기에 거성去聲(zhòng)으로 읽는다.

179) 宏詞科(굉사과) : 학문이 폭넓고 문장이 뛰어나 조정의 문서를 기초할 만한 인재를 뽑기 위한 과거시험의 하나. 송나라 때는 굉사과宏詞科라고 하다가 휘종徽宗 때 사학겸무과詞學兼茂科라고 하였고, 고종高宗 때 박학굉사과博學宏詞科라고도 하였다.

180) 祕書(비서) : 국가의 경적經籍·도서圖書·저작著作 등을 관장하던 기관인 비서성祕書省이나 그 장관인 비서감祕書監의 약칭. ≪송사·여조겸전≫권434에 의하면 여기서는 비서성의 속관인 비서랑祕書郎을 가리킨다.

181) 編修(편수) : 사관史館에서 국사 편찬을 관장하는 벼슬인 사관편수史館編修나 국사원편수國史院編修의 약칭.

182) 宋朝文鑑(송조문감) : 송나라 여조겸呂祖謙(1137-1181)이 황명을 받아 편찬한 송나라 문인의 산문총집散文總集인 ≪송문감宋文鑑≫의 별칭. 총 150권. ≪사고전서간명목록·집부·총집류≫권19 참조. 원명은 ≪황조문감皇朝文鑑≫.

183) 直閣(직각) : 송나라 때 궁중의 도서를 관장하는 비각祕閣에 설치하였던 겸관兼官 이름인 '직비각直祕閣'의 준말.

184) 晦庵(회암) : 송나라 때 성리학性理學의 집대성자이자 대문호인 주희朱熹(1130-1200)의 호. 시호는 문공文公. 저서로 ≪회암집晦庵集≫ 112권·≪자치통감강목資治通鑑綱目≫ 59권 등 다수가 전한다. ≪송사·도학열전道學列傳·주희전≫권429 참조.

185) 云(운) : 이는 <백공 여조겸의 초상화에 쓴 찬문(呂伯恭畫象贊)>이란 제목으로 ≪회암집≫권85에 전한다.

자 직비각을 제수받았다. 회암晦庵 주희朱熹는 그의 초상화에 찬문을 지어 "일신에 네 가지 기운의 조화를 갖추어 한결같은 마음으로 천고의 비결을 통달하였으니 자신이 가지고 있는 것을 미루어 군주를 높이고 백성을 돌볼 수 있었고, 넘치는 것을 꺼내 세간에 모범을 보이기에 충분하였다"고 하였다.

◇七字舍人(말수가 적은 중서사인)

●呂溱[186], 字濟叔, 寶元[187]中, 試'鯤化爲鵬'詩云, "九霄[188]離海嶠, 一夕過天池." 仁宗見之, 升爲第一. 時有三魁, 呂溱・王昻・李易也. 溱後爲中書舍人, 喜自重[189], 見賓客, 不及數言, 時號爲七字舍人.

○(송나라) 여주呂溱는 자가 제숙으로 (인종) 보원(1038-1039) 연간에 '곤어가 붕새로 변하다'라는 제목의 시로 응시하여 "하늘이 바닷가 산봉우리와 만나는 곳에서, 하룻밤에 하늘 연못을 지나네"라고 하였다. 인종이 이를 보고서 그를 1등으로 승격시켰다. 당시에는 세 명의 장원급제자가 있었으니 여주・왕앙・이역이다. 여주는 뒤에 중서사인이 되자 자신의 지위가 높아진 것을 기뻐하였지만, 손님들을 만나서는 몇 마디 언급하지를 않았기에 당시에 '칠자사인'으로 불렸다.

◇克己工夫(극기에 공을 들이다)

●呂大臨, 字與叔, 通六經[190]. 平生著文, 有克己銘及克己詩. 元祐中, 爲正字[191], 范內翰[192]薦爲講書, 未大用而卒[193]. 兄大忠, 元祐中, 拜

---

186) 呂溱(여진) : '여주呂溱'의 오기이다. 자형의 유사성으로 인한 필사 과정상의 단순 오기로 보인다.

187) 寶元(보원) : 북송北宋 인종仁宗의 연호(1038-1039).

188) 九霄(구소) : 아홉 가지 빛깔의 하늘. 즉 적소赤霄・벽소碧霄・청소靑霄・현소玄霄・강소絳霄・금소黅霄・자소紫霄・연소練霄・진소縉霄를 뜻하는 말로서 결국 하늘을 가리킨다. 여기서는 황제의 처소를 비유적으로 가리킨다.

189) 自重(자중) : 자신의 지위가 높아지다, 혹은 스스로 신중하게 처신하다. 여기서는 전자의 의미로 쓰였다.

190) 六經(육경) : 유가儒家의 대표적인 경서經書인 ≪시경≫ ≪서경≫ ≪역경≫ ≪춘추경≫ ≪예기≫ ≪악기≫를 아우르는 말로 결국 모든 경전을 가리킨다.

左僕射[194], 弟[195]大鈞, 字和叔, 以聖門事業[196]爲己任.

○(송나라) 여대림(1040-1092)은 자가 여숙으로 경전에 정통하였다. 평생 글을 지으면서 <극기에 관한 명문> 및 <극기를 읊은 시>를 남겼다. (철종) 원우(1086-1093) 연간에 비서성정자를 지내다가 한림학사翰林學士 범조우范祖禹의 추천으로 경서 강의를 담당하게 되었지만 재상에 오르지 못 하고 생을 마쳤다. 형 여대충呂大忠은 원우 연간에 좌복야를 배수받았고, (형) 여대균呂大鈞(1031-1082)은 자가 화숙으로 유학의 진흥을 자신의 소임으로 삼았다.

◇殺身成仁(살신성인)

●呂祉, 字安老, 宋紹興中, 爲荊湖路[197]提刑[198], 訟簡刑淸, 野老山謠[199], 漁童樵婦, 亦能稱道呂提刑之善政也. 除都督[200], 謝表云, "願

---

191) 正字(정자) : 비서성飛書省의 속관으로 도서의 교정을 담당하는 벼슬 이름인 비서성정자飛書省正字의 약칭.

192) 內翰(내한) : 당송唐宋 때 한림학사翰林學士의 별칭. '내상內相'이라고도 한다. 당나라 때 비록 재상이 중요한 회의를 주재하였지만, 한림학사 육지陸贄(754-805)가 늘 궁중에 기거하면서 정책 결정에 참여한 데서 유래하였다. ≪송사·여대림전≫권340에 의하면 '범내한'은 한림학사 범조우范祖禹(1041-1098)를 가리킨다.

193) 卒(졸) : 사대부가 죽었을 때 쓰는 말. ≪예기·곡례하曲禮下≫권5에 의하면 천자의 죽음은 '붕崩'이라고 하고, 공경公卿의 죽음은 '훙薨'이라고 하며, 대부大夫의 죽음은 '졸卒'이라고 하고, 사士의 죽음은 '불록不祿'이라고 하며, 평민의 죽음은 '사死'라고 하여 신분에 따라 죽음에 대한 표현에도 차이를 두었다.

194) 僕射(복야) : 진秦나라 때 처음 설치되었고, 한나라 때는 5상서尙書 가운데 한 명을 복야에 임명하여 조정의 핵심 행정 기관인 상서성尙書省의 업무를 총괄하게 하였는데, 뒤에 권한이 막강해지자 좌·우복야를 두면서 당송唐宋 때까지 지속되었다. 보통 승상丞相의 지위를 겸하였다.

195) 弟(제) : 연자衍字 내지 '형兄'의 오기이다. ≪송사·여대균전≫권340에 의하면 여대균은 여대림의 동생이 아니라 형이다.

196) 聖門事業(성문사업) : 공자의 도를 전하는 사업을 이르는 말. 결국 유학의 진흥이나 유생의 양성을 가리킨다.

197) 荊湖路(형호로) : 송나라 때 호북성과 호남성에 걸쳐 설치한 대단위 행정 구역 이름인 형호북로荊湖北路와 형호남로荊湖南路의 합칭.

198) 提刑(제형) : 각 지방의 형벌을 관장하는 사신인 제점형옥사提點刑獄使의 약칭.

199) 山謠(산요) : 산야에 사는 사람들이 부르는 민간 가요. 여기서는 산촌 주민

爲志士, 殺身以成仁, 敢效鄙夫旣得而患失[201)]?” 可見所養. 遷兵部尙書[202)], 酈瓊叛, 公死之.

○여지(1092-1137)는 자가 안로로 송나라 (고종) 소흥(1131-1162) 연간에 (호북성·호남성 일대인) 형호로에서 제형을 지내면서 송사와 형벌을 간소화하였기에 야로나 산촌 사람들, 고기 잡는 아이나 나무하는 아낙들까지도 제형을 맡은 여지의 선정을 칭송하였다. 도독을 제수받자 사양하는 글을 올려 “지조 있는 선비가 되어 살신성인하기를 원하거늘 어찌 감히 비천한 사내가 이미 관직을 얻고 나면 오히려 잃어버릴까 염려하는 작태를 본받을 수 있겠나이까?”라고 하였다. 이로써 그의 소양을 엿볼 수 있다. 병부상서로 승진하였다가 역경이 반란을 일으키는 바람에 여지는 그로 인해 사망하였다.

◇勤王(황제를 위해 군사를 일으키다)

●呂頤浩, 字元直. 紹興初, 苗劉[203)]叛, 公與朱勝非·張浚等勤王[204)], 卒能戮賊. 復辟, 李忠定[205)]寄詩, 有云[206)], “手扶日月行黃道[207)], 足履

들을 지칭하는 말로 쓰인 듯하다.

200) 都督(도독) : 군사軍事 업무를 총괄하는 장관을 이르는 말.

201) 患失(환실) : 관직을 잃을까 걱정하다. 이상의 문구는 ≪논어·양화陽貨≫권17의 “비천한 사람과 함께 군주를 섬길수 있겠는가? 관직을 얻지 못 했을 때는 그것을 얻는 것에 대해 근심하다가 관직을 얻고 나면 그것을 잃을까 걱정한다. 만약 관직을 잃을까 근심한다면 무슨 짓이든지 다할 것이다(鄙夫可與事君也與哉? 其未得之也, 患得之, 旣得之, 患失之. 苟患失之, 無所不至矣)”라는 말을 인용한 것이다.

202) 兵部尙書(병부상서) : 조정의 핵심 행정 기관인 상서성尙書省 소속 육부六部 가운데 병무를 관장하는 기관인 병부兵部의 장관을 이르는 말. 휘하에 시랑侍郞과 낭중郎中·원외랑員外郞 등을 거느렸다.

203) 苗劉(묘유) : 남송 고종高宗 때 반란을 일으킨 묘부苗傅와 유정언劉正彦을 아우르는 말.

204) 勤王(근왕) : 나라에 환난이 생겼을 때 황제를 위해 군사를 일으키는 일을 이르는 말.

205) 李忠定(이충정) : 송나라 사람 이강李綱. ‘충정’은 시호. 자는 백기伯紀. 상서우승尙書右丞을 지냈다. 저서로 ≪양계집梁溪集≫ 186권이 전한다. ≪송사·이강전≫권358 참조.

206) 云(운) : 이는 칠언율시七言律詩 <승상 여원직(여희호)에게 삼가 부치다(奉寄呂丞相元直)> 가운데 함련頷聯을 인용한 것으로 ≪양계집≫권28에 전한다.

星辰上紫微[208].” 拜少保[209]・左僕射. 諡忠穆.

○(송나라) 여이호(1071-1139)는 자가 원직이다. (고종) 소흥(1131-1162) 초에 묘부苗傅와 유정언劉正彦이 반란을 일으키자 여이호는 주승비・장준 등과 함께 황제를 위해 군사를 일으켜 마침내 반군을 제거하였다. 다시 황제의 부름을 받자 충정공忠定公 이강李綱이 시를 부쳤는데, 거기에는 “손수 해와 달이 궤도를 제대로 돌게 도우시더니, 발로 별자리를 밟으며 자미성(중서성)에 오르셨군요”라는 구절이 들어 있다. 소보와 좌복야를 배수받았다. 시호는 ‘충목’이다.

●呂安與稽康相善, 每一相思, 輒千里命駕[210].

○(삼국 위魏나라) 여안(?-262)은 혜강과 친하여 만나고 싶을 때마다 천 리 멀리서도 수레를 준비하였다.

●呂諲. 唐至德[211]以來, 處方面[212]者數十, 諲最知名. 後拜相.

○여인(712-762)에 관한 기록이다. 당나라 (숙종) 지덕(756-758) 이래로 한 지역을 잘 처리한 사람이 수십 명이나 되었지만 여인이 가장 명성을 떨쳤다. 뒤에 재상을 배수받았다.

---

207) 黃道(황도) : 천동설에 근거할 때 태양의 궤도를 가리키는 말. ‘광도光道’ ‘중도中道’라고도 한다. 황제가 다니는 길을 비유한다. 한편 달의 궤도는 ‘백도白道’라고 한다.

208) 紫微(자미) : 별자리 이름인 자미원紫微垣에서 유래한 말로 황명의 기초와 출납을 관장하는 기관인 중서성中書省이나 그 소속 관원을 비유한다. 당나라 때는 중서성을 ‘자미성紫微省’으로, 그 장관인 중서령中書令을 ‘자미령紫微令’으로 개칭한 적이 있다.

209) 少保(소보) : 주周나라 때 처음 설치한 벼슬로 소사少師・소부少傅와 함께 삼고三孤의 하나. 직급이 삼공三公보다는 낮고 구경九卿보다는 높았다. 또한 후대에는 삼고를 본떠 동궁東宮에 설치한 태자삼소太子三少 가운데 하나인 태자소보太子少保의 약칭으로도 쓰였다.

210) 命駕(명가) : 마부에게 명하여 수레를 몰게 하다. 수레를 준비시키는 것을 말한다.

211) 至德(지덕) : 당唐 숙종肅宗의 연호(756-758).

212) 方面(방면) : 한 지방의 영역이나 그곳을 관장하는 장관을 이르는 말.

●呂元膺姿儀瓌秀, 有直氣讜言213), 元和中, 進御史中丞.

○(당나라) 여원응(749-820)은 풍모가 빼어나고 기상이 강직하면서 충언을 서슴지 않더니 (헌종) 원화(806-820) 연간에 어사중승으로 승진하였다.

●呂思禮長於論難, 諸生語曰, "講書論易, 談鋒難敵."

○(북조北朝 북주北周) 여사례는 논쟁을 잘 하였기에 학생들이 "≪서경≫이나 ≪역경≫에 대해 강론할 때면 담론이 날카로워 대적하기가 어렵다"고 하였다.

●呂恭, 字敬叔, 尙氣節, 明陰符214)握機之用. 三子爽·壞·特.

○(당나라) 여공은 자가 경숙으로 기개와 절조를 중시하고 병법을 통해 승기를 파악하는 실용 학문에 정통하였다. 세 아들은 여상呂爽·여괴呂壞·여특呂特이다.

※女德婚姻(여덕과 혼인)

◇美德(훌륭한 인품)

●唐呂恭有女三人, 曰環, 曰鸞, 曰倩, 皆有美德.

○당나라 여공에게는 '여환' '여난' '여천'이라는 세 명의 딸이 있었는데, 모두가 인품이 훌륭하였다.

◇右仙之樂(신선의 음악)

●呂荷香, 女仙也. 秦始皇時, 武夷君215)以八月十五日會鄕人於幔亭峯,

213) 讜言(당언) : 바른 말, 직언.

214) 陰符(음부) : 중국 고대 병법서의 일종. 전설상의 임금인 황제黃帝가 지었다고도 하고, 주周나라 때 재상인 강태공姜太公이 지었다고도 하는데, 위작인 듯하다. 현재는 당나라 이전李筌이 강태공·범이范蠡·귀곡자鬼谷子·장양張良(?-B.C.185)·제갈양諸葛亮(181-234) 등의 이름으로 가탁한 1권본이 전한다. ≪사고전서간명목록·자부·도가류≫권14 참조.

215) 武夷君(무이군) : 도서道書에서 '제16동천洞天'이라고 부르는 복건성 무이산

設紅雲茵・紫霞褥, 荷香戞圓鼓, 奏賓雲右僊[216]之樂.(武夷記[217])

○여하향은 여신선이다. 진나라 시황제 때 무이군이 8월 15일 중추절날 만정봉에 고을 사람들을 모아놓고 (붉은 구름으로 만든 이불인) 홍운인과 (자색 노을로 만든 요인) 자하욕을 마련하자 여하향이 둥그런 북을 두드리며 빈운우선곡을 연주하였다.(≪무이기≫)

◇箕箒妾(집안 살림을 맡을 첩실)

●呂公, 單父[218]人, 見劉季[219]曰, "僕[220]相人, 多矣, 無如季相. 僕有弱息, 願爲箕箒[221]妾." 卒歸之, 卽高后[222]也.

○(전한) 여공은 (산동성) 선보현 사람으로 유계(유방劉邦)를 보자 "제가 다른 사람의 관상을 많이 보아 왔는데 그대의 관상만한 이가 없었습니다. 제게 어린 여식이 있어 집안 살림을 맡을 첩실로 시집보내고 싶습니다"라고 하였다. 결국 유계에게 시집을 갔으니 바로 고조의 황후(여치呂雉)이다.

◇淑質(정숙한 자질)

●呂希哲子好問娶王僖女, 乃沂公[223]曾孫女也. 少有淑質, 事舅姑[224]盡

을 관장하는 전설상의 신선 이름.

216) 賓雲右僊(빈운우선) : 구름을 손님으로 모시고 신선을 우대하다. 선계에 있다는 전설상의 음악 이름.

217) 武夷記(무이기) : 서지書誌나 사서史書에 아무런 언급이 없어 누가 언제 지었는지 불분명하다. 박물군자가 밝혀주기를 기대한다.

218) 單父(선보) : 산동성의 속현屬縣 이름.

219) 劉季(유계) : 전한 고조高祖 유방劉邦(B.C.247-B.C.195)의 별칭. '계'는 유방의 자. ≪사기・고조본기≫권8 참조.

220) 僕(복) : 자기 자신에 대한 겸사謙辭.

221) 箕箒(기추) : 키와 빗자루. 시집가는 것을 비유하는 말로 여기서는 결국 집안 살림을 맡는 것을 말한다.

222) 高后(고후) : 전한 고조高祖 유방劉邦(B.C.247-B.C.195)의 황후皇后인 여태후呂太后 여치呂雉(?-B.C.180)에 대한 존칭. ≪한서・고후여치전高后呂雉傳≫권3 참조.

223) 沂公(기공) : 송나라 인종仁宗 때 동중서문하평장사同中書門下平章事에 오르고 기국공沂國公에 봉해진 왕증王曾(978-1038)에 대한 존칭. 저서로 ≪왕문정필록王文正筆錄≫ 1권이 전한다. ≪송사・왕증전≫권310 참조.

禮.

○(송나라) 여희철(1039-1116)의 아들 여호문呂好問은 왕희의 딸에게 장가들었는데, 바로 기국공沂國公 왕증王曾의 증손녀이다. 어려서부터 정숙한 자질을 지녔기에 시부모를 예를 다해 섬겼다.

◇性似乃翁(성품이 그들의 장인과 유사하다)

●呂公著婿范祖禹·呂希哲婿趙演二人, 性皆酷[225]似乃翁[226].

○(송나라) 여공저(1018-1089)의 사위인 범조우와 여희철(1039-1116)의 사위인 조연 두 사람은 성품이 모두 그들 장인과 매우 비슷하였다.

◇擇婿(사위를 고르다)

●馬亮爲夔州監司[227], 善相人. 時呂蒙亨爲州職官, 子夷簡在焉. 亮一見, 許妻以女, 妻怒亮曰, "此必爲國夫人也."

○(송나라) 마양은 (사천성) 기주에서 감사를 지내면서 관상을 잘 보았다. 당시 여몽형이 그 주에서 모종의 직무를 처리하는 관원을 맡으면서 그의 아들 여이간呂夷簡도 그곳에 있게 되었다. 마양이 그를 보자마자 딸을 시집보내겠다고 허락하자 아내가 마양에게 화를 내며 말했다. "이 아이는 분명 (제후의 아내인) 국부인이 될 것입니다."

◇識鑒(인재를 알아보는 식별력)

●呂範, 字子衡, 汝南人. 同邑人劉氏, 家富女美, 範求之, 母弗許. 劉氏曰, "觀呂子衡, 寧久貧者邪?" 遂與成婚. 後孫策拜爲揚州牧[228].

---

224) 舅姑(구고) : 시아버지와 시어머니. 시아버지를 '구舅'라고 하고, 시어머니를 '고姑'라고 한다. '공고公姑'라고도 한다.

225) 酷(혹) : 매우, 몹시.

226) 乃翁(내옹) : 그들의 장인. '내乃'는 3인칭 지시형용사로 '기其'의 뜻.

227) 監司(감사) : 감찰의 직무를 맡은 벼슬을 가리키는 말로, 한나라 이후 자사刺史·사례교위司隸校尉·전운사轉運使·안찰사按察使·포정사布政使 등을 두루 지칭하였다.

228) 牧(목) : 자사刺史의 별칭. 주州의 장관인 자사는 '목牧'이라고 하고, 현縣의

○(삼국 오吳나라) 여범은 자가 자형이고 (하남성) 여남현 사람이다. 같은 고을 사람인 유씨가 집이 부유하고 딸이 아름답자 여범이 그녀에게 청혼하였지만 그녀의 모친이 허락하지 않았다. 그러자 유씨가 말했다. "여자형(여범)의 관상을 보아하니 어찌 오래도록 가난뱅이로 지낼 사람이겠소?" 결국 그와 결혼을 시켰다. 뒤에 (손권孫權의 형인) 손책이 그를 (강소성) 양주자사에 배수하였다.

●呂諲少孤貧, 程楚賓以女妻之. 唐乾元[229]中, 拜相.(見程氏)

○여인(712-762)은 어려서 부모를 여의고 집이 가난하였지만 정초빈이 딸을 그에게 시집보냈다. 여인은 당나라 (숙종) 건중(758-760) 연간에 재상을 배수받았다.(상세한 내용은 앞의 '정'씨절 '부혼富婚'항에 보인다)

●呂君[230], 華陰人, 擧進士, 娶里中盲女, 生五男, 皆第.

○(송나라) 여군(여분呂蕡)은 (섬서성) 화음현 사람으로 진사시험에 급제하여 고을의 맹인 여자에게 장가들어서 아들을 다섯 명 낳았는데, 그들도 모두 과거시험에 급제하였다.

●鼎呂[231]. 伊呂[232]. 申呂[233].

○구정九鼎과 대려大呂. (상商나라) 이윤伊尹과 (주周나라) 여상呂尙.

장관인 현령은 '재宰'라고 한다.

229) 乾元(건원) : 당唐 숙종肅宗의 연호(758-760).

230) 呂君(여군) : 송나라 축목祝穆의 ≪고금사문류취古今事文類聚·인륜부人倫部·혼인婚姻≫후집後集권13의 기록에 의하면 승상에 오른 급군공汲郡公 여대방呂大防(1027-1097)의 부친인 여분呂蕡에 대한 존칭이다.

231) 鼎呂(정려) : 하夏나라 우왕禹王이 주조한 세발솥인 구정九鼎과 주周나라 때 종묘에 설치한 큰 종인 대려大呂를 아우르는 말로서 높은 지위를 상징한다.

232) 伊呂(이려) : 상商나라 탕왕湯王 때 재상인 이윤伊尹과 주周나라 무왕武王 때 재상인 강태공姜太公 여상呂尙을 아우르는 말로서 훌륭한 재상을 상징한다.

233) 申呂(신려) : 전국시대 때 법가法家 계통의 사상가인 정鄭나라 신불해申不害와 진秦나라 여불위呂不韋를 아우르는 말.

(전국시대 정鄭나라) 신불해申不害와 (진秦나라) 여불위呂不韋.

◆褚(저씨)

▶羽音. 河南. 宋共公子段食采於褚, 號曰褚師, 因氏焉.

▷음은 우음에 속하고 본관은 (하남성) 하남군이다. 송나라 공공의 아들 단段이 저읍을 식읍으로 받아 '저사'로 불리면서 그참에 이를 성씨로 삼은 것이다.

◇五經博士(오경박사)

●褚大, 前漢人, 居蘭陵, 以儒學稱, 通五經, 爲博士.(儒林傳)

○저대는 전한 때 사람으로 (산동성) 난릉현에 거주하며 유학으로 칭송을 받더니 오경에 정통하여 박사를 지냈다.(≪한서・유림열전≫권88)

●褚少孫受魯詩於王式, 亦以儒學稱. 元成[234]間, 爲博士.(王式傳)

○(전한) 저소손은 왕식에게서 ≪노시≫를 전수받아 그 역시 유학으로 칭송을 받았다. 원제와 성제 때 박사를 지냈다.(≪한서・유림열전・왕식전≫권88)

◇皮裏陽秋(몸속의 사서)

●褚裒, 字季野. 桓彝曰, "季野有皮裏陽秋[235]." 言其外無臧否, 而內實有褒貶也. 謝安曰, "裒雖不言, 而四時之氣備矣." 晉穆帝朝, 爲征北將軍, 有彭城之捷.

○저부(303-350)는 자가 계야이다. 환이가 "계야(저부)는 몸속에 사서를 지니고 있다"고 하였는데, 그가 겉으로는 좋다 나쁘다 비판을 하지 않지만 안으로 실제 포폄의 능력을 지니고 있다는 말이다. 또 사안은 "저부는 비록 말을 하지 않아도 사계절의 기운이 갖춰져 있다"고 하였다. 진나라 목제 때 정북장군에 올라 (강소성) 팽성현에서

---

234) 元成(원성) : 전한 때 황제인 원제元帝와 성제成帝를 아우르는 말.

235) 陽秋(양추) : 역사나 사서史書를 뜻하는 말인 '춘추春秋'의 별칭. 진晉나라 때 간문제簡文帝의 황후皇后인 정아춘鄭阿春의 이름을 피휘避諱하기 위해 '춘'을 '양'으로 바꿔 표기한 데서 유래하였다.

의 전투에서 승리를 거두었다.

◇東南之寶(동남방의 보물)

●褚陶, 字季雅, 吳人. 少作鷗鳥·水碓二賦, 見者奇之. 居常以墳典[236]自娛曰, "聖賢備在黃卷中, 何必外求?" 吳亡, 歸晉, 張華曰, "始得二陸[237], 謂東南之寶已盡, 不意復見褚生." 仕至中尉[238], 卒.(文苑傳)

○저도는 자가 계아로 (삼국) 오나라 사람이다. 어려서 <갈매기>와 <물레방아>라는 두 부를 짓자 이를 본 사람들이 대견하다고 칭찬하였다. 평상시 고서를 즐겨 보며 "성현이 노란 두루마리 속에 다 들어 있거늘 어찌 밖에서 찾을 필요가 있으랴?"라고 하였다. 오나라가 망하고 진나라로 귀순하자 장화가 "처음에 육기陸機와 육운陸雲 형제를 만나 동남방의 보물을 이미 다 얻었다고 생각했는데, 다시 저 선생을 만나리라고는 생각지도 못 했다"고 하였다. 벼슬이 중위까지 올랐다가 생을 마쳤다.(≪진서晉書·문원열전·저도전≫권92)

◇餽金不受(금을 주어도 받지 않다)

●褚彦回幼有淸譽. 父卒, 悉推家財, 與弟澄, 惟取書數千卷而已. 宋明帝時, 爲吏部尙書[239], 有求官者, 袖中密懷金一餠, 示之, 彦回曰, "公自應得官, 無假此物." 美容儀, 山陰[240]公主欲亂之, 彦回不肯, 主曰, "公

---

236) 墳典(분전) : 옛 전적典籍에 대한 총칭. 전설상의 임금인 '삼황三皇' 즉 복희伏羲·신농神農·황제黃帝 세 황제의 무덤에서 나온 책을 의미하는 '삼분三墳'과 '오제五帝' 즉 소호少昊·전욱顓頊·제곡帝嚳·당唐·우虞 다섯 왕조의 책을 의미하는 '오전五典'의 합칭인 '삼분오전三墳五典'의 준말.

237) 二陸(이륙) : 진晉나라 때 유명한 문인인 육기陸機(261-303)와 육운陸雲(262-303) 형제를 아우르는 말.

238) 中尉(중위) : 천자나 제후를 호위하는 군대를 통솔하던 벼슬 이름. 전한 무제武帝 때는 '집금오集金吾'로 개명한 적이 있고, 북위北魏 때는 벼슬아치들을 감독하기 위해 설치했던 어사중위御史中尉의 약칭으로도 쓰였으며, 당나라 때는 신책군神策軍을 통솔하는 호군중위護軍中尉의 약칭으로도 쓰였다.

239) 吏部尙書(이부상서) : 조정의 핵심 행정 기관인 상서성尙書省 소속 육부六部 가운데 관리들의 인사人事와 고과考課를 관장하는 이부의 장관. 휘하에 시랑侍郎과 낭중郎中·원외랑員外郎 등을 거느렸다.

240) 山陰(산음) : 절강성 회계군會稽郡의 속현屬縣 이름으로 여기서는 공주의 봉

鬚髯如戟, 何無丈夫情?" 袁粲嘗曰, "褚公眼睛多白, 所謂白虹貫日[241], 亡宋者必此人也." 後歸心齊高帝, 以成其簒事. 父湛之爲丹陽尹. 子賁.

○저언회는 어려서부터 이름을 떨쳤다. 부친이 죽자 재산을 다 털어 동생인 저징褚澄에게 주고는 단지 서책 수천 권을 챙겼을 뿐이다. (남조南朝) 유송劉宋 명제 때 이부상서를 지냈는데, 누군가 관직을 요구하면서 소매 속에 금 한 덩어리를 몰래 숨겼다가 보여주자 저언회는 "공 스스로 마땅히 관직을 얻어야지 이런 뇌물에 의지해서는 안 될 것이오"라고 하였다. 용모가 잘 생겨 산음공주가 유혹하려고 하였지만 저언회가 받아들이지 않자 공주가 말했다. "공은 수염이 창처럼 뻗었으니 어찌 사내로서의 감정이 없겠소?" 원찬은 일찍이 "저공은 눈동자에 흰 자위가 많아 이른바 '흰 무지개가 해를 꿰뚫는다'는 상이니 송나라를 망하게 할 자는 필시 이 사람일 것이오"라고 말한 일이 있다. 뒤에 남제南齊 고제의 편에 서서 황제의 자리를 찬탈하는 일을 성사시켰다. 부친 저담지褚湛之는 (강소성) 단양윤을 지냈다. 아들은 저분褚賁이다.

◇從白雲遊(흰 구름을 따라 노닐다)

●褚伯玉. 字元璩, 少有隱操, 往剡[242], 居瀑布山三十年, 滅影[243]雲樓, 隔絶交往. 時王僧達爲吳郡, 盡禮徵之, 一至卽退. 僧達曰, "褚先生從白雲遊, 舊矣!"

○(진晉나라) 저백옥은 자가 원거로 어려서부터 은거생활에 뜻을 품어 (절강성) 섬현으로 가서 폭포산에서 30년을 거주하며 운루에서 속세를 등진 채 다른 사람과의 왕래를 끊었다. 당시 왕승달이 오군을 다

호를 가리킨다.

241) 白虹貫日(백홍관일) : 흰 무지개가 해를 관통하다. 형가荊軻가 진나라 시황제를 암살하려고 하자 흰 무지개가 해를 관통하였다는 ≪사기・추양전鄒陽傳≫권83의 고사에서 유래한 말로 황제를 암살하거나 조정을 전복하는 것을 비유한다.

242) 剡(섬) : 절강성의 속현屬縣 이름.

243) 滅影(멸영) : 그림자를 없애다. 즉 속세에 대한 미련을 떨치고 은거하는 것을 비유한다.

스리면서 예를 갖춰 그를 초빙했으나 도착하자마자 물러갔다. 그러자 왕승달은 "저선생은 흰 구름을 따라 노닌 것이 오래되었나 보구나!"라고 하였다.

◇登瀛洲[244] (문학관 학사에 오르다)

●褚亮, 字希明, 唐文館十八學士[245]中人.(見房姓) 子遂良.

○저양(560-647)은 자가 희명으로 당나라 (태종) 때 문학관 소속 18학사 가운데 한 사람이다.(상세한 내용은 앞의 '방'씨절 '용학앙소聳壑昻霄'항에 보인다) 아들은 저수량褚遂良이다.

◇還笏歸田(홀을 반납하고 고향으로 돌아가다)

●褚遂良, 字登善, 博涉文史, 工楷隸. 貞觀[246]中, 遷諫議大夫[247], 兼起居注[248]. 上曰, "朕有不善, 卿亦記耶?" 對曰, "守道不如守官. 臣職在

244) 瀛洲(영주) : 동해東海에 신선이 산다는 전설상의 봉래산蓬萊山・방장산方丈山・영주산瀛洲山 가운데 하나로 여기서는 문학관을 비유적으로 가리킨다.

245) 十八學士(십팔학사) : 당나라 때 태종太宗이 문학관학사文學館學士에 겸임케 한 사훈낭중司勳郎中 두여회杜如晦・기실고공낭중記室考功郎中 방현령房玄齡과 우지녕于志寧・군자제주軍諮祭酒 소세장蘇世長・천책부기실天策府記室 설수薛收・문학文學 저양褚亮과 요사렴姚思廉・태학박사太學博士 육덕명陸德明과 공영달孔穎達・주부主簿 이현도李玄道・천책창조참군사天策倉曹參軍事 이수소李守素・왕부기실참군사王府記室參軍事 우세남虞世南・참군사參軍事 채윤공蔡允恭과 안상시顔相時・저작랑섭기실著作郎攝記室 허경종許敬宗과 설원경薛元敬・태학조교太學助敎 갑문달蓋文達・군자전첨軍諮典籤 소욱蘇勖 등 18명을 가리키는 말. 염입본閻立本에게 초상화를 그리게 하고 저양褚亮에게 찬문을 짓게 하였다. 설수가 죽은 뒤에는 동우주녹사참군東虞州錄事參軍 유효손劉孝孫을 불러 대신케 하였다. 이에 대한 상세한 내용은 ≪신당서・저양전褚亮傳≫권102에 전한다.

246) 貞觀(정관) : 당唐 태종太宗의 연호(627-649).

247) 諫議大夫(간의대부) : 한나라 이래로 임금에게 간언하는 일을 관장하던 벼슬. 당나라 때는 문하성門下省 소속이었으나 송나라 때는 좌・우간의대부를 설치하여 좌간의대부左諫議大夫는 문하성에 소속시키고, 우간의대부右諫議大夫는 중서성中書省에 소속시켰다.

248) 起居注(기거주) : 임금의 언행을 세세하게 기록한 사서를 이르는 말로서 여기서는 그러한 업무를 관장하는 직책인 기거사인起居舍人이나 기거랑起居郎의 대칭으로 쓰였다.

載筆[249], 君擧必書." 爲定策[250]顧命[251]大臣. 高宗卽位, 拜尙書右僕射. 上將立武后[252], 遂良力諫不納, 乃置笏殿階, 叩頭流血曰, "還陛下笏, 乞歸田里."

○(당나라) 저수량(596-658)은 자가 등선으로 여러 서책을 두루 섭렵하였고 해서와 예서를 잘 썼다. (태종) 정관(627-649) 연간에는 간의대부로 승진하면서 임금의 언행을 기록하는 직책을 겸임하였다. 태종이 "짐이 바르지 않은 일을 해도 경은 그것을 적겠는가?"라고 하자 저수량이 대답하였다. "군신간의 도리를 지키는 것보다 직무를 지키는 것이 낫습니다. 신은 직무가 천자의 언행을 기록하는 것이기에 군주가 행동하면 반드시 기록해야 합니다." 천자의 옹립을 간책에 기록하고 천자의 유명을 받드는 대신이 되었다. 고종이 즉위하자 상서우복야를 배수받았다. 고종이 측천무후를 책립하려고 하여 저수량이 힘껏 간언했지만 받아들여지지 않자 급기야 홀을 전각 계단에 놓고서 머리를 부딪혀 피를 흘리며 말했다. "폐하께 홀을 돌려드리고 고향으로 돌아가기를 간청하나이다."

◇孝心感鹿(효심이 사슴을 감동시키다)

●褚無量母喪, 廬墓. 其所植松栢, 群鹿馴服, 不敢觸. 開元初, 與馬懷素更日侍讀[253].

○(당나라) 저무량(646-720)은 모친이 돌아가시자 무덤에 여막을 지

---

249) 載筆(재필) : 붓을 지니다. 임금의 언행을 기록하는 것을 말한다.

250) 定策(정책) : 천자를 옹립한 뒤 그 일을 간책簡策에 기재하는 일.

251) 顧命(고명) : 천자가 황태자를 생각해 대신들에게 잘 보필하라고 유명을 남기는 것을 이르는 말.

252) 武后(무후) : 당나라 측천무후則天武后의 약칭. 본명은 무조武曌(624-705). '측천'은 시호로 '측則'은 '측測'과 통용자. 고종高宗의 황후皇后이자 중종中宗 및 예종睿宗의 모후母后였지만, 뒤에 스스로 황제에 올라 국호를 '당唐'에서 '주周'로 개칭하고 15년간 전횡을 일삼았으며, 외척인 무武씨 집안 사람들이 득세할 수 있는 빌미를 제공하였다. '측천황후則天皇后' '무측천武則天' '천후天后' 등 다양한 별칭으로도 불렸다. ≪신당서·측천황후무조기≫권4 참조.

253) 侍讀(시독) : 황제나 태자, 친왕親王 등에게 경서經書를 강독하는 일을 전담하던 벼슬 이름.

었다. 그곳에 소나무와 측백나무를 심자 사슴들이 순종하여 감히 들이받지 않았다. (현종) 개원(713-741) 초에 마회소와 함께 번갈아 가며 격일로 시독직을 수행하였다.

◇詩遇(시를 지어 대우받다)

●褚載, 字厚之. 唐元和中, 客梁宋間, 以詩投襄陽節度[254]云, "西風一夜墜紅蘭, 一宿郵亭[255]事百般. 無地可耕歸不得, 有恩當報死何難? 流年怕老看將老, 百計求安未得安. 一卷新書滿懷淚, 頻來門館[256]訴飢寒." 君牙[257]薦之, 擢第.

○저재는 자가 후지이다. 당나라 (헌종) 원화(806-820) 연간에 (섬서성) 양주와 (하남성) 송주 일대를 떠돌다가 (호북성) 양양절도사에게 다음과 같은 시를 주었다. "가을 바람이 밤새 붉은 난초꽃을 떨구니, 역참 숙소에서 하룻밤 묵으며 온갖 일을 떠올립니다. 농사를 지을 만한 땅이 없어 돌아갈 수 없어도, 은혜를 입으면 의당 갚아야 하거늘 죽음이 어찌 어렵겠습니까? 세월이 흘러 노년이 두렵지만 장차 늙어가는 모습 보게 될진대, 온갖 수단을 다 써서 안정을 찾으려 해도 안정을 얻지 못 합니다. 새로 글을 한 권 지어 품에 가득 안고서 눈물 떨구며, 여러 번 관청을 찾아 허기와 추위를 호소했답니다." 형군아邢君牙가 그를 추천하여 과거시험에 급제하였다.

●褚向, 字景政, 有器量, 位侍中[258]. 風儀端麗, 眉目如畵.

---

254) 節度(절도) : 당송唐宋 때 한 도道나 여러 주州의 군사·민정·재정 등을 관할하던 벼슬인 절도사節度使의 약칭. 송 이후로는 실권이 없이 직함만 있었다.

255) 郵亭(우정) : 역참驛站에 설치한 여관을 가리키는 말. '역관驛館' '역정驛庭'이라고도 한다.

256) 門館(문관) : 숙소나 관청 따위를 이르는 말.

257) 君牙(군아) : 당나라 헌종憲宗 때 사람 형군아邢君牙. 검교공부상서檢校工部尙書를 지냈고 하간군공河間郡公에 봉해졌다. ≪신당서·형군아전≫권156 참조.

258) 侍中(시중) : 황제의 측근에서 기거起居를 보살피고 정령政令을 집행하는 일을 관장하는 벼슬. 진晉나라 이후로 재상의 지위에까지 오르고, 수나라 때 납언納言 혹은 시내侍內라고 하였으며, 당송 이후로는 조정의 주요 행정 기관인

○(남조南朝 양梁나라) 저향은 자가 경정으로 훌륭한 자질과 도량을 갖추어 벼슬이 시중에 올랐다. 그는 풍모가 단아하고 용모가 그림처럼 잘 생겼다.

●子翔, 字世擧, 爲義興守. 郡西亭枯樹生枝, 以爲善政所感.

○(남조南朝 양梁나라 때 저향褚向의) 아들인 저상褚翔은 자가 세거로 (강소성) 의흥태수를 지냈다. 의흥군의 서쪽 정자에 있는 고목에서 가지가 새로 자란 것은 그의 선정에 감화를 받아서였다.

◆楚(초씨)

▶羽音. 江陵. 鬻熊259)封楚, 本芈姓, 其後有以國爲氏者.

▷음은 우음에 속하고 본관은 (호북성) 강릉군이다. (주周나라 때) 육웅이 초나라에 봉해졌는데 본래 성씨가 '미芈'였으나 그 후손 중에 누군가 나라 이름을 성씨로 삼은 것이다.

◇親吏(신임하는 관리)

●楚昭輔, 趙太祖260)親吏也. 開寶261)中, 拜樞密262)判官263)·三司使264)事.

○초소보는 (송나라) 태조 조광윤이 신임하는 관리였다. 개보(968-97

삼성三省 가운데 문하성門下省의 수장首長이 되었다.

259) 鬻熊(육웅) : 주周나라 문왕文王의 스승으로 알려진 전설상의 인물.

260) 趙太祖(조태조) : 송나라 태조太祖 조광윤趙匡胤(927-976)을 가리킨다.

261) 開寶(개보) : 북송北宋 태조太祖의 연호(968-976).

262) 樞密(추밀) : 당송唐宋 때 국가의 군사 업무를 총괄하던 기관인 추밀원樞密院이나 그 장관인 추밀사樞密使의 약칭.

263) 判官(판관) : 당송唐宋 때 지방 장관이나 절도사節度使·관찰사觀察使·방어사防禦使·선무사宣撫使 등 여러 사신 밑에 두었던 속관屬官 가운데 하나. 속관에는 사신마다 차이가 있으나, ≪신당서·백관지≫권49에 의하면 대개 부사副使·행군사마行軍司馬·판관判官·지사支使·장서기掌書記·추관推官·순관巡官·아추衙推 등을 두었다.

264) 三司使(삼사사) : 오대五代와 송나라 때 국가 재정과 밀접한 기관인 염철사鹽鐵使·호부사戶部使·탁지사度支使의 업무를 총괄하는 장관을 이르는 말. 신종神宗 때 관제官制를 개혁하면서 폐지되었다.

6) 연간에는 추밀원 판관과 삼사사의 직책을 배수받았다.

◇耆英會(원로들의 모임)

●楚建中, 字正叔, 與洛中耆英會[265], 年七十二. 詩[266]云, "自顧頹齡七十餘, 久慚頑鈍費洪爐[267]. 歸逢大老耆英會, 衰朽形骸愧畵圖."(詳富姓) 又與司馬公[268]等七人爲眞率會, 公增飮食之數, 罰一會.(詳司馬氏[269])

○(송나라) 초건중은 자가 정숙으로 (문언박文彦博이 하남성 낙양에서 결성한 원로들의 모임인) 낙중기영회에 참여하였을 때 나이가 72세였다. 그는 시에서 "스스로 돌이켜보건대 노년에 접어들어 70세가 넘었으니, 오래도록 아둔한 자질로 커다란 화로를 낭비한 것이 부끄럽구나. 귀향하여 원로들이 결성한 기영회에 참여하고 보니, 노쇠한 모습인지라 초상화로 그리기 부끄럽네"라고 하였다.(상세한 내용은 뒤의 '부'씨절 '낙사의관洛社衣冠'항에 보인다) 또 사마광司馬光 등 7인과 함께 진솔회를 결성하였는데, 초건중이 음식의 양을 늘리는 바람에 한 차례 모임을 주최해야 하는 벌을 받은 일이 있다.(상세한 내용은 뒤의 '사마'씨절에 보인다)

●孫楚. 荊楚[270]. 吳楚.

---

265) 洛中耆英會(낙중기영회) : 송나라 신종神宗 때 문언박文彦博(1006-1097)이 하남성 낙양에서 부필富弼(1004-1083)·사마광司馬光(1019-1086) 등 13인의 명사들과 함께 결성한 모임 이름. '기영'은 연배와 덕망이 높은 사람을 뜻한다.

266) 詩(시) : 이는 칠언절구七言絶句 <기영회(耆英會)> 2수 가운데 한 수를 인용한 것으로 청나라 여악厲鶚(1692-1752)의 ≪송시기사宋詩紀事·초건중≫권12에 전한다.

267) 洪爐(홍로) : 커다란 화로. 훌륭한 인격이나 재능을 비유한다.

268) 司馬公(사마공) : 송나라 때 재상을 지낸 사마광司馬光(1019-1086)에 대한 존칭. 저서로 ≪전가집傳家集≫ 80권, ≪자치통감資治通鑑≫ 294권, ≪속수기문涑水記聞≫ 16권 등이 전한다. ≪송사·사마광전≫권336 참조.

269) 司馬氏(사마씨) : 뒤의 '사마'씨절의 '사마광司馬光'에 관한 기록에 관련 내용이 보이지 않는 것으로 보아 전래 과정에서 누락된 듯하다.

270) 荊楚(형초) : 춘추전국시대 초楚나라 지역. 즉 지금의 호북성·호남성 일대를 아우르는 말. '형荊'은 초나라의 옛 수도.

○(진晉나라 때 사람) 손초. 초나라 일대. (춘추시대) 오나라와 초나라.

◆汝(여씨)

▶羽音. 江陵. 殷賢人汝鳩・汝方之後.

▷음은 우음에 속하고 본관은 (호북성) 강릉군으로 은나라 때 현자인 여구와 여방의 후손이다.

●汝叔齊, 晉大夫. 君子謂, "叔侯於是乎知禮."(昭五)

○여숙제는 (춘추시대) 진나라 대부이다. 군자가 "숙후(여숙제)는 여기서 예법을 잘 알고 있는 사람이다"라고 평한 일이 있다.(≪좌전・소공昭公5년≫권43)

●汝寬諫魏舒曰, "願以小人之腹爲君子之心."(昭廿八)

○(춘추시대 진晉나라 때) 여관이 위서에게 "소인배의 배를 가졌으면서도 군자의 마음이라 여기고자 합니다"라고 말한 일이 있다.(≪좌전・소공昭公28년≫권52)

●汝郁, 字叔異, 漢和帝朝, 賈逵薦之, 累遷魯相, 以德化人.

○여욱은 자가 숙이로서 후한 화제 때 가규의 천거를 통해 여러 관직을 거쳐서 노국의 승상에 올라 덕으로 사람들을 감화시켰다.

◆巨(거씨)

●巨武, 東漢人, 爲荊州刺史.

○거무는 후한 때 사람으로 (호북성) 형주자사를 지냈다.

●巨無霸, 身長一丈, 大十圍. 王莽以爲壘尉271).(光武本紀)

271) 壘尉(누위) : 전한 무제武帝 때 처음 설치된 8교위校尉인 중루교위中壘校尉・둔기교위屯騎校尉・보병교위步兵校尉・월기교위越騎校尉・장수교위長水校尉・호기교위胡騎校尉・석성교위射聲校尉・호분교위虎賁校尉 가운데 성루의 경

○(후한) 거무패는 키가 한 장이고 허리둘레가 열 뼘이나 되었다. 왕망이 그를 중루교위에 임명하였다.(≪후한서・광무제본기≫권1)

●巨覽, 漢順帝時, 梁商272)辟爲掾史273).(梁商傳)

○거남은 후한 순제 때 양상이 초빙하여 아전에 임명하였다.(≪후한서・양상전≫권64)

●巨師古, 宋高宗時, 爲統制274)官, 討戚方275), 三戰三勝.

○거사고는 송나라 고종 때 통제관을 맡아 척방을 토벌하면서 연전연승을 거두었다.

◆所(소씨)

●所忠, 漢武時, 爲諫議大夫. 司馬相如病, 上使所忠往, 收遺書, 得書, 言封禪276)事.

○소충은 전한 무제 때 간의대부를 지냈다. 사마상여가 병이 나자 무제는 소충에게 그를 찾아가 남은 글을 수집케 하였는데, 글을 얻고 보니 봉선제에 관해 언급한 것이었다.

비를 관장하는 벼슬인 중루교위의 약칭.

272) 梁商(양상) : 후한 사람. 자는 백하伯夏. 시호는 충忠. 순제順帝의 장인으로 집금오執金烏와 대장군大將軍을 역임하였으나 늘 겸손하고 인재 추천을 잘 하였다. ≪후한서・양상전≫권64 참조.

273) 掾史(연사) : 한나라 이래로 관아에서 업무를 보좌하는 하급관리를 지칭하는 말. 구실아치, 아전. '연리掾吏' '연속掾屬' '연조掾曹' '연좌掾佐' 등 다양한 명칭으로도 불렸다.

274) 統制(통제) : 송나라 때 출정하는 군대를 통솔하는 무관을 가리키는 말. 북송 때는 총사령관을 도통제都統制라고 하였는데, 남송 때는 어영사도통제御營司都統制가 있었다.

275) 戚方(척방) : 남송 고종 때 장수. 명나라 능적지凌迪知의 ≪만성통보萬姓統譜≫권123 참조.

276) 封禪(봉선) : 제사의 종류. 천신天神에게 올리는 제사를 '봉封', 지신地神에게 올리는 제사를 '선禪'이라고 한다.

◆處(처씨)

●處興仕漢, 爲北海[277]太守.

○처흥은 후한에서 벼슬길에 올라 (산동성) 북해태수를 지냈다.

●處子, 漢辯士也, 著書九篇.

○처자는 전한 때 변론가로 글을 9편 지었다.

◆莒(거씨)

▶伯益[278]之後封於莒, 其後以國爲氏.

▷(하夏나라) 백익의 후손이 거나라에 봉해지자 그 후손이 나라 이름을 성씨로 삼은 것이다.

●莒誦仕漢, 爲緱氏[279]令.

○거송은 한나라에서 벼슬길에 올라 (하남성) 구씨현의 현령을 지냈다.

□九嚳(9우)

◆杜(두씨)

▶商音. 京兆. 劉累[280]之後在周爲唐杜氏, 成王滅唐, 遷封於杜, 其後遂爲杜氏.

▷음은 상음에 속하고 본관은 (섬서성) 경조군이다. (하夏나라) 유누의 후손은 주나라에서 당두씨라고 하였는데, 성왕이 당나라를 멸망시키고 두읍으로 옮겨서

---

277) 北海(북해) : 산동성의 속군屬郡 이름.

278) 伯益(백익) : 우虞나라 순왕舜王 때 동이족東夷族의 족장. 하夏나라 우왕禹王을 도와 치수사업을 완성하였는데, 우왕이 왕위를 선양하려고 하자 하북성 기산箕山 북쪽에 은거하였다고 전한다.

279) 緱氏(구씨) : 진한秦漢 때 현縣 이름이자 산 이름. 지금의 하남성 구씨진緱氏鎭 일대.

280) 劉累(유누) : 동보董父의 제자로 용을 잘 길들여 하夏나라 공갑孔甲의 총애를 받았다는 전설상의 인물. 씨는 어룡御龍.

봉하자 그 후손들이 급기야 두씨라고 한 것이다.

◇定策功(계책을 세운 공로)

●杜延年, 字幼公, 周少子也. 寬厚, 明法律. 昌邑王[281)]廢, 延年勸霍光立宣帝. 帝卽位, 以其定策安宗廟封侯益土. 出卽奉駕[282)], 入給事中[283)], 居九卿之位十餘年. 五鳳[284)]中, 乞致仕, 天子賜安車[285)]駟馬, 罷就第[286)]. 謚敬侯. 六子欽最知名.

○(전한) 두연년(?-B.C.52)은 자가 유공으로 두주杜周(?-B.C.95)의 막내아들이다. 성품이 관대하고 후덕하면서 법률에 정통하였다. (무제의 손자인) 창읍왕(유하劉賀)이 폐위당하자 두연년은 곽광에게 선제를 옹립할 것을 권하였다. 선제가 즉위하자 그가 종묘사직을 안정시킬 계책을 세운 공로 때문에 (사천성) 익주 땅의 제후에 봉하였다. 조정을 나서면 황명을 받들어 사신의 직책을 맡고, 조정에 들어가면 급사중을 맡다가 구경의 지위에 10년 넘게 있었다. (선제) 오봉(B.C. 57-B.C.54) 연간에 사직을 청하자 천자가 편안한 수레와 그것을 끌 네 마리 말을 하사하였기에 관직을 그만두고 집으로 돌아갔다. 시호는 '경후'이다. 여섯 명의 아들 가운데 두흠杜欽이 가장 명성을 떨쳤다.

---

281) 昌邑王(창읍왕) : 전한 무제武帝의 손자인 유하劉賀의 봉호. 무제의 아들 소제昭帝가 후사가 없어 태자에 봉해졌으나 품행이 방정하지 못 해 효소황후孝昭皇后 상관씨上官氏와 곽광霍光(?-B.C.68)에 의해 폐위당했다. ≪한서·무오자전武五子傳·창읍왕유하전≫권63 참조.

282) 奉駕(봉가) : 황명을 받들고 수레를 몰다. 즉 사신이나 장수의 직책을 맡는 것을 말한다.

283) 給事中(급사중) : 황제의 자문과 정사의 논의에 참여하던 벼슬로, 진한秦漢 이래 열후列侯나 장군將軍의 가관加官이었다가 진晉나라 이후로 정관正官이 되었다. 수당隋唐 이후로는 문하성門下省의 장관인 시중侍中과 버금장관인 문하시랑門下侍郞 다음 가는 요직으로 정령政令에 대한 논의와 시정時政을 담당하였다.

284) 五鳳(오봉) : 한漢 선제宣帝 때 연호(B.C.57-B.C.54).

285) 安車(안거) : 연로한 고관이나 귀부인이 편히 탈 수 있게 제작한 수레를 이르는 말.

286) 就第(취제) : 벼슬을 그만두고 집으로 돌아가는 것을 이르는 말.

◇小冠子夏(작은 갓을 쓰는 자하子夏 두흠杜欽)

●杜欽，字子夏，少好經書，目偏盲．茂陵[287]有杜鄴，與欽同姓字．故衣冠[288]謂欽爲盲杜子夏．欽惡之，乃著小冠，高廣才[289]三寸．由是更稱爲小冠杜子夏，而鄴爲大冠杜子夏云．建始[290]中，詔擧直言之士，詣白虎殿，對策[291]．欽對畢，賜帛．罷後，拜爲議郎[292]，復以病免．兄綏[293]以列侯[294]奉朝請[295]．綏子業嗣．

○(전한) 두흠은 자가 자하로 어려서부터 경서 공부를 좋아하더니 한쪽 눈이 멀고 말았다. (섬서성) 무릉현에 두업이란 사람이 있었는데, 두흠과 성씨와 자가 같았다. 그래서 벼슬아치들은 두흠을 ('한쪽 눈이 먼 두자하'란 의미에서) '맹두자하'라고 하였다. 두흠은 이러한 별명이 싫어서 높이와 너비가 고작 세 치밖에 안 되는 작은 갓을 썼다. 그래서 다시 '소관두자하'로 불렸고, 두업은 '대관두자하'로 불렸다. (성제) 건시(B.C.32-B.C.29) 연간에 직언을 잘 하는 선비를 천거하라는 조서가 내려지자 백호전으로 찾아가 대책에 응시하였다.

---

287) 茂陵(무릉) : 한나라 때 무제武帝의 왕릉인 무릉茂陵을 돌보기 위해 섬서성에 설치한 현 이름으로 대문호인 사마상여司馬相如(?-B.C.117)가 은퇴한 뒤 이곳에 살았기에 사마상여의 별칭으로도 쓰였다.

288) 衣冠(의관) : 관복官服과 갓. 벼슬아치를 비유한다.

289) 才(재) : 겨우, 고작. '재纔' '재裁'와 통용자.

290) 建始(건시) : 한漢 성제成帝의 연호(B.C.32-B.C.29).

291) 對策(대책) : 한나라 때부터 시행된 과거시험 방식의 일종. 정사政事나 경의經義에 대해 문제를 내고 답안을 제시케 하는 시험을 가리킨다. '대책對冊'으로도 쓴다.

292) 議郎(의랑) : 한나라 때 광록훈光祿勳 소속의 낭관郎官으로 자문에 응하고 인재를 초빙하는 업무를 맡아 보던 벼슬 이름.

293) 綏(수) : ≪한서・두완전≫권60에 의하면 '완緩'의 오기이다. 자형의 유사성으로 인한 필사 과정상의 단순 오기로 보인다.

294) 列侯(열후) : 진한秦漢 때 종실 사람을 봉한 제후諸侯와 구분하기 위해 외척이나 이성異姓의 공신을 봉한 작위를 일컫던 말이나 뒤에는 제후와 별 구분없이 사용되었다.

295) 奉朝請(봉조청) : 퇴직한 대신이나 황실의 외척이 정기적으로 조회에 참여하는 것을 일컫는 말에서 유래한 벼슬 이름. 고대에 제후가 봄에 조회하는 것을 '조朝'라고 하고, 가을에 조회하는 것을 '청請'이라고 한 데서 비롯되었다. 남북조 때는 일정한 직책이 없는 산관散官이었고, 당송 때는 조청대부朝請大夫라고 하였는데 품계는 종5품상이었다.

두흠은 대책을 마치고 비단을 하사받았다. 응시를 마친 뒤에는 의랑을 배수받았다가 다시 병 때문에 관직을 그만두었다. 형 두완杜緩은 열후의 신분으로 봉조청을 맡았다. 두완의 아들 두업杜業(?-1)이 그의 뒤를 이었다.

◇草書(초서)

●杜度, 字伯度, 東漢人. 與崔實皆工草書. 張伯英[296]自云, "上方崔杜, 不足!" 謂度與實也.

○두도는 자가 백도이고 후한 때 사람으로 최실과 함께 초서를 잘 썼다. 그래서 백영伯英 장지張芝가 "위로 두씨·최씨와 비교하면 아직 실력이 부족하구나!"라고 말한 적이 있는데, 이는 두도와 최실을 두고 한 말이다.

◇駁堯(요왕에 대해 반박하다)

●杜林, 字伯山, 博洽多聞, 時稱通儒. 初客河西, 拘於隗囂[297], 而不屈節. 弟成卒, 囂聽持喪歸, 遣刺客楊賢遮殺之. 賢見其身推鹿車[298], 自載弟喪, 嘆曰, "我雖小人, 何忍殺義士?" 因亡去. 光武召, 拜侍御史[299]. 引見問以經書, 時議郊祀[300], 多以漢當祀堯. 林曰, "漢業特起,

---

296) 張伯英(장백영) : 후한 때 사람 장지張芝. '백영'은 자. 장환張奐의 아들로 초서草書에 조예가 깊어 '초성草聖'으로 불렸다. ≪후한서·장환전≫권95 참조.

297) 隗囂(외효) : 후한 때 사람(?-33). 왕망王莽(B.C.45-A.D.23)의 신新나라 말엽에 감숙성 농서군隴西郡 일대에서 봉기하여 경시제更始帝 유현劉玄(?-25)과 광무제光武帝 유수劉秀(B.C.6-A.D.57)를 섬기다가 다시 공손술公孫述(?-36)을 섬겼으나, 광무제에게 연패하여 울화병으로 죽었다. ≪후한서·외효전≫권43 참조.

298) 鹿車(녹거) : 사슴이 끄는 수레. 작고 조촐한 수레를 비유한다.

299) 侍御史(시어사) : 주周나라 때 주하사柱下史에서 유래한 벼슬로서 위진魏晉 이후로는 주로 관리들의 비리를 규찰하였다. 당송唐宋 때는 어사대御史臺 소속으로 어사대부御史大夫·어사중승御史中丞 다음 가는 벼슬이었다.

300) 郊祀(교사) : 원래는 동지에 남쪽 교외에서 천제天帝에게 제를 올리는 것을 이르는 말이었으나, 뒤에는 하지에 북쪽 교외에서 지신地神에게 제를 올리는 일도 포함하는 말로 쓰였다.

功不緣堯." 故云, "杜林駁堯." 爲大司空[301].

○(후한) 두임(?-47)은 자가 백산으로 지식이 해박하고 견문이 풍부하여 당시에 '통유'로 불렸다. 처음에 (감숙성) 하서군에서 객지생활을 하다가 외효에게 억류당했지만 절조를 굽히지 않았다. 동생 두성杜成이 사망하자 외효는 두임이 상여를 끌고서 귀향한다는 말을 듣고서 자객 양현을 파견해 길을 차단하고 그를 죽이게 하였다. 양현은 그가 몸소 초라한 수레를 밀면서 손수 동생의 상여를 운반하는 것을 보고서는 감탄하여 말했다. "내 비록 소인배이기는 하나 어찌 차마 의로운 선비를 죽일 수 있으리오?" 그래서 두임은 도망칠 수 있었다. 광무제가 그를 불러 시어사를 배수하였다. 광무제가 그를 불러들여 접견하면서 경서를 묻게 되었는데, 당시 교사에 대해 논의하자 많은 사람들이 한나라는 의당 (당唐나라) 요왕에게 제사를 올려야 한다고 생각하였다. 그러자 두임이 말했다. "한나라의 국업이 특별히 일어난 것은 그 공로가 요왕과 아무런 상관이 없나이다." 그래서 "두임이 요왕에 대해 반박하였다"는 말이 생겨났다. 대사공에 올랐다.

◇杜母(두씨 성을 가진 어머니 같은 사또)

●杜詩, 字公君, 建武[302]初, 爲南陽太守, 政治淸平. 造水排[303](去聲)農器, 百姓便之. 郡內比室殷足[304], 人歌之曰, "前有召父[305], 後有杜

---

301) 大司空(대사공) : 벼슬 이름. 소호少昊 때 처음 설치되었는데, 주周나라 때는 동관冬官으로서 치수와 토목공사를 관장하였고, 전한 때는 어사대부御史大夫의 별칭이었으며, 뒤에는 대사마大司馬(태위太尉)·대사도大司徒와 함께 삼공三公의 하나였다. 명청 때는 공부상서工部尙書의 별칭으로도 쓰였다.

302) 建武(건무) : 후한後漢 광무제光武帝의 연호(25-55).

303) 水排(수배) : 수력으로 움직이는 풀무와 유사한 장치를 이르는 말.

304) 殷足(은족) : 풍족하다, 넉넉하다. '은殷'은 '다多'의 뜻.

305) 召父(소부) : 전한 사람인 소신신召信臣의 별칭. 하남성 남양태수南陽太守를 지내며 선정善政을 베풀어 남양군 백성들이 "전에는 소씨 성을 가진 아버지 같은 사또(소신신)가 계시더니, 뒤에는 두씨 성을 가진 어머니 같은 사또(두시)가 계시네(前有召父, 後有杜母)"라고 칭송했다는 고사가 ≪후한서後漢書·두시전杜詩傳≫권61에 전한다.

母.” 視事七年, 政化大行.

○(후한) 두시(?-38)는 자가 공군으로 (광무제) 건무(25-55) 초에 (하남성) 남양태수를 지내면서 청렴하고 공평하게 정사를 펼쳤다. 그가 수력에 의한 풀무('排'는 거성으로 읽는다)와 농기구를 제작하였기에 백성들이 편리하게 이용할 수 있었다. 군내의 집들마다 살림이 풍족해졌기에 백성들은 “전에는 소씨 성을 가진 아버지 같은 사또(소신신召信臣)가 계시더니, 뒤에는 두씨 성을 가진 어머니 같은 사또(두시)가 계시네”라고 노래하였다. 7년 동안 정사를 펼치자 교화가 크게 이루어졌다.

◇杜父(두씨 성을 가진 아버지 같은 사또)

●杜預, 字元凱[306], 博學, 朝野號曰杜武庫, 言無所不有也. 晉泰始[307]中, 爲河南尹, 以孟津渡險, 請建河橋於富平津. 羊祜[308]擧預自代, 拜鎭南將軍, 伐吳. 旣克江陵曰, “譬如破竹, 數節之後, 皆迎刃而解, 無復著手處也.” 吳平, 封當陽侯. 還襄陽, 侑[309]召信臣遺迹, 用滍淯諸水, 浸原田萬餘頃, 衆庶賴之, 號曰杜父. 預身不跨馬, 射不穿札[310], 而用兵制勝, 諸將莫及. 功成之後, 耽思經籍, 作春秋左傳[311]集解. 嘗對武

---

306) 元凱(원개) : 훌륭한 인재나 현신賢臣을 아우르는 말. 전설상의 임금인 오제五帝 가운데 전욱顓頊 고양씨高陽氏 때 여덟 명의 현신을 '팔개八凱'(팔개八愷)라고 하고, 제곡帝嚳 고신씨高辛氏 때 여덟 명의 현신을 '팔원八元'이라고 한 데서 유래하였는데, 두예의 자도 여기에 기원하는 듯하다.

307) 泰始(태시) : 진晉 무제武帝의 연호(265-274).

308) 羊祜(양호) : 진晉나라 사람. 자는 숙자叔子이고 봉호封號는 남성후南城侯. 채옹蔡邕(133-192)의 외손자이자 사마사司馬師(209-255)의 처남. 무제武帝 때 도독형주제군사都督荊州諸軍事로 선정을 베풀어 백성들이 타루비墮淚碑를 세워준 고사로 유명하다. 임종 때는 두예杜預(222-284)를 천거하였다. ≪진서·양호전≫권34 참조.

309) 侑(효) : 문맥상으로 볼 때 '본받을 效倣'의 오기인 듯하다.

310) 穿札(천찰) : 목판을 뚫다. 즉 활을 잘 쏘는 것을 말한다.

311) 春秋左傳(춘추좌전) : 노魯나라 은공隱公 원년元年(B.C.722년)부터 애공哀公 27년(B.C.468년)까지 약 250년 간의 춘추시대 역사를 기록한 ≪춘추경春秋經≫에 대한 전국시대 노魯나라 좌구명左丘明의 해설서인 ≪춘추좌씨전≫의 약칭. ≪좌씨전≫ ≪좌전≫으로도 약칭한다.

帝曰, "臣有左傳癖." 子錫.

○두예(222-284)는 자가 원개로 박학다식하여 조정이나 재야 사람들이 그를 '두무고'로 불렀으니 이는 '없는 것이 없이 다 갖추었다'는 말이다. 진나라 (무제) 태시(265-274) 연간에 (하남성) 하남윤을 맡으면서 맹진의 물길이 험하다고 생각해 부평진에 다리를 놓을 것을 주청하였다. 양호가 두예를 천거해 자신을 대신케 하면서 진남장군을 배수받아 (삼국) 오나라를 정벌하였다. (호북성) 강릉을 함락하고 나자 두예는 "비유하자면 마치 대나무를 쪼갤 때 몇 마디를 지난 뒤에는 칼날이 닿는 대로 쪼개져 더 이상 손 댈 곳이 없는 것과 같게 되었다"고 하였다. 오나라가 평정되자 당양후에 봉해졌다. (호북성) 양양으로 돌아가서는 (전한) 소신신의 발자취를 본받아 치수와 육수 등의 강물을 이용해서 밭 만여 경에 물을 대니 백성들이 그 혜택을 입고서 그를 '두부'라고 불렀다. 두예는 그 자신 말을 타지 않고 활을 쏠 줄도 몰랐지만 용병술로 승리를 거둔 면에서는 다른 장수들이 그를 따라잡을 수 없었다. 공을 세운 뒤에는 경서에 빠져들어 ≪춘추좌전집해≫를 지었다. 두예는 일찍이 무제 앞에서 "신은 ≪좌전≫에 집착하는 병이 있나이다"라고 말한 일이 있다. 아들은 두석杜錫이다.

◇針氈(모전에 바늘을 숨겨두다)

●杜錫, 字世嘏, 累遷太子舍人[312], 亮直忠烈, 屢諫太子. 太子患之, 置針於錫所坐氈中, 刺之流血.

○(진晉나라) 두석(254-301)은 자가 세하로 여러 관직을 거쳐 태자사인에 올랐는데, 성품이 강직하고 열성적이어서 누차 태자에게 간언을 올렸다. 태자는 이것이 싫어 두석이 앉는 모전에 바늘을 숨겨두어서 그를 찔러 피를 흘리게 한 일이 있다.

---

312) 太子舍人(태자사인) : 태자궁太子宮 소속으로 여러 가지 잡무를 처리하는 벼슬 이름.

◇神仙中人(선계에서 온 사람)

●杜乂, 預之孫, 美姿容. 王逸少[313]目之曰, "膚如凝脂, 眼如點漆, 神仙中人也." 劉惔曰, "衛玠[314]神清, 杜乂形清." 早卒.

○(진晉나라) 두예杜乂는 두예杜預(222-284)의 손자로 용모가 잘 생겼다. 그래서 일소逸少 왕희지王羲之는 그를 지목하여 "피부는 기름을 뭉쳐놓은 듯하고, 눈은 옻칠을 찍은 듯하니 선계에서 온 사람이다"라고 하였고, 유담은 "위개는 정신이 깨끗하고, 두예는 용모가 깨끗하다"라고 하였다. 일찍 사망하였다.

◇赤松峯(적송봉)

●杜曇永, 好仙道. 玉笥山[315], 古名群玉峯, 有三十六峯·二十四洞. 洞中有郁水坑·杏花塢, 山有赤松峯·飛仙峯·養素臺, 乃漢九眞人[316]·杜曇永·蕭子雲煉丹得道上昇之處.

○(남조南朝 양梁나라 때 사람) 두담영은 신선술을 좋아하였다. (절강성) 옥사산은 옛 이름이 군옥봉으로 36개의 봉우리와 24개의 동굴이 있다. 동굴에는 욱수갱과 행화오가 있고, 산에는 적성봉·비선봉·양소대가 있는데, 바로 한나라 때 아홉 명의 도사와 두담영·소자운이 단약을 조제하고 도술을 터득하여 승천한 곳이다.

---

313) 王逸少(왕일소) : 진晉나라 때 우군장군右軍將軍을 지낸 왕희지王羲之(321-379). '일소'는 자. 해서楷書·행서行書·초서草書 방면에 달인의 경지에 올라 '서성書聖'으로 불렸다. ≪진서·왕희지전≫권80 참조.

314) 衛玠(위개) : 진晉나라 사람. 자는 숙보叔寶. 태자선마太子洗馬를 지내 '위선마'로도 불렸다. 용모가 빼어나 '옥인玉人'이란 별칭으로 불렸고, 그의 수려한 용모를 구경하려고 몰려드는 사람들 때문에 병사하였다고 전한다. ≪진서·위개전≫권36 참조.

315) 玉笥山(옥사산) : 절강성 회계현會稽縣 남동쪽에 있는 산 이름. '옥사'는 비급祕笈을 담는 귀한 상자를 뜻하는 말로 천제天帝가 이 산에 내려주었다는 전설에서 유래하였다.

316) 漢九眞人(한구진인) : 한나라 때 아홉 명의 도사를 가리키는 말로 보이나 구체적으로 누구를 가리키는지 불분명하다. 박물군자가 밝혀주기를 기대한다.

◇良相(훌륭한 재상)

●杜如晦, 字克明, 少英邁, 負大節. 高孝基[317]見之曰, “君當爲棟梁[318]用, 願保令德.” 房玄齡[319]曰, “如晦, 王佐才也.” 太宗卽位, 進右僕射, 與玄齡共筦朝政. 房善謀, 杜善斷, 二人深相知. 當世稱良相, 必曰房杜. 皮日休七愛詩[320]云, “吾愛房與杜, 貧賤共聯步. 黃閣[321]三十年, 淸風一萬古.” 封萊國公. 子覯[322]·荷貶死. 弟楚客, 位工尙書[323].(又見房氏)

○(당나라) 두여회(585-630)는 자가 극명으로 어려서부터 총기가 있고 절조가 굳었다. 효기孝基 고구高搆가 그를 보더니 “자네는 분명 훌륭한 인재로 쓰일 것이니 좋은 인품을 잘 보전하시게”라고 하였고, 방현령은 “두여회는 황제를 보좌할 인재이다”라고 하였다. 태종이 즉위하고서 우복야로 승진해 방현령과 함께 조정의 정사를 관장하였다. 방현령은 정책을 잘 세우고 두여회는 결단력이 훌륭했는데, 두 사람은 서로를 잘 알아보았다. 당시에 훌륭한 재상을 거론하게 되면 어김없이 ‘방두’라고 하였다. 피일휴는 <존경하는 인물을 읊은

---

317) 高孝基(고효기) : 수나라 사람 고구高搆. ‘효기’는 자. 옹주사마雍州司馬·이부시랑吏部侍郞 등을 역임하였고, 당나라 초 명재상인 두여회杜如晦(585-630)와 방현령房玄齡(578-648) 등을 천거하여 인재를 잘 알아본다는 평을 받았다. 명나라 이현李賢의 ≪명일통지明一統志≫권32 참조.

318) 棟梁(동량) : 건물의 핵심적인 부분인 마룻대와 대들보. 나라의 근간이 되는 훌륭한 인재를 비유한다.

319) 房玄齡(방현령) : 당나라 때 명재상(578-648)으로 두여회杜如晦(585-630)와 함께 이름을 떨쳤다. ≪구당서·방현령전≫권66에서는 ‘교喬’가 본명이고 ‘현령玄齡’이 자라고 한 반면, ≪신당서·방현령전≫권96에서는 ‘현령’이 본명이고 ‘교’가 자라고 하였다. 그러나 상고上古 이후로 이름이 척자隻字이고 자가 쌍자雙字인 경우가 많은 것에 비추어 볼 때 ≪구당서≫의 기록이 맞을 듯하다. 다만 이름보다는 자가 더 통용되었을 것이다.

320) 七愛詩(칠애시) : 이는 동명의 제목인 오언고시五言古詩 7수 가운데 <방현령과 두여회 두 재상(房杜二相國)>에서 제1연과 제7연을 발췌하여 인용한 것으로 당나라 피일휴皮日休의 ≪문수文藪≫권10에 전한다.

321) 黃閣(황각) : 재상의 관서를 일컫는 말. 한나라 때 삼공三公이나 재상이 집무하는 관서의 대문을 황색으로 칠한 데서 유래하였다.

322) 覯(구) : ≪신당서·두여회전≫권96에 ‘구構’로 되어 있기에 이를 따른다.

323) 工尙書(공상서) : 당송 때 상서성尙書省의 육부六部 중 토목공사와 기물의 제작 및 수리 등에 관한 업무를 관장하던 공부의 장관인 공부상서工部尙書의 약칭. 휘하에 시랑侍郞과 낭중郞中·원외랑員外郞 등을 거느렸다.

시 7수>에서 "나는 방현령과 두여회를 경애하나니, 빈천했을 때부터 함께 나란히 하였네. 30년 동안 재상의 관서에서 지내며, 맑은 기풍을 영원히 남겼네"라고 하였다. 내국공에 봉해졌다. 아들 두구杜構와 두하杜荷는 귀양가서 죽었다. 동생 두초객杜楚客은 벼슬이 공부상서에 올랐다.(관련 내용이 앞의 '방'씨절 '용학앙소聳壑昂霄'항에도 보인다)

◇蘭臺(좋은 관상을 타고나다)

●杜淹, 字執禮, 如晦叔父也, 有材辯. 袁天綱[324]謂曰, "公蘭臺[325]學堂[326]全且博, 將以文章顯." 貞觀中, 檢校[327]吏部尙書.

○(당나라) 두엄(?-628)은 자가 집례로 두여회杜如晦(585-630)의 숙부인데 말재주가 뛰어났다. 원천강이 그에게 "공은 관상학적으로 코와 귀가 온전하고 넓은 것을 보니 장차 문장으로 고관에 오를 것입니다"라고 말한 일이 있다. (태종) 정관(627-649) 연간에 검교이부상서를 지냈다.

◇杜固(두고)

●杜正倫擧秀才[328], 一門三秀才. 與城南諸杜昭穆[329]素[330]遠, 求同譜,

---

324) 袁天綱(원천강) : 당나라 때 방사方士. ≪구당서·방기열전方伎列傳≫권191이나 ≪신당서·방기열전≫권204에서는 모두 '원천강袁天綱'으로 표기하였는데, 다른 문헌에서는 '원천강袁天罡' '원천강袁天剛'으로도 표기하였다. '천강天綱'과 '천강天罡' '천강天剛'이 모두 별자리 이름이라서 혼용한 것으로 보인다.

325) 蘭臺(난대) : 관상가들이 코의 왼쪽을 이르는 말.

326) 學堂(학당) : 관상가들이 귀의 앞쪽을 이르는 말.

327) 檢校(검교) : 진晉나라 때 처음으로 생긴 일종의 산관散官. 대행 내지 점검의 의미를 지닌다.

328) 秀才(수재) : 한나라 이후로 과거시험 가운데 하나. 당송 때는 주로 과거시험 응시자를 일컬었고, 명청明淸 때는 부학府學·주학州學·현학縣學에 입학한 생원生員을 일컬었으며, 일반 서생을 지칭하기도 하였다.

329) 昭穆(소목) : 종묘宗廟에서 제사 지낼 때 신주神主를 모시는 배열 순서를 일컫는 말. 시조始祖를 중앙에 두고 순서에 따라 좌우로 배열하는데, 왼쪽을 '소昭'라고 하고, 오른쪽을 '목穆'이라고 한다. 결국 친족 항렬의 순서를 가리키기도 한다.

330) 素(소) : 평소, 원래.

不許. 諸杜所居, 號杜固, 世傳其地有旺氣. 時正倫爲中書侍郎331), 建言鑿杜固, 通水以利人. 旣鑿川, 流如血. 自是南杜不振. 貞觀初, 魏徵薦之.

○(당나라) 두정륜(?-658)은 수재과에 급제하여 한 가문에서 세 명의 수재를 배출하였다. 도성 남쪽의 여러 두씨와 혈연관계가 원래 멀었기에 같은 족보를 쓸 수 있게 해 달라고 요구하였으나 허락받지 못했다. 여러 두씨가 거주하던 곳은 '두고杜固'로 불렸는데, 세간에는 그 땅에 왕성한 기운이 있다고 전해지고 있었다. 때마침 두정륜은 중서시랑을 맡게 되면서 '두고'를 파서 물길이 잘 통하게 해 백성들을 이롭게 할 것을 건의하였다. 냇물을 뚫고나자 마치 피처럼 붉은 물이 흘렀다. 그때부터 도성 남쪽의 두씨들은 세력을 떨치지 못 했다. (태종) 정관(627-649) 초에 위징이 그를 추천하였다.

◇眞宰相(진정한 재상)

●杜景佺, 唐武后朝, 同平章事332). 后於秋季出梨花一枝, 以示宰相, 朝臣皆賀. 景佺獨曰, "宰相助天理物而不和, 臣之咎也." 后曰, "眞宰相!"

○두경전은 당나라 측천무후 때 동평장사를 지냈다. 측천무후가 늦가을에 (봄에 볼 수 있는) 배꽃이 핀 가지를 하나 꺼내서 재상에게 보이자 조정의 신료들이 모두들 경하하였다. 그러나 두경전만은 "재상은 천자를 도와 만물을 다스려야 하는데도 조화를 이루지 못 하였으니 이는 신의 잘못이옵니다"라고 하였다. 그러자 측천무후가 "진정한 재상이로다!"라고 칭찬하였다.

---

331) 中書侍郎(중서시랑) : 황명의 기초와 출납을 관장하는 중서성中書省에서 장관인 중서령中書令 다음 가는 직책을 이르는 말.

332) 同平章事(동평장사) : 벼슬 이름인 동중서문하평장사同中書門下平章事의 약칭. 당나라 때 핵심 권력 기관인 상서성尙書省·중서성中書省·문하성門下省의 장관인 상서령尙書令·중서령中書令·문하시중門下侍中을 재상이라 하였는데, 상설하지 않는 대신 다른 집정관執政官들 가운데 선임하여 '동중서문하평장사同中書門下平章事'라 하고 재상으로 대우하였다. 명나라 초까지 이어지다가 폐지되었고, 그 지위와 명칭은 시대마다 약간의 차이가 있다.

◇五代五相(오대에 걸쳐 다섯 명의 재상을 배출하다)

●杜如晦·五世孫元潁·元潁姪審權·審權子讓能·讓能子曉, 五代五人拜相.

○(당나라) 두여회(585-630)와 오대손인 두원영杜元潁·두원영의 조카 두심권杜審權·두심권의 아들 두양능杜讓能·두양능의 아들 두효杜曉까지 오대에 걸쳐 다섯 사람이 재상을 배수받았다.

◇百紙參軍(종이를 백 장만 받은 참군)

●杜暹五世同居, 明經333)擢第, 補婺州參軍334). 秩滿335)歸, 吏以紙萬番贐之, 受百番, 號百紙參軍. 開元中, 同平章事.

○(당나라) 두섬(?-740)은 다섯 세대가 함께 살다가 명경과에 응시해 급제해서 (절강성) 무주참군에 임명되었다. 임기를 마치고 귀향하게 되자 관리가 종이 만 장을 선물로 주었지만 백 장만 받았기에 '백지참군'으로 불렸다. (현종) 개원(713-741) 연간에 동평장사에 올랐다.

◇幕中六客(막부의 여섯 명의 식객)

●杜鴻漸·張鎰·喬琳·陳少游·杜黃裳·高郢六人, 皆郭汾陽336)幕中

---

333) 明經(명경) : 한나라 때 경서經書에 밝은 사람에게 책문策問에 답하게 해서 인재를 뽑던 과거시험의 하나. 수隋나라 때 경전을 대상으로 하는 명경과와 문재文才를 시험하는 진사과로 나뉘었고, 당송唐宋 때까지 이어지다가 송나라 때 진사시험으로 통일되면서 폐지되었다.

334) 參軍(참군) : 한나라 이후로 왕부王府나 장수·사신·자사·태수 휘하에서 군무軍務를 참모參謀하던 벼슬에 대한 통칭. 시대와 기관에 따라 자의참군諮議參軍·기실참군記室參軍·기병참군騎兵參軍·사사참군司士參軍·공조참군功曹參軍·법조참군法曹參軍·녹사참군사錄事參軍事 등 다양한 이름의 참군이 있었다.

335) 秩滿(질만) : 관리의 임기가 다 찬 것을 이르는 말.

336) 郭汾陽(곽분양) : 당나라 때 명장 곽자의郭子儀(697-781). '분양'은 봉호封號. 삭방절도사朔方節度使·중서령中書令 등을 역임하였고, 분양군왕汾陽郡王에 봉해졌다. 안녹산安祿山(703-757)과 사사명史思明(703-761)의 반란을 진압하고, 복고회은僕固懷恩(?-765)과 토번吐蕃이 결탁한 반란을 토벌하는 등 혁혁한 무공을 세워 당대 최고의 무장武將으로 칭송받으며 '곽영공郭令公'('영공'은 중서령에 대한 존칭)으로도 불렸다. ≪신당서·곽자의전≫권137 참조.

客也. 後俱拜相.

○(당나라 때) 두홍점(709-769)·장일·교임·진소유·두황상·고영 6인은 모두 분양군왕汾陽郡王 곽자의郭子儀의 막부에서 지내던 식객이었다. 뒤에 모두 재상을 배수받았다.

◇撰通典(≪통전≫을 짓다)

●杜佑, 字君卿, 嗜學, 雖貴, 夜分猶讀書, 撰政典三十五篇. 又參益新禮, 爲二百篇, 號通典[337]. 奏之, 優詔[338]嘉美. 順宗朝, 拜司徒, 封岐國公.

○(당나라) 두우(735-812)는 자가 군경으로 학문을 좋아하여 비록 고관에 올라서도 밤시간에 여전히 공부를 하더니 정치에 관한 글 35편을 지었다. 다시 새로운 예법을 보태 200편으로 만들고는 이름을 ≪통전≫이라고 하였다. 이를 바치자 황제가 조서를 내려 칭찬하였다. 순종 때 사도를 배수받고 기국공에 봉해졌다.

◇禿角犀(뿔 없는 무소)

●杜悰, 字永裕, 佑之子[339]. 仕唐, 十擁旌節[340], 兩登相位, 三掌邦計[341], 一判版圖[342]. 凡三十七仕, 出入朝廷, 垂六十年, 而未嘗薦進幽隱. 佑之素風衰焉, 故時號禿角犀[343].

---

337) 通典(통전) : 당나라 때 두우杜佑(735-812)가 지은 책으로 태고에서부터 당대까지의 전장제도典章制度의 변천을 기술하였다. 총 200권. ≪사고전서간명목록·사부·정서류政書類≫권8 참조.

338) 優詔(우조) : 칭찬과 격려의 뜻을 담은 조서를 가리키는 말.

339) 子(자) : 엄밀히 말하면 '손孫'의 오기이다. ≪신당서·두종전≫권166에 의하면 두종은 두우의 아들이 아니라 손자이다.

340) 旌節(정절) : 황제가 사신에게 하사하는 깃발과 부절符節. '정旌'은 포상을 행사할 수 있는 권한을 표시하고, '절節'은 사람을 죽일 수 있는 권한을 나타낸다. 후대에는 절도사節度使의 막강한 권한을 상징하는 말이 되었다. ≪신당서·두종전≫권166에 두종이 여러 차례 절도사를 지냈다는 기록이 보인다.

341) 邦計(방계) : 국가 재정을 이르는 말로서 ≪신당서·두종전≫권166에 의하면 탁지度支 업무를 관장하는 상서우복야尙書右僕射에 오른 것을 말한다.

342) 版圖(판도) : 호적과 지도를 아우르는 말로서 ≪신당서·두종전≫권166에 의하면 사공司空에 오른 것을 가리키는 말인 듯하다.

343) 禿角犀(독각서) : 뿔이 없는 무소. 당나라 두종杜悰(794-873)의 고사에서

○두종(794-873)은 자가 영유로 두우杜佑(735-812)의 손자이다. 당나라에서 벼슬길에 올라 열 번이나 절도사에 오르고, 두 번이나 재상 자리에 올랐으며, 세 번이나 국가 재정을 관장하는 상서우복야를 지냈고, 한 차례 호적과 지도를 관장하는 사공에 올랐다. 도합 37번에 걸쳐 여러 벼슬을 지내면서 조정을 출입한 것이 거의 60년에 달하지만 일찍이 숨은 인재를 천거한 적이 없었다. 그래서 두우의 평소 기풍이 사라졌기에 당시에 '독각서'로 불렸다.

◇小杜(소두)

●杜牧, 字牧之, 有奇節, 不爲齪齪小謹344). 詩情豪邁, 人號爲小杜, 以別杜甫云.(本傳) 作阿房宮賦345), 辭甚警拔. 太和346)初, 崔郾試進士, 吳武陵見郾, 袖中出牧賦, 搢笏, 讀之曰, "牧方試." 有司347)請以第一人處之, 牧果異等.(文藝傳) 客牛奇章348)幕, 爲書記349), 微服逸遊, 有詩350)云, "落魄351)江湖載酒行, 楚腰352)纖細掌中輕353). 十年一覺揚

유래한 말로서 명성은 있으나 실제 재능이 없는 사람을 비꼬는 말이다.

344) 齪齪小謹(착착소근) : 지나치게 삼가고 조심하여 소심한 모양.

345) 阿房宮賦(아방궁부) : 당나라 두목杜牧(803-852)이 진秦나라 시황제始皇帝(B.C.259-B.C.210)의 아방궁의 웅장함을 읊은 부를 가리키는 말로서 그의 문집인 ≪번천집樊川集≫권1에 전한다.

346) 太和(태화) : 당唐 문종文宗의 연호(827-835).

347) 有司(유사) : 모종의 업무를 전담하는 담당관에 대한 범칭汎稱. '소사所司'라고도 한다. 여기서는 시험감독관을 가리킨다.

348) 牛奇章(우기장) : 당나라 우승유牛僧孺(779-847)의 별칭. '기장'은 그의 봉호인 기장군공奇章郡公의 준말. 자는 사암思黯이고 시호는 문간文簡. 호부시랑戶部侍郎·병부상서兵部尙書·태자소사太子少師 등을 역임하고, 문종文宗 때 이종민李宗閔과 함께 이덕유李德裕(787-850)를 제거한 우리당쟁牛李黨爭을 일으켰다. ≪신당서·우승유전≫권174 참조.

349) 書記(서기) : 당송唐宋 때 지방 장관이나 절도사節度使·관찰사觀察使·방어사防禦使·선무사宣撫使 등 여러 사신 밑에서 문서를 관장하던 속관屬官인 장서기掌書記의 약칭. 속관에는 사신마다 차이가 있으나, ≪신당서·백관지≫권49에 의하면 대개 부사副使·행군사마行軍司馬·판관判官·지사支使·장서기掌書記·추관推官·순관巡官·아추衙推 등을 두었다.

350) 詩(시) : 이는 칠언절구七言絶句 <회포를 풀다(遣懷)>를 인용한 것으로 ≪전당시全唐詩·두목≫권524에 전한다.

351) 落魄(낙탁) : 신세가 몰락한 모양. '낙탁落拓' '낙탁落度' '낙탁落托'으로도

州夢[354], 贏得[355]青樓薄倖[356]名." 遊湖州, 觀水戲[357], 後守湖州, 有'自恨尋芳到已遲'一詩[358]. 守黃州, 有詩[359]云, "平生五色[360]線, 願補舜衣裳."(詩話[361]) 會昌[362]中, 遷中書舍人, 時稱杜紫微[363]. 弟顗, 姪阿宜.

○(당나라) 두목(803-852)은 자가 목지로 빼어난 절조를 지녔고 소심한 모습을 보이지 않았다. 시상이 호방하였기에 사람들은 그를 '소두'라고 불러서 두보와 구별하였다.(≪신당서·두목전≫권166) 그가 지은 <아방궁을 읊은 부>는 문사가 무척 훌륭하였다. 그래서 (문종) 태화(827-835) 초에 최언이 진사시험을 실시하자 오무릉이 최언을 만나 소매에서 두목의 부를 꺼내 홀에 꽂고는 그것을 읽으며 말했다. "두목이 막 시험을 치렀습니다." 시험감독관이 장원급제자의 순

쓴다.

352) 楚腰(초요) : 가녀린 허리나 그런 여자를 이르는 말. 춘추시대 초楚나라 영왕靈王이 허리가 가는 여인을 좋아하여 초나라에 굶어죽은 여자가 많았다는 ≪한비자韓非子·이병二柄≫권7의 고사에서 유래하였다.

353) 掌中輕(장중경) : 손바닥에서도 가볍게 춤을 추다. 전한 성제成帝의 황후 조비연趙飛燕이 손바닥 위에서도 춤을 출 정도로 몸매가 날렵하였다는 ≪한서·외척열전·효성조황후전孝成趙皇后傳≫권97의 고사에서 유래한 말로 미인을 상징한다.

354) 揚州夢(양주몽) : 강소성 양주의 기생집에서 환락을 즐기던 일을 가리킨다.

355) 贏得(영득) : 초래하다, ~하는 결과를 낳다.

356) 薄倖(박행) : 박복하다, 사랑을 잃다.

357) 水戲(수희) : 용선龍船 경주나 잡기雜技 등 물에서 하는 여러 가지 놀이를 아우르는 말.

358) 詩(시) : 이는 칠언절구七言絶句 <꽃을 보고 탄식하다(歎花)> 가운데 첫 구절을 인용한 것으로 ≪전당시·두목≫권524에 전한다.

359) 詩(시) : 이는 장편 오언고시五言古詩 <군의 재실에서 혼자 술을 마시다(郡齋獨酌)> 가운데 한 연을 인용한 것으로 ≪전당시·두목≫권520에 전한다.

360) 五色(오색) : 정색正色인 청·적·황·백·흑색의 다섯 가지. 상서로운 징조를 상징한다.

361) 詩話(시화) : 시에 관한 평론이나 일화를 담은 책. 위의 예문과 유사한 내용이 송나라 호자胡仔의 ≪초계어은총화苕溪漁隱叢話≫후집권32에 전한다.

362) 會昌(회창) : 당唐 무종武宗의 연호(841-846).

363) 紫微(자미) : 별자리 이름인 자미원紫微垣에서 유래한 말로 황명의 기초와 출납을 관장하는 기관인 중서성中書省(자미성紫微省)이나 그 소속 관원을 비유하는데, 여기서는 두목杜牧의 관직인 중서사인을 가리킨다.

번에 그를 둘 것을 청하였기에 두목은 정말로 우수한 성적으로 급제할 수 있었다.(≪신당서·문예열전·오무릉전≫권203) 기장군공奇章郡公 우승유牛僧孺의 막부에서 서기직을 맡으면서도 미복 차림으로 한가로이 유람을 즐기며 시를 지어 "몰락한 신세로 강호에 술을 싣고 떠돌다 보니, 가녀린 몸매의 초나라 여인이 손바닥에서도 가볍게 춤을 추었지. 10년만에 (강소성) 양주의 꿈에서 깨어나고 보니, 푸른 누각에 기거하는 박복한 여인의 신세로다"라고 하였다. 또 (절강성) 호주를 떠돌며 물놀이를 구경하다가 뒤에 호주를 다스리게 되자 '꽃을 찾았으나 이미 늦은 것이 한스럽다'로 시작하는 시를 한 수 남겼다. 또 (호북성) 황주를 다스리면서는 시를 지어 "평생 오색실로, (우虞나라) 순왕의 의복을 깁고 싶었네"라고 하였다.(≪초계어은총화苕溪漁隱叢話≫후집後集권32) (무종) 회창(841-846) 연간에 중서사인으로 승진하였기에 당시 사람들이 그를 '두자미'로 불렀다. 동생은 두의杜顗이고, 조카는 두아의杜阿宜이다.

◇綠衣少年(녹의를 입은 젊은이)

●杜黃裳, 字遵素. 微時, 潘孟陽母問, "末坐綠衣少年何人?" 乃黃裳也. 曰, "此人全別, 必是貴人." 元和初, 拜相, 封邠國公.

○(당나라) 두황상(738-808)은 자가 준소이다. 평민 신분이었을 때 반맹양의 모친이 "좌석 말미에 앉아 있는 녹의를 입은 젊은이는 누구냐?"라고 물은 일이 있는데, 다름아니라 바로 두황상이었다. 그녀는 "이 사람은 기품이 전혀 다른 것을 보니 필시 귀인이 될 것이다"라고 하였다. (헌종) 원화(806-820) 초에 재상을 배수받고 빈국공에 봉해졌다.

◇文章四友(문장사우)

●杜審言, 字必簡, 才高傲世曰, "吾文章當得屈宋[364]作衙官[365], 吾筆當

364) 屈宋(굴송) : 전국시대 초楚나라 문인인 굴원屈原(약B.C.340-B.C.278)과 송옥宋玉을 아우르는 말.

365) 衙官(아관) : 부하 관리를 이르는 말. 속관, 아전, 구실아치.

得王右軍[366]北面[367].” 與李嶠·崔融·蘇味道爲文章四友, 與盧藏用等爲方外[368]十友[369]. 中宗朝, 爲修文館[370]直學士, 病甚, 謂宋之問曰, “甚爲造化小兒相苦.” 子閑, 閑子甫.

○(당나라) 두심언(약 645-708)은 자가 필간으로 뛰어난 재주를 믿고 오만한 태도로 “내 문장은 (전국시대 楚나라) 굴원屈原과 송옥宋玉을 아전으로 삼을 수 있고, 내 글씨는 (진晉나라) 우군장군右軍將軍 왕희지王羲之도 제자의 예를 갖추게 할 수 있다오”라고 하였다. 이교·최융·소미도와 함께 ‘문장사우’로 불렸고, 노장용 등과 함께 ‘방외십우’로 불렸다. 중종 때 수문관직학사를 지내다가 병이 심해지자 송지문에게 “조화옹이란 풋내기가 나를 몹시도 괴롭히는구려”라고 하였다. 아들은 두한杜閑이고, 두한의 아들은 두보杜甫이다.

◇詩史(시에 담은 역사)

●杜甫, 字子美, 袞州[371]人. 少貧, 擧進士, 不第, 困長安. 天寶末, 奏賦三篇[372], 帝奇之, 使待制[373]集賢院. 肅宗立, 甫上謁, 拜右拾遺[374].

---

366) 王右軍(왕우군) : 진晉나라 때 우군장군右軍將軍을 지낸 왕희지王羲之(321-379)의 별칭. 자는 일소逸少. 해서楷書·행서行書·초서草書 방면에 달인의 경지에 올라 ‘서성書聖’으로 불렸다. ≪진서·왕희지전≫권80 참조.

367) 北面(북면) : 북쪽을 향하다. 천자나 스승은 남향으로 앉고 신하나 제자는 북향으로 시립하기에 신하나 제자 노릇하는 것을 비유한다.

368) 方外(방외) : 속세 밖, 선경仙境을 뜻하는 말.

369) 十友(십우) : 노장용盧藏用·진자앙陳子昻·육여경陸餘慶·두심언杜審言·송지문宋之問·필구畢構·곽습미郭襲微·사마승정司馬承禎·조정고趙貞固·승려 회일懷一 등 10인을 가리킨다.

370) 修文館(수문관) : 당나라 때 국가의 주요 도서의 편찬·감수·교정 및 제도·의례에 대한 심사를 관장하던 관서 이름. 뒤에는 ‘홍문관弘文館’ ‘소문관昭文館’으로 개칭되기도 하였다.

371) 袞州(곤주) : 산동성의 속주屬州인 ‘연주兗州’의 오기. 자형의 유사성으로 인한 필사 과정상의 단순 오기로 보인다.

372) 賦三篇(부삼편) : 현종玄宗 때 태청궁太淸宮에서 노자老子에게 제를 올리는 것을 읊은 <조헌태청부朝獻太淸賦>, 태묘太廟에서 조종祖宗에게 제를 올리는 것을 읊은 <조향태묘부朝享太廟賦>, 남교南郊에서 천제에게 제를 올리는 것을 읊은 <유사어남교부有事於南郊賦> 등 세 편의 부에 대한 합칭인 ‘삼대례부三大禮賦’를 가리키는데, 청나라 구조오仇兆鰲(1640-1714)의 ≪두시상주杜詩詳註≫권24에 전한다.

因上書, 救房琯, 黜客秦州. 流落劍南[375], 依嚴武, 武表爲參謀, 檢校工部員外郎[376]. 嘗從李白・高適過汴州, 酒酣, 登吹臺慷慨, 懷古人莫測也. 大曆[377]中, 客耒陽, 一夕大醉, 卒. 少與李白齊名, 時稱李杜. 韓詩[378]云, "李杜文章在, 光芒萬丈長." 宋子京[379]贊云, "善陳時事, 千言不少衰, 世號詩史. 殘膏賸馥[380], 沾丐[381]後人, 多矣."

○(당나라) 두보(712-770)는 자가 자미로 (산동성) 연주 사람이다. 어려서부터 가난한 삶을 살다가 진사시험에 응시하였으나 낙방하여 (도성인 섬서성) 장안에서 힘든 생활을 하였다. 천보(742-756) 말엽에 부 세 편을 바치자 현종이 훌륭하다고 생각해 그에게 집현원에서 대제직을 맡게 하였다. 숙종이 즉위하자 두보는 알현을 청해 우습유를 배수받았다. 그참에 글을 올려 방관을 구하려다가 쫓겨나 (감숙성) 진주에서 객지생활을 하였다. (사천성 일대인) 검남도를 떠돌다가 엄무에 의지하자 엄무가 상소문을 올려 참모로 삼고 검교공부원

373) 待制(대제) : 당나라 태종太宗 때부터 5품 이상의 경관京官 가운데 조정의 주요 기관에서 숙직하며 수시로 황제에게 자문을 주던 관직을 이르는 말.

374) 拾遺(습유) : 당나라 측천무후則天武后(624-705) 때 처음 신설된 규간規諫을 관장하는 벼슬. 좌・우습유가 있었는데, 좌습유는 문하성門下省 소속이고 우습유는 중서성中書省 소속이었다. 송나라 때는 좌左・우정언右正言으로 개칭되었다.

375) 劍南(검남) : 당나라 때 설치한 도道 이름. 중국 서남부 검문산劍門山 이남의 사천성 일대를 가리킨다.

376) 工部員外郎(공부원외랑) : 조정의 핵심 행정 기관인 상서성尙書省 휘하의 육부六部 가운데 국가의 중요한 건설과 수리・교통 등에 관한 일을 관장하는 기관인 공부의 속관屬官을 이르는 말. 상관으로 장관인 상서尙書와 버금 장관인 시랑侍郎, 그리고 실무담당자인 낭중郎中이 있었다.

377) 大曆(대력) : 당唐 대종代宗의 연호(766-779).

378) 詩(시) : 이는 오언고시五言古詩 <장적을 놀리다(調張籍)> 가운데 제1연을 인용한 것으로 송나라 위중거魏仲擧가 엮은 ≪오백가주창려문집五百家注昌黎文集≫권5에 전한다.

379) 宋子京(송자경) : 송나라 사람 송기宋祁(998-1061). '자경'은 자. 시호는 경문景文. 송상宋庠(996-1066)의 동생으로 구양수歐陽修(1007-1072)와 함께 ≪신당서≫ 편찬에 참여하였다. 저서로 ≪경문집景文集≫ 62권 등이 전한다. ≪송사・송기전≫권284 참조.

380) 殘膏賸馥(잔고승복) : 기름과 향기를 남기다. 두보가 아름다운 시를 많이 남긴 것을 비유한다.

381) 沾丐(첨개) : 도움을 주다.

외랑을 맡게 해 주었다. 일찍이 이백·고적을 따라 (하남성) 변주에 들러서 술을 거나하게 마시고는 취대에 올라 강개한 심경에 젖어서 고인을 한없이 그리워한 일이 있다. (대종) 대력(766-779) 연간에는 (호남성) 뇌양현을 떠돌다가 어느날 밤 술에 너무 취해 생을 마치고 말았다. 어려서부터 이백과 이름을 나란히 떨쳐 당시에 '이두'로 불렸다. 한유韓愈는 시에서 "이백과 두보의 문장이 있어, 광채가 만 장이나 멀리 뻗었다네"라고 하였다. 또 (송나라) 자경子京 송기宋祁는 (≪신당서·두보전≫권201의) 찬문에서 "시사를 잘 진술하여 천 마디를 늘어놓아도 조금도 쇠약한 기미를 보이지 않았기에 세상 사람들은 그의 시를 '시사'라고 한다. 기름과 향기를 남겨 후세 사람들에게 많은 도움을 주었다"고 하였다.

◇射策第(과거시험 급제를 기약하다)

●杜勤, 甫從姪也. 下第歸, 甫作詩別之云[382), "只今年才十六七, 射策[383)君門[384)期第一."

○(당나라) 두근은 두보杜甫(712-770)의 종질이다. 과거시험에 낙방하고 귀향하자 두보가 시를 지어 그와 작별하면서 "이제 나이 고작 열예닐곱 살이니, 조정에서 과거시험을 치르면 틀림없이 장원을 할 것이네"라고 하였다.

◇九華山人(구화산인)

●杜荀鶴, 字彦之, 隸業[385)九華山, 號九華山人. 長於宮詞[386), 爲唐第

---

382) 云(운) : 이는 악부시樂府詩 <술에 취해 부르는 노래(醉歌行)> 가운데 한 연을 인용한 것으로 ≪두시상주≫권3에 전한다.

383) 射策(석책) : '책문策問을 맞추다.' 한나라 때 과거시험의 일종으로 문제를 적은 간책簡策을 응시자가 골라서 답안을 작성하던 일을 가리킨다. 뒤에는 과거시험에 대한 범칭으로 쓰였다.

384) 君門(군문) : 궁문. 즉 조정을 가리킨다.

385) 隸業(예업) : 공부하다, 학업을 닦다. '예隸'는 '이肄'와 통용자.

386) 宮詞(궁사) : 궁중을 배경으로 지은 시를 이르는 말. 당나라 왕건王建(약 768-?)의 ≪왕사마집王司馬集≫권8에 수록된 칠언절구七言絶句 형식의 <궁사> 100수가 유명하다.

一. 有詩[387]云, "風暖鳥聲碎, 日高花影重." 時稱杜詩三百首妙在一聯中.

○(당나라) 두순학(846-904)은 자가 언지로 (안휘성) 구화산에서 공부를 하였기에 호를 구화산인이라고 하였다. 궁사를 잘 지어 당나라 제일이란 평을 받았다. 그가 시에서 "바람 따듯하니 새 소리가 부숴지고, 해가 드높으니 꽃 그림자 겹치네"라고 한 말에 대해 당시 사람들은 두보의 시 300수의 묘미가 이 한 연에 담겨 있다는 칭찬을 하였다.

◇淸白宰相(청렴한 재상)

●杜衍, 字世昌, 擢進士甲科, 知乾州, 未滿歲, 改知鳳翔[388]. 二邦之民, 爭於境上, 一曰, "我公也, 汝奪之." 一曰, "今我公也, 汝何有焉?" 慶曆[389]中, 大拜, 時號淸白宰相. 封祁國公. 至和[390]中, 退居睢陽[391], 與王渙等爲睢陽五老[392]. 錢明善[393]爲序[394]云, "蹈榮名而保終吉, 却貴勢而躋遐耉[395]. 白首一節, 人生所難!" 衍詩[396]云, "五人四百有餘歲[397], 俱稱分曹與掛冠[398]. 天地至仁難補報, 林泉幽致許盤桓[399]. 花

387) 詩(시) : 이는 오언율시五言律詩 <봄날 궁녀의 한(春宮怨)> 가운데 경련頸聯을 인용한 것으로 당나라 두순학杜荀鶴의 ≪당풍집唐風集≫권1에 전한다.
388) 鳳翔(봉상) : 섬서성에 있는 대단위 행정 구역인 봉상부鳳翔府의 준말.
389) 慶曆(경력) : 북송北宋 인종仁宗의 연호(1041-1048).
390) 至和(지화) : 북송北宋 인종仁宗의 연호(1054-1055).
391) 睢陽(수양) : 안휘성의 속현屬縣이자 산 이름.
392) 五老(오로) : 두연杜衍·왕환王煥·필세장畢世長·주관朱貫·풍평馮平 등 다섯 원로를 가리킨다.
393) 錢明善(전명선) : 다른 문헌에 의하면 송나라 전역錢易의 아들인 '전명일錢明逸'의 오기이다.
394) 序(서) : 이 글은 송나라 사유신謝維新의 ≪고금합벽사류비요古今合璧事類備要·수전문壽典門·수壽≫전집前集권58에 전한다.
395) 遐耉(하구) : 오래 살다, 장수하다.
396) 詩(시) : 이는 칠언율시七言律詩 <수양오로를 그린 그림(睢陽五老圖)>을 인용한 것으로 송나라 진사陳思가 엮은 ≪양송명현소집兩宋名賢小集≫권69에 수록된 ≪두기공척고杜祁公摭稿≫에 전한다.
397) 四百有餘歲(사백유여세) : 주에 의하면 두연杜衍이 80세, 왕환王煥이 90세, 필세장畢世長이 94세, 주관朱貫이 88세, 풍평馮平이 87세라서 도합 439세이

朝月夕隨時樂, 雪鬢霜髯滿坐寒. 若也睢陽爲故事, 何妨列向畵圖看?"

○(송나라) 두연(978-1057)은 자가 세창으로 진사시험 갑과에 급제하여 (섬서성) 건주를 다스리다가 1년도 되지 않아 다시 봉상부를 다스렸다. 그 바람에 두 지방의 백성들이 경계선에서 언쟁을 벌이는 일이 발생했는데, 한 사람이 "우리 사또인데 그대들이 빼앗았소"라고 하자 상대편 사람이 "이제는 우리 사또이니 그대들이 무슨 상관이오?"라고 하였다. (인종) 경력(1041-1048) 연간에 재상을 배수받아 당시에 '청백재상'으로 불렸다. 기국공에 봉해졌다. (인종) 지화(1054-1055) 연간에는 (안휘성) 수양현에 은거하여 왕환 등과 수양오로회를 결성하였다. 전명일錢明逸이 서문을 지어 "영화와 명예를 누리다가도 길한 죽음을 보전하려면 부귀와 권세를 물리치고 장수를 추구해야 하겠지만, 나이 들어 절조를 지키는 일은 인지상정상 하기 어려운 일이로다!"라고 하였다. 두연은 시에서 "다섯 사람의 나이를 합치면 4백 살이 넘는데, 모두 잘 어울리는 부서에서 각자 근무하다가 함께 사직하였네. 천지의 지극히 어진 덕에 보답하기는 어려워도, 산천의 그윽한 운치를 돌아다니며 만끽하는 일은 허락받았네. 꽃 피는 아침과 달 뜨는 밤에 때 맞춰 즐거움을 누리다 보니, 눈처럼 하얀 귀밑머리와 서리처럼 하얀 수염을 한 노인들이 앉은 자리에는 한기가 넘치누나. 만약에 수양현의 모임이 하나의 고사가 된다면, 그림을 향해 나란히 서서 구경하는 일이 어찌 생기지 않으리오?"라고 하였다.

◇三豪(세 명의 달인)

●杜默, 字師雄, 豪於歌, 石曼卿[400]豪於詩, 歐陽永叔[401]豪於文. 默上永

기에 하는 말이다.

398) 掛冠(괘관) : 갓을 걸어 놓다. 전한 때 봉맹逢萌이 왕망王莽(B.C.45-A.D.23)의 신하가 되는 것이 싫어서 하남성 낙양洛陽 성문에 갓을 걸어 놓고 요동遼東으로 떠났다는 고사에서 유래한 말로 벼슬을 그만두는 것을 비유한다. 반대로 벼슬에 나가는 것은 갓을 쓰기 위해 '갓의 먼지를 턴다'는 뜻의 '탄관彈冠'이라고 한다.

399) 盤桓(반환) : 주위를 맴도는 모양, 왕래하는 모양.

叔詩云, "一片靈臺402)掛明月, 萬丈辭熖飛長虹. 乞取一杓鳳池403)水, 活取久旱蟠泥龍404)."

○(송나라) 두묵은 자가 사웅으로 가행체를 잘 지었고, 만경曼卿 석연년石延年은 시를 잘 지었으며, 영숙永叔 구양수歐陽修는 산문을 잘 지었다. 두묵은 구양수에게 바치는 시에서 "궁중의 영대에 밝은 달이 걸리니, 만 장에 달하는 글의 광채가 기다란 무지개를 날리겠지요. 청하옵건대 (중서성 옆) 봉황지의 물을 한 주걱 떠다가, 오랜 가뭄 속에 진흙 속에 웅크리고 있는 용을 산 채로 잡으시옵소서"라고 하였다.

◇隱士風(은자의 기풍)

●杜介之, 瓊州人, 眞純野逸, 有隱士風. 李光贈詩405)云, "白鬚映紅頰, 疑是羲皇406)人."

---

400) 石曼卿(석만경) : 송나라 사람 석연년石延年(994-1041). '만경'은 자. 시를 잘 짓고 술을 좋아하여 '주선酒仙'으로 불렸다. 대리시승大理寺丞·태자중윤太子中允 등을 역임하였다. ≪송사·석연년전≫권442 참조.

401) 歐陽永叔(구양영숙) : 송나라 때 대문호이자 재상을 지낸 구양수歐陽修(1007-1072). '영숙'은 자. 시호는 문충文忠. 저서로 ≪문충집文忠集≫ 158권 등이 전한다. ≪송사·구양수전≫권319 참조.

402) 靈臺(영대) : 황제가 천문天文이나 재이災異를 관찰하기 위해 세우는 건물을 이르는 말. '관대觀臺'라고도 한다.

403) 鳳池(봉지) : 위진남북조魏晉南北朝 이래로 조정의 중서성中書省 옆에 있던 연못인 봉황지鳳凰池의 준말. 여기서는 결국 중서성에서 작성하는 조서를 비유적으로 가리키는 듯하다.

404) 蟠泥龍(반니룡) : 진흙 속에서 웅크리고 있는 용. 보통 숨은 인재를 비유하는데, 여기서는 두묵杜默 자신의 등용을 비유하는 말인 듯하다.

405) 詩(시) : 이는 오언고시五言古詩 <(해남성) 경주의 유수 동쪽으로 숲이 무성하여 나는 이곳 세 선비가 사는 거처를 좋아한다. 비록 정자나 숙소 같은 빼어난 건축물은 없어도 기상이 맑고 심원하다. 연일 물이 불어나 길이 끊기면 아득히 시상이 떠오르기에 각자 시를 한 수씩 완성해서 '성동삼영'이라고 이름 지었다. 지금은 2수만 전한다(瓊惟水東, 林木幽茂, 予愛此三士所居. 雖無亭館之勝, 而氣象淸遠. 連日水漲隔絶, 悠然遐想, 各成一詩, 目爲城東三詠. 今存二首)> 가운데 제1수의 한 연을 인용한 것으로 송나라 이광李光의 ≪장간집莊簡集≫ 권2에 전한다.

406) 羲皇(희황) : 삼황오제三皇五帝의 첫 번째 황제인 복희씨伏羲氏의 별칭. 태평성대를 상징한다.

○(송나라) 두개지는 (해남성) 경주 사람으로 순수하고 세속의 때가 묻지 않아 은자의 기풍이 있었다. 이광(1078-1159)이 시를 주어 "흰 수염이 붉은 뺨과 어울리니, 희황(복희伏羲) 때 사람이 아닐까 하네"라고 하였다.

◇杜殿院(전중시어사殿中侍御史 두신로杜莘老)

●杜莘老, 宋紹興中, 爲侍御史, 不畏强禦[407]. 罷去, 朝士祖道[408]東門者百餘人. 雖武夫賤隸, 誦說骨鯁[409]敢言之臣, 必曰'杜殿院[410]'云.

○두신로(1107-1164)는 송나라 (고종) 소흥(1131-1162) 연간에 전중시어사에 임명되어 권세가들도 두려워하지 않았다. 관직을 그만두고 떠날 때 조정의 선비들 가운데 동문에서 길제사를 지내고 전송연을 열어 준 사람이 백 명을 넘었다. 비록 무관이나 천한 노예조차도 충언을 과감하게 말하는 신하를 얘기할 때면 반드시 '두전원'을 언급하였다고 한다.

●杜康[411]善造酒, 以酉日死. 故酉日不飮食會客.

○두강은 술을 잘 빚다가 유일酉日에 죽었다. 그래서 유일에는 음식을 차려놓고 손님을 부르지 않는다.

●杜周, 漢武時, 爲廷尉[412]. 二子夾・河爲郡守. 家貲累鉅萬.

---

407) 强禦(강어) : 성품이 거칠면서 권력이 있는 사람을 이르는 말.

408) 祖道(조도) : 먼 곳으로 떠나는 사람을 위해 길제사를 지내주고 잔치를 베풀어 전송하는 것을 일컫는 말.

409) 骨鯁(골경) : 원래 고기나 생선의 뼈, 혹은 생선의 뼈와 가시를 일컫는 말로 강직한 신하의 충언忠言을 비유한다.

410) 殿院(전원) : 어사대에 소속되어 전정殿廷의 예의禮儀를 관장하는 벼슬인 전중시어사殿中侍御史의 별칭. '전원'은 어사대의 삼원三院, 즉 시어사侍御史가 관장하는 대원臺院과, 전중시어사殿中侍御史가 관장하는 전원殿院, 감찰어사監察御史가 관장하는 찰원察院 가운데 하나를 가리킨다. 따라서 앞의 '시어사'는 전중시어사의 약칭으로 쓴 듯하다.

411) 杜康(두강) : 의적儀狄과 함께 중국에서 최초로 술을 빚었다고 전하는 전설상의 인물.

412) 廷尉(정위) : 진秦나라 이후로 옥사獄事와 형벌을 관장하는 기관이나 그 장

○두주(?-B.C.95)는 전한 무제 때 정위를 지냈고, 두 아들인 두협杜夾과 두하杜河는 군수를 지냈다. 집에 재산이 어마어마하게 많았다.

●杜喬, 字叔榮, 與周詡等八使[413]巡行天下, 號八俊.

○(후한) 두교는 자가 숙영으로 주허周栩 등 여덟 명의 사신과 함께 천하를 순행하면서 '팔준'으로 불렸다.

●杜密, 漢桓靈[414]時黨人[415], 與李膺齊名, 號李杜.

○두밀(?-169)은 후한 환제와 영제 때 당고 사건에 휘말린 사람으로 이응과 나란히 이름을 떨쳐 '이두'로 불렸다.

※女德婚姻(여덕과 혼인)

◇能詩(시를 잘 짓다)

●杜羔妻劉氏能詩. 羔登第未回, 寄詩云, "長安此去無多地, 鬱鬱葱葱[416]佳氣浮. 良人得意正年少, 今夜醉眠何處樓?" 羔得詩, 卽回.

○(당나라) 두고의 아내 유씨는 시를 잘 지었다. 두고가 과거시험에

관을 이르는 말. 태상太常·광록훈光祿勳·위위衛尉·태복太僕·홍려鴻臚·종정宗正·대사농大司農·소부少府와 함께 그 관서는 '구시九寺'라고 하고, 그 장관은 '구경九卿'이라고 하였는데, 삼공三公 다음 가는 최고위 관직이었다.

413) 八使(팔사) : 후한 순제順帝가 각지의 주군州郡을 순찰케 하기 위해 같은 날에 파견한 여덟 명의 사신을 아우르는 말. ≪후한서·주거전≫권91의 기록에 의하면 주거周擧·두교杜喬·곽준郭遵·풍선馮羨·난파欒巴·장강張綱·주허周栩·유반劉班 등 8인을 가리킨다. 따라서 앞의 '주허周詡'는 '주허周栩'의 오기이다.

414) 桓靈(환령) : 후한 말엽 황제인 환제桓帝와 영제靈帝를 아우르는 말.

415) 黨人(당인) : 정치적 견해를 같이 하는 붕당朋黨을 이르는 말. 후한 말엽에 환관들이 이응李膺(?-169)·두밀杜密(?-169) 등을 당인으로 몰아 하옥시킨 당고黨錮 사건이나, 송나라 휘종徽宗 때 왕안석王安石(1021-1086)을 추종한 채경蔡京(1047-1126) 등이 신법新法을 반대한 사마광司馬光(1019-1086) 등 309명을 '원우당인元祐黨人'이라고 하여 그 죄상을 적어서 단례문端禮門에 비석을 세운 사건 등이 유명하다.

416) 鬱鬱葱葱(울울총총) : 기운이 왕성한 모양.

급제하고서 돌아오지 않자 다음과 같은 시를 부쳤다. "(섬서성) 장안은 여기서부터 그다지 멀지 않건만, 왕성하니 좋은 기운이 떠다니나보다. 남편이 뜻을 이룬 지금 한창 젊은 나이이니, 오늘밤 술에 취해 어느 기루에서 잠을 잘까?" 두고가 시를 받더니 즉시 귀가하였다.

◇廐中騏驥(마구간의 천리마)

●杜廣[417]初爲劉景廐卒. 景問其意, 廣申敍有條, 景執其手曰, "吾久負賢者!" 告其妻曰, "爲女求夫三十年, 不覺廐中有騏驥[418]." 於是妻之. 後廣爲商州刺史.

○(오호십육국五胡十六國 전조前趙 때 사람) 두광은 처음에 유경의 마구간지기였다. 유경이 생각을 물었을 때 두광이 조리있게 자신의 생각을 펼치자 유경이 그의 손을 잡으며 말했다. "내 오래도록 현자를 몰라보았구려!" 그리고는 아내에게 말했다. "딸을 위해 남편감을 찾은 지 30년이나 되건만 마구간에 천리마가 있는 줄 몰랐소이다 그려." 그래서 딸을 그에게 시집보냈다. 뒤에 두광은 (섬서성) 상주자사에 올랐다.

◇問疾得婚(병문안을 갔다가 신부를 얻다)

●宋杜驥年十三, 父使之往問同郡韋華疾. 華子玄見而異之, 以女妻焉. 後爲青・冀二州刺史, 拜左將軍.

○송나라 두기가 나이 열세 살 되었을 때 부친이 그에게 동향 사람인 위화의 병문안을 가게 하였다. 위화의 아들 위현韋玄이 그를 보고서는 대견하게 생각해 딸을 그에게 시집보냈다. 뒤에 두기는 (산동성) 청주와 (하북성) 기주 두 주의 자사를 지내다가 좌장군을 배수받았

417) 杜廣(두광) : 두광에 대해서는 사서史書에 전기가 없어 알려진 바가 없다. 다만 송나라 이방李昉(925-996)의 ≪태평어람太平御覽・종친부宗親部9・자서子壻≫권519에서는 출처에 대해 ≪삼십국춘추三十國春秋≫라고 하면서 오호십육국五胡十六國 가운데 전조前趙 사람이라고 밝혔기에 이를 따른다.

418) 騏驥(기기) : 천리마. '기騏'와 '기驥' 모두 천리마 이름.

다.

◇敎兒讀書(아이들에게 글 읽는 법을 가르치다)

●杜衍微時客濟源縣, 縣令知其必貴, 令大姓[419]相里氏與之結婚, 不成. 衍別娶而亡. 令曰, "相里氏女當作國夫人矣." 乃召相里氏之弟曰, "秀才杜君, 人才足依, 當以汝女弟事之." 議定, 其兄悵然曰, "俾敎諸兒讀書耳." 未成婚而衍登第, 相里氏兄厚資, 往見之. 衍曰, "婚議定, 其敢違? 但某出仕, 頗憂門下無敎兒讀書者耳." 相里兄大慙以歸.

○(송나라) 두연(978-1057)이 평민일 때 (하남성) 제원현에서 객지생활을 하였는데, 현령이 그가 필시 고관에 오르리란 것을 알고서 대성인 상리씨에게 그와 혼사를 맺으라고 했지만 성사되지 않았다. 두연은 다른 여인에게 장가들었지만 아내가 죽고 말았다. 그러자 현령이 "상리씨의 딸이 분명 (제후의 아내인) 국부인이 될 것이오"라고 하고는 상리씨 가문의 동생을 불러 말했다. "수재인 두군은 재능이 의지하기에 충분하니 자네 여동생을 그에게 시집보내도록 하게." 결혼 얘기가 정해지자 그의 형이 슬픈 표정을 지으며 말했다. "사람을 시켜 아이들에게 공부를 가르치면 그만일 것이네." 결국 결혼이 성사되지 않았다가 두연이 과거시험에 급제하자 상리씨 가문의 형이 재물을 후하게 준비해 그를 찾아와 알현하였다. 그러자 두연이 말했다. "결혼 얘기가 정해졌었거늘 어찌 감히 어길 수 있겠습니까? 다만 저는 벼슬길에 나서면서 자못 문하에 아이들에게 글 읽는 법을 가르칠 제자가 없는 것이 걱정스러울 뿐입니다." 상리씨 가문의 형이 무척 부끄러워하며 되돌아갔다.

◇求佳婿(훌륭한 사위를 찾다)

●杜衍有女, 夫人鍾愛之, 必求佳婿, 以妻蘇舜欽.(見蘇氏)

○(송나라) 두연(978-1057)에게 딸이 있었는데 부인이 그녀를 무척

---

419) 大姓(대성) : 권세가 큰 가문을 이르는 말. 거성巨姓·호족豪族·세가世家·토호土豪 등과 뜻이 유사하다.

사랑해 필시 훌륭한 사위를 찾고자 하다가 소순흠에게 시집보냈다. (상세한 내용은 앞의 '소'씨절 '혼인婚姻'항에 보인다)

●杜姥[420], 晉武帝朝, 崇進爲廣德縣君.(見裴氏)

○(두예杜乂의 아내인) 두모는 진나라 무제 때 광덕현군으로 승격되어 봉해졌다.(상세한 내용은 앞의 '배'씨절에 보인다)

●杜有道妻能教子以禮法.

○(진晉나라) 두유도의 아내는 아들에게 예법을 잘 가르쳤다.

●杜悰二子登第, 人謂"非其母賢, 不能成其子."

○(당나라) 두종(794-873)의 두 아들이 과거시험에 급제하자 사람들은 "모친의 어진 성품이 없었다면 아들들을 제대로 키울 수 없었을 것이다"라고 하였다.

●杜羔有至性, 於兵亂後, 訪求得母, 而奉養焉.

○(당나라) 두고는 효성이 지극해 병란 뒤에 사방팔방으로 모친을 찾아서 잘 모셨다.

※妓妾(기녀와 첩실)

●杜鴻漸以司空[421]鎭揚州, 韋應物爲蘇州刺史, 過之. 杜出二妓爲宴, 韋爲賦'司空見慣[422]'一章.(一作劉禹錫過洛)

---

420) 杜姥(두모) : 진晉나라 두예杜預(222-284)의 손자인 두예杜乂의 아내 배裴씨에 대한 존칭.

421) 司空(사공) : 벼슬 이름. 소호少昊 때 처음 설치되었는데, 주周나라 때는 동관冬官으로서 치수와 토목공사를 관장하였고, 한나라 이후로는 태위太尉·사도司徒와 함께 삼공三公의 하나였다.

422) 司空見慣(사공견관) : 송나라 증조曾慥의 ≪유설類說≫권27에 수록된 ≪당송유사唐宋遺事≫에 "위응물韋應物(737-약 789)이 두홍점을 방문하여 함께 술자리를 가졌는데 술자리가 끝나고 기녀를 붙여주었기에 위응물이 연유를 묻자 기녀가 위응물이 두홍점에게 시를 기증한 대가라고 하였다. 그래서 위응물

○(당나라) 두홍점(709-769)이 사공의 신분으로 (강소성) 양주를 진수할 때 위응물이 소주자사를 맡아 그의 집에 들렀다. 두홍점이 기녀를 두 명 내보내 연회를 열자 위응물이 '사공께서는 익숙하시다'로 시작하는 시를 한 수 지어 주었다.(일설에 의하면 유우석이 낙양에 들렀을 때의 고사라고도 한다)

●杜牧爲分司御史[423], 李聰召宴. 牧酒酣瞪目, 問聰曰, "聞有愛妾紫雲者, 孰是宜以見惠?" 朗吟'兩行紅粉'一章[424].

○(당나라) 두목이 (하남성 낙양을 나누어 관장하는) 분사어사를 맡자 이총이 그를 불러 연회를 열어 주었다. 두목이 술에 취해 눈을 부릅뜬 채 이총에게 물었다. "듣자하니 자운이란 애첩이 있다고 하던데 누구에게 은혜를 베풀어야 하겠습니까?" 그리고는 '두 줄로 앉은 붉게 화장한 기녀들'이란 내용의 시를 한 수 큰소리로 읊조렸다.

●杜大中[425]有愛妾能詞, 一日題臨江仙[426], 有彩鳳隨鴉之句. 大中見之,

이 자신이 무슨 시를 지어서 드렸는지를 묻자 기녀가 '사공(두홍점)께서는 익숙하시어 모두가 한가로운 일이겠으나, 소주자사(위응물)의 장은 다 끊어졌답니다(司空見慣渾閒事, 斷盡蘇州刺史腸)'라고 다시 암송하였다"는 고사가 전한다. 한편 왕십붕王十朋(1112-1171)의 ≪동파시집주東坡詩集註≫권21에서는 이 고사의 등장 인물을 유우석劉禹錫(772-842)이라고 하였는데, 송나라 축목祝穆의 ≪고금사문류취古今事文類聚·창기부娼妓部·창기娼妓≫후집권17에서도 위응물이란 설과 유우석이란 설을 병기하고 있어 어느 것이 맞는지는 불분명하다.

423) 分司御史(분사어사) : 당나라 때 시어사侍御史 중에서 동도東都인 낙양洛陽을 나누어 관장하던 벼슬을 이르는 말.

424) 一章(일장) : 이는 칠언절구七言絶句 <병부상서가 마련한 자리에서 짓다(兵部尚書席上作)>를 가리키는 말로 ≪전당시全唐詩·두목≫권525에 전하는데, 시의 내용은 다음과 같다. "화려한 집에 오늘 아름다운 연회가 열렸는데, 누가 파견 근무 나온 어사를 오라고 했던가? 갑자기 정신 나간 소리를 내뱉어 좌중을 놀라게 하자, 두 줄로 앉은 붉게 화장한 기녀들이 동시에 고개를 돌리네.(華堂今日綺筵開, 誰遣分司御史來? 忽發狂言驚滿座, 兩行紅粉一時迴.)"

425) 杜大中(두대중) : 위의 예문과 유사한 내용이 송나라 완열阮閱의 ≪시화총귀詩話總龜·여인문麗人門≫후집권48에 전하는데, 출처에 대해 송나라 소연邵囦의 ≪금시당수록今是堂手錄≫(≪금시당유고今是堂遺稿≫라고도 한다)이라고 밝힌 것으로 보아 아마도 송나라 때 사람으로 추정되나 상세한 신상은 알려지

怒云, "鴉且打鳳." 掌其面, 至項折而斃.

○(송나라) 두대중에게는 사를 잘 짓는 애첩이 있었는데, 하루는 <임강선>사를 지으면서 '아름다운 봉황(애첩)이 까마귀(두대중)를 따르네'란 구절을 담았다. 그러자 두대중이 이를 보고서 화를 내며 말했다. "까마귀가 어디 한번 봉황을 때려보겠네." 이에 그녀의 뺨을 때리는 바람에 목이 부러져 죽고 말았다.

●杜秋娘, 金陵[427]女也. 爲李錡妾, 每唱金縷衣一曲.

○(당나라) 두추낭은 (강소성) 금릉 출신 여자이다. 이기의 첩실이 되어 매번 <금루의>라는 악곡을 부르곤 하였다.

●杕杜[428]. 小杜. 老杜. 房杜.

○≪시경≫의 편명. (당나라) 두목杜牧의 별칭. (당나라) 두보杜甫의 별칭. (당나라 때 명재상인) 방현령房玄齡과 두여회杜如晦.

◆魯(노씨)

▶羽音. 扶風. 周伯禽[429]封於魯, 其後以國爲氏.

▷음은 우음에 속하고 본관은 (섬서성) 부평군이다. 주나라 (주공周公의 장남인) 백금이 노나라에 봉해지자 그의 후손들이 나라 이름을 성씨로 삼은 것이다.

지 않았다.

426) 臨江仙(임강선) : 당나라 교방곡敎坊曲에서 유래한 사패詞牌. 수선水仙에 대해 읊은 데서 이런 명칭이 유래하였다. '사신은謝新恩' '안후귀雁後歸' '화병춘畵屛春' '채련회採蓮回' '원앙몽鴛鴦夢' 등 다양한 이름으로도 불렸다. 전단前段 4구와 후단後段 4구, 전단 5구와 후단 5구, 전단 6구와 후단 6구의 쌍조雙調 등 다양한 형식이 있다.

427) 金陵(금릉) : 지금의 강소성 남경시南京市의 옛 이름. 전국시대 초楚나라가 설치하였던 것을 삼국 오吳나라 때 '건업建業'으로, 진晉나라 때 '건강建康'으로 개명하였으며, 남조南朝 시기 왕조들이 모두 이곳에 도읍을 정했다.

428) 杕杜(체두) : ≪시경・당풍唐風≫권10과 ≪시경・소아小雅≫권16에 들어 있는 노래 이름. 전자는 골육간의 우애를 읊은 것이고, 후자는 개선凱旋을 축하하는 것을 읊은 것이다.

429) 伯禽(백금) : 춘추시대 노魯나라의 시조인 주공周公의 장남. 46년간 노나라의 임금을 지냈다.

◇天下士(천하의 훌륭한 선비)

●魯仲連, 齊人, 奇偉倜儻[430]. 其師稱之曰, "吾弟子雖小, 千里駒[431]也." 時秦圍趙急, 魏遣新垣衍, 說趙請帝秦. 仲連見衍曰, "彼卽肆然爲帝, 連有蹈東海而死耳." 秦軍聞之, 却五十里. 衍曰, "吾乃今知仲連爲天下士." 平原君[432]遂欲以千金爲魯連壽, 連笑曰, "所貴乎爲天下士者, 爲人排患釋難, 解紛亂而無所取也." 齊田單[433]問策於仲連, 下狄, 又破聊城, 歸言於齊王, 欲爵之, 仲連逃於海上曰, "吾以富貴而詘於人, 寧貧賤而輕世肆志焉."

○노중련은 (전국시대) 제나라 사람으로 풍채가 우람하고 성품이 호방하였다. 그래서 그의 스승이 그를 칭찬하며 "내 제자는 비록 나이가 어리긴 하지만 천리마라오"라고 하였다. 당시 진나라가 포위하여 조나라가 위급한 상황에 놓이자 위나라가 신원연을 파견하여 조나라에게 진나라를 황제로 섬기라고 설득하였다. 그러자 노중련이 신원연을 만나서 말했다. "진나라가 설사 멋대로 황제를 자처한다 해도 저 노중련은 동해로 가서 죽으면 그만일 것이오." 진나라 군대가 이 얘기를 듣자 50리 밖으로 퇴각하였다. 신원연은 "내 이제사 노중련이 천하의 훌륭한 선비라는 것을 알겠소"라고 하였다. 평원군(조승趙勝)이 급기야 천금을 마련해 노중련을 위해 축수를 하려고 하자 노중련이 웃으며 말했다. "천하의 훌륭한 선비 노릇하는 데 있어서 중요한 것은 남을 위해 환난을 해결하되 분란을 해소하고서 아무것도 취하

---

430) 倜儻(척당) : 호방하여 세속적인 예법에 얽매이지 않는 모양.

431) 千里駒(천리구) : 나이가 어리지만 총명한 사람을 비유하는 말. 전한 때 무제武帝가 하간헌왕河間獻王 유덕劉德(?-B.C.130)을 칭찬한 말로도 유명하다.

432) 平原君(평원군) : 전국시대 조趙나라 무령왕武靈王의 아들로 본명은 조승趙勝. 평원平原에 봉해져서 '평원군'으로 불렸다. 여러 차례 나라의 위기를 건졌고, 제齊나라 맹상군孟嘗君·위魏나라 신릉군信陵君·초楚나라 춘신군春申君과 함께 사공자四公子로 유명하다. ≪사기·평원군조승전平原君趙勝傳≫권76 참조.

433) 田單(전단) : 전국시대 제齊나라 장수. 봉호는 안평군공安平郡公. 연燕나라 장수 악의樂毅가 제나라를 침략했을 때 이간책을 써서 연나라 혜왕惠王에게 장수를 기겁騎劫으로 교체하게 만든 뒤 그를 물리치고 제나라 성을 되찾은 고사로 유명하다. ≪사기·전단전≫권82 참조.

지 않는 것이오.” 제나라 전단이 노중련에게 계책을 물어 적족을 물리치고 다시 (연나라의) 요성을 함락하고 돌아와 제나라 왕에게 보고하였는데, 제나라 왕이 작위를 내리려고 하자 노중련은 바닷가로 도망치며 말했다. “나는 부귀하면서 남에게 굽신거리느니 차라리 빈천하더라도 세상 사람들을 편히 대하며 마음 내키는 대로 사는 것이 낫다고 생각하오.”

◇三異(세 가지 기이한 일)

●魯恭, 字仲康, 漢建初[434]中, 爲中牟[435]令, 以德化爲理. 時郡國[436]螟傷稼, 獨不入中牟. 河南尹使肥親[437]往視之, 恭隨行阡陌[438], 與坐桑下, 有雉止其旁. 旁有兒童, 親曰, “兒何不捕之?” 兒曰, “雉方將雛.” 親起曰, “蝗不犯境, 化及鳥獸, 竪子[439]有仁心, 此三異也!” 是歲, 嘉禾生恭便坐[440]中. 位至司徒. 子撫, 弟丕.

○노공은 자가 중강으로 후한 (장제) 건초(76-83) 연간에 (하남성) 중모현의 현령을 지내며 교화로써 다스렸다. 당시 전국에서 메뚜기가 농작물을 해쳤지만 유독 중모현으로는 들어오지 않았다. 하남윤이 비친을 시켜 찾아가서 살펴보게 하자 노공이 농로를 수행하다가 뽕나무 아래 함께 앉았을 때 꿩이 그 옆에 머물렀다. 옆에 어린아이가 있기에 비친이 물었다. “아이들이 어째서 꿩을 잡지 않는 것입니

434) 建初(건초) : 후한後漢 장제章帝의 연호(76-83).

435) 中牟(중모) : 하남성의 속현屬縣 이름.

436) 郡國(군국) : 한나라 때 행정 구역 명칭. ‘군郡’은 천자가 직접 관할하는 행정 구역을 말하고, ‘국國’은 친왕親王이나 공신을 봉한 각 제후국을 가리킨다. ≪후한서≫에서 ‘지리지地理志’를 ‘군국지郡國志’라고 칭한 것도 한나라 때 주요 행정 구역이 ‘군郡’과 ‘국國’으로 이루어졌기 때문이다. 여기서는 결국 전국을 가리킨다.

437) 肥親(비친) : 하남윤의 아전의 성명.

438) 阡陌(천맥) : 농로에 대한 총칭. 남북으로 난 농로를 ‘천’이라고 하고, 동서로 난 농로를 ‘맥’이라고 하는 데서 유래하였다.

439) 竪子(수자) : 어린아이, 풋내기. 환관을 낮추어 부를 때도 있고, 상대방을 비하하기 위한 말로도 쓰였다.

440) 便坐(편좌) : 정실正室이 아닌 별실別室을 이르는 말. ‘편방便房’ ‘편실便室’이라고도 한다.

까?" 그러자 아이가 대답하였다. "꿩이 한창 새끼들을 거느리고 있어서입니다." 비친이 몸을 일으키며 말했다. "메뚜기가 경내를 침범하지 않고, 교화가 짐승에게까지 미치고, 아이들이 어진 마음을 먹은 것, 이는 세 가지 기이한 일이로다!" 그해에 상서로운 벼가 노공의 별실에 자랐다. 노공은 벼슬이 사도까지 올랐다. 아들은 노무魯撫이고, 동생은 노비魯丕이다.

◇五經復興(오경이 부흥하다)

●魯丕, 字叔陵, 通五經, 以魯詩·尙書敎授, 爲世名儒, 門生就學者百餘人. 關東[441]號曰, "五經復興魯叔陵." 建初中, 擧賢良方正[442], 位至侍中, 再爲三老[443].

○(후한) 노비(37-111)는 자가 숙릉으로 오경에 정통하여 ≪노시≫와 ≪서경≫를 가르치며 당대에 저명한 유학자로 인정을 받아 문하생으로서 공부하러 찾아온 이들이 백 명을 넘었다. 그래서 관동 일대에서는 "오경이 부흥한 것은 노숙릉(노비) 덕이라네"라는 말이 돌았다. (장제) 건초(76-83) 연간에 현량방정과에 급제하여 벼슬이 시중까지 올랐다가 다시 삼로에 임명되었다.

◇指囷(곳간을 지목하다)

●魯肅, 字子敬, 臨淮人, 家富而好施. 周瑜嘗候之, 求資粮. 肅家有兩囷, 米各三千斛, 指一囷與之. 仕吳, 爲奮武校尉[444].

---

441) 關東(관동) : 함곡관函谷關 동쪽 일대. 보통 하남성 낙양洛陽 일대를 가리킨다.

442) 賢良方正(현량방정) : 한나라 이후로 관리를 선발하는 과거제도의 하나. 현량방정과 외에도 효렴孝廉·직언극간直言極諫 등의 과목이 있었다.

443) 三老(삼로) : 고을의 장로長老를 가리키는 말. 상고시대에는 재상을 지내다가 물러난 국가 원로를 지칭하다가 진한秦漢 이후로는 시골의 향리鄕里에서 고을의 교화敎化를 담당하던 벼슬 이름으로 쓰였다. ≪한서·백관공경표百官公卿表≫권19에 의하면 10리마다 '정亭'을 설치하고서 10정亭을 '향鄕'이라고 하였고, 향마다 삼로三老·질秩·색부嗇夫·유요游徼를 두었는데, 삼로는 교화를 관장하였다고 한다.

444) 校尉(교위) : 장군의 휘하에서 한 부대의 통솔을 담당하거나 변방의 이민족

○노숙(172-217)은 자가 자경이고 (강소성) 임회군 사람으로 집안이 부유하면서도 베풀기를 좋아하였다. 주유가 일찍이 그에게 문후인사차 찾아갔다가 재물과 곡식을 요구한 적이 있다. 노숙의 집에는 곳간이 두 군데 있고 쌀이 각기 3천 휘가 저장되어 있었는데 곳간 하나를 지목하여 그에게 주었다. 노숙은 (삼국) 오나라에서 벼슬길에 올라 분무교위를 지냈다.

◇錢神論(돈의 신에 대해 논하는 글)

●魯褒, 西晉人, 好學洽聞. 傷時貪鄙, 作錢神論[445]以譏之.

○노포는 서진 때 사람으로 학문을 좋아하여 견문이 넓었다. 당시 사람들이 탐욕스러운 것을 싫어하여 <전신론>을 지어서 이를 풍자하였다.

◇十州節度(열 개 주의 절도사)

●魯炅, 唐將也, 屢破安史[446]兵, 拜襄鄧十州節度使, 封金鄉[447]公.

○노경은 당나라 때 장수로서 안녹산과 사사명의 반군을 여러 차례 격파하여 (호북성) 양주와 (하남성) 등주 등 열 개 주의 절도사를 배수받고 금향군공에 봉해졌다.

◇魚頭公(어두공)

●魯宗道, 字貫之, 宋眞宗朝, 與劉曄同爲正言[448]. 後拜諫議大夫, 參大政[449], 號魚頭參政, 又曰魚頭公, 因其姓, 且言其骨鯁如魚頭也. 嘗小

을 관할하던 벼슬 이름.

445) 錢神論(전신론) : 이는 동명의 제목으로 당나라 구양순歐陽詢(557-641)의 ≪예문류취藝文類聚·산업부産業部·전錢≫권66에 전한다.

446) 安史(안사) : 당나라 현종玄宗 때 반란을 일으킨 안녹산安祿山과 사사명史思明을 아우르는 말. 두 사람의 전기는 ≪구당서≫권200과 ≪신당서≫권225에 나란히 전한다.

447) 金鄉(금향) : 산동성의 속군屬郡 이름으로 여기서는 봉호를 가리킨다.

448) 正言(정언) : 규간規諫을 관장하는 벼슬. 당나라 때 습유拾遺를 송나라 때 정언正言으로 바꿨다. 습유와 마찬가지로 좌정언左正言과 우정언右正言이 있는데, 좌정언은 문하성門下省 소속이고 우정언은 중서성中書省 소속이었다.

室, 朝退獨坐, 名曰退思堂. 上嘗追念其忠, 御筆題壁曰魯直. 謚肅簡.

○노종도는 자가 관지로 송나라 진종 때 유엽과 함께 정언을 지냈다. 뒤에는 간의대부를 배수받았다가 참지정사에 올라 '어두참정'으로도 불리고 '어두공'으로도 불렸는데, 이는 그의 성씨를 따르면서 아울러 그의 충언이 마치 생선의 머리뼈처럼 날카롭다는 말이다. 작은 집을 짓고서 조정에서 물러나면 혼자 좌정하며 이름을 '퇴사당'이라고 하였다. 진종이 그의 충심을 생각하여 친필로 벽에 '노직'이란 글씨를 써 준 일이 있다. 시호는 '숙간'이다.

◇仙道(신선술)

●魯妙典, 女道士也, 入九嶷山, 仙去.

○노묘전은 여자 도사로 (호남성) 구의산에 들어가 선녀가 되었다.

●魯賜, 漢人, 受詩於申公450). 後爲東海太守, 有廉節.

○노사는 전한 때 사람으로 신공(신배申培)에게서 ≪시경≫을 전수받았다. 뒤에 (산동성) 동해태수를 지내며 청렴한 절조를 고수하였다.

●魯勝, 漢451)隱士, 爲建康452)令, 稱疾去官. 再徵爲博士, 不就.

○노승은 진晉나라 때 은자로 (강소성) 건강현의 현령을 지내다가 병을 핑계로 관직을 그만두었다. 다시 박사를 맡으라는 부름을 받았지만 취임하지 않았다.

---

449) 參大政(참대정) : 주요 정사에 참여하다. 재상인 참지정사參知政事의 자리에 오르는 것을 말한다.

450) 申公(신공) : 전한 때 사람 신배申培에 대한 존칭. 금문시경今文詩經의 하나인 ≪노시魯詩≫에 정통하여 문제文帝 때 박사博士를 지냈고, 무제武帝 때 태중대부大中大夫가 되었으나, 두태후竇太后가 도교道敎를 신봉하자 사직하고 귀향하였다. ≪사기・유림열전儒林列傳・신공전≫권121 참조.

451) 漢(한) : '진晉'의 오기이다. 노승魯勝의 전기는 ≪진서・은일열전≫권94에 전한다.

452) 建康(건강) : 강소성 남경시南京市의 옛 이름. 전국시대 초楚나라 때 '금릉金陵'이라고 하던 것을 삼국 오吳나라 때 '건업建業'으로 개명하였고, 다시 진晉나라 때 '건강建康'으로 개명하였다.

●鄒魯. 東魯[453]. 參也魯[454].

○(전국시대 맹자의 고국인) 추나라와 (춘추시대 공자의 고국인) 노나라. 노나라 일대. (춘추시대 노나라) 증참曾參의 성품은 느긋하다.

◆庾(유씨)

▶羽音. 齊郡. 堯時有庾大夫, 其後以命爲氏.

▷음은 우음에 속하고 본관은 (산동성) 제군이다. (당나라) 요왕 때 곳간을 관장하는 대부가 있었기에 그 후손들이 임명받은 관직명을 성씨로 삼은 것이다.

◇徵君(징군)

●庾乘, 漢桓帝時人, 少給事[455]縣廷. 郭林宗[456]見而役之, 勸遊學, 遂爲諸生傭. 後能講論, 徵之, 不起, 號徵君[457]. 孫峻.

○유승은 후한 환제 때 사람으로 어려서부터 현의 관청에서 잡무를 맡아 보았다. 임종林宗 곽태郭太가 그를 보고서 일을 시키다가 공부할 것을 권하자 결국 학생들을 위해 품을 파는 일꾼이 되었다. 뒤에 강론을 할 수 있게 되어 초빙하였지만 벼슬에 오르지 않았기에 '징군'으로 불렸다. 손자는 유준庾峻이다.

---

453) 東魯(동로) : 동쪽 노나라. 즉 산동성 일대에 대한 범칭. 공자의 별칭으로 쓰일 때도 있다.

454) 參也魯(참야로) : 춘추시대 노魯나라 증참曾參의 성품이 느긋한 것을 이르는 말. ≪논어・선진先進≫권11에 "(공자의 제자 가운데) 고시高柴는 아둔하고, 증참曾參은 느긋하고, 전손사顓孫師는 예민하고, 중유仲由는 거칠다(柴也愚, 參也魯, 師也辟, 由也喭)"라는 말이 전한다.

455) 給事(급사) : 모종의 업무에 대해 자문을 해 주는 일이나 그러한 직책을 이르는 말.

456) 郭林宗(곽임종) : 후한 사람 곽태郭太(128-169). '임종'은 자. 호는 유도有道. 본명은 '태泰'이나 남조南朝 유송劉宋 범엽范曄(398-445)이 ≪후한서≫를 지으면서 부친의 휘諱 때문에 '태泰'를 '태太'로 고쳐서 표기하였다. 경전에 정통하고 담론에 능하여 이응李膺(?-169)과 친분을 맺으면서 명성을 떨쳤으나, 출사하지 않고 수천 명의 제자를 양성하였다. ≪후한서・곽태전≫권98 참조.

457) 徵君(징군) : 조정의 초빙을 받으나 응하지 않는 덕망이 높은 은사에 대한 존칭. '징사徵士'라고도 한다.

◇俊秀(뛰어난 준걸)

●庾峻, 字山甫, 有高才. 蘇林嘗謂之曰, “君兄弟俊秀, 此由尊祖之積德也.” 贊云, “穎川[458]多士, 峻亦飛英.” 子敳.

○(진晉나라) 유준(?-273)은 자가 산보로 뛰어난 재능을 지녔다. 소임이 일찍이 그에게 “그대 형제가 뛰어난 것도 조상이 쌓아놓은 음덕 때문이오”라고 하였다. (≪진서·유준전≫권50의) 찬문에서는 “(하남성) 영천현에 훌륭한 선비가 많은데 유준 또한 그중에서 영재이다”라고 하였다. 아들은 유애庾敳이다.

◇卿用卿法(경은 경의 가법을 쓰십시오)

●庾敳, 字子嵩, 少有遠韻, 家富而性儉. 劉輿欲擠之, 說太傅[459]越[460]就之, 換錢千萬. 越遂問敳, 敳頹然[461]已醉, 徐答曰, “下官[462]家有二千萬, 隨公所取.” 劉乃服庾曰, “可謂以小人之慮度君子之心.” 王衍不與之交, 敳卿之不置. 衍曰, “君不得爲耳.” 敳曰, “卿自君我, 我自卿卿. 我自用我家法, 卿自用卿家法.” 衍甚奇之. 晉東海王越署爲軍諮祭酒[463]. 從子亮.

○유애(262-311)는 자가 자숭으로 어려서부터 원대한 포부를 품었는데 집안이 부유하지만 천성적으로 검소하였다. 유여가 그를 내치려고 태부 사마월司馬越에게 그를 취직시키면서 돈 천만 냥과 바꾸라고 설득하였다. 사마월이 급기야 유애에게 묻자 유애가 몸을 못 가

---

458) 穎川(영천) : 하남성의 속현屬縣인 ‘영천潁川’의 오기.

459) 太傅(태부) : 재상의 지위인 삼공三公, 즉 태사太師·태부太傅·태보太保 가운데 하나. 그러나 후에는 태위太尉·사도司徒·사공司空을 삼공으로 설치하고, ‘큰 스승’이란 의미에서 삼공보다 높여 별도로 ‘상공上公’이라고 하면서 ‘삼사三師’로 세우기도 하였다.

460) 越(월) : 진晉나라 때 종실 사람 사마월司馬越. 봉호는 동해군왕東海郡王. ≪진서·동해왕사마월전≫권59 참조.

461) 頹然(퇴연) : 술에 취해 몸을 가누지 못 하는 모양.

462) 下官(하관) : 원래는 제후국의 관료가 제후 앞에서 자신을 낮춰 부르던 말인데, 뒤에는 자신에 대한 겸칭으로도 사용되었다.

463) 軍諮祭酒(군자제주) : 진晉나라 때 설치한 군 참모이자 제례를 관장하던 벼슬 이름.

눌 정도로 이미 술에 취한 채 천천히 대답하였다. "저의 집에 2천만 냥이 있으니 공께서 원하시는 대로 가져 가십시오." 유여가 결국 유애에게 감복하여 "소인배의 생각으로 군자의 마음을 헤아렸다고 말한 만하구려"라고 하였다. 왕연은 유애와 교유하지 않아 유애가 그를 '경'이라고 부르는 일을 그만두지 않았다. 왕연이 말했다. "자네는 그리 부르지 말게." 그러자 유애가 대답하였다. "경께서 저를 '자네'라고 부르니 저는 경을 '경'이라고 불러야 하지요. 저는 저의 가법대로 할 터이니 경은 경의 가법대로 하시면 됩니다." 왕연이 그를 무척 높이 평가하였다. 진나라 동해왕 사마월이 그를 군자제주에 임명하였다. 조카는 유양庾亮이다.

◇月夜登樓(달밤에 누각에 오르다)

●庾亮, 字元規, 晉咸和464)中, 自中書令出, 鎭武昌. 諸佐史465)殷浩輩乘秋夜, 登南樓, 亮忽至曰, "老子466)於此興復不淺." 便據胡床467), 而浩等談詠竟夕. 嘗與陶侃談宴, 噉薤而留白468), 雲469)"故可以種." 侃稱嘆. 四弟懌・氷・條・翼, 三子彬・義・龢.

○유양(289-340)은 자가 원규로 진나라 (성제) 함화(326-334) 연간에 중서령을 지내다가 조정을 나서 (호북성) 무창군을 진수하였다. 여러 보좌관인 은호 등이 가을 밤에 남루에 올랐을 때 유양이 갑자기 도착해 "내 이곳에 있으려니 흥취가 일어나는구려"라고 말하고는 바로 접의자에 앉아 은호 등과 어울려 밤새도록 담론을 나누고 시를 읊조렸다. 일찍이 도간과 연회에서 담론을 나눌 때 염교를 씹다가

---

464) 咸和(함화) : 진晉 성제成帝의 연호(326-334).

465) 佐史(좌사) : 자사刺史나 태수 등 지방 수령의 보좌관을 이르는 말.

466) 老子(노자) : 나이 든 사람이 자기 자신을 일컫는 말. '노부老夫'와 같다.

467) 胡床(호상) : 일종의 접의자를 이르는 말로 '교상交床'이라고도 한다. 편안한 자세로 시문을 짓거나 담화를 나누는 것을 상징한다.

468) 留白(유백) : 흰 부위를 남기다. 즉 부추의 뿌리 부분을 남기는 것을 말한다.

469) 雲(운) : 위의 예문과 유사한 내용이 남조南朝 유송劉宋 유의경劉義慶(403-444)의 ≪세설신어世說新語・검색儉嗇≫권하에도 전하는데, 이에 의하면 '운云'의 오기이다. 전사 과정에서 정자와 약자가 뒤바뀐 듯하다.

흰 뿌리를 남기더니 "원래 다시 심을 수가 있답니다"라고 하였다. 그래서 도간이 감탄해 하였다. 네 동생은 유역庾懌·유빙庾氷·유조庾條·유익庾翼이고, 세 아들은 유빈庾彬·유의庾義·유화庾龢이다.

◇異行(행실이 남다르다)

●庾袞, 字叔褒, 擧秀才. 淸白有異行, 世號庾異行. 性友愛. 晉咸寧[470]中, 家大疫, 二兄病亡, 袞獨扶持不去.

○유곤(?-약 306)은 자가 숙포로 수재과에 급제하였다. 청렴하고 행실이 남달라 세간 사람들이 그를 '유이행'이라고 불렀다. 천성적으로 형제간에 우애가 깊었다. 진나라 (무제) 함녕(275-279) 연간에 집에 전염병이 돌아 두 형이 병으로 사망하자 유곤 혼자서 시신을 지키며 곁을 떠나지 않았다.

◇蓮花幕(연화막)

●庾杲之, 字景行, 性淸儉, 食常有韮葅[471]·瀹韮·生韮. 任昉戱之曰, "誰謂庾郞貧? 一食有二十七種[472]." 爲王儉長史[473], 時以爲入蓮幕[474].(見王氏) 仕南齊, 位至侍中. 柳世隆曰, "使杲之爲蟬冕[475]所映, 彌有華采."

○유고지는 자가 경행으로 천성적으로 청렴하고 검소하여 식사 때는

---

470) 咸寧(함녕) : 진晉 무제武帝의 연호(275-279).

471) 韮葅(구저) : 육장으로 담근 부추김치. '구韮'는 '구韭'로도 쓴다.

472) 二十七種(이십칠종) : 표면적으로는 '3×9=27'을 뜻하는 말이지만, '구韮'(jiǔ)와 '구九'(jiǔ)가 동음同音이기에 실제로는 부추(韮)로 만든 요리 3종을 가리킨다.

473) 長史(장사) : 한나라 이후로 승상부丞相府나 장군부將軍府에서 병마兵馬를 관장하던 벼슬. 당나라 이후로는 주로 자사刺史의 속관이었는데, 자사 휘하에는 품계品階의 고하에 따라 별가別駕·장사長史·사마司馬·녹사참군사錄事參軍事·참군사參軍事·녹사錄事·문학文學 등의 속관이 있었다. ≪신당서·백관지≫권49 참조.

474) 蓮幕(연막) : 연꽃처럼 아름다운 막부. 남제南齊 왕검王儉(452-489)의 막부에 대한 미칭美稱인 '연화막蓮花幕'의 준말.

475) 蟬冕(선면) : 한나라 때 시종관侍從官이 쓰던 초선관貂蟬冠의 약칭. 매미 모양의 장식품과 담비 꼬리를 꽂은 데서 유래하였다. 결국은 관직을 비유한다.

는 부추김치와 장에 담근 부추 및 생 부추를 차렸다. 그러자 임방이 농담조로 말했다. “누가 유선생을 가난하다고 생각하겠소? 한 번 식사에 스물일곱 가지나 반찬을 차리거늘.” 왕검의 장사를 맡자 당시 사람들이 ‘연화막에 들어갔다’고 하였다.(상세한 내용은 앞의 ‘왕’씨절 ‘연막蓮幕’항에 보인다) (남조南朝) 남제에서 벼슬길에 올라 지위가 시중까지 올랐다. 그러자 유세륭이 “만약 유고지가 (시종관의 모자인) 선면관을 쓴다면 더욱 빛이 날 것이오”라고 하였다.

◇青雲遼亮(청운처럼 아련하다)

●庾易, 字幼簡, 性恬靜, 以文義自娛. 長史袁彖欽其風, 贈以鹿角書格[476]·蚌盤[477]·蚌硏[478]·牙筆, 倂一詩曰, “白日淸明, 青雲遼亮. 昔聞巢許, 今聞臺尙[479].” 易以連理[480]几·竹翹格[481]報之. 齊主詔徵, 不就. 子黔婁·肩吾.

○유이는 자가 유간으로 성품이 조용하여 글공부를 소일거리로 삼았다. 장사 원단이 그의 풍모를 흠모하여 사슴뿔로 만든 서격과 나전칠기·조개 모양의 벼루·상아로 만든 붓을 선물하고 아울러 시를 지어 “태양처럼 청명하고 청운처럼 아련하시네. 옛날에 (당唐나라 요왕堯王 때 은자) 소보巢父와 허유許由의 명성이 알려졌다면, 지금은 (후한 때 은자인) 대동臺佟과 상장尙長 얘기를 듣게 되었네”라고 하였다. 그러자 유이는 연리궤와 죽교격으로 보답하였다. (남조南朝)

---

476) 書格(서격) : 붓글씨를 쓸 때 먹물이 묻지 않도록 팔뚝을 받치게 하는 문구文具를 이르는 말.

477) 蚌盤(방반) : 자개를 상감하여 만든 나전칠기의 일종.

478) 蜯硏(방연) : 조개 모양의 벼루를 이르는 말. ‘방蜯’은 ‘방蚌’의 이체자異體字이고 ‘연硏’은 ‘연硯’과 통용자이다.

479) 臺尙(대상) : 후한 때 은자인 대동臺佟과 상장尙長(상장向長으로 표기한 문헌도 있다)을 아우르는 말로 여기서는 결국 유이庾易를 비유적으로 가리킨다.

480) 連理(연리) : 서로 맞닿아 함께 자라는 가지를 말하는 ‘연리지連理枝’의 약칭. 그러한 나무를 ‘연리목連理木’이라고 한다. 상서로운 징조로서 금슬 좋은 부부나 우정이 두터운 친구를 상징하기도 한다.

481) 竹翹格(죽교격) : 대나무로 만든 서격書格의 일종. ≪남사·유이전≫권50에는 ‘죽교서격竹翹書格’으로 되어 있어 의미가 보다 분명하다.

남제南齊의 군주가 조서를 내려 불렀지만 찾아가지 않았다. 아들은 유검루庾黚婁와 유견오庾肩吾이다.

◇天台逸民(천태산의 은자)

●庾肩吾, 字愼之, 與劉孝威・徐防・王囿等十人在晉安王482)府, 抄撰衆籍, 號高齋學士. 隱居天台, 號天台逸民. 子信.

○(남조南朝 양梁나라) 유견오는 자가 신지로 유효위・서방・왕유 등 10인과 함께 진안왕의 왕부에 있으면서 여러 서책을 지어 '고재학사'로 불렸다. 또 (절강성) 천태산에 은거하여 '천태일민'으로도 불렸다. 아들은 유신庾信이다.

◇徐庾體(서능과 유신의 문체)

●庾信, 字子山, 爲文綺麗, 盛爲都下所稱. 與徐陵齊名, 號徐庾體. 梁簡文帝開文德省, 置學士, 徐庾竝充其選.

○유신(513-581)은 자가 자산으로 문장이 무척 아름다워 도성 사람들의 칭송을 한몸에 받았다. 서능(507-583)과 나란히 이름을 떨쳐 그들의 문장은 '서유체'로 불렸다. (남조南朝) 양나라 간문제가 문덕성을 설치해 학사들을 부르면서 서능과 유신도 나란히 선발되었다.

◇同年學士(같은 해에 과거시험에 합격한 학사)

●庾敬休與柳公權・李紳・高越・韋表微同年483), 皆爲翰林學士484).

○(당나라) 유경휴와 유공권・이신・고월・위표미는 과거시험 합격동기생으로 모두 한림학사에 올랐다.

---

482) 晉安王(진안왕) : 남조南朝 양梁나라 간문제簡文帝 소강蕭綱(503-551)의 즉위하기 전 봉호.

483) 同年(동년) : 같은 해에 태어나거나 같은 해에 과거시험에서 합격한 동기생을 이르는 말. 여기서는 후자를 가리킨다.

484) 翰林學士(한림학사) : 당나라 현종玄宗 때 처음 설치된 한림원翰林院 소속 학사를 이르는 말. 황명이나 상소문 등 주요 문서의 초안을 작성하고, 황제의 비답批答을 대필하는 등 조정의 주요 문서에 관한 일을 관장하였기에 매우 명예로운 직책으로 여겼다.

◇十八學士(십팔학사)

●庾子元少負才名. 開元中, 拜張說・徐堅・李述・趙點・賀知章・趙冬曦・馮德選・庾子元・侯行果・毋照・張會眞・咸冀宣・李子訓・東方顯・陸玄泰・季良・金欽孫・呂向爲十八學士, 圖形含豪亭[485], 御爲贊.

○(당나라) 유자원은 어려서부터 재주로 명성을 떨쳤다. (현종) 개원(713-741) 연간에 장열・서견・이술・조점・하지장・조동희・풍덕선・유자원・후행과・무조・장회진・함기선・이자훈・동방현・육현태・계량・김흠손・여향을 18학사에 임명하고 함상정含象亭에 초상화를 걸면서 현종이 직접 찬문을 지었다.

●庾翼, 字稚恭, 少有經綸大略. 咸康[486]末, 代兄亮, 鎭武昌.

○(진晉나라) 유익(305-345)은 자가 치공으로 어려서부터 세상을 다스리려는 포부를 품었다. (성제) 함강(335-342) 말엽에 형 유양庾亮(289-340)을 대신해 (호북성) 무창군을 진수하였다.

●庾蘊與永和[487]修禊[488], 成五言詩一首.(見王氏)

○(진晉나라) 유온은 (목제) 영화(345-356) 연간에 수계에 참여해 오언시를 한 수 완성하였다.(상세한 내용은 앞의 '왕'씨절 '난정승집蘭亭勝集'항에 보인다)

●庾域, 梁文帝異其才曰, "荊南[489]杞梓[490], 其在玆乎!"

---

485) 含豪亭(함호정) : 하남성 낙양洛陽의 상양궁上陽宮에 있는 정자 이름인 '함상정含象亭'의 오기. 자형의 유사성으로 인한 필사 과정상의 단순 오기로 보인다. 당나라 개원開元(713-741) 연간에 현종玄宗이 이곳에서 장열張說 등 18명을 한림학사翰林學士에 임명하였다는 고사가 송나라 왕응린王應麟(1223-1296)의 ≪옥해玉海・예문藝文・당개원십팔학사도唐開元十八學士圖≫권57에 전한다. 다만 인명은 문헌마다 차이가 심해 어느 것이 맞는지 불분명하기에 여기서는 위의 예문을 따른다.

486) 咸康(함강) : 진晉 성제成帝의 연호(335-342).

487) 永和(영화) : 진晉 목제穆帝의 연호(345-356).

488) 修禊(수계) : 음력 3월 3일 상사절上巳節에 물가에 나가서 재액災厄을 막기 위해 제를 올리는 일.

○유역에 대해 (남조南朝) 양나라 문제는 그의 재주를 높이 평가해 "형남 지역의 구기자나무와 가래나무(훌륭한 인재)가 아마도 여기에 있는가 보오!"라고 하였다.

●庾叔奕參掌太史[491], 撰靈臺祕苑[492]百二十卷.

○(북조北朝 북주北周) 숙혁叔奕 유계재庾季才(516-603)는 태사직을 맡아 ≪영대비원≫ 120권을 지었다.

●庾承宣登貞元[493]八年第, 號龍虎榜.(見齊姓)

○(당나라) 유승선은 (덕종) 정원 8년(792)에 실시한 과거시험에서 급제하여 '용호방'으로 불렸다.(상세한 내용은 앞의 '제'씨성 '용호방龍虎榜'항에 보인다)

●庾詵性愛林泉, 謚貞節處士[494].(南史[495])

○(남조南朝 양梁나라) 유선은 천성적으로 자연을 좋아하여 '정절처사'란 시호를 받았다.(≪남사·은일열전·유선전≫권76)

---

489) 荊南(형남) : 형산 남쪽 지역을 가리키는 말로 지금의 호남성·강서성 일대를 가리킨다.

490) 杞梓(기재) : 구기자나무와 가래나무. 둘 다 좋은 재목에 쓰이는 나무로 우수한 인재를 비유한다.

491) 太史(태사) : 역사 편찬이나 천문天文을 관장하던 벼슬 이름. 위진魏晉 이후로는 역사 편찬을 저작랑著作郞이 전담하면서 태사는 주로 천문과 역법曆法만을 관장하게 되었다.

492) 靈臺祕苑(영대비원) : ≪수서·경적지≫권34에는 115권으로 되어 있고, 현전하는 사고전서본은 15권으로 되어 있다. 저자에 대해서는 모두 북조北朝 북주北周 사람 유계재庾季才라고 하였는데, ≪북사·유계재전≫권89에 의하면 '숙혁叔奕'은 유계재의 자이다.

493) 貞元(정원) : 당唐 덕종德宗의 연호(785-805).

494) 處士(처사) : 벼슬하지 않은 선비를 이르는 말.

495) 南史(남사) : 당나라 이연수李延壽가 남조南朝의 유송劉宋부터 진陳나라 말까지 도합 170년의 역사를 간략하게 정리하여 서술한 사서史書. 총 80권. 기존의 ≪송서宋書≫ 등의 내용을 보완한 것은 적고 삭제한 것이 많아 ≪북사北史≫보다는 못 하다는 평을 받는다. ≪사고전서간명목록·사부·정사류正史類≫권5 참조.

●庾純博學有才義, 爲世儒宗.(晉史)

○(진晉나라) 유순은 박학하면서 글재주가 있어 당대 유학의 종사로 인정받았다.(≪진서・유순전≫권50)

※女德(여덕)

◇箕箒之訓(살림살이에 대해 가르치다)

●庾袞兄女, 名芳, 將嫁, 刈荊苕爲箕箒, 以訓之曰, "事舅姑, 洒掃庭內, 婦道也."

○(진晉나라) 유곤(?-약 306)은 유방庾芳이라는 조카딸이 시집가려고 하자 싸리나무를 잘라서 키와 비를 만들고는 다음과 같이 훈계하였다. "시부모님을 잘 섬기고 집안을 청소하는 것은 아녀자의 도리이니라."

●大庾[496]. 徐庾. 我庾. 夾庾[497].(二引)

○대유령. (남조南朝 진陳나라) 서능徐陵과 유신庾信. 우리 곳간. 겹궁夾弓과 유궁庾弓.(두 개의 활을 뜻한다)

◆祖(조씨)

▶羽音. 范陽. 殷王祖甲・祖乙, 支庶[498]因氏焉.

▷음은 우음에 속하고 본관은 (하북성) 범양군이다. 은나라 때 조갑과 조을을 왕으로 섬기자 서자들이 그참에 이를 성씨로 삼은 것이다.

◇擊楫誓江(노를 두드리며 장강에게 맹서하다)

●祖逖, 字士稚, 有英氣. 晉元帝拜爲豫州刺史, 渡江, 中流擊楫而誓曰,

---

496) 大庾(대유) : 강서성과 광동성 경계에 있는 오령五嶺의 하나인 대유령大庾嶺의 준말. 고개에 매화나무가 많아서 '매령梅嶺'이라고도 한다.

497) 夾庾(겹유) : 가까운 거리의 목표물을 맞추는 데 사용하는 활인 겹궁夾弓과 유궁庾弓을 아우르는 말.

498) 支庶(지서) : 종법宗法상 적자嫡子 외의 서자庶子를 이르는 말.

“逖不能清中原而復濟者，有如大江[499)]!” 恢定河南，復欲推鋒越河，掃淸冀朔，會有妖星[500)]見，逖曰，“爲我矣!” 果卒.(又見劉琨)

○조적(266-321)은 자가 사치로 영웅다운 기개가 있었다. 진나라 원제가 (하남성) 예주자사를 배수하자 장강을 건너다가 강물 한가운데서 노를 두드리며 맹서하였다. “나 조적이 중원을 평정하지 못 하고 다시 건너는 일은 이 장강처럼 분명히 일어나지 않을 것이리라!” 하남 땅을 회복하고 다시 칼날을 겨누며 황하를 건너 (하북성) 기주 북쪽을 평정하려고 하는데 마침 혜성이 출현하자 조적이 말했다. “나 때문인가 보구나!” 정말로 생을 마치고 말았다.(관련 내용이 앞의 ‘유’씨절 유곤에 관한 기록인 ‘승월청소乘月淸嘯’항에도 보인다)

◇**神鎚(신통한 몽둥이)**

●祖納，字士言，有操行. 時梅陶·鍾雅數談論，納輒困之曰，“君汝潁[501)]之士，利如錐，我幽冀[502)]之士，鈍如鎚. 持我鈍鎚，捶君利錐，錐當摧矣.” 陶雅曰，“神錐不可得鎚.” 納曰，“我亦有神鎚.”(晉史)

○(진晉나라 조적祖逖의 형인) 조납은 자가 사언으로 지조와 행실이 돈독하였다. 당시 매도와 종아가 자주 담론을 나눌 때마다 조납이 번번이 그들을 궁지로 몰아넣으며 말했다. “그대들은 여수와 영수 일대 출신 선비라서 날카롭기가 송곳 같은데, 나는 (하북성) 유주와 기주 출신 선비라서 무디기가 몽둥이 같다오. 내 무딘 몽둥이를 가져다가 그대들의 날카로운 송곳을 두드린다면 송곳이 분명 부러지고 말 것이오.” 매도와 종아가 대답하였다. “신통한 송곳이라서 부러뜨

499) 有如大江(유여대강) : 장강의 맑은 물빛처럼 모종의 일이 매우 분명하다는 것을 뜻한다. 유사한 문형으로 ≪좌전·문공13년≫권19에 “그들의 말을 저버려 그대의 처자식을 돌려보내지 않는 것과 같은 일은 저 황하처럼 분명하게 그리되지 않게 만들겠소(若背其言，所不歸爾帑者，有如河)”라는 말이 있는데, 진晉나라 두예杜預(222-284)는 주에서 “반드시 처자식을 돌려받는 것이 황하처럼 분명하다는 말이다(言必歸其妻子，明白如河)”라고 풀이하였다.

500) 妖星(요성) : 혜성과 같은 불길한 별. 재앙이나 죽음을 상징한다.

501) 汝潁(여영) : 회수淮水의 지류인 여수汝水와 영수潁水 사이 지역을 이르는 말.

502) 幽冀(유기) : 하북성 유주幽州와 기주冀州를 아우르는 말.

릴 수가 없지요." 그러자 조적이 말했다. "내게도 신통한 몽둥이가 있지요."(≪진서·조납전≫권62)

◇巧思入神(창의력이 입신의 경지에 이르다)

●祖沖之, 字文遠, 明歷法, 造指南車503)·欹器504)·千里船, 有巧思入神之妙. 宋初, 直華林505)學省506). 子暅之傳家業.(南史文學傳)

○조충지(429-500)는 자가 문원으로 역법에 정통하였고, 지남거와 의기·천 리를 갈 수 있는 쾌속선을 만들 정도로 창의력이 입신의 경지에 이를 만큼 뛰어났다. (남조南朝) 유송劉宋 초에는 화림원 내 학교에서 근무하였다. 아들 조긍지祖暅之가 가업을 전수받았다.(≪남사·문학열전·조충지전≫권72)

◇聖小兒(성인다운 아이)

●祖瑩, 字元珍, 八歲誦詩書, 親屬呼爲聖小兒. 常云, "文章須自出一家機軸, 成一家風骨, 何能與人同生活也?" 與袁翻齊名, 時語曰, "京師507)楚楚508)袁與祖, 洛中翩翩509)祖與袁." 仕元魏510), 十二歲爲中

---

503) 指南車(지남거) : 나침반과 같은 기구를 설치한 수레를 이르는 말. '사남거司南車' '사방司方'이라고도 한다.

504) 欹器(의기) : 물그릇의 일종. 물의 양이 적으면 기울어지고 적당하면 바로 서며 가득 차면 엎어지기에 임금이 늘 옆에 두고 경계거리로 삼았다고 한다.

505) 華林(화림) : 하남성 낙양洛陽에 있었던 궁원宮苑 이름. 원래 후한後漢 때 방림원芳林園이었던 것을 삼국시대 위魏나라 때 제왕齊王 조방曹芳의 휘諱 때문에 화림원으로 개명한 것이다. 남조南朝 때는 도성에 세우기도 하였다.

506) 學省(학성) : 천자가 도성에 세운 학교를 이르는 말로서 '벽옹辟雍' '국자감國子監' 등 시대마다 명칭을 달리 하였다.

507) 京師(경사) : 서울, 도읍을 이르는 말. 송나라 주희朱熹(1130-1200) 설에 의하면 '경京'은 높은 지대를 뜻하고, '사師'는 많은 사람을 뜻한다. 즉 높은 산에 의지하여 많은 사람이 모여 사는 곳이란 뜻에서 유래하였다. 여기서는 북위 때 수도인 하남성 낙양을 가리킨다.

508) 楚楚(초초) : 뛰어난 모양.

509) 翩翩(편편) : 문체가 우아하고 아름다운 모양.

510) 元魏(원위) : 조비曹丕(187-226)가 세운 위魏나라와 구별하기 위해 북조北朝 북위北魏를 달리 부르는 말. 종실은 원래 탁발拓跋씨였는데 효문제孝文帝 때 원元씨로 바꿨다. '후위後魏'라고도 한다.

書[511]學生, 遷祭酒[512]・祕書監[513].

○조영(?-약 534)은 자가 원진으로 여덟 살 때부터 ≪시경≫과 ≪서경≫을 암송하였기에 친족들이 그를 '성소아'라고 불렀다. 그는 늘 "문장은 모름지기 스스로 일가로서의 창의력을 발산하여 일가로서의 풍골을 이루어야 하거늘 어찌 남과 활동을 함께 할 수 있으리오?"라고 하였다. 원번과 나란히 이름을 떨쳐 당시에 "경사에서 뛰어난 사람은 원번과 조영이요, (하남성) 낙양에서 문장이 아름다운 이는 조영과 원번이라네"라는 말이 돌았다. (북조北朝) 북위北魏에서 벼슬길에 올라 열두 살에 중서성 소속 학생이 되었다가 국자제주와 비서감으로 승진하였다.

◇定雅樂(아악을 정비하다)

●祖孝孫, 唐武德[514]初, 爲太常少卿[515], 與張文收定樂, 製十二和[516], 以法天之數, 號大唐雅樂.(禮樂志)

○조효손은 당나라 (고조) 무덕(618-626) 초에 태상소경을 지내면서 장문수와 함께 악곡을 정비하여 12화를 제정해서 하늘의 수치를 본받고는 '대당아악'이라고 하였다.(≪신당서・예악지≫권21)

---

511) 中書(중서) : 위진魏晉 이래로 국가의 기무機務・조령詔令・비기祕記 등을 관장하는 최고 행정 기관인 중서성中書省의 약칭. '중성中省'이라고도 한다.

512) 祭酒(제주) : 국가의 교육을 총괄하고 제사를 주재하는 기관인 국자감國子監의 장관 이름. 시대마다 차이가 있어 유림제주儒林祭酒・성균제주成均祭酒・국자제주國子祭酒・대사성大司成 등 다양한 명칭으로 불렸다.

513) 祕書監(비서감) : 국가의 경적經籍・도서圖書・저작著作 등을 관장하던 비서성祕書省의 장관을 이르는 말. 버금 장관은 '소감少監'이라고 하였고, 휘하에 비서랑祕書郎・교서랑校書郎・저작랑著作郎 등의 속관을 거느렸다.

514) 武德(무덕) : 당唐 고조高祖의 연호(618-626).

515) 太常少卿(태상소경) : 예악禮樂과 천문天文에 관련된 업무를 관장하는 태상시太常寺의 버금 장관을 가리키는 말. 장관은 태상경太常卿으로 구경九卿 가운데 서열이 가장 높았다.

516) 十二和(십이화) : 당나라 초엽 조효손祖孝孫이 정리한 아악雅樂을 이르는 말. 곡목이 '예화豫和' '순화順和' '영화永和' 등의 12종으로 정해진 데서 유래하였다.

◇皇極箴(천자를 위한 잠언)

●祖無擇罷濟南, 自歷山南走三百里, 別明復先生. 徂徠相與講道德, 究經史, 耽雲霞, 玩水石, 擧觴賦詩. 五日方去, 知袁州, 興學. 李秦伯[517]爲記. 宋治平初, 知制誥, 獻皇極[518]箴.

○조무택(1006-1085)은 (산동성) 제남태수를 그만두고 역산으로부터 남쪽으로 3백 리를 갔다가 명복선생明復先生 손복孫復과 작별을 하였다. 조래선생徂徠先生 석개石介가 그와 도덕을 논하고 경서와 사서를 연구하고 자연을 탐미하고 수석을 감상하다가 술잔을 들어 시를 지었다. 5일 뒤 그곳을 떠나 (강서성) 원주를 다스리면서 학교를 세웠다. 태백泰伯 이구李覯가 그에 관한 글을 지어 주었다. 송나라 (영종) 치평(1064-1067) 초에는 지제고를 맡으면서 <천자를 위한 잠언>을 바쳤다.

※婚姻(혼인)

●祖無擇晩年議徐氏婚, 徐氏必欲訾相[519]其人. 祖貌寢[520], 同舍[521]馮京秀美, 論媒妁[522]俟馮出, 則紿[523]之曰, "此祖學士也." 徐見而喜, 遂成婚, 後竟以反目仳離[524]. 歐公[525]詩[526]云, "早歲多奇晩方偶," 謂此

---

517) 李秦伯(이진백) : 송나라 사람 이구李覯(1009-1059)의 별칭인 '이태백李泰伯'의 오기. '태백'은 자. 호는 우강선생盱江先生·직강선생直講先生. 범중엄范仲淹(989-1052)의 추천으로 태학설서太學說書 등을 역임하였고, 우강서원盱江書院을 창립하여 수많은 제자를 배출하였다. ≪송사·이구전≫권432 참조.

518) 皇極(황극) : 황제나 황제의 지위, 황제의 도리, 황실 따위를 이르는 말.

519) 訾相(자상) : 가늠하여 살피다, 용모를 따지다.

520) 貌寢(모침) : 외모가 못생긴 것을 뜻하는 말.

521) 同舍(동사) : 동료. '동료同僚' '동료同寮' '동사同事' '동직同職' 등 다양한 칭호로 불렸다.

522) 媒妁(매작) : 중매장이.

523) 紿(태) : 속이다, 거짓말하다.

524) 仳離(비리) : 헤어지다, 이혼하다. '비별仳別'이라고도 한다.

525) 歐公(구공) : 송나라 사람 구양수歐陽修(1007-1072)에 대한 존칭. 자는 영숙永叔이고, 시호는 문충文忠. 저서로 ≪문충집文忠集≫ 158권 등이 있다. ≪송사·구양수전≫권319 참조.

也.

○(송나라) 조무택(1006-1085)은 만년에 서씨와 혼사 얘기가 오갔지만 서씨는 언제나 그 사람의 용모를 살피는 버릇이 있었다. 조무택은 용모가 못생겼지만 동료인 풍경이 용모가 빼어나자 중매장이에게 풍경이 나오기를 기다렸다가 속임수를 써서 "이 사람이 조학사이오"라고 말하라고 시켰다. 서씨가 그를 보고서 흡족하여 결국 결혼을 하였지만 뒤에 결국 반목하여 헤어지고 말았다. 구양수歐陽修가 시에서 "젊은 나이에 재주가 많더니 만년에야 비로소 짝을 찾았네"라고 한 것도 이를 두고 한 말이다.

●彭祖[527]. 黃祖[528]. 鼻祖[529].

○팽조. (후한 사람) 황조. 시조始祖.

◆武(무씨)

▶羽音. 太原[530]. 周平王少子生, 而有文在手曰武, 因以爲氏.

▷음은 우음에 속하고 본관은 (산서성) 태원군이다. 주나라 평왕의 막내아들이 태어나면서 손에 '무'라는 손금이 있어서 그참에 이를 성씨로 삼은 것이다.

---

526) 詩(시) : 이는 칠언고시七言古詩 <조촐한 술자리에서 (섬서성) 섬주 관청으로 부임하는 택지擇之 조무택祖無擇과 헤어지며 드리다(小飮坐中, 贈別祖擇之赴陝府)> 가운데 한 구절을 인용한 것으로 ≪문충집≫권8에 전한다.

527) 彭祖(팽조) : 전욱顓頊의 손자이자 육종씨陸終氏의 셋째 아들로 하夏나라에서 은殷나라 말엽까지 8백 년을 살았다고 전하는 전설상의 인물. 성은 '전籛'이고, 이름은 '갱鏗'인데, 팽성彭城에 봉해진 조상이란 의미에서 '팽조'라는 별칭을 얻었다. 그에 관한 전기는 전한 유향劉向(약B.C.77-B.C.6)의 ≪열선전列仙傳≫권상과 진晉나라 갈홍葛洪(284-363)의 ≪신선전神仙傳≫권1에 보인다.

528) 黃祖(황조) : 후한 말엽 사람(?-208). 성격이 급하여 당대의 명사인 예형禰衡(173-198)을 살해하였으나 뒤에 자신은 손권孫權에게 살해당했다. ≪후한서・예형전≫권110 참조.

529) 鼻祖(비조) : 시조始祖의 별칭. 짐승이 태어날 때 코(鼻)부터 나오는 데서 유래하였다.

530) 太原(태원) : 산서성의 속군屬郡 이름.

◇國士(국사)

●武陔, 字元夏, 弟韶, 字叔夏, 次弟茂, 字季夏, 竝總角知名. 劉公榮[531]見之曰, "三子皆國士[532]也!" 後俱仕晉, 爲顯宦[533].

○무해(?-266)는 자가 원하이고, 동생 무소武韶는 자가 숙하이고, 다음 동생 무무武茂는 자가 계하로 모두 총각 때부터 명성을 떨쳤다. 공영公榮 유창劉昶이 그들을 보자 "세 사람 모두 국사로다!"라고 하였다. 뒤에 함께 진나라에서 벼슬길에 올라 고관에 올랐다.

◇隱居龍門(용문산에 은거하다)

●武攸緖, 則天[534]兄惟良子也. 恬淡寡慾, 好易及老莊[535]書. 隱居龍門·少室間, 冬蔽茅椒, 夏居石室. 晩年肌肉消省, 瞳有紫光, 晝能見星.

○(당나라) 무유서는 측천무후의 오빠인 무유량武惟良의 아들이다. 성품이 조용하고 욕심이 없어 ≪역경≫ 및 ≪노자≫와 ≪장자≫ 등의 서책을 좋아하였다. (하남성) 용문산과 소실산 일대에서 은거하면서 겨울에는 띠풀이나 산초잎을 덮고 여름에는 석실에 거주하였다. 만년에는 살이 다 빠지고 눈동자에서 자색 광채를 발하여 낮에도 별을 볼 수 있었다.

◇隱嵩山(숭산에 은거하다)

●武平一, 名甄, 博通春秋. 崔日用相與詰難, 語塞乃曰, "吾請北面." 武

---

531) 劉公榮(유공영) : 진나라 때 사람 유창劉昶. '공영'은 자. 산동성 연주자사兗州刺史를 지냈다. ≪진서·왕융전王戎傳≫권43 참조.

532) 國士(국사) : 나라에서 재능이 뛰어난 선비를 일컫는 말.

533) 顯宦(현환) : 고관高官의 별칭.

534) 則天(측천) : 당나라 측천무후則天武后의 약칭. 본명은 무조武曌(624-705)이고 '측천'은 시호. '측則'은 '측測'과 통용자. 고종高宗의 황후皇后이자 중종中宗 및 예종睿宗의 모후母后였지만, 뒤에 스스로 황제에 올라 국호를 '당唐'에서 '주周'로 개칭하고 15년간 전횡을 일삼았으며, 외척인 무武씨 집안 사람들이 득세할 수 있는 빌미를 제공하였다. '측천황후則天皇后' '무측천武則天' '무후武后' '천후天后' 등 다양한 별칭으로도 불렸다. ≪신당서·측천황후무조기≫권4 참조.

535) 老莊(노장) : 도가사상을 대표하는 ≪노자≫와 ≪장자≫를 아우르는 말.

后時, 隱嵩山, 屢詔不起. 中宗卽位, 召拜脩文館學士.

○(당나라) 무평일(?-약 741)은 본명이 '견甄'으로 ≪춘추경≫에 정통하였다. 최일용이 그와 논쟁을 벌이다가 말문이 막히자 "북쪽을 향해 시립한 채 스승으로 모시겠습니다"라고 하였다. 측천무후 때 (하남성) 숭산에 은거하다가 여러 차례 조서가 내려와도 벼슬에 오르지 않았다. 중종이 즉위하고서 그를 불러 수문관학사를 배수하였다.

◇眞宰相器(진정한 재상감)

●武元衡, 字伯蒼. 德宗歎其才, 嘗對延英[536]. 上目送[537]之曰, "眞宰相器!" 元和中, 拜相. 時淮蔡[538]用兵, 悉以機政委之.

○(당나라) 무원형(758-815)은 자가 백창이다. 덕종이 그의 재능에 감탄하여 연영전에서 대질한 적이 있다. 덕종은 멀리까지 그를 직접 전송해 주며 "진정한 재상감이로다!"라고 하였다. (헌종) 원화(806-820) 연간에 재상을 배수받았다. 때마침 회군과 채주 일대에서 병란이 일어나자 헌종은 주요 정사를 모두 그에게 위임하였다.

◇扇揮瓜蠅(부채를 휘둘러 참외에 앉은 파리를 쫓다)

●武儒衡, 字廷碩, 有風節, 氣韻高雄, 論事風采. 時元稹倚宦官, 知制誥, 儒衡鄙之. 會食瓜, 蠅集其上, 儒衡揮以扇曰, "適從何來, 遽集於此?" 一坐皆失色. 寶曆[539]初, 遷中書舍人.

○(당나라) 무유형(769-824)은 자가 연석으로 기풍과 절조가 있고 기상이 고매하여 정사에 대해 논하면 체통이 있었다. 당시 원진이 환관에 빌붙어 지제고를 맡게 되자 무유형이 그를 천대하였다. 마침

536) 延英(연영) : 당나라 때 궁전인 연영전延英殿의 약칭. 재상인 묘진경苗晉卿이 연로하여 거동이 불편하자 황제가 이곳으로 불러 예우했다는 고사로 유명하다. 숙종肅宗 때란 설이 있고, 대종代宗 때란 설이 있다.

537) 目送(목송) : 멀리까지 따라가 직접 보면서 전송해 주는 일. 극진한 예우를 말한다.

538) 淮蔡(회채) : 회군淮郡과 채주蔡州를 아우르는 말로 안휘성과 하남성 일대를 가리킨다.

539) 寶曆(보력) : 당唐 경종敬宗의 연호(825-826).

참외를 먹을 때 파리가 그 위에 날아들자 무유형은 부채를 휘두르며 "때마침 어디서 날아와 급히 여기 모여든 것일까?"라고 하였다. 그래서 좌중의 사람들이 모두 아연실색하였다. (경종) 보력(825-826) 초에 중서사인으로 승진하였다.

●武涉, 盱台[540]人. 項羽使說韓信, 三分天下.
○(진秦나라 말엽) 무섭은 (강소성) 우이현 사람이다. 항우(항적項籍 B.C.232-B.C.202)가 그에게 한신을 설득해 천하를 삼분케 하였다.

●武允成, 宋淳化中, 爲太子中允[541], 與至道[542]九老[543].(見李昉)
○무윤성은 송나라 (태종) 순화(990-994) 연간에 태자중윤을 지내다가 지도(995-997) 연간에 (이방이 결성한) 낙중구로회洛中九老會에 참여하였다.(상세한 내용은 앞의 '이'씨절 이방에 관한 기록인 '봉각오궁鳳閣鰲宮'항에 보인다)

※婚姻(혼인)

◇降勅結親[544](칙령을 내려 혼사를 치르게 하다)

●武士彠爲荊州都督, 喪妻. 唐高祖曰, "隋楊達爲納言[545], 有女志行賢明, 可以輔德[546]." 遂降勅結姻庶事官給.

---

540) 盱台(우이) : 강소성의 속현屬縣 이름. '우이盱眙'로도 쓴다.
541) 太子中允(태자중윤) : 태자궁太子宮 태자첨사부太子詹事府의 속관屬官으로서 태자중사인太子中舍人과 함께 문서를 관장하던 벼슬을 가리킨다.
542) 至道(지도) : 북송北宋 태종太宗의 연호(995-997).
543) 九老(구로) : 송나라 때 재상을 지낸 이방李昉(925-996)이 당나라 백거이白居易(772-846)의 향산구로회香山九老會를 모방하여 하남성 낙양에서 결성한 모임인 '낙중구로회洛中九老會'의 약칭. 이방을 비롯하여 장호문張好問·이운李運·송기宋琪·무윤성武允成·승려 찬녕贊寧·위석魏石·양휘지楊徽之·주앙朱昻을 가리키는데, 사천성 촉蜀 땅에서 반란이 일어나는 바람에 실행에 옮기지는 못 했다.
544) 結親(결친) : 혼인을 통해 인척 관계를 맺는 일을 이르는 말.
545) 納言(납언) : 왕명의 출납을 관장하는 벼슬을 이르는 말. 상고시대 관직명에서 유래한 것으로 후대에는 시중侍中이나 간관諫官의 대칭으로 쓰였다.

○무사확(577-635)은 (호북성) 형주도독을 지내면서 아내를 잃었다. 그러자 당나라 고조가 말했다. "수나라 출신 양달은 납언을 지냈는데 마음씨와 행실이 바른 딸이 있으니 그대를 잘 내조해 줄 수 있을 것이오." 급기야 칙령을 내려 혼인과 관련한 모든 물품을 관청에서 공급케 하였다.

●武殷謫官, 潮陽547)太守韋安貞以女妻之, 數月而卒.

○(당나라) 무은이 폄적당했을 때 (광동성) 조양태수 위안정이 딸을 그에게 시집보냈지만 몇 달 지나지 않아 사망하였다.

●武崇訓尙548)中宗安樂公主, 光艷動天下.

○(당나라) 무숭훈은 중종의 딸인 안락공주에게 장가들어 명성을 천하에 떨쳤다.

●步武549). 孫武. 蘇武.

○보무. (춘추시대 제齊나라 사람으로 ≪손자≫의 저자로 알려진) 손무. (전한 사람) 소무.

◆伍(오씨)

▶羽音. 安定. 楚大夫伍擧550)之後.

▷음은 우음에 속하고 본관은 (감숙성) 안정군으로 (춘추시대) 초나라 대부 오거

---

546) 輔德(보덕) : 덕행을 돕다. 여기서는 아내가 내조를 잘 하는 것을 말한다.

547) 潮陽(조양) : 당나라 종노鍾輅의 ≪전정록前定錄·무은≫ 등 다른 문헌에는 '소양韶陽'으로 되어 있으나 사서史書나 지지地誌에 언급이 없기에 위의 예문을 따른다.

548) 尙(상) : 공주에게 장가가는 것을 뜻하는 말. 남자가 몸을 낮추어 신분이 높은 공주를 '존중한다'는 의미에서 유래하였다. 반면 공주가 신분이 낮은 집안에 시집가는 것은 '하가下嫁'라고 한다.

549) 步武(보무) : 매우 짧은 거리를 이르는 말. 여섯 자를 '보步'라고 하고, 반보를 '무武'라고 한다.

550) 伍擧(오거) : 춘추시대 초楚나라 대부大夫로 오참伍參의 아들이자 오자서伍子胥(오원伍員)의 조부.

의 후손이다.

◇班荊(싸리나무를 깔다)

●伍擧楚大夫, 邑於椒, 故曰椒擧. 襄二十六年, 奔晉, 蔡聲子551)遇之鄭郊, 班荊552)相與坐而言.

○오거는 (춘추시대) 초나라 대부로 초읍에 거처를 마련하였기에 '초거'로도 불렸다. (노魯나라) 양공襄公 26년(B.C.547)에 진나라로 도망칠 때 채나라 성자가 정나라 교외에서 그를 맞아 싸리나무를 깔고서 함께 앉아 담화를 나눈 일이 있다.

◇烈丈夫(정열적인 대부)

●伍員, 字子胥. 父奢・兄尙爲楚平王所殺, 員奔吳, 導吳伐楚, 以報父仇. 後因諫吳王夫差不從太宰553)嚭, 讒之. 王乃賜子胥屬鏤554)之劍, 盛以鴟夷555)革, 浮之江中. 吳人憐之, 爲立祠於江上, 命曰胥山. 太史公556)曰, "隱忍557)就功名, 烈丈夫也!"

○오원(?-B.C.484)은 자가 자서이다. 부친 오사伍奢(?-B.C.522)와 형 오상伍尙이 (춘추시대) 초나라 평왕에게 살해당하자 오원은 오나라

---

551) 聲子(성자) : 춘추시대 때 작은 제후국인 채蔡나라 군주의 시호.

552) 班荊(반형) : 싸리나무를 깔다. '반班'은 '포布'의 뜻. 자책 내지 결의의 의미가 담겨 있다.

553) 太宰(태재) : 은殷나라 때는 육태六太의 하나였고, 주周나라 때는 육경六卿의 우두머리인 천관天官 총재冢宰의 별칭. 진秦・한漢・위魏나라 때는 설치하지 않았다가 진晉나라 때 경제景帝 사마사司馬師(209-255)의 이름을 피휘避諱하기 위해 태사太師를 '태재'라고 개칭하기도 하였다. 수당隋唐 때는 폐치廢置가 일정하지 않았고, 송나라 때는 좌복야左僕射를 '태재', 우복야右僕師를 '소재少宰'라고 하였다가 폐지되었다.

554) 屬鏤(촉루) : 전설상의 보검 이름.

555) 鴟夷(치이) : 말가죽으로 만든 주머니. 오자서伍子胥의 시체를 담은 것으로 유명하다. '치이鴟鵜'로도 쓴다.

556) 太史公(태사공) : ≪사기史記≫의 저자인 전한前漢 사마담司馬談(?-B.C.110)과 그의 아들 사마천司馬遷(B.C.135-?)에 대한 존칭. 그들 모두 태사령太史令을 지낸 데서 유래하였다. 또 ≪한서・예문지≫권30에 의하면 ≪사기≫의 원명이기도 하다.

557) 隱忍(은인) : 꾹 참다.

로 망명하였다가 오나라 군대를 이끌고 초나라를 정벌하여 부친의 원수를 갚았다. 뒤에 오나라 왕 부차에게 태재 비嚭의 말을 따르지 말라고 간언하였다가 참언을 당하고 말았다. 오나라 왕이 오원에게 촉루검을 내려 자결케 하고 말가죽에 시신을 담아 장강에 버렸다. 오나라 사람들이 그를 가엾게 여겨 장강 가에 사당을 세우고 '서산사'라고 이름 지었다. 태사공은 (≪사기・오자서전≫권66에서) "인내심을 가지고 공명을 이루었으니 정열적인 대부로다!"라고 평하였다.

◇伍喬星(오교의 별)

●伍喬, 南唐人, 力學詩調, 寒苦, 常有羸童瘦馬[558]之嘆. 山中浮屠[559]夢一大星, 人曰, "伍喬星也." 旣覺, 訪得喬, 傾資奉之. 後擧進士第一, 試'畵八卦[560]'賦. 與張洎相友善, 張爲翰林, 伍爲歙[561]倅. 詩[562]寄張云, "職事久參侯伯[563]幕, 夢魂長達帝王州." 又云, "遙想玉堂[564]多暇日, 花邊誰伴出城遊?" 張言於上, 召爲考功郞[565].

○오교는 (오대십국五代十國) 남당 때 사람으로 힘써 시를 공부하였으

---

558) 羸童瘦馬(이동수마) : 야윈 동복과 말. 고달픈 삶을 비유하는 말인 듯하다.

559) 浮屠(부도) : 범어梵語 'Buddha'의 음역音譯으로 사찰・부처・승려・불교・불탑 등 다양한 의미로 쓰인다. '부도浮圖'로도 쓴다.

560) 八卦(팔괘) : ≪역경≫의 64괘를 이루는 기본 단위의 괘. 즉 건乾(☰)・태兌(☱)・이離(☲)・진震(☳)・손巽(☴)・감坎(☵)・간艮(☶)・곤坤(☷)괘를 말한다. 전설상의 황제인 복희씨伏羲氏가 처음으로 만들었다고 전한다.

561) 歙(섭) : 안휘성의 속주屬州 이름.

562) 詩(시) : 이는 칠언율시七言律詩 <한림학사 장계에게 부치다(寄張學士洎)> 가운데 각기 함련頷聯과 미련尾聯을 발췌하여 인용한 것으로 ≪전당시・오교≫권744에 전한다.

563) 侯伯(후백) : 후작과 백작, 즉 제후를 이르는 말. 다섯 작위 중에 직급이 공작公爵 다음으로 높기에 여러 제후 가운데 수장首長을 뜻할 때도 있다.

564) 玉堂(옥당) : 황명이나 상주문 등 궁중의 주요 문서들을 관장하는 기관인 한림원翰林院의 별칭. '금란원金蘭院' '금서禁署' '금림禁林' '내서內署' '북원北院' '사림詞林' '사액詞掖' '오금鼇禁' '오두鼇頭' '오봉鼇峰' '오액鼇掖' '옥서'玉署' '한원翰苑' 등 다양한 별칭으로도 불렸다.

565) 考功郞(고공랑) : 조정의 핵심 행정 기관인 상서성尙書省의 육부六部 가운데 이부吏部의 휘하에 있는 네 부서인 이부吏部・사봉司封・사훈司勳・고공考功 중 관리의 고과考課를 관장하는 벼슬인 고공낭중考功郞中이나 고공원외랑考功員外郞의 약칭. 여기서는 후자를 가리킨다.

나 고달은 삶 때문에 늘 야윈 동복과 말 같다는 한탄을 하였다. 산속의 승려가 커다란 별을 꿈꾸자 누군가 "오교의 별입니다"라고 하였다. 잠에서 깬 뒤 물어물어 오교를 찾자 오교가 재산을 꺼내 그에게 봉양하였다. 뒤에 진사시험에서 장원급제를 차지할 때 '팔괘 그림'이란 제목의 부로 시험을 치렀다. 장계와 서로 친한 사이로 장계는 한림학사를 지냈고, 오교는 (안휘성) 섭주의 통판을 지냈다. 오교는 시를 지어 장계에게 부치면서 "직무상 오래도록 제후의 막부에 참여하다 보니, 꿈속에서나마 혼백이 멀리 임금님 계신 고을로 달려가네"라고 하고, 또 "멀리서 생각해 보니 옥당(한림원)에서 한가로이 지내던 날 많았는데, 누가 나와 함께 도성을 나서 꽃밭 주변을 노닐었던가?"라고 하였다. 장계가 황제에게 건의한 덕에 부름을 받아 고공원외랑에 임명되었다.

●伍被566)事漢淮南王, 爲中郎567). 王陰有邪謀, 被數微諫.

○오피는 전한 회남왕을 섬기며 중랑을 지냈다. 왕음이 사악한 음모를 꾸미면 오피가 자주 은밀하게 간언을 하곤 하였다.

●伍朝, 字世明, 晉逸民也. 游心物外, 守靜衡門568).

○오조는 자가 세명으로 진나라 때 은자이다. 속세를 벗어나 노닐며 누추한 집에서 조용한 삶을 누렸다.

●行伍569). 羞與噲570)等伍.

---

566) 伍被(오피) : 전한 때 회남왕淮南王 유안劉安(B.C.179-B.C.122)의 문객인 좌오左吳 · 이상李尙 · 소비蘇飛 · 전유田由(혹은 진유陳由) · 모피毛被(혹은 모주毛周) · 뇌피雷被 · 진창晉昌 · 오피伍被 등 팔공八公 가운데 한 사람.

567) 中郎(중랑) : 진한秦漢 이후로 궁중의 호위와 시종을 담당하던 삼서三署의 관원인 오관중랑장五官中郎將 · 좌중랑장左中郎將 · 우중랑장右中郎將 등을 아우르는 말.

568) 衡門(횡문) : 두 기둥 사이에 대충 나무를 가로질러 걸쳐 놓아서 문처럼 만든 것을 일컫는 말로, 매우 가난하고 누추한 집을 비유한다. '횡衡'은 '횡橫'과 통용자.

569) 行伍(항오) : 군대 편제 이름. 군사 5명을 '오伍'라고 하고, 25명을 '항行'이

○군대 대오. (전한) 번쾌樊噲와 같은 반열에 서는 것을 부끄럽게 여기다.

◆古(고씨)

▶羽音. 新安. 周太王[571]古公之後.

▷음은 우음에 속하고 본관은 (안휘성) 신안군으로 주나라 태공 고공단보古公亶父의 후손이다.

◇筆公(머리가 붓처럼 뾰족한 재상)

●古弼, 代[572]人也. 頭尖, 魏太武命之曰筆頭, 時人呼爲筆公. 數進克諫, 帝曰, "筆公可謂社稷之臣." 以功拜立節將軍, 賜爵霓壽侯, 遷尙書令[573].

○고필(?-452)은 (하북성) 대군 사람이다. 머리가 뾰족하게 생겨서 (북조北朝) 북위北魏 태무제가 그에게 '필두'라는 별명을 붙였고, 당시 사람들은 그를 '필공'으로 불렀다. 자주 궁중에 들어가 간언을 잘 했기에 태무제가 "필공은 종묘사직을 지키는 신하라 말할 만하오"라고 하였다. 공로로 입절장군을 배수받고 작위로 예수후를 하사받았다가 상서령으로 승진하였다.

◇縣令箴(현령을 위한 잠언)

●古之奇, 唐人, 作縣令箴云, "政不欲猛, 刑不欲寬. 寬則人慢, 猛則人

라고 한 데서 유래하였다.

570) 噲(쾌) : 전한 사람 번쾌樊噲. 한나라 때 개국공신 한신韓信이 번쾌와 같은 반열에 서는 것에 대해 쓴웃음을 지었다는 고사가 ≪사기·한신전≫권92에 전한다.

571) 太王(태왕) : 주周나라 문왕文王의 조부이자 무왕武王의 증조부인 고공단보古公亶父에 대한 존칭. 막내 아들이 왕계王季이고, 손자는 문왕이며, 증손이 바로 주나라를 건국한 무왕武王이다. ≪사기·주본기周本紀≫권4 참조.

572) 代(대) : 전국시대 때 하북성에 있었던 제후국 이름. 한나라 때 구국九國의 하나로 설치하였다가 뒤에는 군郡으로 설치하였다.

573) 尙書令(상서령) : 한나라 이후로 문서의 수발과 행정을 총괄하던 상서성尙書省의 장관을 이르는 말. 휘하에 육부六部를 설치하였고, 각 부의 장관인 상서尙書, 차관인 시랑侍郎, 실무자인 낭관郎官 등을 거느렸다.

殘. 小惡無爲, 涓流成池. 片言可用, 毫末將拱. 勿輕小道, 大車可覆. 不恕而明, 不如不明. 不通而淸, 不如不淸.

○고지기는 당나라 때 사람으로 현령을 위한 잠언을 지어 "정사는 사나워서 안 되고, 형벌은 관대해서 안 된다. 형벌이 관대하면 사람들이 태만해지고, 정사가 사나우면 사람들이 잔혹해진다. 아무리 작은 악행도 해서는 안 되나니 가는 물줄기가 연못이 되는 법이다. 사소한 말이라도 잘 이용해야 하나니 세세한 것도 도움이 되는 법이다. 작은 길이라고 경시하지 말지니 큰 수레가 뒤집힐 수 있기 마련이다. 용서하지 않고 분명히 밝히느니 차리리 분명하지 않은 것이 낫고, 소통하지 않으면서 명쾌하느니 차라리 명쾌하지 않은 것이 낫다"고 하였다.

●弔古. 稽古.

○고인을 조문하다. 고서를 연구하다.

◆扈(호씨)

▶羽音. 京兆. 夏有扈氏之後, 以國爲姓.

▷음은 우음에 속하고 본관은 (섬서성) 경조군이다. 하나라 때 호씨의 후손이 나라 이름을 성씨로 삼은 것이다.

◇碧鮮賦(푸르고 신선한 대나무를 읊은 부)

●扈載有文名, 常遊相國寺[574], 見庭竹可愛, 作碧鮮賦, 題壁間. 周世宗命黃門[575]錄進, 稱善久之.

○호재는 문장으로 명성을 떨쳤는데 일찍이 (하남성 낙양의) 상국사에 놀러갔다가 뜨락에 사랑스럽게 자란 대나무를 발견하고서 <푸르고

---

574) 相國寺(상국사) : 북조北朝 북제北齊 때 하남성 낙양에 세운 대건국사大建國寺를 당나라 때 고친 이름.

575) 黃門(황문) : 궁중에서 잡무를 총괄하는 부서인 황문성黃門省을 가리키는 말로 장관인 황문령黃門令에 주로 환관宦官을 임명하여 환관의 별칭으로도 쓰였다.

신선한 대나무>란 부를 지어 벽에다가 적었다. (오대五代) 후주後周 세종이 환관에게 명하여 그것을 적어서 바치게 하더니 한참 동안 칭찬하였다.

◇太平御覽(≪태평어람≫)

●扈蒙, 宋開寶中, 知貢擧, 擢進士合格者八人. 與李昉以群書編類, 賜名太平御覽576).

○호몽은 송나라 (태조) 개보(968-976) 연간에 지공거를 맡아 진사에 합격시킨 사람이 8인이다. 이방과 함께 여러 서적들을 편찬하고서 ≪태평어람≫이란 서명을 하사받았다.

●扈寅仕晉, 爲尙書令史577), 以非罪繫獄. 廷尉劉頌理出之.

○호인은 진나라에서 벼슬길에 올라 상서성의 영사를 지내다가 죄를 짓지 않았는데도 감옥에 갇혔다. 그러자 정위를 맡고 있던 유송이 다시 심리하여 그를 풀어주었다.

◆輔(보씨)

▶宮音. 扶風. 晉大夫輔躒之後.

▷음은 궁음에 속하고 본관은 (섬서성) 부풍군으로 (춘추시대) 진나라 대부 보력의 후손이다.

●輔公祐仕唐, 爲錄事578). 李太白贈以詩579)云, "鸚鵡洲橫漢陽渡, 水引

---

576) 太平御覽(태평어람) : 송나라 태평흥국太平興國 2년(977)에 이방李昉(925-996) 등이 태종太宗의 칙명을 받들어 지은 유서류類書類의 책. 모두 55門으로 분류되어 있고, 채록한 서적이 1,690종에 달한다. 비록 대부분 다른 유서에서 전사轉寫하여 일일이 원본에서 추출하지는 않았지만, 수집한 것이 해박하여 고증의 보고로 평가받는다. 총 1,000권. ≪사고전서간명목록·자부·유서류≫ 권14 참조.

577) 令史(영사) : 한나라 때 처음 설치된 난대상서蘭臺尙書의 속관으로 문서 처리를 담당하던 벼슬. 후에는 상서성이나 문하성·중서성의 속관을 두루 칭하였다.

578) 錄事(녹사) : 관서의 문서를 관장하고 시시비비를 가리는 일을 담당하는 보

寒煙沒江樹. 漢口雙魚580)白錦鱗, 令傳尺素581)報情人."

○보공우는 당나라에서 벼슬길에 올라 녹사참군을 지냈다. 이태백(이백李白)이 시를 기증해 "앵무주가 (호북성) 한양의 나룻터에 가로걸쳐 있는데, 물이 차가운 안개를 이끌어 강가 나무를 가렸네.(중략) 한수 어귀에 물고기 한 쌍이 흰 비단 같은 비늘을 하였으니, 서신을 전해 정인에게 알리면 되리라"고 하였다.

◆鄔(오씨)

▶商音. 潁川. 晉鄔大夫之後, 以郡爲姓.

▷음은 상음에 속하고 본관은 (하남성) 영천군이다. (춘추시대) 진나라 때 오군 출신 대부의 후손이 고을 이름을 성씨로 삼은 것이다.

●鄔彤工草書, 如寒林棲鴉.(黃詩注582))

○(송나라) 오동은 초서를 잘 썼는데 글씨체가 마치 겨울 숲에 깃든 까마귀 같았다.(≪산곡내집시주山谷內集詩注≫권11의 주)

좌관인 녹사참군錄事參軍의 약칭.

579) 詩(시) : 이는 칠언고시七言古詩 <(호북성) 한양의 녹사참군 보공우에게 드리는 시 2수(贈漢陽輔錄事二首)> 가운데 제2수의 제1연과 제3연을 발췌하여 인용한 것으로 당나라 이백李白의 ≪이태백문집≫권9에 전한다.

580) 雙魚(쌍어) : 물고기 한 쌍. 남조南朝 양梁나라 소통蕭統(501-531)이 엮은 ≪문선文選·행려하行旅下≫권27에 수록된 악부시樂府詩 <만리장성의 굴에서 말에게 물을 먹이며 부른 노래(飮馬長城窟行)>의 "손님이 먼 곳에서 찾아와, 내게 잉어 한 쌍을 주었는데, 아이를 불러 잉어를 삶았더니, 그 속에서 한 자 되는 편지가 나왔네(客從遠方來, 遺我雙鯉魚. 呼兒烹鯉魚, 中有尺素書)"라는 구절에서 유래한 말로 편지를 비유한다.

581) 尺素(척소) : 서신. 옛날에 한 자 가량 되는 천에 편지를 쓴 데서 유래하였다.

582) 黃詩注(황시주) : 송나라 황정견黃庭堅(1045-1105)의 시에 임연任淵이 주를 단 ≪산곡내집시주山谷內集詩注≫권11이나 사용史容이 주를 단 ≪산곡외집시주山谷外集詩注≫권2의 기록을 가리킨다.

◆萬(우씨)

●萬章, 字子夏, 漢元成間俠士也. 在長安城西, 號西城萬子夏. 爲京兆尹583)門下督584), 從至殿中, 諸侯貴人爭揖585)之

○우장은 자가 자하로 전한 원제와 성제 때 협객이다. (섬서성) 장안성 서쪽에 살아 '서성우자하'로 불렸다. 경조윤의 문하독을 지내면서 경조윤을 따라 궁중에 도착하면 제후와 고관들도 다투어 그에게 인사를 올렸다.

■氏族大全卷十四■

583) 京兆尹(경조윤) : 도성으로부터 백 리 안의 경기 지역을 관장하는 벼슬 이름.

584) 門下督(문하독) : 장수나 지방 장관의 휘하에 속한 무관武官 이름.

585) 揖(읍) : 두 손을 맞잡고 허리를 숙이는 인사법을 이르는 말. 두 손을 맞잡고 가슴까지 올리되 허리를 숙이지는 않는 가벼운 예법인 '공拱'보다는 정중하고, 엎드려서 절하는 '배拜'에 비해서는 비교적 가벼운 예법에 해당한다.

■氏族大全卷十五■

□十一薺(11제)

◆禰(예씨)

▶平原[1].

▷본관은 (산동성) 평원군이다.

●禰衡, 字正平, 氣尙剛傲, 矯時慢物. 漢建安[2]初, 遊許下[3], 陰懷一刺[4], 旣而無所適, 懷中刺字漫滅. 孔融深愛其才, 上疏薦之云, "鷙鳥累百, 不如一鶚." 曹操召爲鼓吏. 衡爲漁陽操檛[5], 蹀躞[6]而前, 容態有異, 聲節悲壯. 操送於劉表, 表送於黃祖. 祖長子射(音赤)大會賓客, 有獻鸚鵡者, 射曰, "願先生賦之, 以娛嘉賓." 衡攬筆而作, 文無加點. 黃祖性急, 竟殺之.

○예형(173-198)은 자가 정평으로 성격이 강직하고 거만하여 당시 사람들에게 교만하게 굴었다. 후한 (헌제) 건안(196-220) 초에 (하남성) 허하를 돌아다니며 몰래 명함을 지니고 다녔는데, 얼마 안 있어 찾아갈 곳이 없어지면서 품속의 명함에 글자가 다 지워지고 말았다. 공융이 그의 재능을 무척 좋아하여 상소문을 올려서 그를 추천하며 말했다. "맹금 수백 마리가 있는 것보다 차라리 물수리 한 마리가 낫습니다." 조조가 그를 불러 북을 관장하는 관리에 임명하였

---

1) 平原(평원) : 산동성의 속군屬郡 이름.

2) 建安(건안) : 후한後漢 헌제獻帝의 연호(196-220).

3) 許下(허하) : 하남성 허許 땅 일대를 이르는 말. 지금의 허창시許昌市 일대. '허'는 춘추전국시대 때 제후국 이름에서 유래하였다.

4) 刺(자) : 명첩, 명함을 뜻하는 말.

5) 漁陽操檛(어양조과) : 북으로 연주하는 악곡의 하나. '어양고漁陽鼓' '어양곡漁陽曲' '어양조漁陽操' '어양참漁陽摻' '어양삼롱漁陽三弄' '어양삼첩漁陽三疊' '어양참과漁陽摻檛' 등 다양한 별칭으로도 불린다. '참摻'이나 '참과摻檛' 모두 북을 치는 방법을 뜻한다.

6) 蹀躞(접섭) : 천천히 걷는 모양.

다. 예형은 <어양조과>라는 악곡을 만들고 천천히 앞으로 걸아나갔는데, 자세가 기이하고 곡조가 비장하였다. 조조는 그를 유표에게 보냈고, 유표는 그를 황조에게 보냈다. 황조의 장남인 황적黃射('射'의 음은 '적'이다)이 손님들을 모았을 때 누군가 앵무새를 바치자 황적이 말했다. "선생께서 부를 지어 손님들을 기쁘게 해 주셨으면 합니다." 예형이 붓을 잡고 부를 지었는데 문장을 조금도 손질하지 않았다. 황조는 성격이 급하여 결국 예형을 죽이고 말았다.

◆米(미씨)

▶徵音. 京兆. 本出西域米國[7].

▷음은 치음에 속하고 본관은 (섬서성) 경조군이지만 본래 서역의 미국에서 유래하였다.

●米楷, 後漢人, 與田盤・陳耽・薛郭・宋布・唐就・嬴咨・宣褒爲八及. 張儉等亦名八及[8], 此非.

○미해는 후한 때 사람으로 전반・진탐・설곽・송포・당취・영자・선포와 함께 '팔급'으로 불렸다. 장검 등 역시 '팔급'으로 불렸지만 여기서는 그들을 가리키는 것이 아니다.

◇三朝供奉(세 황제 밑에서 공봉을 지내다)

●米嘉榮, 唐長慶[9]間人, 善歌. 劉禹錫詩[10]云, "唱得涼州意外聲, 舊人惟有米嘉榮." 三朝供奉[11]米嘉榮, 能變新聲作舊聲. 子和尤善琵琶.

---

7) 米國(미국) : 수당隋唐 때 서역에 있었던 나라 이름.

8) 八及(팔급) : 후한 말엽에 존경받던 여덟 명의 당인黨人을 이르는 말. 당시에는 두 당파가 있었는데, 여기서는 장검張儉・잠질岑晊・유표劉表・진상陳翔・공욱孔昱・원강苑康・단부檀敷・적초翟超(혹은 범방范滂) 등 8인을 가리킨다. ≪후한서・당고열전黨錮列傳≫권97 참조.

9) 長慶(장경) : 당唐 목종穆宗의 연호(821-824).

10) 詩(시) : 이는 칠언절구七言絶句 <가수 미가영에게 주다(與歌者米嘉榮)> 가운데 전반부를 인용한 것으로 당나라 유우석劉禹錫(772-842)의 ≪유빈객문집劉賓客文集≫권25에 전한다.

11) 供奉(공봉) : 임금을 주변에서 받들어 섬기는 업무나, 혹은 그러한 직책을 이

○미가영은 당나라 (목종) 장경(821-824) 연간 사람으로 노래를 잘 불렀다. 그래서 유우석이 시에서 "(감숙성) 양주의 놀라울 정도로 노래를 잘 부른 이로, 친구 중에 오직 미가영이 있다네"라고 한 것이다. 세 황제 밑에서 공봉을 지낸 미가영은 새 곡조를 옛 곡조로 바꾸는 솜씨가 뛰어났다. 아들 미화米和는 특히 비파를 잘 연주하였다.

◇饋羊(양을 선물로 주다)

●米曁, 唐會昌[12]中, 爲振武軍[13]節度使[14], 饋李德裕四百羊.

○미기는 당나라 (무종) 회창(841-846) 연간에 (섬서성) 진무군절도사를 지내면서 이덕유에게 양 4백 마리를 선물로 주었다.

◇書畵船(서화를 실은 배)

●米芾, 字元章, 宋熙豐[15]間人. 少負英聲, 以恩補校書郎[16], 遷太學[17]博士. 東坡[18]云[19], "淸雅拔俗之文, 超邁入神之字, 何時見之, 以洗瘴毒? 兒子得寶月賦, 琅然一誦, 老夫臥聽未半, 蹶然而起. 恨二十年相從,

---

르는 말. 주로 시어사侍御史나 한림학사翰林學士 등을 가리켰다. '한림학사'를 현종玄宗 때 '한림공봉翰林供奉'이라고 부른 것이 그러한 예이다. 여기서는 금 연주자를 총괄하는 직책을 가리키는 말로 쓰인 듯하다.

12) 會昌(회창) : 당唐 무종武宗의 연호(841-846).

13) 振武軍(진무군) : 당나라 때 섬서성 북방에 설치한 군사 행정 구역 이름.

14) 節度使(절도사) : 당송唐宋 때 한 도道나 여러 주州의 군사·민정·재정 등을 관할하던 벼슬. 송 이후로는 실권이 없이 직함만 있었다.

15) 熙豐(희풍) : 북송北宋 신종神宗 때의 연호인 희녕熙寧(1068-1077)과 원풍元豐(1078-1085)을 아우르는 말.

16) 校書郎(교서랑) : 한나라 이래로 국가 도서의 교감에 관한 업무를 관장하던 비서성祕書省 소속의 관원을 이르는 말. 상관으로 비서감祕書監과 비서소감祕書少監·비서승祕書丞·비서랑祕書郎·저작랑著作郎이 있다.

17) 太學(태학) : 고대 중국에서 귀족의 자제들을 위해 도읍에 설치하였던 교육 기관을 이르는 말.

18) 東坡(동파) : 송나라 때 대문호인 소식蘇軾(1036-1101)의 호. 소식이 호북성 황주黃州로 폄적당했을 때 동파에 거주한 데서 비롯되었다. 저서로 ≪동파전집東坡全集≫ 115권이 전한다. ≪송사·소식전≫권338 참조.

19) 云(운) : 이는 <미원장(미불)에게 드리는 글(與米元章)>을 인용한 것으로 ≪동파전집≫권85에 전한다.

知元章不盡此賦, 當過古人, 不論今世也." 出守無爲軍[20], 建寶月齋·鑿墨池·仰高堂·明遠樓, 愛潤州京口溪山之勝, 遂定居焉. 作庵城東, 號海岳. 潤州火, 惟存李衛公[21]塔與此庵耳. 米詩[22]云, "神護衛公塔, 天留米老庵." 喜蓄書畫, 山谷[23]贈詩[24]二章, 有云, "萬里風帆水拍天, 麝煤[25]鼠尾[26]過年年. 滄江夜夜虹貫月, 盡是米家書畫船." 工篆·隷·眞[27]·行·草書. 宋高宗極愛其字, 分爲十卷, 刻於石.

○미불(1051-1107)은 자가 원장으로 송나라 (신종) 희녕(1068-1077)·원풍(1078-1085) 때 사람이다. 어려서부터 명성을 떨치더니 조상의 음덕으로 교서랑에 임명되었다가 태학박사로 승진하였다. 동파東坡 소식蘇軾은 "청아하고 탈속적인 문장과 탁월하니 입신의 경지에 이른 글씨를 언제나 보게 되어 독소를 씻어낼 수 있을까? 아들이 <보월재를 읊은 부>를 얻어 낭랑한 소리로 암송하기에 나는 누워서 채 반도 듣기 전에 벌떡 몸을 일으키고 말았다. 안타깝게도 나는 20년이나 함께 어울렸음에도 원장(미불)이 이 부를 다 짓지 못 했다는 사실을 알게 되었지만, 그래도 고인을 능가하니 현세의 인물과 비교할 것까지도 없다"고 하였다. 미불은 조정을 나서 (안휘성) 무위군을 진수하면서 보월재·착묵지·고앙당·명원루를 짓더니 (안휘성) 윤

---

20) 無爲軍(무위군) : 안휘성에 설치한 군사 행정 구역 이름.

21) 李衛公(이위공) : 당나라 사람 이덕유李德裕(787-850)에 대한 존칭. '위공'은 그의 봉호인 위국공衛國公의 약칭. 저서로 ≪회창일품집會昌一品集≫ 34권이 전한다. ≪신당서·이덕유전≫권180 참조.

22) 詩(시) : 이는 오언율시五言律詩 <감로사(甘露寺)> 가운데 경련頸聯을 인용한 것으로 송나라 미불米芾(1051-1107)의 ≪보진영광집寶晉英光集≫권4에 전한다.

23) 山谷(산곡) : 송나라 사람 황정견黃庭堅(1045-1105)의 호. '부옹涪翁'이라고도 한다. 자는 노직魯直. 소식蘇軾(1036-1101)의 제자이자 강서시파江西詩派의 창시자로서 비서승祕書丞과 사천성 부주별가涪州別駕 등을 역임하였다. 저서로 ≪산곡집山谷集≫ 67권이 전한다. ≪송사·문원열전文苑列傳·황정견전≫권444 참조.

24) 詩(시) : 이는 칠언절구七言絶句 <재미삼아 미원장(미불)에게 드리는 시 2수(戲贈米元章二首)> 가운데 제1수를 인용한 것으로 ≪산곡집≫권9에 전한다.

25) 麝煤(사매) : 사향을 배합하여 만든 먹을 이르는 말로 고급 먹을 가리킨다.

26) 鼠尾(서미) : 쥐의 꼬리털을 뜻하는 말로 붓을 비유적으로 가리킨다.

27) 眞(진) : 해서楷書의 별칭인 진서眞書를 이르는 말.

주 경구현의 골짜기와 산의 빼어난 경관을 사랑해 급기야 그곳에 정착하였다. 성 동쪽에 암자를 짓고는 '해악암'이라고 이름 지었다. 윤주에 화재가 일어났을 때 오직 (당나라) 위국공衛國公 이덕유李德裕를 기리는 보탑과 이 암자만이 보존되었다. 그래서 미불은 시에서 "신이 위국공의 보탑을 보우하고, 하늘이 늙은이인 나의 암자를 남기셨네"라고 하였다. 서화를 모으기 좋아하였기에 산곡山谷 황정견黃庭堅이 시 2수를 기증하였는데, 그중 한 수에서 "만 리를 달리는 범선이 물결을 일으켜 하늘을 때리며, 고급 먹과 붓들이 해마다 지나갔네. 맑은 강에 밤마다 무지개가 달을 꿰뚫는 것은, 모두가 미선생의 서화를 실은 배라네"라고 하였다. 미불은 전서·예서·해서·행서·초서를 모두 잘 썼다. 송나라 고종은 그의 글씨를 무척이나 좋아하여 10권으로 나눈 뒤 바위에 새겼다.

◇御賜碑(황제가 몸소 비문을 하사하다)

●米友仁, 芾之子也, 筆法能世其業. 高宗眷侍甚厚, 賜御書石文殿[28]碑, 又詔書道山堂碑. 紹興[29]中, 權兵部尙書[30].

○(송나라) 미우인(1072-1151)은 미불米芾(1051-1107)의 아들로 서법 방면에서 가업을 잘 계승하였다. 고종이 그를 몹시 신임하여 친필로 우문전右文殿의 비문을 써서 하사하고 다시 도산당의 비문을 쓰라는 조서를 내렸다. 소흥(1131-1162) 연간에 병부상서를 임시로 대행하였다.

◇四賢堂(사현당)

●米憲, 宋嘉泰[31]中, 守瑞州. 先是, 三賢堂在酒務[32]之右, 祠東坡·欒

---

28) 石文殿(석문전) : 궁중의 전각인 우문전右文殿의 오기인 듯하다. 자형의 유사성으로 인한 필사 과정상의 단순 오기로 보인다.

29) 紹興(소흥) : 남송南宋 고종高宗의 연호(1131-1162).

30) 兵部尙書(병부상서) : 조정의 핵심 행정 기관인 상서성尙書省 소속 육부六部 가운데 병무를 관장하는 기관인 병부兵部의 장관을 이르는 말. 휘하에 시랑侍郎과 낭중郎中·원외랑員外郎 등을 거느렸다.

31) 嘉泰(가태) : 남송南宋 영종寧宗의 연호(1201-1204).

城[33], 米憲後塑山谷, 易曰四賢堂.

○미헌은 송나라 (영종) 가태(1201-1204) 연간에 (강서성) 서주를 다스렸다. 이보다 앞서 삼현당이 주류를 관장하는 사무소 오른편(서쪽)에 있어서 동파東坡 소식蘇軾과 난성백欒城伯 소철蘇轍에게 제사를 지냈는데, 미헌이 뒤에 산곡山谷 황정견黃庭堅의 동상을 주조하고는 '사현당'으로 이름을 바꿨다.

□十二蟹(12해)

◆解(해씨)

▶商音. 平陽. 唐叔虞[34]子食采於解, 子孫以邑爲氏. 晉大夫[35]解揚·解狐, 皆其後也.

▷음은 상음에 속하고 본관은 (산서성) 평양군이다. (주周나라 때) 당왕에 봉해진 숙우의 아들이 해읍을 식읍으로 받자 자손들이 고을 이름을 성씨로 삼은 것이다. (춘추시대) 진나라 때 대부 해양과 해호가 모두 그 후손이다.

◇治績第一(치적이 천하 으뜸이다)

●解修仕晉, 爲渤海太守, 考績爲天下第一.

○해수는 진나라에서 벼슬길에 올라 (산동성) 발해태수를 지냈는데 고과 성적이 천하 으뜸이었다.

---

32) 酒務(주무) : 술의 전매를 관장하는 사무소나 주점을 이르는 말.

33) 欒城(난성) : 하북성 조주趙州의 속현屬縣이자 소철蘇轍(1039-1112)의 봉호인 난성백欒城伯의 준말.

34) 叔虞(숙우) : 주周나라 무왕武王의 아들이자 성왕成王의 동생. 성왕이 어렸을 때 장난 삼아 동생을 당왕唐王에 봉한다고 하였다가 사일史佚의 간언으로 결국 당왕에 봉하였다는 고사로 유명하다. '숙'은 셋째를 뜻하는 항렬이고, '우'가 이름이다.

35) 大夫(대부) : 주周나라 때 신분 구분인 공公·경卿·대부大夫·사士의 하나. 삼공三公과 구경九卿 아래로 상대부上大夫·중대부中大夫·하대부下大夫가 있고, 그 밑으로 다시 상사上士와 중사中士·하사下士가 있었다. 후대에는 벼슬아치에 대한 범칭汎稱으로 쓰기도 하였다.

◇惡人及蟹(사람을 싫어하는 것이 게까지 미치다)

●解系, 字少連, 仕晉, 爲雍州刺史, 與趙王倫[36]有隙. 倫得志, 收系兄弟. 梁王肜[37]救之, 倫曰, "我於水中見蟹[38], 且惡之, 況此人兄弟輕我乎?" 竟害之. 二弟結・育.

○해계(?-300)는 자가 소련으로 진나라에서 벼슬길에 올라 (섬서성) 옹주자사를 지내다가 조왕趙王 사마윤司馬倫과 갈등을 빚었다. 사마윤이 권력을 차지하면서 해계 형제를 잡아들였다. (사마윤의 형인) 양왕梁王 사마융司馬肜이 그를 구하려고 하자 사마윤이 말했다. "저는 물속에서 게를 발견하기만 해도 싫어하거늘 하물며 이들 형제가 저를 경시한 바에야 말할 나위가 있겠습니까?" 결국 그들을 살해하였다. 해계의 두 동생은 해결解結과 해육解育이다.

◇知大體(요체를 잘 알다)

●解琬仕唐, 爲滄州刺史, 爲政知大體. 以金紫光祿大夫[39]致仕, 年八十餘, 卒[40].

○해완(?-718)은 당나라에서 벼슬길에 올라 (하북성) 창주자사를 지냈는데 정사를 펼칠 때 요체를 잘 알았다. 금자광록대부를 지내다가 벼슬을 그만두더니 나이 80세가 넘어 생을 마쳤다.

---

36) 趙王倫(조왕윤) : 진晉나라 선제宣帝 사마의司馬懿(179-251)의 아홉 번째 아들인 사마윤司馬倫. '조왕'은 봉호. ≪진서・조왕사마윤전≫권59 참조.

37) 梁王肜(양왕동) : 진晉나라 선제宣帝 사마의司馬懿(179-251)의 다섯 번째 아들인 사마융司馬肜의 오기. '양왕'은 봉호. ≪진서・양왕사마융전≫권38 참조.

38) 蟹(해) : '게 해蟹(xiè)'와 '해계解系'의 성인 '해解(xiè)'가 동음이기에 하는 말이다.

39) 金紫光祿大夫(금자광록대부) : 황제의 자문 역할을 담당하던 벼슬 이름. 진한秦漢 때 중대부中大夫를 전한 무제武帝가 광록대부光祿大夫로 고쳤고, 수당隋唐 때는 광록대부 외에도 금자광록대부金紫光祿大夫와 은청광록대부銀靑光祿大夫를 더 설치하였다. '금자'는 고관이 차는 금도장과 자색 인끈을 가리킨다.

40) 卒(졸) : 사대부가 죽었을 때 쓰는 말. ≪예기・곡례하曲禮下≫권5에 의하면 천자의 죽음은 '붕崩'이라고 하고, 공경公卿의 죽음은 '훙薨'이라고 하며, 대부大夫의 죽음은 '졸卒'이라고 하고, 사士의 죽음은 '불록不祿'이라고 하며, 평민의 죽음은 '사死'라고 하여 신분에 따라 죽음에 대한 표현에도 차이를 두었다.

◇忠義天知(충심을 하늘이 알다)

●解潛宋紹興初, 爲荊南[41]鎭撫使[42], 募人耕荒田, 收大利. 紹興中, 屯田[43]自此始疾劇. 張九成往候之, 泣曰, "平生誓與虜死, 此心忠義, 惟有天知." 言終而逝, 九成壯之.

○해잠은 송나라 (고종) 소흥(1131-1162) 초에 형남진무사를 맡자 사람들을 모집해서 황무지를 개간하여 큰 수익을 올렸다. 소흥 연간에 둔전은 이로부터 번성하기 시작하였다. 장구성이 찾아가 인사를 하자 눈물을 흘리며 말했다. "평생 오랑캐와 싸우다가 전사하겠다고 맹서하였는데, 내 마음 속의 충심을 오직 하늘만이 알아줄 것이오." 말을 마치고 죽으니 장구성이 그를 영웅답다고 칭찬하였다.

※女德(여덕)

●解結, 字叔連, 一女適裴氏. 明日當嫁, 而趙王倫收結與兄系同坐. 裴氏欲活其女, 女曰, "家旣若如此, 我何活爲[44]?" 亦死之.

○(진晉나라) 해결(?-300)은 자가 숙련으로 딸 하나가 배씨에게 시집가게 되었다. 이튿날 결혼식을 올리려 하였지만 조왕趙王 사마윤司馬倫이 해결과 그의 형인 해계解系를 잡아들이면서 함께 연루되었다. 배씨가 해결의 딸을 살리려고 하자 딸이 말했다. "가문이 기왕 이처럼 되었다면 제가 어떻게 살아날 수 있겠어요?" 그녀 역시 그 일에 연루되어 죽고 말았다.

□十四賄(14회)

---

41) 荊南(형남) : 형산 남쪽 지역을 가리키는 말로 지금의 호남성·강서성 일대를 가리킨다.

42) 鎭撫使(진무사) : 지방의 백성을 위무하기 위해 파견하는 사신을 이르는 말.

43) 屯田(둔전) : 주둔군의 식량을 자급자족하기 위해 마련한 농토를 가리키는 말.

44) 爲(위) : 의문조사.

◆宰(재씨)

▶徵音. 西河. 周大夫宰孔之後, 以官爲氏.

▷음은 치음에 속하고 본관은 (산서성) 서하군이다. 주나라 대부 재공의 후손이 관직 이름을 성씨로 삼은 것이다.

●宰予, 字子我, 孔門高弟. 在言語科[45], 爲臨菑大夫.

○(춘추시대 노魯나라) 재여는 자가 자아로 공자의 문하생 가운데 수제자이다. 언어 방면에서 탁월한 재능을 보이더니 (산동성) 임치대부를 지냈다.

●宰鼂仕漢, 爲會稽[46]太守.

○재조는 한나라에서 벼슬길에 올라 (절강성) 회계태수를 지냈다.

●宰直仕漢, 爲司空[47]掾[48].

○재직은 한나라에서 벼슬길에 올라 사공연을 지냈다.

◆隗(외씨)

▶宮音. 餘杭.

▷음은 궁음에 속하고 본관은 (절강성) 여항군이다.

---

45) 言語科(언어과) : 춘추시대 노魯나라 공자의 유가학파에서 내세우는 사과四科인 덕행·언어·정치·문학 가운데 하나. 덕행은 안연晏淵(안회顔回)과 민자건閔子騫(민손閔損)을, 언어는 자아子我(재여宰予)와 자공子貢(단목사端木賜)을, 정치는 염유冉由(염구冉求)와 계로季路(중유仲由)를, 문학은 자유子游(언언言偃)와 자하子夏(복상卜商)를 우수한 자로 꼽았다.

46) 會稽(회계) : 절강성의 속군屬郡 이름. 춘추전국시대 때는 절강성 소흥시紹興市 일대를 '회계'라고 하다가, 진한秦漢 때는 오군吳郡(강소성 소주시蘇州市 일대)으로 이전하였고, 후한後漢 이후로 다시 오군을 복원하면서 회계군 역시 원래 지역(절강성 소흥시 일대)으로 복원시켰다.

47) 司空(사공) : 벼슬 이름. 소호少昊 때 처음 설치되었는데, 주周나라 때는 동관冬官으로서 치수와 토목공사를 관장하였고, 한나라 이후로는 태위太尉·사도司徒와 함께 삼공三公의 하나였다.

48) 掾(연) : 고관의 휘하에서 잡무를 보는 하급관리를 이르는 말. 구실아치, 아전.

●隗囂, 西漢末據天水[49], 稱西州將軍.

○외효(?-33)는 전한 말엽에 (감숙성) 천수군을 점거하고서 자칭 서주 장군이라고 하였다.

●隗相, 後漢人, 事母至孝, 徵爲郎[50].

○외상은 후한 때 사람으로 모친을 효심을 다해 섬기다가 황제의 부름을 받아 낭관이 되었다.

◇善易(≪역경≫에 정통하다)

●隗炤, 晉人, 善易. 卜終, 以書板, 授妻子曰, “後雖大荒, 愼勿賣宅. 後五年, 有詔使來此亭, 姓龔, 曾負吾金. 如其來, 以此書板索之.” 至期, 果有天使[51]至. 昭[52]妻持板索之, 天使取蓍筮[53]卦曰, “妙哉! 隗生賢夫! 自有金五百斤, 在堂屋下, 去地九尺.” 妻子掘之, 果得金.

○외소는 진나라 때 사람으로 ≪역경≫에 정통하였다. 점을 마치자 그것을 목판에 써서 아내에게 주며 말했다. “뒤에 비록 흉년이 든다 해도 절대로 집을 팔지 마시오. 5년 뒤에 조서를 받든 사신이 이곳 정자로 찾아올 터인데, 성이 공씨로 일찍이 내게 금을 빚진 적이 있다오. 만약 그가 오거든 이 목판을 가지고 그에게 금을 달라고 하시오.” 그때가 되자 정말로 천자의 사신이 찾아왔다. 외소의 아내가 목판을 가져다가 금을 달라고 하자 천자의 사신이 점괘를 얻고나서 말했다. “신통하도다! 외선생은 현자로다! 원래 금 5백 근이 줄곧 대청 아래 지상으로부터 아홉 자 깊이 되는 곳에 있었답니다.” 아내가 그곳을 팠더니 정말로 (남편이 숨겨두었던) 금이 나왔다.

---

49) 天水(천수) : 감숙성의 속군屬郡 이름.

50) 郎(낭) : 황제의 호위와 시종·자문 등을 맡은 시종관侍從官에 대한 총칭. 의랑議郎·중랑中郎·상서랑尙書郎·시랑侍郎·낭중郎中·원외랑員外郎 등 다양한 직책이 생겼다.

51) 天使(천사) : 황제의 사신에 대한 미칭美稱.

52) 昭(소) : 외소의 이름인 ‘소炤’의 오기.

53) 蓍筮(시서) : 시초를 이용하여 점을 치는 일.

●磊隗[54]. 二隗[55].

○돌이 많이 쌓여 있는 모양. (후한) 외최隗崔와 조카 외효隗囂.

□十六軫(16진)

◆閔(민씨)

▶宮音. 隴西.

▷음은 궁음에 속하고 본관은 (감숙성) 농서군이다.

◇蘆花絮(갈대꽃을 넣은 옷을 솜옷 대신 입히다)

●閔損, 字子騫, 孔門居德行科, 不仕大夫之家, 不食汙君之祿, 性至孝. 後母[56]冬月以蘆花衣之, 以代絮. 父知之, 欲出其妻, 損曰, "母在, 一子單, 母去, 三子寒." 乃止. 贈瑯琊公.

○(춘추시대 노魯나라) 민손(B.C.536-B.C.487)은 자가 자건으로 공자(공구孔丘)의 문하에서 덕행이 훌륭한 부류에 속했는데, 대부의 가문에서 벼슬을 지내지도 않고 군주를 욕되게 할 봉록도 받지 않았으며 천성적으로 지극히 효심이 깊었다. 계모가 겨울에 갈대꽃을 넣은 옷을 그에게 입히며 솜옷을 대신하였다. 부친이 이를 알고 아내를 내쫓으려고 하자 민손이 "계모가 있으면 아들 하나만 외롭지만, 계모가 떠나면 아들 셋이 모두 추위에 떨 것입니다"라고 말하는 바람에 결국 그만두고 말았다. 낭야공을 추증받았다.

◇節士(절조 있는 선비)

●閔貢, 字仲叔, 太原人, 世稱節士. 客居安邑, 家貧, 日買猪肝一片. 屠者或不肯, 安邑令聞之, 勅吏常給. 仲叔怪, 問而知之, 嘆曰, "閔仲叔豈以口腹累安邑邪?" 遂去, 客沛. 漢建武[57]中, 以博士徵, 不至.

---

54) 磊隗(뇌외) : 돌이 많이 쌓여 있는 모양.
55) 二隗(이외) : 후한 말엽 사람인 외최隗崔와 조카 외효隗囂를 아우르는 말.
56) 後母(후모) : 계모의 별칭.
57) 建武(건무) : 후한後漢 광무제光武帝의 연호(25-55).

○민공은 자가 중숙이고 (산서성) 태원군 사람으로 세간에서는 절조 있는 선비로 불렸다. 안읍현에서 객지생활을 하느라 집이 가난했기에 날마다 돼지간 한 조각을 샀다. 도살업자가 간혹 돼지간을 주려고 하지 않자 안읍현의 현령이 이 애기를 듣고서는 관리를 시켜 늘상 공급케 하였다. 민공이 이상한 생각이 들어 물어서 알게 되자 탄식하며 "나 민중숙이 어찌 허기 때문에 안읍현 사람들에게 폐를 끼칠 수 있으리오?"라고 말하고는 급기야 그곳을 떠나 (강소성) 패현에서 객지생활을 하였다. 후한 (광무제) 건무(25-55) 연간에 박사를 맡으라는 부름을 받았으나 부임하지 않았다.

◇五雋(다섯 명의 준걸)

●晉閔鴻與薛兼·紀瞻·顧榮·賀循, 號五雋. 張華曰, "皆南金[58]也."

○진나라 민홍은 설겸·기첨·고영·하순과 함께 '오준'으로 불렸다. 장화가 "모두 남방에서 나는 질 좋은 구리 같은 인물들이다"라고 말한 일이 있다.

◇遙遙華胄(먼 옛날 고귀한 가문의 후손이구먼!)

●梁朝有閔姓求官者. 時何昌寓爲吏部尙書[59], 問之曰, "君是誰後?" 答曰, "閔子騫後." 何笑曰, "遙遙華胄[60]!"(南史[61])

○(남조南朝) 양나라 때 성이 민씨인 어떤 사람이 관직을 찾고 있었

---

58) 南金(남금) : 남방인 호북성 형주荊州나 강소성 양주揚州에서 생산되는 질 좋은 구리를 가리키는 말. 진귀한 물품이나 훌륭한 인재를 상징한다.

59) 吏部尙書(이부상서) : 조정의 핵심 행정 기관인 상서성尙書省 소속 육부六部 가운데 관리들의 인사人事와 고과考課를 관장하는 이부의 장관. 휘하에 시랑侍郎과 낭중郎中·원외랑員外郎 등을 거느렸다.

60) 華胄(화주) : 신분이 고귀한 집안(華族)의 후손을 이르는 말. '주胄'는 장남, 적장자를 뜻한다.

61) 南史(남사) : 당나라 이연수李延壽가 남조南朝의 유송劉宋부터 진陳나라 말까지 도합 170년의 역사를 간략하게 정리하여 서술한 사서史書. 총 80권. 기존의 《송서宋書》 등의 내용을 보완한 것은 적고 삭제한 것이 많아 《북사北史》보다는 못 하다는 평을 받는다. 《사고전서간명목록·사부·정사류正史類》 권5 참조.

다. 당시 하창우가 이부상서를 지내면서 그에게 물었다. "자네는 누구의 후손인가?" 그가 "(춘추시대 노魯나라 사람) 자건子騫 민손閔損의 후손입니다"라고 대답하자 하창우가 웃으며 말했다. "먼 옛날 고귀한 가문의 후손이구먼!"(≪남사·하창우전≫ 권30)

◆尹(윤씨)

▶徵音. 天水. 少昊[62]之子封於尹城, 因氏焉. 周尹吉甫[63]詩註云, "尹, 官也, 以官爲氏."

▷음은 치음에 속하고 본관은 (감숙성) 천수군이다. (오제五帝 가운데 첫 번째 임금인) 소호의 아들이 윤성에 봉해지자 그참에 이를 성씨로 삼은 것이다. 주나라 윤길보 시의 주에서는 "'윤'은 관직을 뜻하므로 관직 이름을 성씨로 삼은 것이다"라고 하였다.

◇淸風(맑은 바람)

●尹吉甫, 周卿士[64]也, 作崧高·韓奕·江漢·烝民四詩[65], 皆以美宣王也. 烝民篇云, "吉甫作誦, 穆如淸風." 六月詩云, "吉甫燕喜, 旣多受祉." 子伯奇.

○윤길보는 주나라 때 경사로 <숭고> <한혁> <강한> <증민> 등 네 편의 시를 지었는데 모두가 선왕을 찬미하기 위한 것이다. ≪시경·대아大雅·증민≫ 권25에서는 "윤길보가 이 노래를 지으니 화목하기가 맑은 바람 같네"라고 하였고, ≪시경·소아小雅·유월≫ 권17에서는 "윤길보가 연회에서 기뻐하며 이미 복을 많이 받았다네"라고 하였다. 아들은 윤백기尹伯奇이다.

---

62) 少昊(소호) : 전설상의 임금인 오제五帝 가운데 첫 번째 인물. 성씨는 '금천金天'씨. '소호少皞'로도 쓴다.

63) 尹吉甫(윤길보) : 주周나라 선왕宣王 때 내사內史를 지낸 사람. 계모의 참언 때문에 효자로 이름이 난 아들 윤백기尹伯奇를 내쫓았다고 전하는데, 그에 관한 노래는 ≪시경·대아大雅·숭고崧高≫ 권25에 전한다.

64) 卿士(경사) : 천자의 정사를 집행하는 고위 관료를 이르는 말. 공경사대부公卿士大夫의 준말을 가리킬 때도 있다.

65) 四詩(사시) : 이상 네 편은 모두 ≪시경·대아大雅≫ 권25에 수록되어 전한다.

◇踐霜挽車(서리를 밟으며 수레를 끌다)

●尹伯奇事後母孝, 無衣無履, 踐霜挽車. 韓愈爲之作履霜操[66]. 張横渠[67]云, "勇於從而順令者, 伯奇也."

○(주周나라) 윤백기는 효성스럽게 계모를 섬기면서 옷도 신발도 없이 서리를 밟으며 수레를 끌었다. (당나라) 한유가 그를 위해 <이상조>를 지었다. (송나라) 횡거선생横渠先生 장재張載는 "주저없이 명령에 순종한 이는 윤백기이다"라고 하였다.

◇草樓(풀로 엮은 누각)

●尹軌·杜仲, 有道之士也. 周穆王召之, 居終南山尹眞人[68]草樓, 因號樓觀. 道士之名始此.(事物紀原[69])

○윤궤와 두중은 도술을 아는 선비이다. 주나라 목왕이 그들을 불러 (섬서성) 종남산 윤도사의 초루에 머물게 하고는 그참에 '누관'이라고 불렀다. 도사라는 명칭은 여기서 비롯되었다.(≪사물기원≫권7)

---

66) 履霜操(이상조) : 이는 악부시樂府詩 <서리를 밟으며 부르는 노래: 윤길보의 아들이 죄 없이 계모의 무고로 쫓겨나 스스로 마음이 아파서 짓다(履霜操. 尹吉甫子無罪, 爲後母譖而見逐, 自傷作)>를 가리키는 말로 송나라 위중거魏仲擧가 엮은 ≪오백가주창려문집五百家注昌黎文集≫권1에 전한다.

67) 張横渠(장횡거) : 송나라 때 대유大儒 장재張載(1020-1078). 섬서성 미현郿縣 횡거진横渠鎭 출신이라서 '횡거선생'으로 불렸다. 자는 자후子厚이고, 시호는 명明. 동생 장전張戩과 함께 '이장二張'으로 불리며 도학道學을 닦아 정자程子 형제와 어깨를 나란히 하였는데, 예의와 도덕을 중시하여 ≪역경≫을 '종宗', ≪중용≫을 '체體', ≪논어≫와 ≪맹자≫를 '법法'으로 삼았다. 그가 관중關中 사람이라서 그의 학문을 '관학關學'이라고 하였다. 저서로 ≪장자전서張子全書≫ 14권이 전한다. ≪송사·도학열전·장재전≫권427 참조.

68) 眞人(진인) : 득도한 도사나 신선에 대한 별칭. 남자 신선은 '진인'이라고 하고, 여자 신선은 '원군元君'이라고 한다.

69) 事物紀原(사물기원) : 송나라 고승高承이 모종의 사건이나 사물에 대해 고증을 통해 연원을 밝힌 책. 총 10권. 송나라 진진손陳振孫(?-약1261)의 ≪직재서록해제直齋書錄解題·잡가류雜家類≫권10에서는 270항이라고 하였으나, 사고전서본은 1,765항이 실린 것으로 보아 후인들이 상당 부분 보충하였을 가능성이 높다. ≪사고전서간명목록·자부子部·소설가류小說家類≫권14 참조.

◇鍊氣(운기조식하다)

●尹喜爲函谷關吏, 望見紫氣, 又占風, 而知有神仙過. 老君[70]果至, 授喜鍊氣內修·吐納[71]之道·三宮[72]正一之法.

○(주周나라 때) 윤희는 함곡관을 관장하는 관리를 지내다가 멀리서 자색 기운을 발견하고 또 바람을 점쳐 신선이 지나간다는 사실을 알게 되었다. 노자가 정말로 도착하여 윤희에게 운기조식하는 법과 묵은 기운을 뱉어내고 신선한 공기를 들이마시는 방도 및 시각·후각·청각을 바로잡는 비법을 전수해 주었다.

◇製錦(비단을 만드는 것처럼 하다)

●尹何, 鄭人. 子皮[73]欲使爲邑, 子產[74]曰, "不可. 猶未能操刀而使割也. 子有美錦, 不使人學製焉. 大官[75]大邑, 身之所庇也, 而使學者製焉, 其爲美錦, 不亦多乎[76]?"

○윤하는 (춘추시대) 정나라 사람이다. 자피子皮 공손한호公孫罕虎가 그에게 식읍을 다스리게 하려고 하자 자산子產 공손교公孫僑가 말했다. "안 됩니다. 이는 마치 칼을 잡을 줄 모르는데 잘라 보라고 하는 것과 같습니다. 선생께 아름다운 비단이 있다면 아무에게나 그것

---

70) 老君(노군) : 춘추시대 때 사람 이이李耳의 호. 존칭은 노자老子. 자는 백양伯陽·중이重耳·담聃. 저서로 ≪노자≫가 전한다.

71) 吐納(토납) : 묵은 기운을 뱉어내고 신선한 공기를 들이마시는 호흡법을 이르는 말.

72) 三宮(삼궁) : 사람의 눈·코·귀를 아우르는 도교 용어. 눈을 '강궁絳宮', 코를 '명당궁明堂宮', 귀를 '옥당궁玉堂宮'이라고 부른 데서 유래하였다.

73) 子皮(자피) : 춘추시대 정鄭나라 대부大夫 공손사지公孫舍之의 아들인 공손한호公孫罕虎의 자. 상경上卿에 올라 선정을 베풀어 민심을 얻었고, 자산子產 공손교公孫僑에게 정사政事를 넘겼다.

74) 子產(자산) : 춘추시대 정鄭나라 대부大夫 공손교公孫僑의 자. 간공簡公 때 경卿에 올라 정사를 주도하며 많은 치적을 남겼다.

75) 大官(대관) : 고관高官. 황제의 음식과 연향燕享을 관장하는 벼슬인 '태관太官'을 가리킬 때도 있다.

76) 不亦多乎(불역다호) : '역시 더 중요하지 않겠습니까?' 진나라 두예는 주에서 "관직과 식읍이 아름다운 비단보다 더 중요하다는 말이다(言官邑之重, 多於美錦)"라고 풀이하였다.

을 만드는 것을 배우게 할 수는 없는 법입니다. 고관과 식읍은 몸을 보호하는 방패막이인데, 학생보고 맡으라고 한다면 아름다운 비단보다도 더 중요하지 않은 것입니까?"

◇保障(국방을 위한 요새)

●尹鐸, 趙簡子[77]使爲晉陽, 請曰, "以爲繭絲[78]乎? 抑爲保障乎?" 簡子曰, "保障哉!"

○(춘추시대 진晉나라 때) 윤탁에게 간자簡子 조앙趙鞅이 (산서성) 진양군을 다스리라고 하자 주청하기를 "세금을 거두는 곳으로 만들어야 합니까? 아니면 국방을 위한 요새로 만들어야 합니까?" 그러자 조앙이 대답하였다. "국방을 위한 요새로 만드시오!"

◇文武兼備(문무를 겸비하다)

●尹翁歸, 字子兄,(音況) 田延年故吏也, 文武兼備. 漢地節[79]中, 徵拜東海太守, 以高第入, 守右扶風, 治爲三輔[80]最. 三子皆爲郡守. 少子岑, 歷位九卿[81].

○윤옹귀(?-B.C.62)는 자가 자황('兄'의 음은 '황'이다)이고 전연년의 옛

---

77) 趙簡子(조간자) : 춘추시대 진晉나라 때 정경正卿을 지낸 조앙趙鞅. '간'은 시호이고, '자'는 존칭. 일명 '지보志父'라고도 한다. 진나라의 국정을 장악하여 훗날 조趙나라를 건국하는 기초를 다졌다. ≪사기·조세가趙世家≫권43 참조.

78) 繭絲(견사) : 세금을 비유하는 말. 세금을 걷는 것이 마치 누에고치에서 실을 뽑는 것과 유사한 데서 유래하였다.

79) 地節(지절) : 한漢 선제宣帝의 연호(B.C.69-B.C.66).

80) 三輔(삼보) : 전한 경제景帝 때 주작중위主爵中尉와 좌내사左內史·우내사右內史를 두었다가, 전한 무제武帝 때 장안 동쪽을 관장하는 경조윤京兆尹과 장릉長陵 이북을 관장하는 좌빙익左馮翊, 위성渭城 서쪽을 관장하는 우부풍右扶風으로 관제를 바꾸었는데, '삼보'는 이들 세 장관 혹은 그들이 관장하는 지역을 통칭한다. 결국 경기 지역을 가리킨다.

81) 九卿(구경) : 중국 고대 조정에서 삼공三公 다음 가는 최고위 관직을 이르는 말. 시대마다 명칭과 서열에 차이가 있는데, 한나라 때는 태상太常·광록훈光祿勳·위위衛尉·태복太僕·정위廷尉·홍려鴻臚·종정宗正·대사농大司農·소부少府를 '구경'이라 하였고, 수당隋唐 이후로는 구시九寺, 즉 태상太常·광록光祿·위위衛尉·종정宗正·태복太僕·대리大理·홍려鴻臚·사농司農·태부太府의 장관을 '구경'이라고 하였다.

수하 관리로서 문무를 겸비하였다. 전한 (선제) 지절(B.C.69-B.C.66) 연간에 황제의 부름을 받아 (산동성) 동해태수를 맡았다가 우수한 성적 때문에 입궐하여 (섬서성) 우부풍의 태수를 지내면서 치적이 삼보 가운데 으뜸을 차지하였다. 세 아들 모두 군수(태수)를 지냈다. 막내아들 윤잠尹岑은 구경을 역임하였다.

◇四葉表閭(사대에 걸쳐 가문을 빛내다)

●尹嗣宗, 唐人, 子平・孫恭先・曾孫仁恕, 皆有孝行. 王荊公[82]詩[83]云, "四葉表閭[84]唐尹氏."

○윤사종은 당나라 때 사람으로 아들 윤평尹平과 손자 윤공선尹恭先・증손자 윤인서尹仁恕 모두 효행으로 이름을 떨쳤다. 그래서 (송나라) 형국공荊國公 왕안석王安石은 시에서 "사대에 걸쳐 가문을 빛낸 이는 당나라 때 윤씨 집안이라네"라고 하였다.

◇尹卿筆(태부경太府卿 윤사정尹思貞의 붓)

●尹思貞弱冠明經[85]及第, 授太府卿[86]. 時少府[87]侯知一, 亦厲威嚴吏, 語曰, "不畏侯卿杖, 祗畏尹卿筆." 前後爲刺史, 十三郡治, 以淸最聞.

---

82) 王荊公(왕형공) : 송나라 신종神宗 때 신법新法의 주창자인 왕안석王安石(1021-1086)에 대한 존칭. '형공'은 왕안석의 봉호인 형국공荊國公의 준말. 저서로 ≪임천문집臨川文集≫ 100권이 전한다. ≪송사・왕안석전≫권327 참조.

83) 詩(시) : 이는 칠언율시七言律詩 <(호북성) 양주자사 장괴張瓌에게 부치다(寄張襄州)> 가운데 함련頷聯의 기구起句를 인용한 것으로 ≪임천문집≫권22에 전한다.

84) 表閭(표려) : 고을 입구에 정문旌門을 세우다. 즉 가문을 빛내는 것을 말한다.

85) 明經(명경) : 한나라 때 경서經書에 밝은 사람에게 책문策問에 답하게 해서 인재를 뽑던 과거시험의 하나. 수隋나라 때 경전을 대상으로 하는 명경과와 문재文才를 시험하는 진사과로 나뉘었고, 당송唐宋 때까지 이어지다가 송나라 때 진사시험으로 통일되면서 폐지되었다.

86) 太府卿(태부경) : 공물貢物과 부세賦稅 등 재정에 관한 업무를 관장하는 기관인 태부시太府寺의 장관으로 구경九卿의 하나.

87) 少府(소부) : 진한秦漢 이후로 세금에 관한 업무를 관장하던 기관의 장관을 이르는 말로 구경九卿의 하나. 당송唐宋 때는 '태부太府'를 구경의 하나로 설치하면서 '소부'는 현縣에서 치안을 관장하는 현위縣尉의 별칭으로 쓰였다.

唐景雲[88]初, 遷工尙書[89]. 子愔集賢學士[90].

○윤사정(640-716)은 약관의 나이에 명경과에 급제해서 태부경을 배수받았다. 당시 소부경을 맡고 있던 후지일 역시 위엄을 떨치며 관리들을 엄하게 다루었지만 "소부경 후지일의 장형은 두렵지 않고 단지 태부경 윤사정의 붓이 무섭다네"라는 말이 돌았다. 전후로 자사를 맡아 13개 고을을 다스리면서 청렴함으로 가장 명성을 떨쳤다. 당나라 (예종) 경운(710-712) 초에는 공부상서로 승진하였다. 아들 윤음尹愔은 집현전학사를 지냈다.

◇神人鑿心(신인이 심장을 파다)

●尹知章少夢人持巨鑿, 破心內劑[91], 驚悟, 志思開徹. 徧明六經[92], 仕唐, 爲國子博士[93].

○윤지장(?-718)은 어렸을 때 어떤 사람이 커다란 송곳을 쥐고서 심장을 파더니 먹을 집어넣는 꿈을 꾸었다가 깜짝 놀라 잠에서 깬 뒤 생각이 탁 트이게 되었다. 경전을 두루 섭렵하고서 당나라에서 벼슬길에 올라 국자박사를 지냈다.

◇文體變古(문체를 고풍으로 바꾸다)

●尹洙, 字師魯, 深於春秋[94], 其文謹嚴. 唐末文章淺俗, 寖以大敝, 宋初

88) 景雲(경운) : 당唐 예종睿宗의 연호(710-712).

89) 工尙書(공상서) : 당송 때 상서성尙書省의 육부六部 중 토목공사와 기물의 제작 및 수리 등에 관한 업무를 관장하던 공부의 장관인 공부상서工部尙書의 약칭. 휘하에 시랑侍郞과 낭중郞中·원외랑員外郞 등을 거느렸다.

90) 學士(학사) : 위진魏晉 이후로 문학과 저술을 관장하던 벼슬. 당송唐宋 때는 학사원學士院을 두어 제고制誥를 전담케 하여 요직으로 꼽혔다. 홍문관학사弘文館學士·집현전학사集賢殿學士·숭문관학사崇文館學士 등이 있었으나, 보통은 한림학사翰林學士를 지칭하는 말로 쓰였다. 또한 5품 이상은 학사, 6품 이상은 직학사直學士라고 구분하기도 하였다.

91) 內劑(납제) : 먹(혹은 약제)을 집어넣다. '납內'은 '납納'과 통용자.

92) 六經(육경) : 유가儒家의 대표적인 경서經書인 《시경》 《서경》 《역경》 《춘추경》 《예기》 《악기》를 아우르는 말. 결국 경서를 총칭한다.

93) 國子博士(국자박사) : 국가 최고 교육 기관인 국자감國子監에서 학생들에게 경전을 교육시키는 일을 관장하던 벼슬.

柳仲塗[95]，以古道發明之. 天聖[96]初，公與穆伯長[97]矯時所尙，力以古文爲主. 又得歐公[98]，以雄詞鼓動之. 於是文風一變. 慶曆[99]初，遷起居舍人[100]，貶均州監稅，卒. 孫焞.

○윤수(1001-1047)는 자가 사로로 《춘추경》에 정통하고 문장을 신중하고도 엄숙하게 지었다. 당나라 말엽 문장이 천박하고 속된 경향으로 흘러 점차 폐해가 심해지자 송나라 초엽에 중도仲塗 유개柳開가 옛 문풍으로 이를 고치려 하였다. (인종) 천성(1023-1031) 연간에 윤수는 백장伯長 목수穆修와 함께 당시 사람들이 숭상하던 문풍을 고쳐 고문을 위주로 하는 데 힘을 쏟았다. 또 구양수歐陽修를 만나 웅장한 문풍으로 경종을 울렸다. 그래서 문풍이 크게 변하였다. (인종) 경력(1041-1048) 초에 기거사인으로 승진하였다가 (호북성) 균주에서 세금을 감독하는 관리로 폄적당해 생을 마쳤다. 아들은 윤돈尹惇이다.

◇六有三畏(육유재六有齋와 삼외당三畏堂)

●尹焞，字彦明，初與張繹同師伊川[101]，張以高識，尹以篤行. 晩歲手書

---

94) 春秋(춘추) : 주周나라 춘추시대 때 역사를 기록한 《춘추경春秋經》. 오경五經의 하나로 지금은 해설서인 《좌전左傳》 《곡량전穀梁傳》 《공양전公羊傳》으로 전한다.

95) 柳仲塗(유중도) : 송나라 때 사람 유개柳開(947-1000). '중도'는 자. 호는 하동河東. 전중시어사殿中侍御史・흔주자사欣州刺史 등을 역임하였고, 당나라 때 고문운동古文運動을 부흥시켰다. 《송사・유개전》권440 참조.

96) 天聖(천성) : 북송北宋 인종仁宗의 연호(1023-1031).

97) 穆伯長(목백장) : 송나라 사람 목수穆修. '백장'은 자. 소순흠蘇舜欽과 함께 고문운동古文運動을 펼쳤다. 《송사・목수전》권442 참조.

98) 歐公(구공) : 송나라 사람 구양수歐陽修(1007-1072)에 대한 존칭. 자는 영숙永叔이고, 시호는 문충文忠. 저서로 《문충집文忠集》 158권 등이 있다. 《송사・구양수전》권319 참조.

99) 慶曆(경력) : 북송北宋 인종仁宗의 연호(1041-1048).

100) 起居舍人(기거사인) : 기거랑起居郞과 함께 황제의 언행을 기록하는 업무를 맡은 벼슬을 이르는 말. 문하성門下省 소속 기거랑은 황제의 왼쪽에서 수행하며 말을 기록하고, 중서성中書省 소속 기거사인은 황제의 오른쪽에서 수행하며 행동을 기록하였다.

101) 伊川(이천) : 송나라 때 대유大儒인 정이程頤(1033-1107)의 존호. 저서로

聖賢所言治心養氣之要，粘之屋壁以自警. 一室名六有齋，取橫渠[102]'言有敎・動有法・晝有爲・宵有得・瞬有養・息有存'之意，一室名三畏堂，取夫子[103]言'君子有三畏[104]'之意. 宋靖康[105]初，召至京師[106]，懇辭還山，授和靜處士[107]. 紹興中，授崇政殿說書[108]，遷禮侍[109].

○윤돈(1071-1142)은 자가 언명으로 처음에는 장역과 함께 이천선생伊川先生 정이程頤(1033-1107)를 스승으로 섬기더니 장역은 고명한 식견으로, 윤돈은 독실한 행동으로 이름을 떨쳤다. 만년에는 손수 성현이 말한 마음을 다스리고 기운을 북돋우는 비결을 적어 집벽에 붙여놓고 스스로 경계거리로 삼았다. 방 하나를 '육유재'라고 이름 지은 것은 횡거선생橫渠先生 장재張載가 '말에는 교훈을 담아야 하고, 행동은 법도가 있어야 하고, 낮에는 실천을 해야 하고, 밤에는

≪이정문집二程文集≫ 15권이 전한다. ≪송사・도학열전道學列傳・정이전≫권427 참조.

102) 橫渠(횡거) : 송나라 횡거선생橫渠先生 장재張載의 말은 그의 저서인 ≪장자전서張子全書≫권3에 전하는데, 원문에 '瞬有養・息有存'이 '息有養・瞬有存'으로 되어 있기에 이를 따른다.

103) 夫子(부자) : 스승이나 장자長者・고관・부친・남편 등에 대한 존칭. 춘추시대 노魯나라 공자의 제자들이 공자를 '부자'라고 부른 것이 대표적인 예로서 여기서도 공자를 가리킨다.

104) 三畏(삼외) : 군자가 두려워해야 할 세 가지 일인 천명天命・대인大人・성인의 말을 아우르는 말. "군자에게는 세 가지 두려워해야 할 일이 있나니, 천명을 두려워하고, 대인을 두려워하고, 성인의 말씀을 두려워해야 하느니라(君子有三畏, 畏天命, 畏大人, 畏聖人之言)"는 공자의 말이 ≪논어・계씨季氏≫권16에 전한다.

105) 靖康(정강) : 북송北宋 흠종欽宗의 연호(1126-1127).

106) 京師(경사) : 서울, 도읍을 이르는 말. 송나라 주희朱熹(1130-1200) 설에 의하면 '경京'은 높은 지대를 뜻하고, '사師'는 많은 사람을 뜻한다. 즉 높은 산에 의지하여 많은 사람이 모여 사는 곳이란 뜻에서 유래하였다. 여기서는 송나라 때 수도인 하남성 개봉을 가리킨다.

107) 處士(처사) : 벼슬하지 않은 선비를 이르는 말.

108) 說書(설서) : 제왕帝王에게 경전經典을 강론하는 일을 전담하던 벼슬을 이르는 말.

109) 禮侍(예시) : 상서성尙書省 소속 육부六部 가운데 국가의 제례祭禮와 고시考試를 관장하는 예부의 버금 장관인 예부시랑禮部侍郎의 약칭. 장관은 '상서尙書'라고 하고, 차관을 '시랑'이라고 하며, 휘하에 낭중郎中과 원외랑員外郎을 거느렸다.

공부를 해야 하고, 숨을 쉴 때도 소양을 쌓아야 하고, 눈을 깜박일 때도 이치를 살펴야 한다'는 뜻을 취한 것이고, 또 방 하나를 '삼외당'이라고 이름 지은 것은 (춘추시대 노나라) 공자가 '군자에게는 세 가지 두려워해야 할 일이 있다'고 말한 뜻을 취한 것이다. (흠종) 정강(1126-1127) 연간에 황제의 부름을 받고 (하남성 개봉의) 경사에 도착했으나 간곡히 사양하고 산으로 돌아가며 '화정처사'란 호를 하사받았다. (고종) 소흥(1131-1162) 연간에는 숭정전설서를 배수받았다가 예부시랑으로 승진하였다.

●尹更始以儒術進, 治穀梁春秋[110], 拜議郎[111]. 子咸.

○(전한 때) 윤경시는 유학으로 진출하여 ≪곡량전≫을 연구해서 의랑을 배수받았다. 아들은 윤함尹咸이다.

●尹齊木强[112]少文, 斬伐[113]不避貴勢. 漢武朝, 拜中尉[114].

○윤제는 성품이 우직하고 말재주가 부족했지만 죄인을 벌줄 때는 권세가도 기피하지 않았다. 전한 무제 때 중위를 배수받았다.

●尹賞漢元延[115]間爲長安令, 修治長安獄, 名虎穴.

○윤상은 전한 (성제) 원연(B.C.12-B.C.9) 연간에 (섬서성) 장안현의

---

110) 穀梁春秋(곡량춘추) : ≪춘추경春秋經≫의 세 해설서인 ≪좌전左傳≫ ≪곡량전穀梁傳≫ ≪공양전公羊傳≫ 가운데 하나. 전국시대 노魯나라 곡량적穀梁赤이 서술한 것을 제자들이 정리한 책. 진晉나라 때 범영范甯(339-401)이 주를 달고 당나라 때 양사훈楊士勛이 소疏를 썼다. ≪공양전≫보다 더 낫다는 평가를 받았다. ≪사고전서간명목록·경부·춘추류≫권3 참조.

111) 議郎(의랑) : 한나라 때 광록훈光祿勳 소속의 낭관郎官으로 자문에 응하고 인재를 초빙하는 업무를 맡아 보던 벼슬 이름.

112) 木强(목강) : 성품이 목석처럼 우직하고 꼿꼿한 것을 비유하는 말.

113) 斬伐(참벌) : 베다. 즉 죄인을 벌주는 것을 말한다.

114) 中尉(중위) : 천자나 제후를 호위하는 군대를 통솔하던 벼슬 이름. 전한 무제武帝 때는 '집금오集金吾'로 개명한 적이 있고, 북위北魏 때는 벼슬아치들을 감독하기 위해 설치했던 어사중위御史中尉의 약칭으로도 쓰였으며, 당나라 때는 신책군神策軍을 통솔하는 호군중위護軍中尉의 약칭으로도 쓰였다.

115) 元延(원연) : 한漢 성제成帝의 연호(B.C.12-B.C.9).

현령을 맡자 장안현의 감옥을 수리하고는 ('호랑이굴'이란 의미에서) '호혈'이라고 이름 지었다.

●尹正義仕唐, 爲澤州法曹116). 百姓歌曰, "前得尹佛子."

○윤정의는 당나라에서 벼슬길에 올라 (산서성) 택주의 법조참군을 지냈다. 백성들이 "전에는 윤부처가 계셨다네"라고 노래하였다.

●尹元凱, 唐人, 與富嘉謨・吳少微號北京117)三傑.

○윤원개는 당나라 때 사람으로 부가모・오소미와 더불어 '북경삼걸'로 불렸다.

●師尹118). 令尹119).

○(주周나라) 사윤. (춘추시대 초楚나라의 벼슬 이름인) 영윤.

□二十阮(20완)

◆阮(완씨)

▶角音. 陳留. 殷有阮國, 在汾渭之間, 子孫以國爲氏.

▷음은 각음에 속하고 본관은 (하남성) 진류군이다. 은나라 때 '완'이란 제후국이 분수와 위수 일대에 있었기에 자손들이 나라 이름을 성씨로 삼은 것이다.

---

116) 法曹(법조) : 자사刺史나 태수太守 밑에서 법률을 관장하는 벼슬인 법조참군法曹參軍의 약칭.

117) 北京(북경) : 배도陪都의 하나. 각 시대마다 지칭하는 바가 달라 남조南朝 때는 건강建康(지금의 남경시), 당나라와 오대五代 때는 태원부太原府(지금의 산서성 태원시太原市), 송나라 때는 대명부大名府(지금의 하북성 대명현大名縣), 명나라 초기에는 개봉부開封府(지금의 하남성 개봉시開封市), 원명청元明淸 때는 순천부順天府(북경)를 가리켰다.

118) 師尹(사윤) : 주周나라 때 태사太師를 지낸 윤尹. 그를 칭송하는 노래가 ≪시경・소아小雅・절남산節南山≫권19에 전한다.

119) 令尹(영윤) : 춘추시대 초나라에서 정치를 집행하던 최고 벼슬인 상경上卿을 지칭하던 말. 후대에는 진한秦漢 이래 현령縣令이나 원나라 때 현윤縣尹 등 지방 장관을 아우르는 말로 쓰였다.

◇靑白眼(청안시와 백안시)

●阮籍, 字嗣宗, 任情不羈. 或閉戶讀書, 累月不出, 或登山臨水, 竟日忘歸. 尤好老莊[120], 能嘯能琴. 嗜酒放曠, 人謂之癡. 聞步兵[121]廚有酒三百斛, 乃求爲步兵校尉. 籍能爲靑白眼. 母死, 嵇喜來弔, 作白眼, 嵇康齎酒挾琴造[122]焉, 乃見靑眼. 作詠懷八十餘篇及達莊諭[123]·大人先生傳[124]. 子渾, 字長成, 有父風. 姪咸竹林七賢[125].

○(삼국 위魏나라) 완적(210-263)은 자가 사종으로 성품이 자유분방하여 예법에 얽매이는 것을 싫어하였다. 어떤 때는 문을 닫고 글을 읽느라 몇 달 동안 외출하지 않았고, 어떤 때는 산에 오르고 강물을 굽어보며 하루종일 귀가할 생각을 안 하기도 했다. 특히 ≪노자≫와 ≪장자≫를 좋아하였고, 휘파람을 잘 불고 금을 잘 연주하였다. 술을 좋아하면서 멋대로 행동하여 사람들이 그를 멍청이로 생각하였다. 보병교위의 주방에 술이 3백 휘나 있다는 애기를 듣자 보병교위를 달라고 요구한 일도 있다. 완적은 푸른 눈동자와 흰 눈동자를 만드는 재주가 있었다. 모친이 죽은 뒤 (벼슬을 좋아하는) 혜희가 조문하러 찾아오자 그를 백안시하다가도 (혜희의 동생인) 혜강이 술을

---

120) 老莊(노장) : 도가사상을 대표하는 ≪노자≫와 ≪장자≫를 아우르는 말.

121) 步兵(보병) : 전한 무제武帝 때 처음 설치된 8교위校尉인 중루교위中壘校尉·둔기교위屯騎校尉·보병교위步兵校尉·월기교위越騎校尉·장수교위長水校尉·호기교위胡騎校尉·석성교위射聲校尉·호분교위虎賁校尉 가운데 하나인 보병교위의 약칭. 상림원문上林苑門의 둔병屯兵을 관장하던 벼슬이다. ≪진서·완적전≫권49에 의하면 완적阮籍(210-263)이 봉록을 타서 술을 사 먹기 위해 일부러 보병교위를 지낸 적이 있다.

122) 造(조) : 찾아가다, 이르다.

123) 達莊諭(달장유) : 삼국 위魏나라 완적阮籍(210-263)의 글 이름인 '달장론達莊論'의 오기. 자형의 유사성으로 인한 필사 과정상의 단순 오기로 보인다.

124) 大人先生傳(대인선생전) : 완적阮籍이 유학자들의 행태를 비판하기 위해 쓴 글로서 앞의 작품들과 함께 명나라 장보張溥(1602-1641)가 엮은 ≪한위육조백삼가집漢魏六朝百三家集·위완적집魏阮籍集≫권34에 전한다.

125) 竹林七賢(죽림칠현) : 위진魏晉 때 노장사상老莊思想을 숭상하고 청담淸談으로 소일하던 7명의 은자, 즉 완적阮籍(210-263)·혜강嵇康(224-263)·상수(?-272)·유영劉伶·완함阮咸·산도山濤(205-283)·왕융王戎(234-305)을 아우르는 말. 그러나 산도와 왕융은 뒤에 고관에 올라 배척을 당하기도 했다. '죽림칠자竹林七子'라고도 한다. ≪진서晉書·혜강전≫권49 참조.

들고 금을 끼고서 찾아오자 푸른 눈동자를 한 채 반갑게 맞이하였다. <감회를 읊은 시> 80여 편 및 <≪장자≫에 통달하는 방법에 대해 논하는 글>과 <대인선생의 전기>를 지었다. 아들 완혼阮渾은 자가 장성으로 부친의 기풍을 물려받았다. 조카 완함阮咸은 (완적과 함께) 죽림칠현 가운데 한 사람이다.

◇南北阮(남쪽에 사는 완씨와 북쪽에 사는 완씨)

●阮咸, 字仲容, 與籍居道南, 諸阮居道北, 北阮富, 南阮貧. 七夕日, 北阮曬衣, 錦綺粲目, 咸以竹竿掛犢鼻裩[126]於庭曰, "未能免俗, 聊復爾耳." 顧延年[127]五君詠[128]云, "仲容青雲[129]器." 又云, "屢薦不入朝, 一麾乃出守." 歷散騎常侍[130], 出補始平太守.

○(삼국 위魏나라) 완함은 자가 중용으로 (숙부인) 완적阮籍(210-263)과 함께 길 남쪽에 살았고 다른 완씨 사람들은 길 북쪽에 살았는데, 북쪽에 사는 완씨는 부유하고 남쪽에 사는 완씨는 가난하였다. 칠월 칠석날 북쪽에 사는 완씨들이 옷을 말리느라 눈이 부실 정도로 화려한 비단옷들을 내다걸자 완함은 대나무 막대기로 마당에 쇠코잠방이를 내다걸며 말했다. "풍속을 어길 수 없기에 그럭저럭 시늉만 낼 뿐이지요." 그래서 (남조南朝 유송劉宋 때) 연년延年 안연지顔延

126) 犢鼻裩(독비곤) : 쇠코잠방이. 가난을 상징한다. '곤裩'은 '곤褌'으로도 쓴다.

127) 顧延年(고연년) : 남조南朝 유송劉宋 때 사람 안연지顔延之(384-456)의 별칭인 '안연년顔延年'의 오기. 자형의 유사성으로 인한 필사 과정상의 단순 오기로 보인다. '연년'은 자. 시호는 헌憲. 시문을 잘 지어 산수시인山水詩人 사영운謝靈運(385-433)과 함께 '안사顔謝'로 불렸다. ≪송서·안연지전≫권73 참조.

128) 五君詠(오군영) : 삼국 위魏나라 때 죽림칠현竹林七賢 가운데 고관에 오른 산도山濤(205-283)와 왕융王戎(234-305)을 제외한 완적阮籍(210-263)·혜강嵇康(224-263) 등 나머지 다섯 은자를 대상으로 읊은 작품으로 남조南朝 양梁나라 소통蕭統(501-531)이 엮은 ≪문선文選·영사詠史≫권21에 전한다.

129) 青雲(청운) : 재능이 뛰어난 것을 비유하는 말. 자연 속에 은거하거나 고관에 오르는 것을 비유할 때도 있다.

130) 散騎常侍(산기상시) : 황제의 곁에서 잘못을 간언하고 자문에 대비하는 직책으로, 실질적인 권한은 없었으나 대신大臣으로 겸직시키던 존귀한 벼슬이다. 당송 때는 좌·우산기상시를 두어 각각 문하성門下省과 중서성中書省에 나누어 소속시켰다.

之는 <다섯 명의 군자를 읊은 노래>에서 "중용(완함)은 재능이 뛰어난 인재라네"라고 하였고, 또 "여러 차례 천거해도 조정에 들어가지 않다가, 깃발 한 번 휘두르더니 태수로 나섰네"라고 하였다. 산기상시를 역임하다가 조정을 나서 (섬서성) 시평태수로 부임하였다.

◇三語掾(말 세 마디로 관리가 되다)

●阮瞻, 字千里, 性淸虛自得. 見司徒[131]王戎, 戎問曰, "聖人貴名教, 老莊明自然, 其旨固異?" 答曰, "將無同[132]?" 戎咨嗟良久, 卽辟之. 時人謂之三語掾. 永嘉[133]中, 爲太子舍人[134].

○(진晉나라 때 완함阮咸의 아들인) 완첨은 자가 천리로 천성적으로 욕심이 없어 늘 득의해 하였다. 사도 왕융을 알현하였을 때 왕융이 물었다. "공자는 명교를 중시하였고, 노자와 장자는 자연을 밝혔는데 그 취지가 다르오?" 완첨이 대답하였다. "아마도 서로 같지 않겠습니까?" 왕융이 한참 동안 감탄해 하다가 즉시 그를 초빙하였다. 그래서 당시 사람들이 그를 '삼어연'이라고 불렀다. (회제) 영가(307-313) 연간에 태자사인을 지냈다.

◇幾緉屐(나막신 몇 켤레)

●阮孚, 字遙集, 晉元帝朝, 爲黃門侍郎[135], 終日酣縱. 嘗以金貂[136]換

---

131) 司徒(사도) : 상고시대 관직의 하나로서 국가 재정과 관련한 업무를 관장하였다. 주나라 때는 지관地官이었고, 후대에는 민부民部·호부상서戶部尙書에 해당한다. 한나라 이후로는 이 직명을 민정民政을 관장하는 삼공三公의 하나로 지정하기도 하였다.

132) 將無同(장무동) : '아마도 서로 같지 않을까?' 결국 아마도 서로 같을 것이라는 말이다.

133) 永嘉(영가) : 진晉 회제懷帝의 연호(307-313).

134) 太子舍人(태자사인) : 태자궁太子宮 소속으로 여러 가지 잡무를 처리하는 벼슬 이름.

135) 黃門侍郎(황문시랑) : 문하성門下省에 소속되어 궁중의 갖가지 사무를 관장하던 벼슬 이름. 문하시중門下侍中 다음 가는 벼슬로서 당송 이후로는 문하시랑門下侍郎으로 개칭되었다.

136) 金貂(금초) : 금고리와 담비 꼬리. 한나라 때 시중侍中이나 중상시中常侍가 쓰던 모자의 장식물로서 황제의 측근이나 고관을 비유한다.

酒, 爲有司[137]所彈, 帝宥之. 性好屐. 有詣孚者, 見其自理蠟屐[138], 嘆曰, "未知一生當着幾緉屐!" 神色閒暢, 與畢卓等爲八達[139].

○완부(278-326)는 자가 요집으로 진나라 원제 때 황문시랑을 지내며 하루종일 멋대로 술을 마시곤 하였다. 그는 일찍이 시종관의 갓을 가져다가 술로 바꿔 마셨다가 어사에게 탄핵을 당했지만 황제가 용서해 준 적이 있다. 완부는 천성적으로 나막신을 좋아하였다. 누군가 완부를 방문했다가 그가 손수 나막신에 밀랍을 칠하는 광경을 목격하고는 감탄해 하며 말했다. "평생 나막신을 몇 컬레나 신을지 모르겠구나!" 표정이 여유롭고 용모가 훤칠하여 필탁 등과 함께 '팔달'로 불렸다.

◇杖頭酒資(막대기 끝에 술 마실 돈을 매달다)

●阮修, 字宣子, 善淸言[140]. 常步行, 以百錢掛杖頭, 至酒店, 便獨酣暢. 雖當世富貴, 不肯顧. 家無擔石[141]之儲, 晏如[142]也.

○(진晉나라) 완수는 자가 선자로 청담을 잘 하였다. 늘 걸어다니면서 백 냥을 막대기 끝에 걸고는 술집에 가면 혼자서 실컷 술을 마시곤 하였다. 비록 당시의 부자나 귀인이라 할지라도 거들떠보지 않았다. 집에는 비축한 식량이 한두 섬도 안 될 정도로 가난했지만 늘 만족해 하였다.

---

137) 有司(유사) : 모종의 업무를 전담하는 담당관에 대한 범칭汎稱. '소사所司'라고도 한다. 여기서는 탄핵을 관장하는 어사御史를 가리킨다.

138) 蠟屐(납극) : 나막신에 밀랍을 칠하다. 매우 한적하고 검소한 삶을 상징한다.

139) 八達(팔달) : 진晉나라 때 여덟 명의 광달한 인사를 아우르는 말. 광일光逸・호모보지胡毋輔之・사곤謝鯤・완방阮放・필탁畢卓・양만羊曼・환이桓彝・완부阮孚를 가리킨다.

140) 淸言(청언) : 고상한 말이나 청담淸談을 이르는 말.

141) 擔石(담석) : 도량형 단위. '담'은 두 섬을 뜻하고, '석'은 한 섬을 뜻한다. 결국 적은 양을 비유한다.

142) 晏如(안여) : 편안한 모양, 만족해 하는 모양.

◇寵辱不驚(고관에 오르는 일에 눈 하나 깜짝하지 않다)

●阮裕, 字思曠, 有肥遯[143]之志. 王羲之曰, "此公不驚寵辱!" 仕晉, 爲東陽太守.(見徐幹[144])

○완유는 자가 사광으로 은자의 뜻을 품었다. 그래서 왕희지가 "이 분은 고관에 오르든 오르지 않든 눈 하나 깜짝하지 않겠구나!"라고 하였다. 진나라에서 벼슬길에 올라 (절강성) 동양태수를 지냈다.

●阮瑀, 字元瑜, 與陳琳竝爲曹操記室[145], 與建安七子[146].

○(삼국 위魏나라) 완우(약 165-212)는 자가 원유로 진임 등과 함께 조조 휘하에서 기실을 지내며 건안칠자에 참여하였다.

●阮种, 字德猷, 有殊操. 何曾薦之, 擧賢良第一, 授中書郞[147].

○(진晉나라) 완충은 자가 덕유로 빼어난 절조를 지녔다. 하증이 그를 추천하여 현량과에 응시해서 장원급제를 차지하고는 중서랑을 배수 받았다.

●阮孝緖年十三, 徧通五經[148], 屛居[149]一室, 呼爲居士[150].

---

143) 肥遯(비둔) : 여유롭게 숨어 살다. 즉 은거생활을 뜻한다. ≪역경·둔괘遯卦≫권6에서 유래한 말로 '비肥'는 '유裕'의 뜻.

144) 徐幹(서간) : 삼국 위魏나라 때 건안칠자建安七子 가운데 한 사람(171-218). 따라서 시기적으로 볼 때 앞의 '서'씨절의 서간에 관한 기록에 진晉나라 완유阮裕가 등장하는 것은 불가능하다. 아마도 건안칠자 가운데 한 사람인 완우阮瑀(약 165-212)와 혼동한 데서 기인한 듯하다. 이에 역문은 생략한다.

145) 記室(기실) : 후한 때부터 장표章表·서기書記·격문檄文 등을 관장하던 벼슬을 가리키는 말. 뒤에는 기실독記室督·기실참군記室參軍으로 불리기도 하였다.

146) 建安七子(건안칠자) : 후한後漢 헌제獻帝 건안(196-220) 연간에 활동했던 7명의 문인을 아우르는 말. 즉 공융孔融(153-208)·진임陳琳(?-217)·왕찬王粲(177-217)·서간徐幹(171-218)·완우阮瑀(약 165-212)·응양應瑒(?-217)·유정劉楨(?-217)을 가리킨다.

147) 中書郞(중서랑) : 황명의 기초와 출납을 관장하는 중서성中書省 소속 관원을 이르는 말. 후대에는 중서시랑中書侍郞의 약칭으로도 쓰였다.

148) 五經(오경) : ≪역경≫ ≪서경≫ ≪시경≫ ≪예기≫ ≪춘추경≫을 아우르는 말. 결국 경전을 가리킨다.

○(남조南朝 양梁나라) 완효서는 나이 열세 살에 경전을 두루 섭렵하더니 방 하나에 은거하며 '거사'로 불렸다.

●阮逸, 宋仁宗朝, 上樂論二十篇, 與馮元等定樂.

○완일은 송나라 인종 때 ≪악론≫ 20편을 바치고서 풍원 등과 함께 궁중 음악을 정비하였다.

※婚姻(혼인)

◇天台仙遇(천태산에서 선녀와 만나다)

●阮肇入天台山採藥, 遇仙女爲偶. 今阮郎亭有詩云, "阮客家何在? 仙雲洞口橫. 人間不到處, 今日此中行." 其碑石乃李陽氷[151]書.(又見劉晨)

○(후한) 완조는 (절강성) 천태산에 들어가 약초를 캐다가 선녀(유신劉晨)를 만나 결혼하였다. 지금도 완랑정에는 다음과 같은 시가 적혀 있다. "완조의 집이 어디메뇨? 선운동 입구에 가로 놓여 있네. 인간 세상을 찾지 않으며, 오늘도 이곳을 지난다네." 그 비문은 바로 (당나라 때) 이양빙이 쓴 것이다.(상세한 내용은 앞의 '유'씨절 유신에 관한 기록인 '선혼仙婚'항에 보인다)

◇斂錢爲婚(돈을 모아 결혼자금을 대주다)

●阮修居貧, 年四十未有室. 王敦等斂錢爲婚, 皆名士, 時有求入錢不得者.

○(진晉나라) 완수는 집이 가난해 나이 마흔 살이 되어서도 결혼을 하지 못 했다. 그러자 왕돈 등이 돈을 모아 결혼자금을 대주었는데 모두가 명사였기에 당시에 돈을 달라고 요구해도 얻지 못 한 사람이

---

149) 屛居(병거) : 다른 사람들을 물리치고 혼자 쓸쓸히 지내다. 즉 은거를 뜻한다.

150) 居士(거사) : 학식과 덕망을 겸비하고서도 벼슬하지 않거나 은거한 사람에 대한 호칭.

151) 李陽氷(이양빙) : 당나라 때 사람으로 이백李白(701-762)의 종숙부從叔父. 자는 중온仲溫. 장작감將作監을 역임하였는데, 전서篆書에 조예가 깊어 이 방면에서는 당나라 최고로 손꼽혔다. ≪전당시全唐詩·이양빙≫권262 참조.

있었다.

●劉阮. 南阮北阮.
○(후한) 유신劉晨과 완조阮肇. 남쪽에 사는 완씨와 북쪽에 사는 완씨.

◆苑(원씨)

▶亦作宛. 范陽. 殷武丁[152]子文封苑, 其後因氏焉. 苑何忌爲齊大夫.
▷('원苑'은) '원宛'으로도 쓴다. 본관은 (하북성) 범양군이다. 은나라 무정(고종高宗)의 아들 문文이 원읍에 봉해지자 그의 후손들이 그참에 이를 성씨로 삼은 것이다. 원하기는 (춘추시대) 제나라 대부이다.

◇筆端風雨(붓 끝에서 바람과 비가 교차하다)

●苑論, 字言揚, 元和[153]中, 與柳子厚[154]聯弟[155]. 柳拜而兄之, 送以序云, "掉鞅[156]乎術藝之場, 遊刃[157]乎詞翰之林. 風雨交於筆札, 烟霞發於簡牘, 甚可壯也."
○(당나라) 원논은 자가 언양으로 (헌종) 원화(806-820) 연간에 자후子厚 유종원柳宗元과 과거시험에 나란히 급제하였다. 유종원이 그에게 절을 하고 형으로 모시다가 다음과 같은 글을 지어 전송하였다. "학계에서 말의 뱃대끈을 흔들고 문단에서 칼날을 휘둘러 바람과 비가 붓과 종이에서 교차하고 안개와 노을이 죽간과 목판에서 피어오르니 실로 훌륭합니다."

---

152) 武丁(무정) : 상商나라 제23대 왕으로 묘호는 고종高宗.
153) 元和(원화) : 당唐 헌종憲宗의 연호(806-820).
154) 柳子厚(유자후) : 당나라 때 문인 유종원柳宗元(773-819). '자후'는 자. 당송팔대가唐宋八大家의 일인으로 시문을 잘 지었다. 저서로 ≪유하동집柳河東集≫ 48권이 전한다. ≪신당서·유종원전≫권168 참조.
155) 聯弟(연제) : 과거시험에 함께 급제하다. '제弟'는 '제第'와 통용자.
156) 掉鞅(도앙) : 말의 뱃대끈을 흔들다. 말을 부리는 기술이 뛰어난 것을 뜻하는 말로 주도권을 장악하는 것을 비유한다.
157) 遊刃(유인) : 칼날을 휘두르다. ≪장자·양생주養生主≫권2에 나오는 포정庖丁의 현란한 칼솜씨에서 유래한 말로 능수능란한 솜씨를 비유한다.

●苑康, 字仲眞, 後漢人. 擧孝廉[158], 歷仕泰山太守.

○원강은 자가 중진으로 후한 때 사람이다. 효렴과에 급제한 뒤 여러 관직을 거쳐 (산동성) 태산태수를 지냈다.

●翰苑[159]. 北苑[160]. 藝苑[161].

○한림원. 북원. 문단.

□二十三旱(23한)

◆管(관씨)

▶徵音. 平昌. 周文王第三子鮮封於管, 爲管叔, 以國爲氏.

▷음은 치음에 속하고 본관은 (산동성) 평창군이다. 주나라 문왕의 셋째 아들인 선鮮이 관나라에 봉해져 관숙으로 불리면서 나라 이름을 성씨로 삼은 것이다.

◇瓜期(참외가 익을 때를 기약하다)

●管至父, 齊侯使與連稱戍葵丘[162], 瓜時[163]而往曰, "及瓜而代."(莊八)

○관지보에게 (춘추시대) 제나라 군주는 연칭과 함께 (산동성) 채구를 지키라고 하고는 (초가을) 참외가 익을 때 가게 하면서 "(이듬해) 참외가 익을 때가 되어 교대할 사람을 보내겠소"라고 하였다.(≪좌전·장공莊公8년≫권7)

---

158) 孝廉(효렴) : 한나라 때 관리를 선발하는 제도의 하나. 효렴과孝廉科 외에도 현량방정賢良方正·직언극간直言極諫 등의 과목이 있었다.

159) 翰苑(한원) : 황명이나 상소문 등 주요 문서의 초안을 작성하고 황제의 비답批答을 대필하는 등 조정의 주요 문서에 관한 일을 관장케 하기 위해 당나라 현종玄宗이 처음으로 설치한 기관인 한림원翰林院의 별칭.

160) 北苑(북원) : 궁궐 북쪽에 있는 황실 동산에 대한 범칭. 명차인 북원차北苑茶의 산지로 유명한 복건성 건주建州에 소재한 땅 이름을 가리킬 때도 있다.

161) 藝苑(예원) : 문단이나 학계에 대한 미칭.

162) 葵丘(규구) : 춘추시대 제齊나라의 지명. 지금의 산동성 임치현臨淄縣 서쪽 일대.

163) 瓜時(과시) : 초가을 참외가 익을 때를 가리키는 말로 관리의 임기가 만료되는 것을 상징한다.

◇仲父(작은 아버지)

●管仲, 名夷吾, 少與鮑叔牙游. 叔牙知其賢, 薦於齊桓以爲相. 九合[164]諸侯, 一匡天下, 仲之力也. 桓公稱爲仲父. 仲曰, "吾嘗與鮑叔[165]賈, 分財利, 多自與, 叔不以我爲貪, 知我貧也. 吾嘗與鮑叔謀事, 而更窮困, 叔不以我爲愚, 知我有利不利也. 吾嘗三仕三逐, 叔不以我爲不肖, 知我不逢時也. 吾嘗三戰三走, 叔不以我爲怯, 知我有老母也. 公子糾敗[166], 吾幽囚受辱, 叔不以我爲恥, 知我不修小節, 而恥功名不顯也. 生我者父母, 知我者鮑子也."(撰管子[167]八十六篇)

○(춘추시대 제나라 사람) 관중(?-B.C.645)은 본명이 이오로 어려서부터 포숙아와 어울렸다. 포숙아는 그가 현명하다는 것을 알고서 제나라 환공에게 추천하여 승상에 오르게 하였다. 제나라가 제후들을 규합하고 천하를 제패한 것도 관중 덕택이었다. 환공은 그를 '중부'라고 불렀다. 관중은 "나는 일찍이 포숙(포숙아)과 함께 장사를 한 적이 있는데, 이문을 나누면서 나 자신이 많이 가져도 포숙이 나를 탐욕스럽다고 여기지 않은 것은 내가 가난하다는 것을 알았기 때문이다. 내가 일찍이 포숙을 위해서 일을 도모하였다가 도리어 곤경에 빠뜨린 일이 있는데도 포숙은 나를 어리석다고 여기지 않았으니 내게 유리한 때와 불리한 때가 있다는 것을 알았기 때문이다. 내가 일찍이 세 번 벼슬길에 올랐다가 세 번 다 쫓겨난 적이 있는데도 포숙은 나를 못났다고 여기지 않았으니 내가 때를 만나지 못 했음을 알았기 때문이다. 내가 일찍이 세 번 싸우다가 세 번 다 달아났는데도 포숙은 나를 비겁하다고 여기지 않았으니 내게 노모가 계시다는 것

---

164) 九合(규합) : 규합糾合하다. '규九'는 '규糾'와 통용자.

165) 鮑叔(포숙) : 춘추시대 제齊나라 대부大夫 포숙아鮑叔牙. '숙'은 자. 관중管仲과 함께 환공桓公을 보좌하여 패업을 이루었고, 두터운 우정을 뜻하는 고사성어인 '관포지교管鮑之交'로 유명하다.

166) 公子糾敗(공자규패) : 공자 규糾가 왕위쟁탈전에서 패하고 환공桓公이 즉위한 사건을 말한다.

167) 管子(관자) : 춘추시대 제齊나라의 재상 관중管仲(중仲은 관이오管夷吾의 자)의 법가사상을 담은 책 이름. 관중 사후의 일들이 많이 들어 있는 것으로 보아 위작僞作이거나 적어도 후인이 첨서添書를 하였을 것이다. 총 24권. ≪사고전서간명목록·자부·법가류法家類≫권10 참조.

을 알았기 때문이다. 공자 규糾가 패하고 내가 감옥에 갇혀 모욕을 당했는데도 포숙은 나를 부끄럽게 여기지 않았으니, 내가 사소한 절조를 중시하지 않고 공명이 천하에 드러나지 않는 것을 부끄러워한다는 것을 알았기 때문이다. 나를 낳아준 이는 부모지만 나를 알아준 이는 포숙이다"라고 말한 일이 있다.(≪관자≫ 86편을 지었다)

◇割席(방석을 잘라서 따로 앉다)

●管寧, 字幼安, 少與華歆同席讀書. 有乘軒冕[168]過門者, 歆廢書觀之, 寧遂與割席[169]分坐曰, "子非吾友!" 又嘗與歆共鋤菜地, 遇金, 寧揮鋤不顧, 歆捉而擲之. 漢魏之際, 居遼東二十年. 孟觀·孫邕·王基薦之曰, "寧含章素質, 氷潔淵淸, 匿景藏光, 嘉遯[170]養浩, 金聲玉色, 久而彌章, 前世未有厲俗獨行[171]若寧者." 魏明帝具安車[172]蒲輪[173]·束帛·加璧[174], 聘焉. 家貧好學, 一藜床[175]五十年, 當膝處皆穿. 龍頭[176].(見邴氏) 子邈爲博士.

○관영(158-241)은 자가 유안으로 어려서부터 화흠과 함께 공부하였

168) 軒冕(헌면) : 대부 이상의 관원이 타는 수레와 예복을 뜻하는 말로 고관을 비유한다.

169) 割席(할석) : 방석을 자르다. 친구가 세속적인 모습을 보여 교분을 단절하는 것을 비유한다.

170) 嘉遯(가둔) : 시의적절한 은둔생활을 이르는 말.

171) 獨行(독행) : 시류에 영합하지 않고 자신의 신념대로 행동하는 것을 이르는 말.

172) 安車(안거) : 연로한 고관이나 귀부인이 편히 탈 수 있게 제작한 수레를 이르는 말.

173) 蒲輪(포륜) : 수레의 진동을 줄이기 위해 부들로 바퀴를 감싸는 것을 이르는 말. 봉선封禪을 할 때나 현자를 초빙할 때 사용하였다.

174) 加璧(가벽) : 비단 같은 예물에 첨가하는 옥을 이르는 말.

175) 藜床(여상) : 명아주 줄기로 엮어서 만든 평상. 초라하고 볼품없는 자리를 말한다. '상床'은 '상牀'으로도 쓴다.

176) 龍頭(용두) : 용의 머리. 삼국 위魏나라 때 세 친구인 관영管寧·병원邴原·화흠華歆을 한 마리 용에 비유해 각기 '용미龍尾' '용복龍腹' '용두龍頭'로 불렀다는 고사가 ≪삼국지·위지·화흠전≫권13의 남조南朝 유송劉宋 배송지裴松之 주에 인용된 ≪위략魏略≫에 전하는데, 문헌에 따라 관영과 화흠을 바꾼 기록이 있기에 여기서는 이를 따른 듯하다.

다. 어느 고관이 대문 앞을 지나가기에 화흠이 독서를 중단하고 그것을 구경하자 관영은 급기야 (화흠이 속세에 관심이 많다고 생각해) 방석을 잘라서 따로 앉으며 말했다. "자네는 내 친구가 아닐세!" 또 일찍이 화흠과 채소밭에서 호미질을 하다가 금을 발견했을 때 관영은 호미질을 계속하며 거들떠보지도 않았지만 화흠은 (잠시나마 물욕이 발동해) 그것을 손에 쥐었다가 내던졌다. 후한 말엽과 (삼국) 위나라에 걸쳐 요동 땅에서 20년 동안 거주하였다. 맹관·손옹·왕기가 그를 추천하며 "관영은 아름다운 자질을 타고나 얼음처럼 고결하고 심연처럼 맑으면서 광채를 감춘 채 시의적절하게 은둔하며 호연지기를 길렀기에 낭랑한 소리와 고운 안색이 날로 빛을 발하였으니 전대에도 관영처럼 속세에서 벗어나 자신의 소신대로 산 사람은 없었나이다"라고 하자, 위나라 명제가 편안한 수레와 비단·옥벽 등의 예물을 준비해 그를 초빙하였다. 집이 가난하고 학문을 좋아해 50년 동안 같은 명아주 평상을 사용하는 바람에 무릎이 닿는 곳은 모두 구멍이 뚫리고 말았다. '용두'라는 별명을 얻었다.(상세한 내용은 뒤의 '병'씨절 '용복龍腹'항에 보인다) 아들 관막管邈은 박사를 지냈다.

◇善易筮(≪역경≫과 점술에 정통하다)

●管輅, 字公明, 明周易·風角177)·占相之道. 魏正元178)初, 其弟辰謂曰, "兄當富貴乎!" 輅曰, "吾額上無生骨179), 眼中無守睛180), 鼻無梁柱181), 脚無天根182), 背無三甲183), 腹無三壬184), 皆不壽之驗." 後果

177) 風角(풍각) : 사방의 바람을 살펴서 길흉을 판단하는 점술의 일종.
178) 正元(정원) : 삼국三國 위魏 고귀향공高貴鄕公의 연호(254-255).
179) 生骨(생골) : 자라나는 뼈를 뜻하는 말로 장수의 골상骨相을 가리킨다. 고대 중국인들은 이마뼈가 튀어나온 것을 귀인의 골상으로 여겼다.
180) 守睛(수정) : 위의 예문은 ≪삼국지·위지魏志·관노전管輅傳≫권29에 전하는데, 원문에 의하면 정채精彩, 정기精氣를 뜻하는 '수정守精'의 오기이다.
181) 梁柱(양주) : 원래는 다리의 기둥을 뜻하는 말로 코의 뼈대를 비유한다.
182) 天根(천근) : 튼튼한 아킬레스건을 이르는 말.
183) 三甲(삼갑) : 점술占術에서 사람의 등에 있다는 장수를 나타내는 징표를 이르는 말. 상세한 모양에 대해서는 알려진 바가 없다.
184) 三壬(삼임) : 점술에서 사람의 배에 있다는 장수를 나타내는 징표를 이르는

然.

○관노(209-256)는 자가 공명으로 ≪역경≫과 풍각점・관상학에 정통하였다. (삼국) 위나라 (고귀향공) 정원(254-255) 초에 그의 동생인 관진管辰이 그에게 "형은 분명 부귀해질 것입니다"라고 하자 관노가 대답하였다. "나는 이마에 자라는 뼈가 없고, 눈에 정기가 없고, 코에 뼈대가 없고, 발에 튼튼한 아킬레스건이 없고, 등에 삼갑의 형상이 없고, 배에 삼임의 형상이 없으니 모두 장수하지 못 할 관상이네." 뒤에 정말로 그의 말대로 되었다

◇白雲先生(백운선생)

●管師復自號白雲先生, 與弟師常齊名, 號二管. 宋熙豐間, 陳兗公[185]以其與伊川經明學修, 薦爲學官[186].

○관사복은 자호가 '백운선생'으로 동생인 관사상管師常과 함께 나란히 이름을 떨치며 '이관'으로 불렸다. 송나라 (신종) 희녕熙寧(1068-1077)・원풍元豐(1078-1085) 연간에 연국공兗國公 진양陳襄은 그와 이천선생伊川先生 정이程頤가 경전에 정통하고 학문이 깊다고 생각해 학관에 추천하였다.

●管子白心篇云, "滿盛之家, 不可爲婚."

○≪관자・단어短語・백심편≫권13에 "번창한 가문과는 결혼해서 안된다"고 하였다.

말. 이 역시 상세한 모양에 대해서는 알려진 바가 없으나 튼튼한 복근을 가리키는 말로 추정된다.

185) 陳兗公(진연공) : 송나라 사람 진양陳襄(1143-1194). '연공'은 봉호인 연국공兗國公의 준말. 자는 술고述古이고 존호는 고령선생古靈先生. 저서로 ≪고령집古靈集≫ 25권이 전한다. ≪송사・진양전≫권321과 ≪송시기사宋詩紀事・진양≫권16 참조.

186) 學官(학관) : 국자학國子學・태학太學・관학官學 등 국가교육기관이나 그곳에서 교육을 담당하던 벼슬을 이르는 말. 시대마다 다소 차이는 있으나, 한漢나라 때 오경박사五經博士와 박사제주博士祭酒, 진晉나라 때 국자제주國子祭酒・박사博士・조교助敎, 송나라 이후로 제학提學・교수敎授・학정學正 등을 가리킨다.

●彤管[187]. 銀管[188]. 龍管[189].

○사관의 붓. 붓의 별칭. 붓의 미칭.

◆筦(관씨)

●筦輅, 琅琊人, 受公羊春秋[190]於疏廣, 以授孫. 仕漢, 爲御史中丞[191].

○관노는 (산동성) 낭야현 사람으로 소광에게서 ≪공양전≫을 전수받아 손자에게 물려주었다. 한나라에서 벼슬길에 올라 어사중승을 지냈다.

◆滿(만씨)

▶宮音. 河東. 陳胡公滿之後. 漢有滿昌, 受齊詩[192]於匡衡.

▷음은 궁음에 속하고 본관은 (산서성) 하동군으로 (춘추시대) 진나라 호공 만滿의 후손이다. 전한 때 만창이란 사람이 광형에게서 ≪제시≫를 전수받은 일이 있다.

---

187) 彤管(동관) : 손잡이인 대롱에 붉은 칠(彤)을 한 사관史官의 붓. 적심赤心, 즉 순수한 마음으로 사실을 적는다는 뜻에서 유래하였다.

188) 銀管(은관) : 붓의 일종. 남조南朝 양梁나라 원제元帝가 기록을 할 때 세 종류의 붓을 사용하였는데, 충효忠孝에 관한 기록은 금필金筆을 사용하고, 덕행德行에 관한 기록은 은필銀筆을 사용하였으며, 문장에 관한 것은 죽필竹筆을 사용하였다는 고사에서 유래한 말로 결국 붓을 가리킨다.

189) 龍管(용관) : 붓이나 피리의 미칭美稱.

190) 公羊春秋(공양춘추) : ≪춘추경春秋經≫의 세 해설서인 ≪좌전左傳≫ ≪곡량전穀梁傳≫ ≪공양전公羊傳≫ 가운데 하나. 전국시대 제齊나라 사람인 공양고公羊高의 해설을 한나라 초에 정리한 책. 후한 하휴何休(129-182)의 주注와 당나라 서언徐彦의 소疏가 있으나 오류와 번다함이 있다는 평이 있다. 총 20권. ≪사고전서간명목록·경부·춘추류春秋類≫권3 참조.

191) 御史中丞(어사중승) : 관리들의 비행을 규찰하고 탄핵하는 업무를 관장하는 기관인 어사대御史臺에서 어사대부御史大夫 다음 가는 벼슬. 시대마다 차이는 있으나 당송唐宋 때는 어사대부 휘하에 어사중승 외에도 시어사侍御史·전중시어사殿中侍御史·감찰어사監察御史 등이 있었다.

192) 齊詩(제시) : ≪시경≫의 한 종류로서 ≪모시毛詩≫가 고문시경古文詩經인 반면, ≪제시≫는 ≪노시魯詩≫ ≪한시韓詩≫와 함께 금문시경今文詩經에 속한다. 고문시경이 발굴되기 전에는 금문시경이 유행하였으나 고문시경인 ≪모시≫의 등장 이후 금문시경은 쇠퇴하여 전래가 끊겼다.

◇淸儉(청렴하고 검소하다)

●滿寵, 字伯寧, 魏祖[193]表爲汝南太守. 景初[194]中, 以功遷太尉[195]. 寵不治産業, 家無餘財, 詔曰, "卿典兵在外, 專心憂國. 有行父[196]·祭遵[197]之風, 賜田十傾·穀五百斛·錢二十萬, 以明淸忠儉約之節." 謚景侯.

○만총(?-242)은 자가 백녕으로 위나라 태조(조조曹操)가 (후한 말엽에) 상소문을 올려 (하남성) 여남태수를 맡게 하였다. (삼국 위나라 명제) 경초(237-239) 연간에는 공을 세워 태위로 승진하였다. 만총이 재산을 불리지 않아 집에 재물이 부족하자 조서를 내려 "경은 군대를 통솔하느라 외지에 있으면서도 오로지 나라 걱정을 하였도다. (춘추시대 노魯나라) 계손행보季孫行父와 (후한) 채준의 기풍이 있기에 밭 10경과 곡식 5백 휘·돈 20만 냥을 하사하여 충성되고 청렴한 절조를 밝히겠노라"고 하였다. 시호는 경후이다.

●滿奮仕晉, 爲尙書令[198].

○만분은 진나라에서 벼슬길에 올라 상서령을 지냈다.

---

193) 魏祖(위조) : 삼국 위魏나라 태조太祖 조조曹操(155-220)의 준말. 묘호는 태조이고, 시호는 무제武帝이며, 후한 말엽의 봉호는 위왕魏王이다.

194) 景初(경초) : 위魏 명제明帝의 연호(237-239).

195) 太尉(태위) : 진한秦漢 이래 군정軍政을 총괄하던 벼슬로 대사마大司馬로 불리기도 하였다. 후에는 사도司徒·사공司空과 함께 삼공三公으로 불렸는데, 태위가 삼공 가운데 서열이 가장 높았다.

196) 行父(행보) : 춘추시대 노魯나라 대부大夫인 계손행보季孫行父. 시호가 '문文'이어서 계문자季文子로도 불렸다. 선공宣公·성공成公·양공襄公 삼대에 걸쳐 승상을 지내며 선정善政을 베풀었고, 사후에 재산을 남기지 않아 청렴하고 검소하기로 이름이 높았다.

197) 祭遵(채준) : 후한 사람. 자는 제손弟孫이고 봉호는 영양후潁陽侯이며 시호는 성成. 광무제光武帝 휘하에서 정로장군征虜將軍을 맡아 전공을 세웠는데, 예법에 밝고 성품이 청렴결백하였다. ≪후한서·채준전≫권50 참조.

198) 尙書令(상서령) : 한나라 이후로 문서의 수발과 행정을 총괄하던 상서성尙書省의 장관을 이르는 말. 휘하에 육부六部를 설치하였고, 각 부의 장관인 상서尙書, 차관인 시랑侍郞, 실무자인 낭관郞官 등을 거느렸다.

●引滿. 持滿. 撲滿[199].

○술잔에 술을 가득 채우다. 술이 가득한 술잔을 손에 들다. 저금통의 일종인 박만.

◆罕(한씨)

▶鄭穆公長子曰子罕, 其孫罕虎以王父[200]字爲氏.

▷(춘추시대) 정나라 목공의 장남이 자가 자한이라서 그의 손자인 한호가 조부의 자를 성씨로 삼은 것이다.

●罕虎, 一名子皮. 子皮子嬰齊, 嬰齊子達, 達子魋, 魋子朔, 世爲鄭卿. 聽子皮授子産政, 子産辭, 子皮曰, "虎帥以聽, 誰敢犯子? 子善相[201]之."(襄三十)

○(춘추시대 때) 한호는 일명 '자피'라고도 하였다. 자피의 아들은 영제이고, 영제의 아들은 달이고, 달의 아들은 퇴이고, 퇴의 아들은 삭으로 대대로 정나라에서 구경을 지냈다. 자피가 자산(공손교公孫僑)에게 정권을 넘긴다는 말을 듣고서 자산이 사절하자 자피가 말했다. "나 한호가 통솔하여 그대 말을 듣게 만들 터이니 누가 감히 그대 말을 거역하겠소? 그대는 군주를 잘 보필토록 하시오."(≪좌전·양공襄公30년≫권40)

◆簡(간씨)

▶宮音. 范陽. 晉續簡伯[202]之後.

▷음은 궁음에 속하고 본관은 (하북성) 범양군으로 (춘추시대) 진나라 속간백(호

---

199) 撲滿(박만) : 저금통의 일종. 흙이나 대나무로 만들어 자그마한 구멍을 내서 집어넣기만 하고 꺼내지는 못 하기에 가득찬(滿) 돈을 꺼내려면 부수어야(撲) 하는 기구를 말한다. ≪서경잡기≫권5의 기록에 의하면 돈이 넘치면 저금통을 깨야 하듯이 지나친 욕심을 부리면 낭패를 당할 수 있으니 경계해야 한다는 함의를 담고 있다.

200) 王父(왕부) : 할아버지의 별칭. 할머니는 '왕모王母'라고 한다.

201) 相(상) : 돕다. 여기서는 군주를 보필하는 것을 말한다.

202) 續簡伯(속간백) : 춘추시대 진晉나라 대부大夫 호국거狐鞫居의 별칭. '속'은 봉읍이고, '간'은 시호이며, '백'은 작위.

국거狐鞫居)의 후손이다.

◇書學(≪서경≫에 관한 학문)

●簡卿, 漢人, 受尙書[203]於兒寬, 後又受於夏侯勝.

○간경은 전한 때 사람으로 예관에게서 ≪서경≫을 전수받았다가 뒤에 다시 하후승에게서도 전수받았다.

◇滑稽(해학이 넘치다)

●簡雍, 字憲和, 蜀先主[204]以爲賓友, 拜昭德將軍. 性簡傲跌宕[205], 無所爲屈. 時天旱禁酒, 吏於人家得釀具, 欲加之罪. 雍與先主游觀, 見一男一女行道曰, "彼欲行淫." 先主曰, "何以知之?" 曰, "彼有其具, 與釀者同." 先主大笑, 而赦有釀具者.

○간옹은 자가 헌화로 (삼국) 촉나라 선주(유비劉備)가 손님이자 친구처럼 대하다가 소덕장군에 배수하였다. 성품이 소탈하고 자유분방하여 얽매이는 바가 없었다. 때마침 가뭄이 들어 술을 금지시켰는데, 한 관리가 민가에서 술 빚는 도구를 얻는 바람에 그에게 죄를 물으려 하였다. 간옹이 선주와 함께 유람을 나섰다가 한 남녀가 길을 가는 것을 보고서는 말했다. "저들이 음행을 저지르려고 합니다." 선주가 물었다. "어떻게 아시오?" 간옹이 대답하였다. "저들에게 그런 도구가 있으니 술 빚는 도구를 가지고 있는 사람과 같사옵니다." 선주가 한바탕 웃음을 터뜨리고는 술 빚는 도구를 가지고 있는 사람을 사면해 주었다.

●山簡[206]. 汗簡[207]. 白簡[208].

---

203) 尙書(상서) : ≪서경≫의 별칭. '상尙'은 '고古'의 뜻이므로 '오래된 역사책'이란 의미에서 유래하였다.

204) 先主(선주) : 삼국시대 촉蜀나라의 초대 임금인 유비劉備(162-223)에 대한 별칭. 촉나라는 선주 유비와 후주後主 유선劉禪(207-271) 두 세대에서 막을 내렸다.

205) 跌宕(질탕) : 자유분방한 모양.

206) 山簡(산간) : 진晉나라 때 애주가로 연못에서 술을 마시다가 만취하자 전한

○(진晉나라 때 술꾼) 산간. 죽간. 탄핵문.

□二十七銑(27선)

◆單(선씨)

▶徵音. 南安. 周成王封少子臻於單邑, 爲甸內侯, 因氏焉. 二十餘世, 爲周卿士.

▷음은 치음에 속하고 본관은 (강서성) 남안군이다. 주나라 성왕이 막내아들인 희진姬臻을 선읍에 봉하고 전내후의 작위를 내리자 그참에 이를 성씨로 삼은 것이다. 스무 세대가 넘도록 주나라의 경사를 지냈다.

◇五侯(다섯 제후)

●單超, 漢宦官也, 與徐璜・左悺・具瑗・唐衡誅梁冀[209], 同日封爲五侯.

○선초(?-160)는 후한 때 환관으로 서황・좌관・구원・당형과 함께 양기를 주살하고서 같은 날 다섯 제후에 봉해졌다.

◇仙道(신선술)

●單道開得仙道, 恆服細石子, 一呑數枚, 日一服. 晉升平[210]中, 入羅浮山[211], 獨處茅茨[212], 蕭然物外, 年百餘歲.

○선도개는 신선술을 터득하여 항상 작은 돌을 복용하였는데, 한 번에

역이기酈食其(?-B.C.204)의 고사를 차용해 연못 이름을 '고양지高陽池'라고 했다는 고사로 유명하다. ≪진서・산간전≫권43 참조.

207) 汗簡(한간) : 땀을 흘린 죽간. 불로 구워 수액을 제거한 죽간을 뜻하는 말로 결국 글이나 저서를 비유적으로 가리킨다.

208) 白簡(백간) : 흰 죽간. 관리의 비행을 탄핵하는 상주문을 가리킨다.

209) 梁冀(양기) : 후한 사람(?-159). 자는 백탁伯卓. 황문시랑黃門侍郞과 대장군大將軍 등을 역임하였는데, 두 누이가 순제順帝와 환제桓帝의 황후皇后여서 그 후광을 믿고 온갖 악행을 저지르다가 환관 선초單超에 의해 궁지에 몰리자 자살하였다. ≪후한서・양기전≫권64 참조.

210) 升平(승평) : 진晉 목제穆帝의 연호(357-361).

211) 羅浮山(나부산) : 광동성에 있는 산 이름. 나산羅山과 부산浮山이 합쳐져 하나의 산이 되었다는 전설에서 유래한 말로 은자들의 성지로 여겨졌다.

212) 茅茨(모자) : 띠풀로 지붕을 이다. 초라한 초가집을 가리키는 말로 자기 집에 대한 겸칭謙稱으로 쓸 때도 있다.

몇 알씩 삼키면서 하루에 한 차례 복용하였다. 진나라 (목제) 승평(357-361) 연간에 (복건성) 나부산에 들어가 혼자서 초가집에 머물며 물욕에서 벗어나 초탈한 생활을 하면서 백 살 넘게 살았다.

●單襄公[213]如晉拜成[214].(成元年)

○(춘추시대 때 주周나라의 경사卿士인) 선양공이 진나라에 가서 일이 성사된 것에 대해 사례의 절을 올린 일이 있다.(≪좌전・성공成公원년≫ 권25)

●單成公[215]爲王官[216]伯.(昭二十二[217])

○(춘추시대 때 주나라의 대부大夫인) 선성공은 천자의 관리 가운데 수장이 되었다.(≪좌전・소공昭公11년≫권45)

●單穆公, 卽單旗也. 王子朝[218]云, "單劉[219]贊私立少."(昭二十六)

○(주나라 대부) 선목공은 곧 선기를 가리킨다. 왕자조가 "선기와 유적劉狄이 사사로운 이익을 이루기 위해 (왕자 중에) 막내를 천자로 옹립하였다"고 말한 일이 있다.(≪좌전・소공昭公26년≫권52)

●單颺明天官[220], 善術學, 孝廉, 遷太史令[221].

---

213) 單襄公(선양공) : 천자국인 주周나라의 경사卿士.
214) 拜成(배성) : 제후국인 진晉나라의 도움으로 모종의 일이 성사된 것에 대해 사례하기 위해 절을 올렸다는 말이다.
215) 單成公(선성공) : 천자국인 주周나라의 대부大夫.
216) 王官(왕관) : 천자의 신하들에 대한 총칭.
217) 二十二(이십이) : 원전에 의하면 '십일十一'의 오기이다.
218) 王子朝(왕자조) : 주周나라 경왕景王의 서자로서 서왕西王에 봉해진 희자조姬子朝의 별칭.
219) 單劉(선유) : 주周나라 대부大夫인 선기單旗와 유적劉狄을 아우르는 말.
220) 天官(천관) : 천문, 천상天象을 이르는 말. 하늘에도 조정이 있어 관제가 있다고 생각한 데서 유래하였다.
221) 太史令(태사령) : 진한秦漢 때 사서史書의 편찬과 천문・역법을 총괄하던 벼슬. 위진魏晉 이후로 사서 편찬을 저작랑著作郎이 전담하면서부터는 주로 천문과 역법을 관장하게 되었다.

○(후한 때) 선양은 천문학과 역법에 정통하여 효렴과에 급제한 뒤 태사령으로 승진하였다.

●單雄信, 王世充[222]將也, 善用馬槊, 號飛將.

○(수나라) 선웅신(?-621)은 왕세충의 휘하 장수로 말타기와 창술에 뛰어나 '비장'으로 불렸다.

●單士寧, 宋慶曆中, 與王洙同編修史館.

○선사녕은 송나라 (인종) 경력(1041-1048) 연간에 왕수와 함께 사관에서 국사를 편수하는 일을 관장하였다.

●單時, 宋乾道[223]中, 爲殿中侍御史[224], 上疏諫擊毬[225].

○선시는 송나라 (효종) 건도(1165-1173) 연간에 전중시어사를 맡자 상소문을 올려서 공놀이를 삼갈 것을 간언하였다.

◆蹇(건씨)

▶秦蹇叔[226]之後

▷(춘추시대) 진나라 건숙의 후손이다.

●蹇叔諫秦穆公襲鄭, 公曰, "中壽[227], 爾墓之木拱[228]矣!"(僖三十二)

---

222) 王世充(왕세충) : 수隋나라 말엽 사람(?-621). 자는 행만行滿. 서역西域 출신으로 양제煬帝 때 의동儀同에 올랐다가 양제가 시해되자 정제鄭帝라고 칭제稱帝하였다. 뒤에 당나라 진왕秦王 이세민李世民(598-649)에게 패하여 장안에서 살해되었다. ≪북사·왕세충전≫권79 참조.

223) 乾道(건도) : 남송南宋 효종孝宗의 연호(1165-1173).

224) 殿中侍御史(전중시어사) : 관리들의 비행을 규찰하고 탄핵하는 업무를 관장하는 기관인 어사대御史臺 소속의 관원. 어사대부御史大夫·어사중승御史中丞·시어사侍御史 다음 가는 벼슬로서 감찰어사監察御史보다는 품계가 높았다.

225) 擊毬(격구) : 공놀이의 일종. '격국擊鞠'이라고도 하였다.

226) 蹇叔(건숙) : 춘추시대 진秦나라 대부大夫. 백리해百里奚의 천거로 벼슬에 올라 목공穆公을 보좌하였는데, 목공의 정鄭나라 침공을 반대하였으나 목공이 그의 간언을 무시하였다가 전군全軍이 대패하였다.

227) 中壽(중수) : 중간 정도의 장수를 이르는 말. ≪장자莊子·도척盜跖≫권9의

○(춘추시대 때) 건숙이 진나라 목공에게 정나라를 습격해서는 안 된다고 간언하자 목공이 말했다. "제법 오래 살았으니 그대가 미리 장만해 놓은 무덤에 심은 나무의 둘레가 한 뼘은 되겠구려!"(≪좌전·희공僖公32년≫권16)

●蹇蘭仕漢, 爲交趾[229]刺史.

○건난은 한나라에서 벼슬길에 올라 (광동성과 광서성 일대의) 교지자사를 지냈다.

●蹇譽仕宋爲歷陽令

○건예는 송나라에서 벼슬길에 올라 (안휘성) 역양현의 현령을 지냈다.

●蹇周輔善屬文, 宋神宗命答高麗書, 稱旨[230].

○건주보(1021-1096)는 문장을 잘 지었기에 송나라 신종이 그에게 고려에서 보낸 국서에 답서를 쓰게 했는데, 황제의 마음을 흡족하게 해 주었다.

●蹇序辰, 宋紹聖[231]中, 爲給事中[232], 搆縉紳[233]之禍[234].

"사람의 목숨 가운데 상수는 백 살을 말하고, 중수는 여든 살을 말하고, 하수는 예순 살을 말한다(人上壽百歲, 中壽八十, 下壽六十)"는 고사에서 유래한 말로 결국 노년을 가리킨다.

228) 拱(공) : 두 손을 합친 둘레를 이르는 말. 즉 한 뼘. 이는 건숙蹇叔이 너무 오래 살았다고 비꼬아서 한 말이다.

229) 交趾(교지) : 지명. 전한 무제武帝 이전에는 오령五嶺 이남을 일컬었고, 무제 이후로는 광동성과 광서성 및 월남 북부에 대한 통칭으로 쓰였다. '교지交阯'로도 쓴다.

230) 稱旨(칭지) : 황제의 마음을 흡족케 하다, 황제의 의중에 부합하다.

231) 紹聖(소성) : 북송北宋 철종哲宗의 연호(1094-1097).

232) 給事中(급사중) : 황제의 자문과 정사의 논의에 참여하던 벼슬로, 진한秦漢 이래 열후列侯나 장군將軍의 가관加官이었다가 진晉나라 이후로 정관正官이 되었다. 수당隋唐 이후로는 문하성門下省의 장관인 시중侍中과 버금장관인 문하시랑門下侍郞 다음 가는 요직으로 정령政令에 대한 논의와 시정時政을 담당

○건서진은 송나라 (철종) 소성(1094-1097) 연간에 급사중을 지내면서 벼슬아치들이 화를 당하는 사건을 꾸몄다.

●偃蹇[235]. 連蹇[236]. 忠蹇[237].
○지치고 고달픈 모양. 곤경에 처한 모양. 충성스럽고 성실한 모양.

◆展(전씨)

▶魯孝公子展之後無駭[238]卒, 公命以字爲展氏.
▷(춘추시대) 노나라 효공의 아들 전展의 후사인 무해가 죽자 효공이 자를 '전'씨로 삼으라고 명한 것이다.

◇聖之和(성인 중에 온화한 사람)

●展禽, 名獲, 字禽, 無駭之子. 爲士師[239], 三黜曰, "直道而事人, 焉往而不三黜?" 柳下惠, 聖之和者也.(孟) 食邑柳下, 諡曰惠. 弟盜跖.
○(춘추시대 노魯나라) 전금은 본명이 '획獲'이고 자가 '금禽'으로 무해의 아들이다. 사사를 맡았다가 세 번이나 쫓겨나자 "곧은 도리로 남을 섬긴다면 어디로 간들 계속 쫓겨나지 않으리오?"라고 하였다. 유하혜는 성인 중에 온화한 사람이다.(≪맹자·만장장구하萬章章句下≫권10) ('유하혜는' 전금의) 식읍이 '유하'이고 시호가 '혜'라는 말이다. 동생은 도척이다.

●展喜, 魯人. 齊侵魯北鄙[240], 公使喜犒師, 還.(僖二十八)

하였다.
233) 縉紳(진신) : 원래는 홀笏을 신紳에 꽂는 것을 뜻하는 말로, 사대부나 벼슬아치를 비유한다. '진縉'은 꽂는다는 뜻으로 '진搢'과 통용자.
234) 禍(화) : 사마광司馬光 등 구법당파舊法黨派의 죄과를 거론하며 그에 연루된 충신들을 모함한 사건을 가리킨다. ≪송사·건서진전≫권329 참조.
235) 偃蹇(언건) : 지치고 고달픈 모양, 순탄하지 않은 모양.
236) 連蹇(연건) : 곤경에 처한 모양, 어려움에 빠진 모양.
237) 忠蹇(충건) : 충성스럽고 성실한 모양.
238) 無駭(무해) : 춘추시대 노魯나라의 현자인 유하혜柳下惠 전획展獲의 부친.
239) 士師(사사) : 주周나라 때 형벌을 관장하던 추관秋官 소속 벼슬 이름.

○전희는 (춘추시대) 노나라 사람이다. 제나라가 노나라 북쪽 국경을 침범하자 (노나라) 희공僖公이 전희를 시켜 제나라 군대에 잔치를 열어 주어 되돌아가게 만들었다.(≪좌전・희공僖公28년≫권15)

●展上公[241]修道於句容縣玉晨觀, 得仙.

○(제곡帝嚳 때) 전상공은 (강소성) 구용현의 옥신관에서 도를 닦아 신선이 되었다.

●展子奇[242]工畵, 爲畵家三史[243].

○(수나라) 전자건展子虔은 그림을 잘 그려 '화가삼사'로 불렸다.

◆雋(준씨)

▶渤海.

▷본관은 (산동성) 발해군이다.

●雋不疑, 字曼倩, 渤海人. 暴勝之爲直指使[244], 東至海, 不疑冠進賢冠[245], 帶櫑具劍[246], 珮環玦[247], 褒衣博帶[248], 至門上謁[249]. 勝之望

240) 北鄙(북비) : 북쪽 국경 지대를 이르는 말.

241) 展上公(전상공) : 오제五帝 중 제곡帝嚳 고신씨高辛氏 때 득도했다는 전설상의 인물.

242) 展子奇(전자기) : 수나라 때 화가인 '전자건展子虔'의 오기. 북조北朝 북제北齊 때 화가 양자화楊子華, 수나라 때 화가 동전董展, 당나라 때 화가 정건鄭虔과 함께 '화가삼사畵家三史'로 불렸다. 당나라 장언원張彦遠의 ≪역대명화기歷代名畵記・논명가품제論名價品第≫권2 참조.

243) 三史(삼사) : 중요한 세 사서史書를 일컫는 말로 여기서는 유명한 화가를 비유한다. '삼사'에 대해서는 ≪사기≫ ≪한서≫ ≪후한서≫를 가리킨다는 설도 있고, ≪전국책戰國策≫ ≪사기≫ ≪한서≫를 가리킨다는 설도 있다.

244) 直指使(직지사) : 어사대부御史大夫 소속의 임시 벼슬인 수의직지사繡衣直指使의 약칭. 전한 때 무제武帝가 지방의 반란을 진압하기 위하여 파견하였던 사자로, 자사刺史나 군수郡守의 생사여탈권을 쥐고 있었다. 오색실로 수놓은 비단옷을 입어 존귀한 신분을 나타냈기에 이런 별칭이 생겼으며, '수의직지繡衣直指' '수의어사繡衣御史' '수의사자繡衣使者' 등으로도 약칭하였다.

245) 進賢冠(진현관) : 임금을 알현할 때 쓰는 예모禮帽의 일종. 여기서는 황제가 파견한 사신에 대해 극진하게 예를 표한 것을 말한다.

見，屣履[250]出迎，敬納其說．還朝，表薦之，徵拜青州刺史．昭帝卽位，擢爲京兆尹[251]．其母喜平反[252]，故不疑爲吏，嚴而不殘．

○(전한) 준불의는 자가 만천으로 (산동성) 발해군 사람이다. 포승지가 직지사를 맡아 동쪽으로 동해에 이르렀을 때 준불의는 진현관을 쓰고 뇌구검을 차고 패옥을 차고서 헐렁한 도포에 넓은 허리띠를 맨 채 문전에 이르러 알현을 청하였다. 포승지가 멀리서 발견하고서 서둘러 신발을 질질 끌며 반갑게 맞이한 뒤 그의 얘기를 경청하였다. 포승지가 조정으로 돌아가 상소문을 올려서 그를 추천하였기에 준불의는 황제의 부름을 받아 (산동성) 청주자사를 배수받았다. 소제가 즉위하자 그를 경조윤에 발탁하였다. 모친이 억울하게 붙잡힌 죄인을 풀어주는 일을 좋아하였기에 준불의는 관리를 지내면서 사람들을 엄정하게 대하기는 했지만 잔혹하게 다루지는 않았다.

◆善(선씨)

●善卷，古高士也．舜以天下讓善卷，善卷不受，去而入深山，不知其處．後隱居華妙洞天[253]．今常德府武陵縣南蒼山名枉渚，人號枉水山，上有善卷壇．宋政和[254]中，賜號遁世高蹈先生．郡守李壽爲壇記．

○선권은 상고시대 때 고상한 선비이다. (우虞나라) 순왕이 천하를 선

246) 櫑具劍(뇌구검) : 손잡이 끝을 옥으로 장식한 검의 이름.

247) 環玦(환결) : 장식용 패옥佩玉에 대한 총칭. '환環'은 동그란 고리 모양의 패옥을 말하고, '결玦'은 한쪽 귀퉁이가 트인 패옥을 말한다.

248) 褒衣博帶(포의박대) : 헐렁한 옷과 넓은 허리띠. 유생의 옷차림을 말한다.

249) 上謁(상알) : 높은 사람을 찾아뵙고 인사를 올리는 일.

250) 屣履(사리) : 신발을 질질 끌다. 매우 다급해 하는 모양을 말한다.

251) 京兆尹(경조윤) : 도성으로부터 백 리 안의 경기 지역을 관장하는 벼슬 이름.

252) 平反(평번) : 잘못된 판결을 바로잡거나 억울한 누명을 벗겨주는 것을 일컫는 말. '번反'의 독음은 '번'으로 '번翻'과 통한다.

253) 洞天(동천) : 도교에서 신선들이 사는 별천지를 이르는 말. 도서道書에서는 신선들이 사는 곳을 '36동천洞天' '72복지福地'라고 한다.

254) 政和(정화) : 북송北宋 휘종徽宗의 연호(1111-1117).

권에게 선양하려 하였지만 선권은 받아들이지 않고 그곳을 떠나 심산에 들어갔는데 어디인지는 알려지지 않았다. 뒤에는 화묘동천에 은거하였다. 오늘날 (호남성) 상덕부 무릉현 남쪽의 창산에 왕저라는 냇물이 있어 사람들이 왕수산으로도 부르는데, 그 위에는 선권이 하늘에 제사를 올리던 제단이 있다. 송나라 (휘종) 정화(1111-1117) 연간에 '둔세고답선생'이란 호를 하사하였다. 군수 이수가 제단에 관한 글을 지었다.

●積善. 擇善. 遷善.
○선행을 쌓다. 선한 사람을 고르다. 개과천선하다.

◆典(전씨)

●典韋形貌魁梧[255], 膂力過人, 魏太祖引置左右, 遷校尉[256]. 軍中語曰, "帳中壯士有典君, 提一雙戟八十斤." 子滿爲中郎[257].
○(후한 말엽 사람) 전위(?-197)는 풍채가 건장하고 힘이 누구보다도 강했기에 (삼국) 위나라 태조(조조曹操)가 불러들여 주변에 있게 하다가 교위로 승진시켰다. 군중에는 "막부의 장사로 전군(전위)이 있는데, 80근이나 나가는 창을 쌍으로 든다네"란 말이 돌았다. 아들 전만典滿은 중랑을 지냈다.

◆扁(편씨)

▶渤海. 鄭人扁鵲之後.
▷본관은 (산동성) 발해군으로 (전국시대) 정나라 사람 편작의 후손이다.

---

255) 魁梧(괴오) : 몸집이 크고 건장한 모양.
256) 校尉(교위) : 장군의 휘하에서 한 부대의 통솔을 담당하거나 변방의 이민족을 관할하던 벼슬 이름.
257) 中郎(중랑) : 진한秦漢 이후로 궁중의 호위와 시종을 담당하던 삼서三署의 관원인 오관중랑장五官中郎將·좌중랑장左中郎將·우중랑장右中郎將 등을 아우르는 말.

●扁鵲, 史記云, "姓秦, 名越人." 醫書云, "盧國人, 姓扁, 名鵲."

○편작에 대해 ≪사기·편작전≫권105에서는 "성이 진이고 이름이 월인이다"라고 한 반면, 의학 서적에서는 "(전국시대) 여나라 사람으로 성이 편이고 이름이 작이다"라고 하였다.

□二十九篠(29소)

◆趙(조씨)

▶角音. 天水. 虞伯益[258]之後, 十三代至造父, 周穆王賜以趙城, 由此爲趙氏.

▷음은 각음에 속하고 본관은 (감숙성) 천수군이다. 우나라 백익의 후손이 13대를 지나 조보에 이르자 주나라 목왕이 조나라 성을 하사하였기에 이 때문에 조씨가 된 것이다.

◇良大夫(훌륭한 대부)

●趙衰, 字子餘, 謚成子. 子盾, 字孟, 謚宣子. 世爲晉卿. 賈季[259]曰, "趙衰, 冬日之日也, 趙盾, 夏日之日也." 仲尼[260]曰, "趙宣子, 古之良大夫也." 盾子朔.

○조최(?-B.C.622)는 자가 자여이고 시호가 성자이다. 아들 조돈趙盾(?-B.C.602)은 자가 맹이고 시호가 선자이다. 대대로 (춘추시대 때) 진나라에서 구경을 지냈다. 가계는 "조최는 겨울날의 햇살처럼 성품이 부드러운 반면, 조돈은 여름날의 햇살처럼 성품이 매섭다"고 하고, (노魯나라) 중니(공자)는 "조선자(조돈)는 옛날 훌륭한 대부이다"라고 평한 일이 있다. 조돈의 아들은 조삭趙朔이다.

---

258) 伯益(백익) : 우虞나라 순왕舜王 때 동이족東夷族의 족장. 하夏나라 우왕禹王을 도와 치수사업을 완성하였는데, 우왕이 왕위를 선양하려고 하자 하북성 기산箕山 북쪽에 은거하였다고 전한다.

259) 賈季(가계) : 춘추시대 진晉나라 대부大夫.

260) 仲尼(중니) : 춘추시대 노魯나라 사람 공자(공구孔丘)의 자. ≪사기·공자세가≫권47 참조.

◇袴中兒(바지 속에 아이를 숨기다)

●趙朔亡, 有遺腹子, 夫人[261]置之袴中, 得脫. 匿程嬰家十五年, 因韓厥立之, 是爲趙武.(史記) 武爲晉卿, 薦白屋[262]之士六十家, 擧筦庫[263]之士七十餘家.(韓子[264])

○(춘추시대 진晉나라) 조삭이 사망하면서 유복자를 남기자 부인이 그를 바지 속에 숨겨서 탈출할 수 있었다. 정영의 집에 15년 동안 숨어살다가 한궐 덕에 가문을 다시 일으켰으니 이 사람이 바로 조무이다.(≪사기·조세가趙世家≫권43) 조무는 진나라에서 구경에 올라 가난한 가문 출신의 선비 60명을 추천하고 창고지기와 같은 하급관리 출신의 선비 70여 명을 천거하였다.(≪한비자≫)

◇四豪(네 명의 호걸)

●趙勝封平原君, 食客數千人, 與齊孟嘗·楚春申·魏信陵爲四豪. 太史公[265]曰, "平原, 翩翩[266]濁世之佳公子也."

○(전국시대 조趙나라) 조승(?-B.C.251)은 평원군에 봉해졌는데 식객을 수천 명이나 거느리며 제나라 맹상군·초나라 춘신군·위나라 신릉군과 함께 '사호'로 불렸다. (전한) 태사공 사마천은 (≪사기·평원

---

261) 夫人(부인) : 황제의 후처後妻인 비빈妃嬪이나 제후의 적처嫡妻에 대한 존칭. 후에는 고관의 부인에 대한 존칭으로도 쓰였다.

262) 白屋(백옥) : 원목을 사용하여 지은 소박한 집. 혹은 흰 띠풀(白茅)로 지은 집을 뜻하는 말로 보기도 한다. 가난한 선비나 평민이 사는 집을 상징한다.

263) 筦庫(관고) : 창고를 관리하는 하급관리를 지칭하는 말.

264) 韓子(한자) : 전국시대 한韓나라 사람 한비韓非(약B.C.280-B.C.233)에 대한 존칭. 진秦나라 이사李斯(?-B.C.208)와 함께 순자荀子에게서 학문을 닦은 뒤 법가사상을 정립하였다. 진나라 시황제始皇帝 영정嬴政(B.C.259-B.C.210)의 호감을 얻어 벼슬에 올랐으나 이사의 모함을 받아 옥사獄死하였다. ≪사기·노장신한열전老莊申韓列傳≫권63. 그의 저서로 알려진 ≪한비자韓非子≫가 총 55편 20권으로 전하는데, 일문逸文이 많고 주석은 누구의 것인지 불분명하다. 위의 예문도 일문 가운데 하나이다.

265) 太史公(태사공) : ≪사기史記≫의 저자인 전한前漢 사마담司馬談(?-B.C.110)과 그의 아들 사마천司馬遷(B.C.135-?)에 대한 존칭. 그들 모두 태사령太史令을 지낸 데서 유래하였다. 또 ≪한서·예문지≫권30에 의하면 ≪사기≫의 원명이기도 하다.

266) 翩翩(편편) : 인품이나 문체 따위가 우아하고 아름다운 모양.

군조승전≫권76에서) "평원군은 혼탁한 세상에서도 우아한 인품을 지녔던 훌륭한 공자이다"라고 평하였다.

◇讀父書(부친의 병법서만 읽다)

●趙括, 馬服君[267]奢之子, 徒能讀父書, 而有長平之敗[268].

○(전국시대 조趙나라) 조괄(?-B.C.260)은 마복군 조사趙奢의 아들로 단지 부친의 병법서만 읽을 줄 알았기에 (산서성) 장평에서 패전을 당하고 말았다.

◇金城上方略(금성에서 방책을 바치다)

●趙充國, 字翁孫, 沈勇有大略. 漢元康[269]初, 羌人叛時, 充國年七十餘, 上老之, 使丙吉問, "誰可將者?" 充國曰, "無踰老臣者矣, 馳至金城[270], 圖上方略." 上屯田便宜[271]十二事. 羌破, 振旅而還, 封營平侯, 圖形麒麟閣[272].

○조충국(B.C.137-B.C.52)은 자가 옹손으로 용감하고 지략이 뛰어났다. 전한 (선제) 원강(B.C.65-B.C.62) 초엽에 강족 사람들이 반란을 일으켰을 때 조충국이 나이 70이 넘었기에 선제는 그가 늙었다고 생각해 병길을 시켜 "장수직을 맡길 만한 사람이 누구인가?"라고 묻게 하였다. 그러자 조충국은 "신을 능가할 사람이 없기에 (감숙성)

---

267) 馬服君(마복군) : 전국시대 조趙나라 장수인 조사趙奢의 봉호. '마복'은 하북성에 있던 땅 이름. 조괄趙括(?-B.C.260)의 부친으로 염파廉頗・인상여藺相如와 함께 조나라의 핵심 인물이었다. ≪사기・염파인상여열전廉頗藺相如列傳≫ 권81 참조.

268) 長平(장평) : 산서성山西省 고평현高平縣 북서쪽에 있었던 성 이름. 전국시대 때 진秦나라 장수 백기白起가 조趙나라의 조괄趙括(?-B.C.260)을 대패시키고 적군 40만 명을 매장한 곳으로 유명하다.

269) 元康(원강) : 한漢 선제宣帝의 연호(B.C.65-B.C.62).

270) 金城(금성) : 한나라 때 군郡 이름. 지금의 감숙성 난주시蘭州市 북서쪽 일대.

271) 便宜(편의) : 그때 그때 시의적절한 시책이나 유용한 정책을 이르는 말.

272) 麒麟閣(기린각) : 한나라 때 장서각 이름. '기린'은 전설상의 동물 이름으로 상서로운 징조와 왕위를 상징한다. 고대 중국인들은 태평성대가 도래하면 기린이나 봉황이 출현한다고 생각하였다.

금성군으로 말을 타고 달려가 방책을 짜서 올리겠나이다"라고 하고는 둔전과 같은 시의적절한 정책을 열두 가지 아뢰었다. 강족을 물리치고 군대를 정비하여 돌아와서는 영평후에 봉해지고 기린각에 초상화가 걸렸다.

◇淸如水(성품이 물처럼 깨끗하다)

●趙軌仕隋, 爲齊州別駕[273]. 召入朝, 父老送之曰, "公淸如水, 酌一杯水, 奉餞." 軌受飮之. 遷壽州長史[274], 開廣芍陂三十六門, 灌田五千餘頃, 人賴其利.

○조궤는 수나라에서 벼슬길에 올라 (산동성) 제주별가를 지냈다. 황제의 부름을 받아 조정에 들어가게 되자 고을의 원로들이 "공은 성품이 물처럼 깨끗하니 물을 한 잔 따라서 삼가 전송해 드리고자 합니다"라고 하였다. 그래서 조궤는 그것을 받아 마셨다. (안휘성) 수주장사로 전근을 가서 광약피에 수문 36개를 개설하여 밭 5천여 경에 물을 대자 사람들이 그 덕에 편리함을 누릴 수 있었다.

◇科第趙家(과거시험에 급제하는 조씨 가문)

●趙不器・子夏日・冬曦・和璧・安貞・居貞・順貞・彙貞父子八人, 皆進士及第, 時稱科第趙家.(唐登科記[275]. 又見庾子元)

---

273) 別駕(별가) : 한나라 이래로 일부 주州・부府・군郡에 설치했던 지방 수령의 보좌관인 '치중별가종사사治中別駕從事史'의 약칭. '치중治中' '치중별가治中別駕' '치중종사治中從事' 등으로도 약칭하였다.

274) 長史(장사) : 한나라 이후로 승상부丞相府나 장군부將軍府에서 병마兵馬를 관장하던 벼슬. 당나라 이후로는 주로 자사刺史의 속관이었는데, 자사 휘하에는 품계品階의 고하에 따라 별가別駕・장사長史・사마司馬・녹사참군사錄事參軍事・참군사參軍事・녹사錄事・문학文學 등의 속관이 있었다. ≪신당서・백관지≫권49 참조.

275) 唐登科記(당등과기) : 당나라 이혁李奕이 과거시험장에 얽힌 고사를 엮은 책. 총 2권. ≪신당서・예문지≫권58 참조. 한편 송나라 진진손陳振孫(?-약1261)의 ≪직재서록해제直齋書錄解題・전기류傳記類≫권7에 의하면 송나라 홍괄洪适(1117-1184)이 당나라 때 최씨의 ≪현경등과기顯慶登科記≫ 5권, 요강姚康의 ≪과제록科第錄≫ 16권, 그리고 이혁의 ≪당등과기≫ 2권을 모아서 편집한 16권본 ≪당등과기≫도 있었다.

○조불기와 아들 조하일趙夏日·조동희趙冬曦·조화벽趙和璧·조안정趙安貞·조거정趙居貞·조순정趙順貞·조휘정趙彙貞 등 부자지간의 8인은 모두 진사시험에 급제하여 당시 '과제조가'로 불렸다.(≪당등과기≫. 또한 관련 내용이 앞의 '유'씨절 유자원에 관한 기록인 '십팔학사十八學士'항에도 보인다)

◇文館學士(수문관 학사)

●趙彥昭少有才學. 唐中宗於修文館[276]置大學士[277]四員, 以韋嗣立·李嶠·宗楚客·趙彥昭爲之, 又置學士, 以李適·劉憲·崔湜·鄭愔·劉子元·李乂·盧藏用爲之, 又置直學士[278]以馬懷素·宋之問·沈佺期·武平一·杜審言·徐堅等爲之. 天子饗, 會學士得從, 春幸梨園[279], 則賜細柳圈[280], 夜宴蒲萄園, 賜金櫻[281], 秋登慈恩寺[282]浮屠[283], 賜菊花酒, 冬幸新豐[284], 歷白鹿觀, 賜浴湯池. 從行給翔麟兵[285]. 賦詩屬

---

276) 修文館(수문관) : 당나라 때 국가의 주요 도서의 편찬·감수·교정 및 제도·의례에 대한 심사를 관장하던 관서 이름. 뒤에는 '홍문관弘文館' '소문관昭文館'으로 개칭되기도 하였다.

277) 大學士(태학사) : 조정의 주요 문서를 관장하기 위해 당나라 경종景宗 때 처음으로 학사學士보다 높은 직책으로 설치한 벼슬 이름. 보통은 은퇴한 재상이나 고관에게 수여하던 명예직이었다.

278) 直學士(직학사) : 위진魏晉 이후로 문학과 저술을 관장하던 벼슬인 학사學士에 준하는 벼슬을 이르는 말. 당송唐宋 때는 학사원學士院을 두어 제고制誥를 전담케 하였는데, 5품 이상은 학사, 6품 이상은 직학사直學士로 구분하였다.

279) 梨園(이원) : 당나라 때 궁중에서 악공樂工이나 가무를 공연하는 배우들을 교련하던 곳을 이르는 말.

280) 細柳圈(세류권) : 당나라 때 3월 3일 상사절上巳節이 되면 전갈의 독을 물리칠 수 있다고 믿어 가녀린 버들가지로 고리를 만들어 차던 풍속을 이르는 말.

281) 金櫻(금앵) : 석류石榴의 별칭.

282) 慈恩寺(자은사) : 섬서성 장안시 남쪽에 있는 절 이름. 송나라 때 훼손되어 안탑雁塔만 남았다.

283) 浮屠(부도) : 범어梵語 'Buddha'의 음역音譯으로 사찰·부처·승려·불교·불탑 등 다양한 의미로 쓰인다. '부도浮圖'로도 쓴다.

284) 新豐(신풍) : 전한 때 고조高祖 유방劉邦(B.C.247-B.C.195)이 고향을 그리워하는 부친을 위해 고향인 강소성 패현沛縣 풍읍豐邑의 집과 거리를 본떠서 섬서성 임동현臨潼縣 북동쪽에 새로 설치한 현縣 이름. 남쪽으로는 여산驪山이 가깝고 북쪽으로는 위수渭水가 흐른다.

和, 無君臣之分, 惟以文章得幸.

○조언소는 어려서부터 글재주가 뛰어나고 학식이 깊었다. 당나라 중종은 수문관에 태학사 네 명을 설치하여 위사립·이교·종초객·조언소를 임명하고, 또 학사를 설치하여 이적·유헌·최식·정음·유자원·이예·노장용을 임명하고, 또 직학사를 설치하여 마회소·송지문·심전기·무평일·두심언·서견 등을 임명하였다. 천자는 연회를 열면 학사들을 모아 호종케 했는데, 봄에 이원에 행차하면 세류권을 하사하고, 밤에 포도원에서 연회를 열면 석류를 하사하고, 가을에 자은사의 불탑에 행차하면 국화주를 하사하고, 겨울에 (섬서성) 신풍현에 행차하였다가 백록관을 경유하면 욕탕지에서 목욕을 즐길 수 있는 권한을 하사하였다. 수행원에게는 궁중의 준마를 지급하였다. 시를 짓고 화답하면서 군신간의 구분을 없앴기에 오직 문장으로만 신임을 받을 수 있었다.

◇方外[286]十友(속세를 초월해 어울린 열 명의 친구)

●趙元亮(一無亮字), 字貞固, 少負志略, 如隱者之操. 謚昭夷先生. 十友[287]名.(見盧藏用)

○조원량(어떤 문헌에는 '양亮'자가 없다)은 자가 정고로 어려서부터 나름대로의 포부를 지녀 은자처럼 살고자 하는 지조를 품었다. 시호는 '소이선생'이다. '방외십우'의 명단에 들어 있다.(상세한 내용은 앞의 '노'씨절 노장용에 관한 기록인 '방외십우方外十友'항에 보인다)

◇玉界尺(선계에서 온 반듯한 사람)

●趙光逢, 字延吉, 以文行知名, 時人稱其方直溫潤, 謂之玉界尺[288]. 仕

285) 翔麟兵(상린병) : 위의 예문과 유사한 내용이 ≪신당서·이적전李適傳≫권93에도 전하는데, 이에 의하면 궁중의 준마를 뜻하는 말인 '상린마翔麟馬'의 오기이다. 자형의 유사성으로 인한 필사 과정상의 단순 오기로 보인다.

286) 方外(방외) : 속세 밖, 선경仙境을 뜻하는 말.

287) 十友(십우) : 노장용盧藏用·진자앙陳子昂·육여경陸餘慶·두심언杜審言·송지문宋之問·필구畢構·곽습미郭襲微·사마승정司馬承禎·조정고趙貞固·승려회일懷一 등 10인을 가리킨다.

後梁, 爲中書侍郎[289].

○조광봉은 자가 연길로 글재주와 덕행으로 이름을 떨쳐 당시 사람들이 그를 정직하고 온화하다고 칭송하며 '옥계척'이라고 불렀다. (오대五代) 후량에서 벼슬길에 올라 중서시랑을 지냈다.

◇社稷臣(종묘사직을 지킨 신하)

●趙普, 字則平, 宋太祖開國功臣也. 上常[290]夜半幸其第, 立風雪中, 普皇恐出迎, 設重茵席地, 熾炭燒肉. 普妻行酒[291], 上以嫂呼之, 遂定下江南[292]之議. 每決大事, 啓閣觀書, 乃論語也. 時稱趙普以半部論語治天下. 雷德驤嘗詆之, 上叱之曰, "鼎鐺[293]尙有耳, 汝不聞趙普吾社稷臣乎?" 雍熙[294]中, 兼中書令[295], 封眞定郡王. 諡忠獻王.

○조보(922-992)는 자가 칙평으로 송나라 태조 때 개국공신이다. 태조가 일찍이 한밤중에 자신의 집으로 행차하여 바람과 눈 속에 서 있자 조보가 황공해 하며 밖으로 나와서 맞이하고는 겹겹이 이부자리를 가져다가 바닥에 깔고 석탄에 불을 붙여 고기를 구웠다. 조보의 아내가 술잔을 돌리자 태조는 그녀를 형수라고 부르며 급기야 강남 땅을 평정할 의견을 확정하였다. 매번 국가대사를 결정할 때마다 장서각을 열고 책을 살폈는데 바로 ≪논어≫였다. 그래서 당시 사람들은 조보가 ≪논어≫를 반쯤 펼치고서 천하를 다스린다고 하였다. 뇌덕양이 일찍이 이를 비판하자 태조가 그를 질타하며 말했다. "세

---

288) 玉界尺(옥계척) : 풍채가 훌륭하고 품행이 단정한 사람을 비유하는 말. '옥계玉界'는 천계天界나 선계仙界를 의미한다.

289) 中書侍郎(중서시랑) : 황명의 기초와 출납을 관장하는 중서성中書省에서 장관인 중서령中書令 다음 가는 직책을 이르는 말.

290) 常(상) : 일찍이. '상嘗'과 통용자.

291) 行酒(행주) : 술잔을 돌리다, 술자리를 주재하다.

292) 江南(강남) : 장강 이남. 여기서는 오대십국五代十國 때 강남에 건국했던 남당南唐 등의 국가를 가리킨다.

293) 鼎鐺(정당) : 세발솥과 노구솥. 쇠솥에 대한 총칭.

294) 雍熙(옹희) : 북송北宋 태종太宗의 연호(984-987).

295) 中書令(중서령) : 위진魏晉 이래로 국가의 기무機務·조령詔令·비기祕記 등을 관장하는 최고 행정 기관인 중서성中書省의 장관.

발솥이나 노구솥에도 귀가 있거늘 그대는 조보가 우리 종묘사직을 지킨 신하라는 말을 듣지 못 했소?" (태종) 옹희(984-987) 연간에는 중서령을 겸직하고 진정군왕에 봉해졌다. 시호는 '충헌왕'이다.

◇諫林(≪간림≫)

●趙槩, 字叔平, 性重厚寡言. 宋仁宗朝, 與歐陽修同知起居注[296], 後參大政[297]. 熙寧初, 致仕, 居睢陽十五年, 惟以讀書著文憂國愛君爲事. 集古今諫諍, 爲諫林一百二十卷, 奏之, 上賜詔褒美. 謚康靖.

○조개(996-1083)는 자가 숙평으로 성품이 중후하고 과묵하였다. 송나라 인종 때 구양수와 함께 (황제의 언행에 관한 기록인) 기거주를 관장하다가 뒤에 참지정사에 올랐다. (신종) 희녕(1068-1077) 초에 벼슬을 그만두고는 (안휘성) 수양현에서 15년 동안 거주하며 오로지 독서 및 저서와 나라를 걱정하고 임금을 아끼는 일에 전념하더니 고금의 간언들을 모아 ≪간림≫ 120권을 만들어 바치자 황제가 조서를 내려 칭찬하였다. 시호는 '강정'이다.

◇琴鶴清風(금과 학을 거느린 맑은 기풍)

●趙抃, 字閱道, 氣貌淸逸, 人不見其喜慍. 自號知非子. 宋至和[298]中, 爲侍御史[299], 彈劾不避貴勢, 京師號爲鐵面御史. 初任成都, 携一琴一鶴自行, 其再任也, 屛去琴鶴, 止有蒼頭[300]執事[301]. 張公裕學士送以

---

296) 起居注(기거주) : 임금의 언행을 세세하게 기록한 사서를 이르는 말로서 여기서는 그러한 업무를 관장하는 직책인 기거사인起居舍人이나 기거랑起居郎의 대칭으로 쓰였다.

297) 參大政(참대정) : 주요 정사에 참여하다. 재상인 참지정사參知政事의 자리에 오르는 것을 말한다.

298) 至和(지화) : 북송北宋 인종仁宗의 연호(1054-1055).

299) 侍御史(시어사) : 주周나라 때 주하사柱下史에서 유래한 벼슬로서 위진魏晉 이후로는 주로 관리들의 비리를 규찰하였다. 당송唐宋 때는 어사대御史臺 소속으로 어사대부御史大夫·어사중승御史中丞 다음 가는 벼슬이었다.

300) 蒼頭(창두) : 노복奴僕의 별칭. 양민과 달리 머리에 흰 머리카락이 많이 섞인 데서 유래하였다.

301) 執事(집사) : 모종의 업무를 관장하는 관원을 지칭하는 말.

詩[302]云, "馬諳舊路行來滑, 琴遇知音尚不彈." 公平生日所爲事, 夜必衣冠露香[303], 拜手[304]告天, 不可告者, 則不敢爲也. 元豐[305]初, 告老[306], 退居於衢[307], 有溪石松竹之勝, 與山僧野老游, 不復有貴勢也. 有高齋[308]詩[309]云, "軒外長溪溪外山, 捲簾空曠水雲間. 高齋有問如何答? 淸夜安眠白晝閒." 位至參政[310], 年七十七薨. 謚淸獻公. 二子屼·明誠.

○조변(1008-1084)은 자가 열도로 성품이 맑고 깨끗하여 사람들은 그가 기뻐하는지 화를 내는지 감정의 변화를 알 수 없었다. 그는 스스로 호를 ('잘못을 아는 선생'이란 의미에서) '지비자'라고 하였다. 송나라 (인종) 지화(1054-1055) 연간에 시어사를 지내며 탄핵을 할 때는 권세가도 기피하지 않았기에 (하남성 개봉) 경사에서 '철면어사'로 불렸다. 당초 (사천성) 성도에 부임했을 때는 금 하나와 학 한 마리를 데리고 다니다가 다시 부임했을 때는 금과 학을 치우고 단지 머리가 희끗한 늙은 집사만 거느렸다. 그래서 학사 장공유가 시를 지어 전송하며 "말은 옛 길을 잘 알고 있어 미끄러지듯 찾아갈 터이나, 금은 소리를 알아주는 사람을 만나도 연주되지 않겠지요"라고 하였다. 조변은 평생 날마다 행한 일을 밤이 되면 반드시 의관을 차려입고 공터에 향을 피운 채 두 손 모아 공손히 절을 하며 하늘에

---

302) 詩(시) : ≪송명신언행록宋名臣言行錄·조변≫후집권5에 인용된 송나라 여희철呂希哲(1039-1116)의 ≪여씨가숙기呂氏家塾記≫ 등 다른 문헌에도 두 구절만 전하는 것으로 보아 일시逸詩인 듯하다. 또 뒷 구절이 다른 문헌에는 대부분 '거북은 장강에 풀어주어 함께 오지 못 하겠군요(龜放長江不共來)'로 되어 있다.

303) 露香(노향) : 건물 밖 공터에서 향을 피우는 일을 이르는 말.

304) 拜手(배수) : 무릎을 꿇은 뒤 두 손을 모으고 머리를 손 높이까지 숙이는 절의 일종. 극진한 예법을 말한다.

305) 元豐(원풍) : 북송北宋 신종神宗의 연호(1078-1085).

306) 告老(고로) : 늙었다고 아뢰다. 즉 사직을 청하는 것을 말한다.

307) 衢(구) : 절강성의 속주屬州 이름.

308) 高齋(고재) : 서재나 타인의 집에 대한 미칭美稱.

309) 詩(시) : 이는 동명의 칠언절구七言絶句를 인용한 것으로 조변趙抃의 ≪청헌집淸獻集≫권5에 전한다.

310) 參政(참정) : 당송 때 재상에 버금가는 권한을 부여했던 참지정사參知政事의 약칭.

고하였기에 고할 수 없는 일은 감히 행하려 들지 않았다. (신종) 원풍(1078-1085) 초에 사직을 청하고 (절강성) 구주衢州에 은거하였는데, 냇물・수석・소나무・대나무가 어우러진 빼어난 경관을 갖춘 채 산사의 승려나 재야의 원로들과 어울리며 더 이상 고관의 티를 내지 않았다. 그는 <서재에서 지은 시>에서 “창문 밖에 기다란 냇물이 흐르고 냇물 밖에 산이 있어, 발을 말아올리면 물과 구름 맞닿은 곳이 광활하게 펼쳐지네. 서재에 대해 질문하면 어찌 대답할까? 시원한 밤에는 편하게 잠을 이루고 낮에는 한가롭다 하리라”고 하였다. 벼슬은 참지정사까지 올랐다가 77세로 생을 마쳤다. 시호는 ‘청헌공’이다. 두 아들은 조궤趙帆와 조명성趙明誠이다.

◇戲綵堂(희채당)

●趙帆, 篤行君子也. 元豐中, 爲溫倅, 迎淸獻來, 遂名其堂曰戲綵[311]. 東坡送以詩[312]云, “風流半刺史[313], 淸絶校書郎.”

○(송나라) 조궤는 행실이 독실한 군자였다. (신종) 원풍(1078-1085) 연간에 (절강성) 온주溫州의 통판을 지내다가 (부친인) 청헌공淸獻公 조변趙抃을 모셔 오고는 대청 이름을 (‘부모님에게 효도하기 위해 지은 대청’이란 의미에서) ‘희채당’이라고 지었다. 그래서 동파東坡 소식蘇軾은 시를 지어 전송하며 “풍류 넘치는 통판이요, 성품이 맑은 교서랑이시네”라고 하였다.

311) 戲綵(희채) : 색동옷을 입고 재롱을 부리다. 춘추시대 노래자老萊子가 나이 70살에도 색동옷을 입고 부모님 앞에서 재롱을 부려 부모님을 즐겁게 해 드렸다는 당나라 구양순歐陽詢(557-641)의 ≪예문류취藝文類聚≫권20에 인용된 ≪열녀전列女傳≫의 고사에서 유래한 말로 효성이 깊은 것을 비유한다.

312) 詩(시) : 이는 오언배율五言排律 <(동생) 자유(소철蘇轍)가 (절강성) 전당현에서 부모님을 뵙고 결국 영가군으로 부임할 조궤를 전송하며 지은 시에 차운하다(次韻子由送趙帆歸覲錢塘, 遂赴永嘉)> 가운데 한 연을 인용한 것으로 송나라 소식蘇軾(1036-1101)의 ≪동파전집東坡全集≫권9에 전한다.

313) 半刺史(반자사) : 반쪽 자사. 자사의 부관인 통판通判을 비유한다.

◇耆英會(원로들의 모임)

●趙丙，字南正，宋元豐中，爲太常少卿314)，與文富315)耆英會316)．丙詩317)云，“新春鼎鼐318)燕英髦319)，主禮雍容320)下庶僚．二相比肩官一品，十人華髮仕三朝321)．星階竝列瞻台曜322)，樽酒時行挹斗杓323)．東潁庸夫最無狀324)，也將顔面赴嘉招.”

○조병은 자가 남정으로 송나라 (신종) 원풍(1078-1085) 연간에 태상소경을 지내다가 문언박文彦博과 부필富弼이 결성한 기영회에 참여하였다. 그래서 조병은 시에서 “새해 봄에 솥을 마련하여 원로들에게 잔치를 열었는데, 예식을 주재하는 이는 의젓하여 여러 동료들에게 몸을 낮추시네. 두 재상은 나란히 1품관에 오르고, 열 명은 머리 희끗해질 때까지 세 왕조에서 벼슬을 하며, 궁중 섬돌에서 나란히 서 삼태성의 별빛을 바라보다가, 때마침 술잔을 돌리느라 북두칠성 같은 국자를 손에 드셨네. 동쪽 영주 출신의 못난 이 사내는 가장

---

314) 太常少卿(태상소경) : 예악禮樂과 천문天文에 관련된 업무를 관장하는 태상시太常寺의 버금 장관을 가리키는 말. 장관은 태상경太常卿으로 구경九卿 가운데 서열이 가장 높았다.

315) 文富(문부) : 송나라 때 명재상인 문언박文彦博(1006-1097)과 부필富弼(1004-1083)을 아우르는 말.

316) 耆英會(기영회) : 송나라 신종神宗 때 문언박文彦博(1006-1097)이 하남성 낙양에서 부필富弼(1004-1083)·사마광司馬光(1019-1086) 등 13인의 명사들과 함께 결성한 모임인 ‘낙중기영회洛中耆英會’의 약칭. ‘기영’은 연배와 덕망이 높은 원로를 뜻한다.

317) 詩(시) : 이는 칠언율시七言律詩 <원로들의 모임(耆英會)>을 인용한 것으로 송나라 축목祝穆의 ≪고금사문류취古今事文類聚·낙생부樂生部·수壽≫전집前集권45에 전한다.

318) 鼎鼐(정내) : 세발솥과 노구솥. 음식을 끓이는 데 사용하는 솥에 대한 총칭을 뜻하는 말로서 조화로운 정치를 상징한다.

319) 英髦(영모) : 준수한 인재를 이르는 말.

320) 雍容(옹용) : 행동이 의젓하고 품위가 있는 모양.

321) 三朝(삼조) : 세 왕조. 인종仁宗·영종英宗·신종神宗 등 세 황제를 가리킨다.

322) 台曜(태요) : 삼태성의 별빛을 이르는 말로 재상을 비유한다.

323) 斗杓(두표) : 북두칠성 가운데 다섯째부터 일곱째까지 자루 모양을 이루는 형衡·개태開泰·요광搖光(초요招搖)의 세 별을 가리키는 말. ‘두병斗柄’이라고도 한다. 여기서는 술을 뜨는 국자를 비유하는 듯하다.

324) 無狀(무상) : 재능이나 공적이 없다는 뜻으로 자신을 낮추어 하는 말.

내세울 것이 없는데도, 체면을 가리지 않고 아름다운 초대에 응해 달려왔다네"라고 하였다.

◇秋陽賦(가을 햇살을 읊은 부)

●趙令畤, 字德麟, 封安定郡王. 恭儉如寒士, 東坡作秋陽賦[325)]以調, 其辭云, "趙王之孫有賢公子, 告予曰, '吾心皎然, 如秋陽之淸. 吾好善而欲成之, 如秋陽之堅百谷[326)], 吾惡惡而欲刑之, 如秋陽之隕群木.' 是以樂而賦之."

○(송나라) 조영치(1061-1134)는 자가 덕린으로 안정군왕에 봉해졌다. 마치 빈한한 가문 출신 선비처럼 공손하고 검소하였기에 동파東坡 소식蘇軾이 <가을 햇살을 읊은 부>를 지어 놀렸는데, 그 글의 내용은 다음과 같다. "조왕의 손자 중에 어진 공자가 있어 내게 이르길 '제 마음은 깨끗하기가 마치 가을 햇살의 맑은 기운 같지요. 저는 선행을 좋아하기에 가을 햇살이 온갖 곡식을 여물게 하듯이 이를 성사시키고 싶고, 저는 악행을 싫어하기에 가을 햇살이 온갖 나뭇잎을 떨구듯이 이를 벌주고 싶습니다'라고 하였다. 그래서 기꺼이 이 부를 짓는다."

◇居中總政(군중에 머무르며 군정을 총괄하다)

●趙鼎, 字元鎭. 宋紹興中, 張浚出視師江上, 鼎居中總政, 以圖興復之功拜左僕射[327)], 加特進[328)]. 謚忠簡.

---

325) 秋陽賦(추양부) : 이는 동명의 제목으로 송나라 소식蘇軾(1036-1101)의 ≪동파전집東坡全集≫권33에 전한다.

326) 百谷(백곡) : 온갖 곡식에 대한 총칭. '곡谷'은 '곡穀'과 통용자.

327) 僕射(복야) : 진秦나라 때 처음 설치되었고, 한나라 때는 5상서尙書 가운데 한 명을 복야에 임명하여 조정의 핵심 행정 기관인 상서성尙書省의 업무를 총괄하게 하였는데, 뒤에 권한이 막강해지자 좌·우복야를 두면서 당송唐宋 때까지 지속되었다. 보통 승상丞相의 지위를 겸하였다.

328) 特進(특진) : 한나라 때 처음 설치되었는데, 열후列侯 가운데 특별한 지위에 있는 자를 임명하였고 품계는 삼공三公의 아래였다. 수당隋唐 이후로는 산관散官이 되었고, 당송 때는 문산관文散官 가운데 종1품인 개부의동삼사開府儀同三司 다음 가는 서열 2위인 정2품의 최고위 산관이었다.

○조정(1085-1147)은 자가 원진이다. 송나라 (고종) 소흥(1131-1162) 연간에 장준이 조정을 나서 장강 가에서 군대를 시찰할 때 조정은 군중에 머물며 군정을 총괄하다가 황실의 부흥을 꾀한 공로로 좌복야를 배수받고 특진이 보태졌다. 시호는 '충간'이다.

◇論詩法(시 짓는 법을 논하다)

●趙蕃, 字昌甫, 號章泉. 有詩云, "學詩渾[329]似學參禪, 要保心傳與耳傳. 秋菊春蘭寧易地? 淸風明月本同天." 有重名, 屢召不起. 劉后村[330]云, "一生官職監南嶽[331], 四海[332]傳名仰玉山[333]."

○(송나라) 조번은 자가 창보이고 호가 장천이다. 그는 시에서 "시를 배우는 것은 참선을 배우는 것과 거의 같기에, 마음으로 전하고 귀로 전하는 것을 보전해야 한다네. 가을 국화와 봄 난초가 어찌 터를 바꾸리오? 시원한 바람과 밝은 달은 본래 같은 하늘에 있다네"라고 하였다. 명성을 떨쳤지만 누차 부름을 받아도 벼슬에 오르지 않았다. 그래서 후촌后村 유극장劉克莊은 "평생 관직이라곤 남악을 돌보는 것이었지만, 천하 사람들은 이름을 전해듣고 옥산을 우러러보듯이 하네"라고 하였다.

---

329) 渾(혼) : 모두, 거의.

330) 劉后村(유후촌) : 남송 말엽 사람 유극장劉克莊(1187-1269). '후촌'은 호. 자는 잠부潛夫이고 시호는 문정文定. 시문에 뛰어났고 용도각학사龍圖閣學士를 지냈다. 저서로 ≪후촌집後村集≫ 50권과 ≪후촌시화後村詩話≫ 12권이 전한다. 청나라 황종희黃宗羲(1610-1695)의 ≪송원학안宋元學案·애헌학안艾軒學案≫권47 참조. '후后'는 '후後'로도 쓴다.

331) 南嶽(남악) : 중국을 대표하는 다섯 개의 산인 오악五嶽 가운데 남쪽 형산衡山의 별칭. '오악'에 대해서는 여러 가지 설이 있으나, 동악東嶽 태산泰山·남악南嶽 형산衡山·서악西嶽 화산華山·북악北嶽 항산恒山·중악中嶽 숭산嵩山의 정현鄭玄(127-200) 설이 일반적이다.

332) 四海(사해) : 천하를 이르는 말. 고대 중국인들이 사방이 바다였다고 생각한 데서 비롯되었다. 옛날에는 온세상을 '천하天下' '해내海內' '사해四海' '육합六合' '구주九州' '신주神州' '우주宇宙' 등 다양한 어휘로 표현하였다.

333) 玉山(옥산) : 신선이 산다는 전설상의 산 이름으로 준수한 인물이나 그러한 사람의 모습을 비유한다.

●趙禹, 漢武朝, 以刀筆[334]積勞, 遷御史[335]), 與張湯論定律令.

○조우(?-약 B.C.100)는 전한 무제 때 글솜씨로 업적을 쌓아 어사로 승진하였다가 장탕과 함께 법령을 정비하였다.

●趙廣漢, 孝宣朝, 爲京兆尹, 發奸摘伏如神.

○조광한(?-B.C.65)은 (전한) 선제 때 경조윤을 지내면서 간교하고 드러나지 않는 범죄자들을 귀신처럼 찾아냈다.

●趙熹歷仕三朝[336], 爲國元老, 以太傅[337]致仕.

○(후한) 조희는 세 황제 밑에서 두루 벼슬을 지내며 국가 원로가 되었다가 태부의 신분으로 벼슬을 그만두었다.

●趙溫仕漢, 爲京兆丞[338]曰, "大丈夫當雄飛, 安能雌伏?" 棄官去.

○조온은 후한에서 벼슬길에 올라 (섬서성) 경조군의 군승을 지내다가 "대장부라면 의당 수컷 새처럼 날아야지 어찌 암컷 새처럼 굽신거리며 지낼 수 있으리오?"라고 말하더니 관직을 그만두고 떠났다.

●趙典爲大司農[339], 閉門却掃[340], 非德不交. 漢八俊[341]中人.

---

334) 刀筆(도필) : 칼과 붓. 옛날에 죽간에 글을 쓸 때 오자가 생기면 칼로 긁어낸 뒤 다시 쓴 데서 유래한 말로 결국 붓을 뜻한다.

335) 御史(어사) : 탄핵을 전담하는 기관인 어사대御史臺 소속의 벼슬에 대한 총칭. 당나라 때는 어사대를 헌대憲臺·숙정대肅正臺라 부르기도 하였다. 시대마다 다소 차이는 있으나, 보통 장관은 어사대부御史大夫, 버금 장관은 어사중승御史中丞이라고 하였으며, 휘하에 시어사侍御史·전중시어사殿中侍御史·감찰어사監察御史·어사승御史丞 등의 속관이 있었다.

336) 三朝(삼조) : 세 왕조. ≪후한서·조희전≫권56에 의하면 광무제光武帝·명제明帝·장제章帝 세 황제를 가리킨다.

337) 太傅(태부) : 재상의 지위인 삼공三公, 즉 태사太師·태부太傅·태보太保 가운데 하나. 그러나 후에는 태위太尉·사도司徒·사공司空을 삼공으로 설치하고, '큰 스승'이란 의미에서 삼공보다 높여 별도로 '상공上公'이라고 하면서 '삼사三師'로 세우기도 하였다.

338) 丞(승) : 태수太守의 부관인 군승郡丞이나 현령縣令의 부관인 현승縣丞의 약칭. 여기서는 전자를 가리킨다.

339) 大司農(대사농) : 농업과 재정을 관장하던 벼슬로서 구경九卿의 하나. 전한

○조전은 대사농을 지내는 동안 손님의 방문을 사절하면서 덕이 있는 사람이 아니면 사귀지를 않았다. 후한 말엽 '팔준' 가운데 한 사람이다.

●趙咨, 吳大夫, 使魏, 自云, "如臣比者, 車載斗量[342], 不可勝數."

○조자는 (삼국) 오나라 대부로서 위나라에 사신으로 가서는 스스로 "신과 비견할 만한 인물은 수레로 싣고 말로 헤아릴 정도로 많아 이루 다 셀 수가 없지요"라고 하였다.

●趙雲號虎威將軍. 蜀先主曰, "子龍[343]一身, 都是膽也[344]."

○조운(?-229)은 호위장군으로 불렸다. (삼국) 촉나라 선주(유비劉備)가 "자룡(조운)의 몸은 모두가 쓸개인가 보오"라고 말한 일이 있다.

●趙昌言, 字仲謨, 宋太宗朝, 拜樞使[345]. 與同年[346]會飮, 光武明章.(見董姓)

○조창언(945-1009)은 자가 중모로 송나라 태종 때 추밀사를 배수받았다. 과거시험 합격동기생과 모여서 술을 마실 때 무술과 문장력을

경제景帝 때 대농령大農令을 무제武帝 때 대사농으로 고쳤으며, 당송唐宋 때는 사농경司農卿이라고 하였다.

340) 閉門却掃(폐문각소) : 대문을 닫고 청소를 물리치다. 손님을 사절하고 친구들과의 왕래를 끊는 것을 비유한다.

341) 八俊(팔준) : 후한 말엽 당고黨錮 사건에 휘말려 살해된 여덟 명의 준걸을 이르는 말. 이응李膺(?-169)·순욱荀昱(?-169)·두밀杜密(?-169)·왕창王暢(?-169)·유우劉祐(?-168)·위낭魏朗(?-168)·조전趙典·주우朱寓를 가리킨다. ≪후한서·당고열전≫권97 참조.

342) 車載斗量(거재두량) : 수레로 싣고 말로 헤아릴 정도로 수량이 매우 많은 것을 비유하는 말. '두량거재斗量車載'라고도 한다.

343) 子龍(자룡) : 삼국 촉蜀나라 때 장수인 조운趙雲(?-229)의 자. ≪삼국·촉지·조운전≫권36 참조.

344) 都是膽也(도시담야) : 모두가 쓸개이다. 즉 대단히 용맹한 것을 비유한다.

345) 樞使(추사) : 군정을 관장하는 기관인 추밀원樞密院의 장관 추밀사樞密使의 약칭.

346) 同年(동년) : 같은 해에 태어나거나 같은 해에 과거시험에서 합격한 동기생을 이르는 말. 여기서는 후자를 가리킨다.

뽐낸 일이 있다.(상세한 내용은 앞의 '동'씨절 '동반야董半夜'항에 보인다)

※女德婚姻(여덕과 혼인)

◇報父仇(부친의 원수를 갚다)

●趙氏, 字娥, 酒泉[347]龐淯[348]母也. 娥父爲人所殺, 兄弟三人俱物故[349], 娥感憤. 十年後, 遇讎於都亭[350], 刺殺之, 詣縣自首, 遇赦. 州縣表其閭.

○(후한) 조씨는 자가 '아娥'로 (감숙성) 주천군 사람 방연의 모친이다. 조아는 부친이 누군가에게 살해당하고 오빠와 남동생 세 명도 모두 사망하였다. 조아는 분을 삭이지 못 하다가 10년 뒤 역참에서 원수를 만나자 그를 칼로 찔러 죽이고 현으로 찾아가 자수하였지만 사면 받았다. 주와 현에서 그녀의 절조를 기리기 위해 마을 입구에 정문旌門을 세워 주었다.

◇盡婦道(아녀자의 도리를 다하다)

●趙氏, 字阿, 周郁[351]妻也. 閑[352]於婦道, 而其夫驕淫. 郁父謂阿曰, "汝宜以道匡夫." 阿退曰, "我無樊衛二姬之術, 言而不用, 必謂我不奉教令. 言若用, 是爲子違父而從婦. 生如此, 亦何聊?" 乃自殺.(楚莊王好獵, 樊姬不食鮮禽. 齊桓公好樂, 衛姬不聽五音[353].)

---

347) 酒泉(주천) : 한나라 때 지금의 감숙성 주천시酒泉市에 설치한 군郡 이름. 물맛이 술과 유사한 곳이라는 의미에서 유래하였다.

348) 龐淯(방연) : 후한 사람으로 효녀 조아趙娥의 아들. 신상은 미상. 전국시대 위魏나라 사람으로서 손빈孫臏과 동문수학하였으나 그의 재주를 시기하여 월형刖刑을 당하게 하였다가 뒤에 그의 계략에 말려들어 패전하는 바람에 자살한 사람과 동명이인이다.

349) 物故(물고) : 죽음을 뜻하는 말.

350) 都亭(도정) : 도읍이나 각 군郡과 현縣에 설치한 역참驛站을 이르는 말.

351) 周郁(주욱) : 후한 때 강소성 패군沛郡 사람. 그의 아내인 조아趙阿에 관한 전기가 ≪후한서·조아전≫권114에 전한다.

352) 閑(한) : 익숙하다, 능통하다. '한嫺'과 통용자.

353) 五音(오음) : 음률에서 기본적으로 다섯 가지 음인 궁宮(土)·상商(金)·각角(木)·치徵(火)·우羽(水)를 가리킨다. '오성五聲'이라고도 한다. 결국 음악을

○(후한) 조씨는 자가 '아阿'로 주욱의 아내이다. 아녀자의 도리를 잘 알았지만 그녀의 남편은 교만하고 음탕하였다. 주욱의 부친이 조아에게 말했다. "자네는 마땅히 아녀자의 도리로 남편을 바로잡아야 할 것이네." 조아는 물러난 뒤 "내게는 (춘추시대 초楚나라) 번희나 (제齊나라) 위희 두 여인과 같은 술책이 없다. 말을 했는데 남편이 따르지 않는다면 시아버님은 필시 내가 가르침을 받들지 않았다고 생각할 것이고, 내 말을 만약 남편이 따른다면 이는 아들이 부친의 말을 어기고 아녀자의 말을 따른 것이 된다. 이처럼 산다 한들 무슨 낙이 있으리오?"라고 하고는 급기야 자살하고 말았다.(초나라 장왕이 사냥을 좋아하자 번희가 고기를 먹지 않았고, 제나라 환공이 음악을 좋아하자 위희가 음악을 듣지 않았다.)

◇石華廣袖(돌 꽃이 핀 넓은 소매)

●趙曼二女, 長曰宜主, 擧止翩然, 名飛燕, 次曰合德. 漢成帝召入宮, 倶拜婕妤354). 飛燕嘗與妹坐, 誤唾其袖, 合德曰, "姊唾染人紺碧, 似石上花." 令尙方355)爲之, 未必能此, 乃號石華廣袖. 後立飛燕爲后.

○조만의 두 딸 가운데 장녀는 의주라고 하는데 행동거지가 민활하여 비연이란 별명을 얻었고, 차녀는 합덕이라고 하였다. 전한 성제가 그들을 궁궐로 불러들여 모두 첩여를 배수하였다. 조비연이 일찍이 여동생과 앉아 있다가 실수로 그녀의 소매에 침을 떨구자 조합덕이 말했다. "언니의 침이 남의 옷을 푸른색으로 물들이자 돌에 핀 꽃처럼 되네요." 그래서 상방에 명하여 이를 만들게 했지만 그처럼 할 수 없었기에 이를 '석화광수'라고 불렀다. 뒤에 조비연을 황후에 책립하였다.

가리킨다.

354) 婕妤(첩여) : 한나라 때 황실을 모시던 여관女官 중의 하나. 당송 때는 궁중의 내관內官으로서 품계가 비妃와 빈嬪 다음 가는 정3품이었다. '첩여倢伃'로도 쓴다.

355) 尙方(상방) : 궁중의 기물을 제작하고 관리하는 기관을 이르는 말. 한나라 때는 장관을 '상방령尙方令'이라고 하였고, 당송 때는 '상방감尙方監'이라고 하였다. '상방上方'으로도 쓴다.

◇娶九姨(아홉 번째 이모에게 장가들다)

●趙晃爲尙書[356]. 劉曄未第前, 晃以女妻之, 早亡, 二妹未適人. 劉登第, 夫人復欲妻之, 使媒妁[357]通意, 曄乃復娶九姨. 生七子, 皆至大官.

○(송나라) 조황은 상서를 지냈다. 유엽이 과거시험에 급제하기 전에 조황이 딸을 그에게 시집보냈지만 일찍 사망하였고, 두 여동생은 아직 남에게 시집을 가지 않은 상태였다. 유엽이 과거시험에 급제하자 조황의 부인이 다시 그에게 딸을 시집보내고 싶어 중매장이에게 뜻을 전달케 하였으나, 유엽은 다시 아홉 번째 이모에게 장가들었다. 아들을 일곱 명 낳았는데 모두 고관에 올랐다.

◇李居士(이안거사易安居士 이청조李清照)

●趙明誠, 字德甫, 妻李易安[358], 號李居士, 平生與之同志. 德甫在太學時, 每朔望告謁[359], 出質衣, 取半千錢, 步入相國寺[360], 市碑文果實歸, 相對咀嚼展玩. 後連守兩郡, 竭俸以事鉛槧[361], 有窮天下古文奇字[362]之志, 著金石錄[363]三十篇.

---

356) 尙書(상서) : 중앙의 실질적인 행정 업무를 총괄하던 기관인 상서성尙書省의 준말. 시대마다 다소 차이는 있으나 보통 이부吏部·호부戶部·예부禮部·병부兵部·형부刑部·공부工部의 6상서尙書를 설치하고, 산하에 부部마다 4사司씩 모두 24사를 두어 인사·재정·교육·군사·법률·건설 등 각 분야의 행정을 담당하였다.

357) 媒妁(매작) : 중매장이.

358) 李易安(이이안) : 송나라 때 사람 이격비李格非의 장녀인 이청조李清照(1081-약1141). '이안'은 호. 조변趙抃(1008-1084)의 아들인 조명성趙明誠에게 시집갔다가 조명성이 죽은 뒤 장여주張汝舟에게 재가하였다. 사詞에 능하여 사집詞集으로 《수옥사漱玉詞》 1권이 전한다. 청나라 여악厲鶚(1692-1752)의 《송시기사宋詩紀事·이청조》권87 참조.

359) 告謁(고알) : 알현을 청하다. 그러나 문맥상으로 볼 때 이는 '휴가를 청하다'는 뜻의 '알고謁告'의 오기인 듯하다.

360) 相國寺(상국사) : 북조北朝 북제北齊 때 하남성 낙양에 세운 대건국사大建國寺를 당나라 때 고친 이름.

361) 鉛槧(연참) : 납과 목판. 전한 양웅揚雄(B.C.53-A.D.18)이 늘 납과 목판을 들고 다니며 각 지역의 독특한 언어를 기록해 《방언方言》 13권을 지었다는 진晉나라 갈홍葛洪(284-363)의 《서경잡기西京雜記》권3의 고사에 유래한 말로 글을 기록하거나 수정하는 일을 말한다.

362) 奇字(기자) : 한나라 말엽 고문자古文字에 변화를 주어 유행시켰던 일종의

○(송나라) 조명성(1081-1129)은 자가 덕보로 '이거사'로 불리던 이안易安 이청조李淸照를 아내로 맞아 평생 그녀와 뜻을 같이 하였다. 조명성은 태학에 있을 때 매달 초하루와 보름날이면 휴가를 청해 외출해서 옷을 저당잡혀 5백 냥을 가지고 (하남성 낙양의) 상국사로 걸어 들어가 비문과 과일을 사서 돌아온 뒤 부부가 서로 마주한 채 과일을 먹으면서 비문을 펼치고 감상하곤 하였다. 뒤에 두 군의 태수를 연달아 지내면서 봉급을 다 꺼내 금석문을 수집하고 정리하는 데 전념하여 천하 고금의 기이한 문자들을 다 연구하겠다는 의지를 품더니 ≪금석록≫ 30편을 지었다.

●趙璘之姑適盧綸, 生四子, 竝及第, 時稱趙家出甥.

○(송나라) 조인지의 고모는 노윤에게 시집가서 네 아들을 낳았는데, 모두 과거시험에 급제했기에 당시에 '조씨 가문에서 훌륭한 생질을 배출했다'는 칭송이 돌았다.

●趙昌言之女妻王旦.

○(송나라) 조창언(945-1009)의 딸은 왕단(957-1017)에게 시집갔다.

●趙元淑[364]娶宗連女, 遂爲富人.(見宗氏)

○(수나라) 조원숙(?-613)은 종연의 딸에게 장가들어 부자가 되었다. (상세한 내용은 앞의 '종'씨절에 보인다)

●趙德麟[365]再娶王氏, 人以爲二八字媒.(見王氏)

서체. 전한 양웅揚雄(B.C.53-A.D.18)과 후한 위굉衛宏 등이 즐겨 사용하였다고 전한다.

363) 金石錄(금석록) : 송나라 조명성趙明誠이 아내인 이청조李淸照와 함께 금석문金石文을 정리한 책. 시대순으로 정리하여 앞 10권은 목록으로 만들고, 뒤 20권은 본문을 실었다. 총 30권. ≪사고전서간명목록·자부·목록류目錄類≫ 권8 참조.

364) 趙元淑(조원숙) : 수나라 때 사람으로 표기장군驃騎將軍·사농경司農卿·광록대부光祿大夫를 역임하였다. 뒤에 양현감楊玄感의 모반에 가담하였다가 살해당했다. ≪수서·조원숙전≫권70 참조.

○(송나라) 덕린德麟 조영치趙令畤(1061-1134)가 왕씨에게 다시 장가들자 사람들은 '28자 칠언절구가 중매장이라네'라고 하였다.(상세한 내용은 앞의 '왕'씨절 '이팔자매二八字媒'항에 보인다)

●趙縱, 郭令公[366]壻. 郭氏歸寧[367], 公出縱像, 問曰, "誰也?" 曰, "趙郎[368]."

○(당나라) 조종은 중서령을 지낸 곽자의郭子儀(697-781)의 사위이다. 아내 곽씨가 친정으로 돌아왔을 때 곽자의가 조종의 초상화를 꺼내며 물었다. "누구인지 아느냐?" 그러자 딸이 "저의 신랑입니다"라고 하였다.

●趙師雄遷羅浮, 一夕於松林間見美人, 乃梅花精也.

○(송나라) 조사웅이 (광동성) 나부산으로 이사갔다가 어느날 밤 송림에서 미인을 발견하였는데 바로 매화나무의 요정이었다.

●趙氏女, 名解愁. 母夢海棠花蘂而生, 後爲潘杭[369]妾.

---

365) 趙德麟(조덕린) : 송나라 사람 조영치趙令畤(1061-1134). '덕린'은 자. 호는 요복옹聊復翁・장륙거사藏六居士. 저서로 ≪후정록侯鯖錄≫ 8권이 전한다. ≪송사・조영치전≫권244 참조.

366) 郭令公(곽영공) : 당나라 때 사람 곽자의郭子儀(697-781)에 대한 존칭. 안녹산安祿山(703-757)과 사사명史思明(703-761)의 반란을 진압하고, 복고회은僕固懷恩(?-765)과 토번吐蕃이 결탁한 반란을 토벌하는 등 혁혁한 무공을 세워 당대 최고의 무장武將으로 칭송받았는데, 중서령中書令을 지내 '곽영공'으로도 불렸고, 분양군왕汾陽郡王에 봉해져 '곽분양'으로도 불렸다. ≪신당서・곽자의전≫권137 참조.

367) 歸寧(귀녕) : 부모를 찾아 뵙고 문안 인사를 올리는 것을 이르는 말. '귀성歸省'이라고도 한다.

368) 趙郎(조랑) : 부인 곽郭씨가 남편 조종趙縱을 부르는 말. 곽자의郭子儀가 당대의 유명 화가인 한간韓幹과 주방周昉에게 사위인 조종의 초상화를 그리게 한 뒤 딸에게 보여주자, 딸이 한간이 그린 초상화는 신랑의 외모를 잘 그렸고 주방이 그린 초상화는 신랑의 정신까지 잘 담았다고 평하여 우열이 정해졌다는 고사가 당나라 주경현朱景玄이 지은 ≪당조명화록唐朝名畵錄≫에 전한다.

369) 潘杭(반항) : 위의 예문의 출처에 대해 송나라 반자목潘自牧의 ≪기찬연해記纂淵海・인륜부人倫部≫권40에서 장당영張唐英(1029-1071)이 오대십국五代十國 가운데 전촉前蜀과 후촉後蜀의 역사를 기술한 ≪외사도올外史檮杌≫이라

○(오대십국五代十國 때 촉蜀나라 사람) 조씨의 딸은 이름이 해수이다. 모친이 해당화에 꽃이 피는 것을 꿈꾸고서 그녀를 낳았는데 뒤에 반항의 첩실이 되었다.

●趙岐娶扶風馬融兄敦之女.

○(후한) 조기(약 108-201)는 (섬서성) 부풍현 사람 마융의 형인 마돈馬敦의 딸에게 장가들었다.

●燕趙. 完璧歸趙[370].

○(전국시대) 연나라와 조나라. 구슬을 온전한 상태로 가지고 조나라로 돌아가다.

□三十一巧(31교)

◆鮑(포씨)

▶宮音. 東海. 夏禹之後有鮑敬叔, 仕齊, 食采於鮑, 因以爲氏.

▷음은 궁음에 속하고 본관은 (산동성) 동해군이다. 하나라 우왕의 후손 중에 포경숙이란 사람이 제나라에서 벼슬길에 올라 포읍을 식읍으로 받자 그참에 이를 성씨로 삼은 것이다.

◇貧交(가난했을 때의 교유)

●鮑叔牙, 敬叔之子也, 代爲齊卿, 知管仲之賢, 薦以爲相. 杜甫云[371], "管鮑貧時交, 此道今人棄如土."

고 한 것으로 보아 오대 때 사람임을 알 수 있으나 신상은 알려지지 않았다.

370) 完璧歸趙(완벽귀조) : 구슬을 온전한 상태로 가지고 조나라로 돌아가다. 전국시대 조趙나라 사람 인상여藺相如가 진秦나라 소왕昭王의 협박을 물리치고 화씨벽和氏璧을 되찾아가지고 돌아와서(완벽完璧) 상대부上大夫에 올랐다는 ≪사기·인상여전≫권81의 고사에서 유래한 말로 본연의 임무를 완수하는 것을 비유한다. '전벽귀조全璧歸朝' '완벽完璧'이라고도 한다.

371) 云(운) : 이는 당나라 두보杜甫(712-770)가 지은 악부시樂府詩 <가난한 사귐의 노래(貧交行)>에서 두 구절을 인용한 것으로 청나라 구조오仇兆鰲(1640-1714)가 엮은 ≪두시상주杜詩詳註≫권2에 전한다.

○(춘추시대 때) 포숙아는 포경숙鮑敬叔의 아들로 대대로 제나라에서 구경을 지내다가 관중이 현명하다는 것을 알고서 그를 승상에 추천하였다. (당나라) 두보는 "관중과 포숙아가 가난한 시절에 교유를 가졌는데, 이러한 도리를 지금 사람들은 흙처럼 버린다네"라고 하였다.

◇知不如葵(지혜가 아욱만도 못하다)

●鮑牽爲齊卿, 宣公信聲孟子[372]之訴而刖之. 仲尼曰, "鮑莊子[373]之知[374]不如葵, 葵猶能衛其足."(成十七)

○(춘추시대 때) 포견은 제나라에서 구경을 지냈는데, 선공이 성맹자의 하소연을 믿고서 그의 발목을 잘랐다. 그래서 (노魯나라) 중니(공자)는 "포장자(포견)는 아욱만도 못 하다. 아욱은 그래도 자기 뿌리를 지킬 줄 아니까"라고 평하였다.(≪좌전 · 성공成公17년≫권28)

◇擧幡(깃발을 들다)

●鮑宣, 字子都, 漢哀帝朝, 拜司隷校尉[375], 以挫辱宰相, 下廷尉[376]. 博士弟子王咸擧幡太學下曰, "欲救鮑司隷者會此." 會者千餘人. 子孫三世, 俱爲司隷, 乘驄馬[377], 京師歌曰, "鮑氏驄三入司隷, 再入公府."

○포선(?-3)은 자가 자도로 전한 애제 때 사례교위를 배수받았다가 재상을 능멸한 죄 때문에 정위에게 넘겨져 재판을 받게 되었다. 박사제자 왕함이 태학 아래서 깃발을 들고 "사례교위 포공을 구하고자 하는 사람은 여기 모이시오"라고 외치자 모인 사람이 천 명을 넘었다. 아들과 손자까지 삼대에 걸쳐 모두 사례교위를 지내며 총이말을

---

372) 聲孟子(성맹자) : 춘추시대 제齊나라 경공頃公의 부인이자 영공靈公의 모친.
373) 鮑莊子(포장자) : 포견鮑牽의 별칭. '장'은 시호이고 '자'는 존칭.
374) 知(지) : 지혜, 슬기. '지智'와 통용자.
375) 司隷校尉(사례교위) : 한나라 때 순찰巡察과 치안 업무를 관장하던 고위직 벼슬 이름.
376) 廷尉(정위) : 진秦나라 이후로 옥사獄事와 형벌을 관장하는 기관이나 그 장관을 이르는 말. 태상太常 · 광록훈光祿勳 · 위위衛尉 · 태복太僕 · 홍려鴻臚 · 종정宗正 · 대사농大司農 · 소부少府와 함께 그 관서는 '구시九寺'라고 하고, 그 장관은 '구경九卿'이라고 하였는데, 삼공三公 다음 가는 최고위 관직이었다.
377) 驄馬(총마) : 흰색과 푸른색이 뒤섞인 총이말. 보통 어사御史가 즐겨 탔다.

탔기에 (섬서성 장안의) 경사 사람들이 "포씨의 총이말은 세 번이나 사례교위 관청에 들어가고 두 번이나 승상부에 들어갔다네"라고 노래하였다.

◇貴戚斂手(황실의 친인척도 손을 거두고 조심하다)

●鮑永, 字君長, 光武朝, 拜司隷, 辟鮑恢爲從事[378], 不避强禦[379]. 帝曰, "貴戚[380]且斂手[381], 以避二鮑." 子昱.

○(후한) 포영은 자가 군장으로 광무제 때 사례교위를 배수받자 포회를 불러 종사에 임명하고서 권세가들도 피하지 않았다. 그러자 광무제가 말했다. "황실의 친인척조차 손을 거두고 함부로 행동하지 않는 것은 두 포선생을 피하기 위함이라오." 아들은 포욱鮑昱이다.

◇挽鹿車(초라한 수레를 끌다)

●鮑昱, 字文泉, 建武中, 拜司隷, 奉法守正, 有父風. 後自郡守入拜三公[382]. 嘗從容問其母桓少君曰, "寧復識挽鹿車[383]時否?" 母曰, "存不忘亡, 安不忘危." 子德.

○(후한) 포욱(?-81)은 자가 문천으로 (광무제) 건무(25-55) 연간에 사례교위를 배수받아 법을 받들고 정의를 지켜 부친의 기풍을 드러냈다. 뒤에는 군수를 지내다가 입궐하여 삼공을 배수받았다. 일찍이 조용히 모친인 환소군에게 "어찌 다시 조촐하니 은자의 수레를 끌

---

378) 從事(종사) : 한漢나라 이후로 승상丞相이나 자사刺史·태수太守 등이 개인적으로 기용하여 잡무를 처리하게 하던 속관屬官을 이르는 말.

379) 强禦(강어) : 성품이 거칠면서 권력이 있는 사람을 이르는 말.

380) 貴戚(귀척) : 제왕의 친인척을 가리키는 말.

381) 斂手(염수) : 손을 거두다. 함부로 행동하지 않거나 공손한 태도를 보이는 것을 말한다.

382) 三公(삼공) : 세 명의 재상을 일컫는 말. 시대마다 차이가 있는데, 주周나라 때는 태사太師·태부太傅·태보太保를 삼공이라고 하다가, 진秦나라와 전한 초에는 승상丞相·어사대부御史大夫·태위太尉를 삼공이라고 하였고, 전한 말엽에는 대사마大司馬(태위太尉)·대사도大司徒·대사공大司空을 삼공이라고 하였으며, 후대에는 태위太尉·사도司徒·사공司空을 삼공이라고 하였다.

383) 鹿車(녹거) : 사슴이 끄는 수레. 조촐한 수레를 비유하는 말로 은거생활을 상징한다.

시기를 알 수 있을까요?"라고 묻자 모친이 대답하였다. "살아 있을 때 죽음을 잊지 않고, 안전할 때 위험을 잊지 않으면 된단다." 아들은 포덕鮑德이다.

◇神父(신 같은 아버지)

●鮑德有志節. 章帝朝, 爲南陽太守, 時歲大荒, 惟南陽豐稔384), 吏民愛悅, 號爲神父.

○(후한) 포덕은 지조가 굳건하였다. 장제 때 (하남성) 남양태수를 지냈는데, 때마침 그해에 흉년이 들었지만 남양군만은 풍년이 들었기에 관리와 백성들이 기뻐하며 그를 '신부'라고 불렀다.

◇玉郎(옥처럼 아름다운 사내)

●鮑泉, 字潤玉. 梁元帝謂之曰, "卿面如冠玉, 髮似蝟毛." 王僧辯常呼爲玉郎.

○포천은 자가 윤옥이다. (남조南朝) 양나라 원제가 그에게 "경은 얼굴이 갓을 장식하는 옥 같고, 머리카락이 고슴도치 털 같구려"라고 말한 일이 있다. 그래서 왕승변은 늘 그를 '옥랑'이라고 불렀다.

◇煮白石(백석을 끓이다)

●鮑靚, 字太玄, 五歲記其前生, 語父母云, "本是曲陽385)李家兒, 九歲墮井, 死." 驗之, 信然. 及長, 學兼內外386), 明天文河洛387)之書. 仕晉, 爲南海太守. 行部388)入海, 遇風, 飢甚, 取白石389)煮而食之.

○포정은 자가 태현으로 다섯 살 때 전생을 기억하여 부모에게 "본래

---

384) 豐稔(풍임) : 곡식이 잘 익다. 풍년을 뜻한다.

385) 曲陽(곡양) : 하북성의 속현屬縣 이름.

386) 內外(내외) : 참위설讖緯說을 뜻하는 말인 내학內學과 경전을 뜻하는 말인 외학外學을 아우르는 말.

387) 河洛(하락) : 전설상의 도서인 ≪하도河圖≫와 ≪낙서洛書≫를 아우르는 말. ≪용도龍圖≫와 ≪귀서龜書≫라고도 한다.

388) 行部(행부) : 관할 구역을 순찰하면서 치적을 살피는 일.

389) 白石(백석) : 신선이 먹는다는 전설상의 음식을 이르는 말.

(하북성) 곡양현의 이씨 가문 아이였는데 아홉 살 때 우물에 빠져 죽었습니다"라고 하였다. 이를 조사하였더니 정말로 그의 말대로였다. 장성해서는 학문이 참위설과 경학을 겸비하여 천문학과 ≪하도≫ ≪낙서≫에 정통하였다. 진나라에서 벼슬길에 올라 (광동성) 남해 태수를 지냈다. 관할 구역을 순찰하며 바다로 들어갔다가 바람을 만나 허기가 심해지자 백석을 가져다가 끓여서 먹었다.

◇詞格淸美(풍격이 맑고 아름답다)

●鮑昭[390], 字明遠, 工詩. 詩評[391]云, "爲詩欲詞格淸美, 當看鮑昭・謝靈運." 詩人中稱爲鮑謝. 仕宋, 爲臨海王參軍[392]. 杜詩[393]云, "俊逸鮑參軍."

○포조鮑照(405-466)는 자가 명원으로 시를 잘 지었다. 시평론서에서는 "시를 지을 때 풍격이 맑고 아름다우려면 의당 포조와 사영운의 작품을 보아야 한다"고 하였다. 그래서 시인 가운데 '포사'로 불렸다. (남조南朝) 유송劉宋에서 벼슬길에 올라 임해왕의 참군을 지냈기

---

390) 鮑昭(포소) : 남조南朝 유송劉宋 때 사람인 포조鮑照(405-466). 당나라 때 측천무후則天武后 무조武曌의 이름인 '조曌'(zhào)와 포조의 이름인 '조照'(zhào)가 발음이 같기 때문에 '조照'를 '소昭'로 표기한 데서 비롯되었다. 자는 명원明遠. 악부시樂府詩 중에 칠언가행七言歌行에 뛰어났다. 임해왕臨海王 유자욱劉子頊의 전군참군前軍參軍을 지내다가 임해왕의 반란에 가담하였으나 실패로 끝나고, 결국 난군亂軍에 의해 살해되었다. 저서로 ≪포명원집鮑明遠集≫ 10권이 전한다. ≪송서・포조전≫권51 참조.

391) 詩評(시평) : 시평론서에 대한 범칭. 송나라 호자胡仔의 ≪초계어은총화苕溪漁隱叢話・국풍한위육조하國風漢魏六朝下≫전집권2나 하계문何溪汶의 ≪죽장시화竹莊詩話・강론講論≫권1에서는 모두 출처를 저자 미상의 ≪설랑재일기雪浪齋日記≫라고 하였다.

392) 參軍(참군) : 한나라 이후로 왕부王府나 장수・사신・자사・태수 휘하에서 군무軍務를 참모參謀하던 벼슬에 대한 통칭. 시대와 기관에 따라 자의참군諮議參軍・기실참군記室參軍・기병참군騎兵參軍・사사참군司士參軍・공조참군功曹參軍・법조참군法曹參軍・녹사참군사錄事參軍事 등 다양한 이름의 참군이 있었다.

393) 詩(시) : 이는 오언율시五言律詩 <봄날에 이백을 생각하다(春日憶李白)> 가운데 함련頷聯의 말구末句를 인용한 것으로 청나라 구조오仇兆鼇(1640-1714)의 ≪두시상주杜詩詳註≫권1에 전한다.

에 (당나라) 두보杜甫도 시에서 "시풍이 빼어난 것은 포참군이라네"라고 하였다.

◇知人(사람을 잘 알아보다)

●鮑防, 字子楨, 唐德宗朝, 爲御史大夫394), 典貢擧395), 得名士崔邠等, 世美其知人.(見熊姓) 與謝良弼友善, 時號爲鮑謝.

○포방은 자가 자정으로 당나라 덕종 때 어사대부를 맡아 과거시험을 관장하면서 명사인 최빈 등을 발굴하였기에 세인들은 그가 사람을 잘 알아본다고 칭찬하였다.(상세한 내용이 앞의 '웅'씨절 '복합상소伏閤上疏'항에도 보인다) 사양필과 친하게 지내 당시에 '포사'로 불렸다.

◇鮑孤鴈(외로운 기러기를 읊은 포당鮑當)

●鮑當, 宋景德396)中, 爲河南法掾. 時薛尙書映知郡, 因事怒之, 乃獻孤鴈詩云, "天寒稻粱少, 萬里孤難進. 不惜充君庖, 爲帶邊城信." 薛大稱賞, 時目之爲鮑孤鴈.

○포당은 송나라 (진종) 경덕(1004-1007) 연간에 (하남성) 하남부에서 법을 관장하는 아전을 지냈다. 당시 상서 설영薛映이 고을을 다스리다가 모종의 일 때문에 그에게 화를 내자 도리어 <외로운 기러기를 읊은 시>를 바쳐 "날이 추운데 곡식이 부족하여, 만 리 먼 길을 홀로 날아가기 어렵지만, 미련없이 그대의 주방을 채우는 것은, 변방의 서신을 지녔기 때문이라네"라고 하였다. 설영이 크게 칭찬하였기에 당시 사람들이 그에게 '포고안'이란 별명을 지어 주었다.

---

394) 御史大夫(어사대부) : 관리들의 비행을 규찰하고 탄핵하는 업무를 관장하는 기관인 어사대御史臺의 주무 장관. 버금 장관으로 어사중승御史中丞이 있고, 휘하에 시어사侍御史와 전중시어사殿中侍御史·감찰어사監察御史·어사승御史丞 등을 거느렸다.

395) 貢擧(공거) : 각 지방에서 향시鄕試에 합격한 사람을 조정에서 실시하는 과거시험에 응시할 수 있도록 추천하는 일이나 그러한 인재를 대상으로 실시하던 과거시험을 이르는 말.

396) 景德(경덕) : 북송北宋 진종眞宗의 연호(1004-1007).

◇賜緋(비복緋服을 하사받다)

●鮑彪, 宋紹興中, 爲尚書司封員外郎397), 引年398)告老. 虞允明·胡沂·陳俊卿等言, "彪篤學守道, 安於靜退. 博物洽聞, 可以備議論, 淸介端懿, 可以表縉紳. 勇退戒得, 陳義甚高, 望表而出之, 以厲士夫399)之節." 詔褒美, 賜緋魚袋400), 致仕.

○포표는 송나라 (고종) 소흥(1131-1162) 연간에 상서성 소속 사봉원외랑을 지내다가 나이가 들어 사직을 청하였다. 그러자 우윤명·호기·진준경 등이 "포표는 학문이 독실하고 도리를 지키면서 분수를 잘 아옵니다. 견문이 박학하여 논의를 잘 전개하고 절조가 굳고 품행이 단정하여 사대부들의 표상이 될 수 있사옵니다. 은퇴를 과감히 결정하고 이득을 취하는 것에 조신하였으며 의리를 무척 고상하게 펼쳤으니 그를 드러내 사대부의 절조를 독려하시기를 바라옵니다"라고 아뢰었다. 그래서 포상하라는 조서가 내려져 비복과 어대를 하사받고 벼슬을 그만두었다.

※婚姻(혼인)

●鮑宣娶桓少君, 能與同志.(見桓氏)

○(전한) 포선(?-3)은 환소군에게 장가들었는데, 그녀가 그와 뜻을 함께 하였다.(상세한 내용은 앞의 '환'씨절 '만녹거挽鹿車'항에도 보인다)

---

397) 司封員外郎(사봉원외랑) : 상서성尙書省 소속 육부六部 가운데 이부吏部의 휘하에 있는 네 부서인 이부吏部·사봉司封·사훈司勳·고공考功 중 관리들의 봉작封爵을 관장하는 기관인 사봉의 속관 이름.

398) 引年(인년) : 나이가 들어 벼슬을 사양할 때가 되거나 노년에 접어든 것을 뜻하는 말.

399) 士夫(사부) : 사대부士大夫의 준말. '사대부'는 주周나라 때 신분 구분인 공公·경卿·대부大夫·사士에서 유래한 말로, 삼공三公과 구경九卿 아래로 상대부上大夫·중대부中大夫·하대부下大夫가 있고, 그 밑으로 다시 상사上士와 중사中士·하사下士가 있었다. 후대에는 벼슬아치나 선비에 대한 범칭으로 쓰였다.

400) 緋魚袋(비어대) : 당송唐宋 때 5품 이상 고관의 복장인 비복緋服과 어대魚袋(패어佩魚)를 지칭하는 말. '비어緋魚'로도 약칭한다.

●鮑靚見葛洪, 深器之, 以女妻焉. 洪乃就靚學, 傳其道.

○(진晉나라) 포정은 갈홍을 보자 그를 대견하게 생각해 딸을 그에게 시집보냈다. 갈홍이 그래서 포정의 학당을 찾아가 그의 도를 전수받았다.

□三十二晧(32호)

◆棗(조씨)

▶潁川401). 本姓棘, 棘子成402)之後也, 因避仇, 改爲棗.

▷본관은 (하남성) 영천군潁川郡이다. 본래 성은 '극棘'씨로 (춘추시대 위衛나라) 극자성의 후손인데 원수를 피하기 위해 '조'씨로 개성한 것이다.

◇屯田(둔전)

●棗祗, 漢末爲羽林監403), 請建屯田. 曹操以爲屯田都尉404), 任峻爲典農中郎將405), 募民屯田許下, 得穀百萬斛. 軍國之饒起於祗, 而成於峻.

○조지는 후한 말엽에 우림감을 지내며 둔전을 설치할 것을 주청하였다. 그래서 조조는 조지를 (둔전을 관장하는) 둔전도위에 임명하고, 임준을 (농업을 관장하는) 전농중랑장에 임명하여 백성들을 모아서 (하남성) 허하에 둔전을 마련케 하여 곡식 백만 휘를 거두었다. 군국을 위한 재정이 풍부해진 것은 조지로부터 시작되어 임준에 의해 완

---

401) 潁川(영천) : 하남성의 속현屬縣인 '영천潁川'의 오기.

402) 棘子成(극자성) : 춘추시대 위衛나라 때 대부大夫.

403) 羽林監(우림감) : 금위군禁衛軍인 우림군羽林軍을 감찰하던 속관을 이르는 말. '우림羽林'은 전한 무제武帝 때 감숙성 농서隴西 일대의 귀족 자제들을 선발하여 건장궁建章宮을 숙위宿衛하는 건장궁기建章宮騎를 만들었다가 뒤에 우림기羽林騎로 개명한 데서 유래하였다.

404) 都尉(도위) : 벼슬 이름. 전국시대 때는 장수의 속관이었고, 전한 경제景帝 이후로는 태수의 군무軍務를 보좌하는 속관이었으며, 당송唐宋 이후로는 훈관勳官이었다. 군위軍尉라고도 한다.

405) 中郎將(중랑장) : 한나라 이후로 삼서三署의 장관인 오관중랑장五官中郎將·좌중랑장左中郎將·우중랑장右中郎將을 아우르는 말로 궁중 호위를 관장하던 벼슬.

성되었다.

◇一門貴顯(한 집안 사람들이 모두 고관에 오르다)

●棗據，字道彦，仕晉，爲山陰令，政有異績，遷尙書左丞．父叔偉仕魏，爲鉅鹿太守．子腆以文章顯，仕晉，爲襄城太守．弟嵩才藝尤美，仕晉，爲中庶子[406]．

○조거는 자가 도언으로 진나라에서 벼슬길에 올라 (절강성) 산음현의 현령을 지냈는데, 정사에 탁월한 업적을 쌓아 상서좌승상으로 승진하였다. 부친 조숙위棗叔偉는 (삼국) 위나라에서 벼슬길에 올라 (하북성) 거록태수를 지냈다. 아들 조전棗腆은 문장으로 이름을 떨치다가 진나라에서 벼슬길에 올라 (하남성) 양성태수를 지냈다. 동생 조숭棗嵩은 재주와 학식이 더욱 뛰어났는데 진나라에서 벼슬길에 올라 태자중서자를 지냈다.

●羊棗[407]．安期棗[408]．交梨[409]・火棗[410]．

○양조. 안기조. 교리와 화조.

◆老(노씨)

▶顓帝[411]子老童之後．一云老萊子[412]之後．

---

406) 中庶子(중서자) : 태자궁의 속관으로서 춘방春坊을 관장하던 태자중서자太子中庶子의 준말. '춘방'은 태자궁의 여러 부서를 총괄하는 기관을 말한다.

407) 羊棗(양조) : 크기가 작고 둥글면서 자흑색을 띠어 양의 똥처럼 생긴 대추를 이르는 말인 '양시조羊矢棗'의 준말. '시矢'는 '시屎'와 통용자.

408) 安期棗(안기조) : 진秦나라 때 도사 안기생安期生이 즐겨 먹었다는 전설상의 대추 이름. '조과棗瓜'라고도 하는데, '도죽桃竹'과 함께 득도의 경지에 오르는 것을 상징한다.

409) 交梨(교리) : 서로 마주보고 맺힌다는 전설상의 배 이름.

410) 火棗(화조) : 먹으면 신선이 될 수 있다는 전설상의 대추 이름.

411) 顓帝(전제) : 전설상의 임금인 오제五帝 가운데 두 번째 황제인 전욱顓頊의 별칭. 씨氏는 '고양高陽'이고, 성姓은 '희姬'이며, 황제黃帝의 증손자이다. 진나라 황보밀皇甫謐의 ≪제왕세기帝王世紀・오제≫권2 참조.

412) 老萊子(노래자) : 춘추시대 초楚나라의 은자. 효성이 지극하여 만년에도 부모 앞에서 재롱을 부렸고, 아내의 만류로 벼슬에 나가지 않고 끝까지 은둔생

▷(전설상의 임금인) 전욱顓頊 황제의 아들인 노동의 후손이다. 일설에는 (춘추시대 초楚나라의 은자인) 노래자의 후손이라고도 한다.

◆保(보씨)

▶周禮[413]有保章氏[414], 其後以官爲氏.

▷≪주례·춘관·보장씨≫권27에 의하면 보장씨가 있었기에 그 후손이 관직 이름을 성씨로 삼은 것이다.

□三十三哿(33가)

◆左(좌씨)

▶商音. 濟陽. 齊公族有左右公子, 因氏焉. 左丘姓明名者, 古之聞人[415]也. 左郢, 字子行, 孔門七十二賢中人, 南華侯.

▷음은 상음에 속하고 본관은 (산동성) 제양군이다. (춘추시대) 제나라 때 공족에 좌공자와 우공자가 있어 그참에 이를 성씨로 삼은 것이다. '좌구'가 성이고 '명'이 이름인 자는 옛날에 명성을 떨쳤던 사람이다. 좌영은 자가 자행이고 (노魯나라) 공자 문하의 72제자 가운데 한 사람으로 남화후에 봉해졌다.

◇素臣(벼슬하지 않은 신하)

●左丘明因春秋作傳. 杜預云, "仲尼爲素王[416], 丘明爲素臣[417]." 宋元豐中, 詔從祀[418], 封瑕丘[419]伯.

활을 고수하였다고 전한다.

413) 周禮(주례) : 주周나라의 관제官制를 정리한 경서經書로 13경 가운데 하나. 후한 정현鄭玄(127-200)이 주注를 달고, 당나라 가공언賈公彦이 소疏를 단 ≪주례주소周禮注疏≫가 널리 통용되었다. ≪사고전서간명목록·경부·예류禮類≫권2 참조.

414) 保章氏(보장씨) : 주周나라 때 천문을 관장하던 춘관春官 소속 벼슬 이름.

415) 聞人(문인) : 명성이 널리 알려진 사람을 이르는 말.

416) 素王(소왕) : 왕에 즉위하지는 않았지만 왕이 될 만한 덕성을 지닌 사람을 뜻하는 말로 춘추시대 노魯나라 공자를 가리킨다.

417) 素臣(소신) : '소왕素王의 신하', 즉 '벼슬하지 않은 신하'란 뜻으로 공자의 ≪춘추경≫에 해설을 단 전국시대 노魯나라 사람 좌구명左丘明을 가리키는데, 뒤에는 유학자의 별칭으로도 쓰였다.

418) 從祀(종사) : 다른 사람을 함께 덧붙여 제사를 지내는 일. 즉 '합사合祀' '배

○(전국시대 노魯나라) 좌구명은 ≪춘추경≫에 해설을 달았다. (진晉나라) 두예는 "중니(공자)는 즉위하지 않은 제왕이고, 좌구명은 벼슬하지 않은 신하이다"라고 하였다. 송나라 (신종) 원풍(1078-1085) 연간에는 좌구명을 공자의 사당에서 합사하고 하구백에 봉하라는 조서가 내려졌다.

◇喉舌之官(간언을 주관하는 관리)

●左雄, 字伯豪. 漢永建[420]初, 虞詡薦之云, "實有王臣蹇蹇[421]之節, 宜擢任喉舌[422]之官." 遷尙書令, 陽嘉[423]中, 上言, "自今擧孝廉, 年未滿四十, 不得察擧[424]." 由是多得其人.

○좌웅(?-138)은 자가 백호이다. 후한 (순제) 영건(126-131) 초에 우후가 그를 추천하며 "실로 신하로서의 충직한 절조를 갖추고 있으니 간언을 주관하는 관리로 발탁함이 마땅한 줄 아옵니다"라고 아뢰었다. 뒤에 상서령으로 승진해서는 (순제) 양가(132-135) 연간에 "이제부터 효렴과에 응시하는 이들은 나이 마흔 살이 차지 않으면 선발해서 안 될 것입니다"라고 건의하는 바람에 이로 인해 직책에 걸맞는 인재들을 많이 발굴할 수 있었다.

◇銅盤引魚(구리쟁반에서 물고기를 낚다)

●左慈, 字元放, 少有神道. 嘗在曹操坐, 操使求松江鱸魚, 慈以銅盤貯水, 以竿餌, 釣於盤中, 須臾引一鱸魚出. 他日操欲收殺之, 卻入壁中, 霍然[425]不知所在.(方術傳)

향配享'과 뜻이 유사하다.

419) 瑕丘(하구) : 산동성의 속현屬縣 이름으로 여기서는 봉호를 가리킨다.
420) 永建(영건) : 후한後漢 순제順帝의 연호(126-131).
421) 蹇蹇(건건) : 충직한 모양.
422) 喉舌(후설) : 황명의 출납을 관리하고 간언諫言을 주관하는 고대의 벼슬. 왕의 목구멍·혀와 같은 구실을 한다는 데서 이런 명칭이 붙었다.
423) 陽嘉(양가) : 후한後漢 순제順帝의 연호(132-135).
424) 察擧(찰거) : 심사하다, 선발하다.
425) 霍然(곽연) : 빠른 모양, 갑작스런 모양.

○(후한) 좌자는 자가 원방으로 어려서부터 도술을 부릴 줄 알았다. 일찍이 조조가 마련한 술자리에 참석했을 때 조조가 그에게 (강소성) 송강의 농어를 가져오라고 하자 좌자는 구리쟁반에 물을 담더니 낚시대에 미끼를 걸어 쟁반에서 낚시질을 해 순식간에 농어를 한 마리 낚아올렸다. 훗날 조조가 그를 붙잡아 죽이려고 하자 벽속으로 들어가더니 돌연 사라지는 바람에 어디로 갔는지 알 수 없었다.(≪후한서·방술열전·좌자전≫권112)

◇洛陽紙貴(낙양의 종이값이 껑충 뛰다)

●左思, 字太沖, 口訥而辭藻壯麗. 欲作三都賦, 構思十年, 門庭藩溷[426], 皆著紙筆, 遇得一句, 卽疏之. 賦成, 皇甫謐爲之序. 張華見而嘆曰, "班·張[427]之流也." 於是豪貴之家, 競相傳寫, 洛陽爲之紙貴. 齊王因命爲記室, 不就. 作詩功成, 不受賞, 長揖[428]歸田園.

○(진晉나라) 좌사(250-305)는 자가 태충으로 말을 더듬었지만 글을 웅장하고 아름답게 잘 지었다. <(삼국시대) 세 도읍을 읊은 부>를 지으려고 10년 동안 구상하면서 문이나 마당·울타리·뒷간에 모두 종이와 붓을 마련하고 한 구절을 얻을 때마다 즉시 이를 적었다. 부가 완성되자 황보밀이 서문을 써 주었다. 장화가 이 글을 보고서 감탄하여 "(후한) 반고班固와 장형張衡 수준의 글이로다!"라고 하였다. 그리하여 부호와 귀족들이 다투어 베끼는 바람에 (하남성) 낙양의 종이값이 껑충 뛰었다. 제왕이 그참에 그를 기실에 임명하였지만 취임하지 않았다. 시를 짓고 공을 세워도 상을 받지 않은 채 예를 표하고 전원으로 돌아갔다.

---

426) 藩溷(번혼) : 울타리와 변소. 진晉나라 좌사左思(250-305)의 고사에서 유래한 말로 훌륭한 문장을 짓기 위해 각고의 노력을 기울이는 것을 상징한다.

427) 班張(반장) : 후한 때 부賦의 대가인 반고班固(32-92)와 장형張衡(78-139)을 아우르는 말.

428) 長揖(장읍) : 두 손을 올렸다가 내려 공경을 표하는 예법. 허리를 숙이지 않은 채 두 손을 모으는 '공拱'보다는 공손하고, 절(拜)하는 것보다는 정도가 낮은 예법을 말한다.

◇斬巫(무당의 목을 베다)

●左震, 唐肅宗朝, 爲黃州守. 時王璵以祠禱得相, 遣女巫乘傳429), 分禱天下名山大川. 震斬之, 州人歌曰, "吾鄕有鬼巫, 惑人人不知. 天子正尊信, 左公能殺之."

○좌진은 당나라 숙종 때 (호북성) 황주자사를 지냈다. 당시 왕여가 제사를 주관하여 재상에 오르더니 무당을 시켜 역마를 타고 천하의 명산대천에 따로 제사를 올리게 하였다. 좌진이 그녀의 목을 베자 고을 사람들이 다음과 같이 노래하였다. "우리 고을에 귀신 같은 무당이 있어, 사람들을 현혹해도 사람들이 알지 못 했네. 천자께서 믿고 따를 바를 바로세우자, 좌공(좌진)께서 그녀를 죽였다네."

●左伯桃與羊角哀爲死友.(見羊氏)

○(춘추시대 연燕나라 사람) 좌백도와 양각애는 목숨을 함께 할 정도로 가까운 친구였다.(상세한 내용은 앞의 '양'씨절 '사우死友'항에 보인다)

※女德(여덕)

●左思妹名芬, 晉武帝選入後宮.

○(진晉나라) 좌사(250-305)의 여동생은 이름이 '분芬'으로 진나라 무제가 선발을 통해 후궁으로 들였다.

●虛左430). 閭左431). 道左432).

○왼쪽 자리를 비워 우대하다. 가난한 동네. 길가.

---

429) 乘傳(승전) : 역마를 타다. '전傳'은 역참驛站에 있는 말을 뜻한다.

430) 虛左(허좌) : 왼쪽 자리를 비우다. 즉 수레를 탈 때 귀한 손님을 앉히는 상석을 비웠다는 말로 매우 우대함을 비유한다.

431) 閭左(여좌) : 고을 입구의 좌측(동쪽). 진秦나라 때 부유한 사람들은 고을 우측에 살고, 가난한 사람들은 고을 좌측에 살았다는 ≪사기·진섭세가陳涉世家≫권48의 고사에서 유래한 말로 가난한 동네나 그곳에 사는 사람들을 비유적으로 가리킨다.

432) 道左(도좌) : 길가, 길옆.

□三十五馬(35마)

◆馬(마씨)

▶羽音. 扶風. 商姓, 伯益之後趙王子趙奢封馬服君, 子孫氏焉.

▷음은 우음에 속하고 본관은 (섬서성) 부풍군이다. 상나라 때 성씨로 백익의 후손이자 조나라 왕자인 조사가 마복군에 봉해지자 자손들이 이를 성씨로 삼은 것이다.

◇儒宗(유학의 종사)

●馬宮, 字游卿, 受公羊春秋於冷豐, 以射策433)甲科434)爲郎. 漢哀帝朝, 爲太師435), 封扶德侯, 以儒宗居宰相位.

○마궁은 자가 유경으로 냉풍에게서 ≪공양전≫을 전수받아 석책에서 갑과에 급제해 낭관이 되었다. 전한 애제 때 태사가 되고 부덕후에 봉해졌다가 유학의 종사로서 재상의 자리에 올랐다.

◇圖形雲臺436)(운대에 초상화가 걸리다)

●馬武, 字子張, 漢中興437)二十八將中人. 論曰, "咸能感會風雲, 奮其知

---

433) 射策(석책) : '책문策問을 맞추다.' 한나라 때 과거시험의 일종으로 문제를 적은 간책簡策을 응시자가 골라서 답안을 작성하던 일을 가리킨다. 뒤에는 과거시험에 대한 범칭으로 쓰였다.

434) 甲科(갑과) : 과거시험의 하나. 한나라 때 과거시험을 갑과甲科·을과乙科·병과丙科로 구분하던 것을, 당나라 초기에는 명경과明經科를 갑·을·병·정 4과로 구분하였고, 당송 때는 진사과進士科를 갑·을로 구분하기도 하였다.

435) 太師(태사) : 재상의 지위인 삼공三公, 즉 태사太師·태부太傅·태보太保 가운데 하나. 그러나 뒤에는 태위太尉·사도司徒·사공司空을 삼공으로 설치하고, '큰 스승'이란 의미에서 삼공보다 높여 별도로 '상공上公'이라고 하면서 '삼사三師'를 세우기도 하였다.

436) 雲臺(운대) : 누각 이름. 후한後漢 광무제光武帝 유수劉秀(B.C.6-A.D.57)가 중신들과 국사를 논의하였고, 명제明帝가 부친인 광무제 때의 공신들의 업적을 기리기 위해 등우鄧禹(2-58) 등 28명의 초상화를 그려 넣은 장소로 유명하다.

437) 中興(중흥) : 한 왕조가 세력이 약해진 뒤 동일 왕조가 부흥하는 시기를 통칭하는 말. 후한後漢·동진東晉·남송南宋 등의 시기에 상용되었는데, 여기서는 후한을 가리킨다.

勇, 稱爲佐命[438], 亦各志能之士也."(本傳) 臧宮・馬武之徒, 撫鳴劍而抵掌[439], 志馳伊吾[440]之北矣.(臧宮傳) 封陽虛侯.

○마무(?-61)는 자가 자장으로 후한을 건국하는 데 공을 세운 스물여덟 명의 장수 가운데 한 사람이다. 사서의 논평에 "이들은 모두 세상의 변화를 잘 감지하여 지혜와 용기를 떨쳐서 건국을 도운 신하로 불렸으니 역시 각자 지조가 굳고 능력이 뛰어난 선비들이다"라고 하였다.(≪후한서・마무전≫권52) 장궁과 마무 등은 검을 어루만지고 손뼉을 치며 (신강위그루자치구) 이오의 북쪽에서 뜻을 펼쳤다.(≪후한서・장궁전≫권48) 마무는 양허후에 봉해졌다.

◇大才晩成(대기만성)

●馬援, 字文淵, 少有大志, 乃辭兄況, 欲就邊郡田牧. 況曰, "汝大才, 當晩成." 援嘗謂賓客[441]曰, "丈夫爲志, 窮當益堅, 老當益壯." 建武中, 拜爲伏波將軍, 擊交趾. 軍還, 故人孟冀迎勞之, 援曰, "男兒要當死於邊野, 以馬革裹尸, 還葬耳. 何能臥床上在兒女子手中邪?" 冀曰, "諒爲烈士, 當如此矣." 武陵五溪[442]蠻反, 援自請行, 據鞍顧眄, 以示可用. 帝笑曰, "矍鑠[443]哉! 是翁也!" 進營壺頭[444], 失利病卒. 三兄況・余・員, 從弟少游, 四子廖・防・光・客卿.

---

438) 佐命(좌명) : 천명의 완성을 돕다. 즉 건국을 도운 것을 말한다.

439) 抵掌(저장) : 손바닥을 부딪히다. 즉 손뼉을 치며 호기를 북돋우는 것을 말한다.

440) 伊吾(이오) : 지금의 신강위구르자치구 합밀현哈密縣 일대. 주周나라 때는 곤오昆吾의 땅이었고, 한나라 때는 '이오로伊吾盧' 혹은 '이오伊吾'라고 하였다. 이민족 땅으로 후한 명제明帝가 정복하고서 둔전屯田을 설치하였다.

441) 賓客(빈객) : 손님에 대한 총칭. '빈賓'은 신분이 높은 손님을 가리키고, '객客'은 수행원과 같이 신분이 낮은 손님을 가리키는 데서 유래하였다.

442) 武陵五溪(무릉오계) : 호남성 무릉군武陵郡에 속해 있는 다섯 지역을 아우르는 말. 소수민족의 취락지로 지금의 호남성 서부와 귀주성 동부 일대에 해당한다. '오계'에 대해서는 웅계雄溪・만계樠溪・무계無溪・유계酉溪・진계辰溪라는 설이 있는가 하면, 웅계雄溪・포계蒲溪・유계酉溪・원계沅溪・진계辰溪라는 설도 있다.

443) 矍鑠(확삭) : 노인이 눈이 부리부리하고 정신이 멀쩡한 것을 형용하는 말.

444) 壺頭(호두) : 호남성에 있는 산 이름.

○(후한) 마원(B.C.14-A.D.49)은 자가 문연으로 어려서부터 큰 뜻을 품어 형 마황馬況에게 작별인사를 올리고 변방 고을로 가서 농사와 목축업에 종사하려고 하였다. 그러자 마황이 말했다. "너는 큰 재목이어서 분명 대기만성할 것이다." 마원은 일찍이 손님들에게 "대장부가 뜻을 품으면 가난해도 더욱 의지를 굳건히 하고 늙을수록 더욱 강인해야 하지요"라고 말한 적이 있다. (광무제) 건무(25-55) 연간에 복파장군을 배수받아 (광동성・광서성 일대인) 교지를 격파하였다. 군대를 이끌고 돌아왔을 때 친구인 맹기가 그를 맞아 위로하자 마원이 말했다. "남자라면 의당 들판에서 전사하여 말가죽에 시체를 싸서 돌아와 장사지내야 할 것이오. 어찌 침대에 누워 아녀자 손아귀에서 놀 수 있겠소?" 그러자 맹기가 말했다. "진정 열사라면 마땅히 이와 같아야 하리라!" (호남성) 무릉군 오계의 만족이 반란을 일으키자 마원은 스스로 정벌에 나서겠다고 자청하며 안장에 걸터앉아 고개를 돌려 뒤돌아보면서 자신이 쓸 만하다는 것을 과시하였다. 그러자 광무제가 웃으며 말했다. "멀쩡하구먼! 이 노인네!" 호두산에 들어가 진영을 쳤다가 승기를 놓치고 병이 들어 생을 마쳤다. 세 형은 마황馬況・마여馬余・마원馬員이고, 사촌동생은 마소유馬少游이며, 네 아들은 마요馬廖・마방馬防・마광馬光・마객경馬客卿이다.

◇下澤車(하택거)

●馬少游嘗謂援曰, "士生一世, 但取衣食裁445)足, 乘下澤車446), 御款段447)馬, 鄕里稱善人, 斯可矣." 援征交趾, 在浪泊448)西里間, 下潦上霧, 仰視飛鳶跕跕449)墮水中, 臥念少游平生時語, 何可得也?(馬援傳)

○(후한) 마소유는 일찍이 (사촌형인) 마원馬援에게 "선비가 한평생

---

445) 裁(재) : 겨우, 고작. '재才' '재纔'와 통용자.

446) 下澤車(하택거) : 논밭이나 습지를 다니기 편하게 만든 수레의 일종. '하택下澤'으로 약칭하기도 하고, '판곡거板轂車'라고도 한다.

447) 款段(관단) : 말 걸음이 매우 느린 모양.

448) 浪泊(낭박) : 베트남 지역에 있는 호수 이름.

449) 跕跕(접접) : 새가 힘없이 떨어지는 모양.

살아가면서 단지 의식주를 간신히 충족하고 (습지를 다니기에 편한 수레인) 하택거와 느린 말을 타면서 마을 사람들이 착한 사람이라고 칭찬한다면 될 것입니다"라고 말한 적이 있다. 마원은 (광동성과 광서성 일대인) 교지 정벌에 나서 낭박의 서쪽 고을 일대에 있을 때 아래는 물구덩이 투성이고 위로는 안개가 자욱하여 솔개조차 힘없이 물속으로 떨어지는 것을 보았을 터이니, 마소유가 평소 하던 말을 침상에 누워 생각하면서 어찌 득의할 수 있었겠는가?(≪후한서 · 마원전≫권54)

◇兄弟貴盛(형제들이 귀한 신분에 오르다)

●馬廖封順陽侯, 弟防穎陽侯, 次第光許陽侯. 幼弟客卿幼而岐嶷[450], 援奇之, 以爲將相器. 兄弟貴盛, 資産巨億, 大起第觀, 連閣臨道彌街路, 多聚聲樂. 杜篤之徒數百人, 常爲食客. 有司奏其奢侈踰制, 悉免就國[451].

○마요는 순양후에 봉해지고, 동생인 마방馬防(?-101)은 영양후에 봉해지고, 다음 동생인 마광馬光(?-94)은 허양후에 봉해졌다. 막내동생인 마객경馬客卿은 어리지만 총명하여 (부친인) 마원馬援이 그를 대견하게 여기며 장수나 재상이 될 재목이라고 생각하였다. 형제들은 귀한 신분에 오르고 재산이 엄청나게 불어나자 건물들을 대규모로 지어 수많은 누각들이 길을 굽어보며 거리를 가득 채우게 하고 악공들도 많이 모았다. 두독 등 수백 명에 달하는 사람들이 늘 식객 노릇을 하자 담당관이 그의 사치가 법도를 넘었다고 아뢰는 바람에 모두 파면당해 봉국으로 돌아가고 말았다.

◇鉅下二卿(거하의 '경卿' 자 돌림의 두 명사)

●馬嚴, 字威卿, 弟敦, 字孺卿, 援兄子也. 居鉅下[452], 交結英賢, 竝知名

---

450) 岐嶷(기억) : 총명한 모양.

451) 就國(취국) : 자신의 봉국封國으로 돌아가는 것을 뜻하는 말.

452) 鉅下(거하) : 지명. ≪후한서 · 마엄전馬嚴傳≫권54의 당나라 이현李賢(654-684) 주에 "≪삼보결록三輔決錄≫ 주에 '거하는 지명이다'라고 하였다(決錄注

當世. 三輔稱其行義, 號鉅下二卿. 援嘗爲書戒之, 有刻鵠畫虎之喩. 嚴七子固・伉・歆・鱄・融・留・續.

○마엄(17-98)은 자가 위경이고 동생 마돈馬敦은 자가 유경으로 마원馬援(B.C.14-A.D.49)의 조카들이다. (섬서성) 거하에 살면서 뛰어난 현자들과 사귀어 당대에 나란히 명성을 떨쳤다. 그래서 (섬서성 장안 근처) 경기 일대 사람들은 그들의 의로운 행적을 칭찬하여 '거하이경'으로 불렀다. 마원은 일찍이 서신을 써서 그들을 훈계할 때 고니와 호랑이를 그려 깨우침을 준 적이 있다. 마엄의 일곱 아들은 마고馬固・마항馬伉・마흠馬歆・마전馬鱄・마융馬融・마유馬留・마속馬續이다.

◇絳帳(붉은 휘장을 치다)

●馬融, 字季長, 才高博洽, 爲世通儒, 諸生千數. 盧植・鄭亥, 皆其徒也. 坐高堂, 施絳紗帳, 前授生徒, 後列女樂, 弟子以次相傳, 鮮[453]有入其室[454]者. 漢永初[455]中, 拜校書郎中[456].

○마융(79-166)은 자가 계장으로 재주가 뛰어나고 학문이 넓어 당대의 통유로 불리며 제자들을 천으로 헤아릴 정도로 많이 거느렸다. 노식・정해 등이 모두 그의 제자들이다. 높은 대청에 앉아 붉은 깁

曰鉅下地名也)"는 설명이 있으나 정확한 위치는 알려진 바가 없다. 다만 본전本傳에서 "마원이 죽은 뒤 마엄은 마돈과 함께 (섬서성) 안릉현으로 돌아가 거하에서 살았다(援卒後, 嚴乃與敦俱歸安陵, 居鉅下)"고 한 것으로 보아 섬서성 안릉현의 속읍屬邑으로 추정된다.

453) 鮮(선) : 드물다, 거의 없다. 상성上聲(xiǎn)으로 읽는다.

454) 入其室(입기실) : 그의 방에 들어서다. 춘추시대 노魯나라 공자가 "중유仲由는 대청에 오를 수는 있어도 아직 방에는 들어갈 수 없느니라(由也升堂矣, 未入於室也)"고 평했다는 ≪논어・선진先進≫권11의 고사에서 유래한 말로 학문이나 예술이 최고의 경지에 오르는 것을 비유하는데, 여기서는 학문이 마융과 맞먹는 수준까지 오르는 것을 뜻하는 말로 쓰인 듯하다.

455) 永初(영초) : 후한後漢 안제安帝의 연호(107-113).

456) 郎中(낭중) : 진한秦漢 이후 황실의 호위와 시종을 관장하던 벼슬. 삼서三署의 관원인 오관중랑장五官中郎將・좌중랑장左中郎將・우중랑장右中郎將을 설치하여 관장케 하였다. 당송唐宋 때는 상서성尙書省 소속 육부六部의 산하 기관인 4사司(총 24사司)의 실무를 관장하는 기관장의 명칭이 되었다.

으로 만든 휘장을 치고 앞에 제자들을 두어 가르치고 뒤에 여자 악단을 도열시키면 제자들이 순서에 따라 전수를 받았지만 그의 방에 들어선 자는 거의 없었다. 후한 (안제) 영초(107-113) 연간에 교서 낭중을 배수받았다.

◇蝗化魚蝦(메뚜기가 물고기나 새우로 변하다)

●馬稜[457], 字伯威, 漢章和[458]初, 爲廣陵太守, 有治行. 蝗飛入海, 化爲魚蝦, 吏民刻石頌之.

○마능馬棱은 자가 백위로 후한 (장제) 장화(87-88) 초에 (강소성) 광릉태수를 배수받아 치적을 쌓았다. 메뚜기가 날아서 바다로 들어가 물고기나 새우로 변하였기에 관리와 백성들이 바위에 새겨 송축하였다.

◇白眉(백미)

●馬良, 字季常, 兄弟五人, 竝有才名. 諺曰, "馬氏五常, 白眉最良." 良眉中有白毛, 故稱之. 蜀先主辟爲荊州從事, 位至侍中[459]. 弟謖, 字幼常, 好論兵計, 有街亭[460]之敗.

○마양(187-222)은 자가 계상으로 형제 다섯 명이 모두 재주로 명성을 떨쳤지만, 시중에는 "자에 '상'자가 들어가는 마씨 가문의 다섯 형제 가운데 흰 눈썹이 가장 훌륭하다네"란 말이 돌았다. 마양의 눈썹에 흰 털이 있어서 그렇게 말한 것이다. (삼국) 촉나라 선주(유비劉備)가 그를 초빙해 (호북성) 형주종사에 임명하였다가 벼슬이 시

457) 馬稜(마능) : ≪후한서·마능전≫권54에 의하면 '마능馬棱'의 오기.

458) 章和(장화) : 후한後漢 장제章帝의 연호(87-88).

459) 侍中(시중) : 황제의 측근에서 기거起居를 보살피고 정령政令을 집행하는 일을 관장하는 벼슬. 진晉나라 이후로 재상의 지위에까지 오르고, 수나라 때 납언納言 혹은 시내侍內라고 하였으며, 당송 이후로는 조정의 주요 행정 기관인 삼성三省 가운데 문하성門下省의 수장首長이 되었다.

460) 街亭(가정) : 지명. 지금의 감숙성 장랑현莊浪縣 남동쪽에 해당한다. 삼국 촉나라 제갈양諸葛良이 출병하였을 때 선봉장인 마속馬謖이 위魏나라 장수 장합張郃에게 패한 곳이다.

중까지 올랐다. 동생 마속馬謖은 자가 유상으로 병법에 대해 논하기를 좋아하였지만 (감숙성) 가정에서의 전투에서 패하고 말았다.

◇新豐斗酒(신풍현에서 혼자 한 말의 술을 마시다)

●馬周, 字賓王. 少時袁天綱[461]見之曰, "伏犀[462]貫腦, 背若有負, 貴相也." 入關, 舍新豐逆旅[463], 命酒一斗八升, 悠然獨酌, 衆異之. 舍中郎將常何家, 爲條三十餘事. 帝問, "何武人, 安能此?" 對曰, "家客馬周爲之." 召與語, 大悅, 拜監察御史[464]. 貞觀[465]十八年, 拜中書令. 帝嘗以飛白[466]書, 賜之曰, "鸞鳳沖霄, 必假羽翼. 股肱[467]之寄, 要在忠力." 岑文本曰, "馬君論事, 聽之纚纚[468], 令人忘倦. 然鳶肩[469]火色, 騰上必速, 恐不能久." 年四十八卒. 子載有知人之鑒.(見裴行儉)

○(당나라) 마주(601-648)는 자가 빈왕이다. 어렸을 때 (도사) 원천강이 그를 보더니 "마군은 이마 가운데 뼈가 뇌를 뚫을 듯이 튀어나오고 등이 마치 짐을 진 것처럼 구부정하니 귀인의 관상을 타고났소"

461) 袁天綱(원천강) : 당나라 때 방사方士. ≪구당서·방기열전方伎列傳≫권191이나 ≪신당서·방기열전≫권204에서는 모두 '원천강袁天綱'으로 표기하였는데, 다른 문헌에서는 '원천강袁天罡' '원천강袁天剛'으로도 표기하였다. '천강天綱'과 '천강天罡' '천강天剛'이 모두 별자리 이름이라서 혼용한 것으로 보인다.

462) 伏犀(복서) : 이마가 툭 튀어나온 골상骨相을 이르는 말. 귀인貴人의 상으로 여겼다.

463) 逆旅(역려) : 여관, 숙소. '역逆'은 '영迎'의 뜻. '여행객을 맞이하는 곳'이란 뜻에서 비롯되었다.

464) 監察御史(감찰어사) : 관리들의 비행을 규찰하고 탄핵하는 업무를 관장하는 기관인 어사대御史臺의 속관屬官. 어사대에는 위로 장관인 어사대부御史大夫와 버금 장관인 어사중승御史中丞, 그리고 시어사侍御史·전중시어사殿中侍御史 등의 상관이 있다. 감찰어사는 비록 품계品階는 낮으나, 실무를 관장하였기에 관원들이 가장 두려워하는 존재였다고 한다.

465) 貞觀(정관) : 당唐 태종太宗의 연호(627-649).

466) 飛白(비백) : 후한後漢 때 채옹蔡邕(133-192)이 고안한 서체로 획을 나는 듯이 그어 흰 색이 드러나 보이게 하였다. 팔분八分과 비슷하다.

467) 股肱(고굉) : 다리와 팔. 임금의 팔과 다리 역할을 하는 신하라는 의미로서 충신이나 근신近臣을 비유한다.

468) 纚纚(사쇄) : 말이나 글이 조리가 있고 논리정연한 모양.

469) 鳶肩(연견) : 웅크린 솔개처럼 어깨를 곧추세운 모양을 형용하는 말. 보통은 비굴한 태도나 간교한 인물을 상징한다.

라고 하였다. 관문을 들어서 (섬서성) 신풍현의 여관에 묵었을 때 술을 한 말 여덟 되 주문해서 여유롭게 혼자 마시자 사람들이 그를 기인으로 생각하였다. 중랑장 상하의 집에 머물며 국사에 대해 30가지가 넘게 조목조목 정리하여 아뢰자 황제가 물었다. “상하 그대는 무인이거늘 어찌 이리할 수 있소?” 그러자 상하가 대답하였다. “저의 집에 묵고 있는 손님인 마주라는 사람이 작성한 것이옵니다.” 황제가 불러서 대화를 나눈 뒤 기분이 좋아 마주를 감찰어사에 임명하였다. (태종) 정관 18년(644)에는 중서령을 배수받았다. 황제가 일찍이 비백체로 글을 써 그에게 하사하였는데 내용은 다음과 같다. “난새와 봉황이 하늘로 솟구쳐오르려면 반드시 날개의 힘을 빌려야 하듯이, 팔과 다리 같은 신하에게 몸을 맡기는 것은 요컨대 충심과 능력에 달려 있노라.” 잠문본은 “마군이 국사에 대해 논하면 들을 때 논리정연하여 지루한 줄을 모른다오. 그러나 솔개처럼 곧추선 어깨에 붉은 안색을 하였으니 승진은 필시 빠르겠지만 아마도 오래 가지는 못 할 듯하오”라고 말한 일이 있다. 나이 마흔 여덟 살에 생을 마쳤다. 아들 마재馬載는 사람을 잘 알아보는 안목이 있었다.(관련 내용이 앞의 ‘배’씨절 배행검에 관한 기록인 ‘장전형掌銓衡’항에도 보인다)

◇武幹絶倫(무장으로서의 능력이 누구보다도 뛰어나다)

●馬璘武幹絶倫, 以忠力奮. 李光弼曰, “吾用兵三十年, 未見以少擊衆, 如馬將軍者也.” 唐至德[470]中, 爲四鎭節度使.

○마인(721-777)은 무장으로서의 능력이 누구보다도 뛰어나 충심과 능력을 마음껏 발휘하였다. 그래서 이광필이 “내가 30년 동안 군대를 통솔했지만 마장군처럼 소수로 다수를 격퇴시키는 사람을 본 적이 없소”라고 하였다. 당나라 (숙종) 지덕(756-758) 연간에 네 군진을 관장하는 절도사를 지냈다.

---

470) 至德(지덕) : 당唐 숙종肅宗의 연호(756-758).

◇翠竹碧梧(푸른 대나무와 오동나무)

●馬燧, 字洵美, 姿度魁傑. 與諸兄學, 輟策[471]嘆曰, “方天下有事, 當以功濟四海, 豈老一儒哉?” 唐大曆[472]・建中[473]間, 屢立大功, 進封北平郡王, 賜宸扆[474]・台衡[475]二銘, 以言君臣相成之美. 圖形凌煙[476]. 謚莊武. 子暢位至少傅[477]. 歷孫繼祖, 殿中少監[478]. 韓愈誌繼祖墓云[479], “北平王猶高山深林鉅谷, 龍虎變化不測, 魁傑人也. 退見少傅, 翠竹碧梧, 鸞停鵠峙. 幼子娟好靜秀, 瑤環瑜珥, 蘭茁其芽.”

○마수(726-795)는 자가 순미로 기품이 넘치고 풍채가 걸출하였다. 그는 형들과 함께 공부하다가 지팡이를 내려놓더니 탄식하며 “바야흐로 천하에 일이 생길 터이니 의당 공을 세워 세상을 구해야 하거늘 어찌 일개 유생으로 늙어죽을 수 있으리오?”라고 말한 일이 있다. 당나라 (대종) 대력(766-779)・건중(780-783) 연간에 여러 차례 큰 공을 세워 북평군왕으로 승진하여 봉해졌다. 또 <신의명>과 <태형명>을 하사받았는데 군주와 신하가 서로 돕는 미덕을 말한 것이다. 초상화가 능연각에 걸렸다. 시호는 ‘장무’이다. 아들인 마창馬

471) 輟策(철책) : 지팡이를 내려놓다.

472) 大曆(대력) : 당唐 대종代宗의 연호(766-779).

473) 建中(건중) : 당唐 덕종德宗의 연호(780-783).

474) 宸扆(신의) : 황제 뒤에 치는 병풍을 이르는 말로 궁중이나 황위皇位를 비유한다.

475) 台衡(태형) : 삼공三公의 별칭. ‘태현台弦’으로도 쓰고, ‘태괴台槐’ ‘태보台輔’ ‘태정台鼎’ ‘태현台鉉’ 등 다양한 명칭으로도 불렸다.

476) 凌煙(능연) : 공신을 표창하기 위해 지은 누각 이름인 능연각凌煙閣의 약칭. 당나라 태종太宗이 정관貞觀 17년(643) 공신 24명의 초상화를 그려넣은 것으로 유명하다.

477) 少傅(소부) : 작은 스승을 뜻하는 삼고三孤, 즉 소사少師・소부少傅・소보少保 가운데 하나. 천자와 태자에게 모두 두었고, 동궁東宮의 삼고는 ‘태자삼소太子三少’라고 하였다.

478) 殿中少監(전중소감) : 황제의 음식・탕약・의복・가마 등을 관장하는 상식국尙食局・상약국尙藥局・상의국尙衣局・상련국尙輦局 등 6국局의 업무를 총괄하는 기관인 전중성殿中省에서 전중감殿中監 다음 가는 버금 장관을 이르는 말.

479) 云(운) : 이는 <당나라에서 전중소감을 지낸 고 마계조의 묘지명(唐故殿中少監馬君墓誌)> 가운데 일부를 인용한 것으로 송나라 위중거魏仲擧가 엮은 ≪오백가주창려문집五百家注昌黎文集≫권33에 전한다.

暢은 벼슬이 소부까지 올랐다. 손자인 마계조馬繼祖에 이르러서는 전중소감을 지냈다. 한유는 마계조의 묘지명을 지어 "북평왕(마수)은 마치 높은 산과 깊은 숲·거대한 계곡에서 용과 호랑이가 변화를 일으키면 헤아릴 수 없는 것과 같으니 걸출한 인물이었다. 물러나 소부(마창)를 알현하니 푸른 대나무와 오동나무에 난새가 깃들고 고니가 솟구치는 듯하였다. 어린 아들(마계조)은 귀엽고 단아한 모습으로 옥팔찌와 옥귀고리를 한 것이 난초에 막 싹이 돋은 듯하였다"고 묘사하였다.

◇建銅柱(구리기둥을 세우다)

●馬總, 字會元, 唐元和中, 遷南安都護[480], 建二銅柱於漢故處, 鑱著唐德, 以表伏波之裔. 韓愈贈詩[481]云, "紅旗[482]照海壓南荒, 徵入中臺[483]作侍郎[484]."

○마총(?-823)은 자가 회원으로 당나라 (헌종) 원화(806-820) 연간에 안남도호安南都護로 승진하자 한나라가 옛날에 차지했던 곳에 구리기둥 두 개를 세워 당나라의 덕업을 새김으로써 (후한) 복파장군(마원馬援)의 후예임을 밝혔다. 그래서 한유는 시를 기증하여 "붉은 깃발 바다를 비추며 남쪽 황량한 땅을 짓누르다가, 부름 받아 중대(상

---

480) 都護(도호) : 일정 지역을 통치하고 감독할 수 있는 권한을 가진 최고위 장관을 이르는 말. 전한 선제宣帝 때 처음으로 서역도호西域都護를 설치하였고, 그 뒤로는 공부公府에 참군도호參軍都護·동조도호東曹都護 등 속관屬官으로 두었다가, 당나라 때 안동安東·안서安西·안남安南·안북安北·선우單于·북정北庭 등 여섯 개의 대도호大都護를 설치하여 한나라 때와 비슷한 지위를 부여하였으며, 원나라 때는 북정도호北庭都護만 두었고, 명청明淸 때는 폐지되었다. 따라서 앞의 '남안南安'은 '안남安南'의 오기이다.

481) 贈馬侍郎詩(증마시랑시) : 이는 칠언절구七言絶句 <형부시랑刑部侍郎 마총馬摠에게 드리는 시(贈刑部馬侍郎)> 가운데 전반부를 인용한 것으로 ≪오백가주창려문집五百家注昌黎文集≫권10에 전한다. 시제詩題에서 '마시랑'은 형부시랑을 지낸 마총을 가리킨다.

482) 紅旗(홍기) : 군대나 의장대에서 사용하던 붉은 깃발.

483) 中臺(중대) : 조정의 핵심 행정 기관인 상서성尙書省의 별칭.

484) 侍郎(시랑) : 조정의 각 행정 기관의 버금 장관에 해당하는 벼슬. 즉 중서시랑中書侍郎·문하시랑門下侍郎 및 상서성尙書省의 이부시랑吏部侍郎·호부시랑戶部侍郎 등을 말한다. 여기서는 호부시랑을 가리킨다.

서성)에 들어서서 시랑이 되셨군요"라고 하였다.

◇酒狂(술주정뱅이)

●馬自然[485]有異行, 飮酒至一石不醉. 人有疾, 以雜草木揉, 與之食, 無不瘥者. 自吟云, "昔日曾隨魏伯陽[486], 經時醉臥紫金[487]床. 東君[488]道我多情懶, 罰向人間作酒狂. 何用燒丹學駐顔[489]? 鬧非城市靜非山. 時人若覓長生藥, 對景無心是大還[490]." 唐廣明[491]中, 於梓州上昇.

○자연自然 마상馬湘은 기행을 즐겨 행하였고 술을 마시면 한 섬을 마셔도 취하지 않았다. 누군가 병이 생겨 잡다한 초목을 갈아서 그에게 먹이면 차도를 보이지 않는 사람이 없었다. 그는 스스로 시를 지어 "옛날에 일찍이 (후한 때 도사) 위백양을 따라, 한참 동안 술에 취해 자금을 장식한 평상에 누웠네. 동군께서 내게 게으르다 말하더니, 인간세상을 향해 벌을 내려 술주정뱅이로 만들었나 보다. 어찌하면 단약을 끓여 장생술을 배울 수 있을까? 시끄러우면 도시가 아니고 조용하면 산이 아니라네. 요즘 사람들이 만약 장생을 위한 약을 찾는다면, 햇살을 쬐며 무심하게 지내는 것이 대환단이라고 하겠네"라고 하였다. 당나라 (희종) 광명(880) 때 (사천성) 재주에서 신선이 되어 승천하였다.

◇險怪(험괴한 시풍)

●馬異, 唐詩人, 詩體與盧仝俱尙險怪. 盧仝與馬異結交詩[492], 有云, "仝

---

485) 馬自然(마자연) : 당나라 때 도사 마상馬湘. '자연'은 자. ≪전당시全唐詩·마상≫권861 참조.
486) 魏伯陽(위백양) : 후한 때 도사. 저서로 ≪주역참동계周易參同契≫가 전한다.
487) 紫金(자금) : 진귀한 금속을 이르는 말.
488) 東君(동군) : 동방이나 봄을 관장하는 신 이름.
489) 駐顔(주안) : 얼굴이 늙어가는 것을 멈추다. 장생술을 가리킨다.
490) 大還(대환) : 도가에서 신선이 되기 위해 구전단九轉丹과 주사朱砂를 합성하여 만든 단약丹藥인 대환단大還丹의 약칭.
491) 廣明(광명) : 당唐 희종僖宗의 연호(880).
492) 詩(시) : 이는 동명의 잡언고시雜言古詩 가운데 일부를 인용한 것으로 ≪전

不仝, 異不異, 是謂大仝而小異."

○마이는 당나라 때 시인으로 시의 풍격상 노동과 함께 험괴함을 중시하였다. 노동은 <마이와 교분을 맺으면서 쓴 시>에서 "같으나 같지 않고 다르나 다르지 않은 것, 이것이 많이 같으면서 조금 다르다고 하는 것이라네"라고 하였다.

◇以笏擊奸(홀로 간신을 때리다)

●馬知節, 字子元, 年十八監彭州兵馬, 以嚴飭見憚如老將, 歷典數郡, 治迹卓然. 宋景德中, 拜樞密[493]. 一日與同列[494]奏對[495], 忽厲聲叱王欽若曰, "莫謾官家[496]." 退見王文正[497]曰, "諸子上前議論如此, 知節幾欲以笏擊死之." 謚正惠.

○마지절(955-1019)은 자가 자원으로 나이 고작 열여덟 살에 (사천성) 팽주의 병마를 감독하면서 엄격한 잣대를 들이대 늙은 장수처럼 꺼리는 대상이 되었지만, 여러 군을 두루 관장하면서 탁월한 치적을 세웠다. 그래서 송나라 (진종) 경덕(1004-1007) 연간에는 추밀사를 배수받았다. 하루는 동료와 함께 상주하다가 갑자기 언성을 높여 왕흠약을 질타하며 말했다. "폐하를 기만하지 마시오." 물러나 문정공文正公 왕단王旦을 알현하자 "여러 사람들이 주상의 면전에서 이처럼 논의하는 자리에서 저 마지절이 홀로 거의 그를 때려죽일 뻔하였

당시全唐詩·노동≫권388에 전한다.

493) 樞密(추밀) : 당송唐宋 때 국가의 군사 업무를 총괄하던 기관인 추밀원樞密院이나 그 장관인 추밀사樞密使의 약칭.

494) 同列(동렬) : 같은 반열班列에 속하는 사람. 즉 동료를 뜻한다.

495) 奏對(주대) : 상주문이나 대책문對策文에 대한 총칭. 혹은 황제가 제시한 문제에 대해 면전에서 대답하는 것을 뜻하기도 한다.

496) 官家(관가) : 천자에 대한 존칭. '천하를 관청으로 여기기도 하고 자기 집처럼 생각하기도 한다'는 의미에서 유래하였다. '폐하陛下' '지존至尊' 등과 뜻이 유사하다.

497) 王文正(왕문정) : 송나라 사람 왕단王旦(957-1017). 왕소王素(1007-1073)의 부친으로 자는 자명子明이고, 진종眞宗 때 동지추밀원사同知樞密院事·참지정사參知政事를 역임하며 재상에 올랐으며, 태사太師·상서령尙書令·위국공魏國公을 추증追贈받았다. ≪문원영화文苑英華≫의 편찬자로 유명하다. ≪송사·왕단전≫권282 참조.

습니다"라고 하였다. 시호는 '정혜'이다.

●馬成, 字君遷, 光武二十八將中人, 封全椒侯.

○(후한) 마성(?-56)은 자가 군천이고 광무제 때 28명의 장수 가운데 한 사람으로 전초후에 봉해졌다.

●馬光與張仲讓等, 號爲六儒.(見竇士榮)

○(수나라) 마광은 장중양 등과 함께 '육유'로 불렸다.(상세한 내용은 뒤의 '두'씨절 두사영에 관한 기록인 '육유六儒'항에 보인다)

●馬存, 字子才, 善屬文, 有豪氣觀·浩齋歌等作, 可見.

○(송나라) 마존은 자가 자재로 글을 잘 지었는데, <호기관> <호재가> 등의 작품이 볼 만하다.

●馬涓, 字巨濟, 宋元祐[498]進士第一人.(見陳堯咨)

○마연은 자가 거제로 송나라 (철종) 원우(1086-1093) 연간에 실시한 진사시험에서 장원급제를 차지하였다.(상세한 내용은 앞의 '진'씨절 진요자에 관한 기록인 '삼요열시三堯列侍'항에 보인다)

●馬伸, 字時中, 學於伊川, 元祐中, 爲西京[499]法曹, 公暇必造程門.

○(송나라) 마신은 자가 시중으로 이천선생伊川先生 정이程頤의 문하에서 공부하여 (철종) 원우(1086-1093) 연간에 (하남성 낙양인) 서경의 법조참군을 지내면서 휴가를 얻으면 반드시 정이의 집을 예방하곤 하였다.

●馬廷鸞, 號碧梧, 宋咸淳[500]中, 與江古心[501]同拜相.

498) 元祐(원우) : 북송北宋 철종哲宗의 연호(1086-1093).

499) 西京(서경) : 하남성 낙양洛陽의 별칭. '서경'은 당나라 때까지는 낙양의 서쪽에 있는 도읍이란 의미에서 섬서성 장안長安의 별칭으로 쓰였으나, 송나라 때는 도읍인 하남성 개봉開封(변경汴京)이 동쪽에 있었기에 낙양을 서경이라고 하였다.

○마정란(1222-1290)은 호가 벽오로 송나라 (도종) 함순(1265-1274) 연간에 고심古心 강만리江萬里와 함께 재상을 배수받았다.

※女德婚姻(여덕과 혼인)

◇有才辨(말재주가 뛰어나다)

●馬融少女名倫, 少有才辨[502]. 家世豐豪, 適汝南袁隗, 資裝甚厚. 旣成禮, 隗問之曰, "婦奉箕箒[503]而已, 何乃珍麗?" 對曰, "慈親愛重, 不敢違命. 君若慕鮑宣·梁鴻之高, 妾亦效少君[504]·孟光[505]之事." 隗又曰, "弟先兄擧, 世以爲笑, 令處姊未適, 先行, 可乎?" 答曰, "妾姊高行, 未獲良匹. 不似鄙薄[506], 苟然而已." 隗不能屈.

○(후한) 마융(79-166)의 막내딸은 이름이 '윤'으로 어려서부터 말재주가 뛰어났다. 집이 대대로 부유하여 (하남성) 여남현 사람 원외에게 시집가면서 혼수품을 무척 넉넉하게 장만하였다. 혼례를 치르고 나자 원외가 그녀에게 물었다. "아녀자는 살림살이를 잘 하면 그만이거늘 어째서 이렇게 진귀한 혼수품을 장만했소?" 그러자 마윤이 대답하였다. "부친이 저를 사랑하시니 감히 명을 거역할 수 없었습

---

500) 咸淳(함순) : 남송南宋 도종度宗의 연호(1265-1274).

501) 江古心(강고심) : 송나라 사람 강만리江萬里. '고심'은 호. 자는 자원子遠이고 시호는 문충文忠. 참지정사參知政事·추밀사樞密使 등을 역임하다가 원나라 군대가 강서성 요주饒州를 함락하자 아들과 함께 자살하였다. ≪송사·강만리전≫권418 참조.

502) 才辨(재변) : 말재주. '변辨'은 '변辯'과 통용자.

503) 箕箒(기추) : 키와 빗자루. 시집가는 것을 비유하는 말로 여기서는 결국 집안 살림을 맡는 것을 말한다.

504) 少君(소군) : 전한 사람 포선鮑宣의 아내인 환씨桓氏의 자. 포선이 자신의 스승의 딸인 환소군桓少君을 아내로 맞았을 때 장인이 혼수품을 많이 준 것에 대해 언짢게 생각하자 환소군이 모두 친정으로 돌려보내고 남편의 뜻을 따라 청렴한 생활을 하였다는 고사가 ≪후한서·열녀전·포선처전鮑宣妻傳≫권114에 전한다.

505) 孟光(맹광) : 후한 사람 양홍梁鴻의 아내. 양홍이 지어준 이름이라고도 하고 혹은 자라고도 한다. 추녀였지만 부녀자의 도리를 다해 양홍을 공손하게 모신 '거안제미擧案齊眉'의 고사가 ≪후한서·일민전·양홍전≫권113에 전한다.

506) 鄙薄(비박) : 천박한 사람을 뜻하는 말로 자기 자신에 대한 겸사謙辭.

니다. 당신이 만약 (전한) 포선과 (후한) 양홍의 고상함을 흠모하신다면 소첩 또한 (포선의 아내인) 환소군桓少君과 (양홍의 아내인) 맹광의 전철을 따르겠습니다." 원외가 또 말했다. "동생이 형보다 먼저 관직에 추천되면 세상 사람들이 비웃는 것과 마찬가지로 만약 처녀인 언니가 아직 시집가지 않았는데 동생인 당신이 먼저 시집을 온다면 되겠소?" 그러자 마윤이 대답하였다. "소첩의 언니는 행실이 워낙 고고해서 아직 좋은 배필을 만나지 못 한 것입니다. 천박한 저와는 달리 어쩌다 그리 된 것일 뿐입니다." 원외는 결국 그녀의 뜻을 꺾을 수 없었다.

◇賣餠媼(떡을 파는 나이든 여인)

●馬周微時, 因袁天綱言, "京師有賣餠媼者, 此婦大貴." 周遂娶之. 媼乃引至常何家. 後周爲相, 媼亦爲夫人.

○(당나라) 마주(601-648)는 평민이었을 때 원천강이 "경사에 떡을 파는 나이든 여인이 있는데 이 아낙은 무척 귀한 사람이 될 것이오"라고 한 말 때문에 결국 그녀에게 장가들었다. 그런데 그 여인은 도리어 그를 데리고 (고관인) 상하의 집을 찾아갔다. 뒤에 마주는 재상에 올랐고, 그 여인 역시 부인의 신분이 되었다.

●馬該深爲廬陵守. 唐貞元[507]中, 王陟游廬陵, 馬妻以幼女.

○마해심은 (강서성) 여릉태수를 지냈다. 당나라 (덕종) 정원(785-805) 연간에 왕척이 여릉에 놀러오자 마해심은 어린 딸을 그에게 시집보냈다.

●馬融有俊才, 從摯恂學. 恂奇其才, 以女妻之.

○(후한) 마융(79-166)은 뛰어난 재주를 가지고 지순의 문하에서 공부하였다. 지순은 그의 재능을 높이 평가해 딸을 그에게 시집보냈다.

---

507) 貞元(정원) : 당唐 덕종德宗의 연호(785-805).

●馬暢娶吉州刺史盧徹女.(見盧氏)

○(당나라) 마창은 길주자사 노철의 딸에게 장가들었다.(상세한 내용은 앞의 '노'씨절 '공고개하公姑皆賀'항에 보인다)

●班馬[508]. 司馬[509]. 五馬[510].

○(후한) 반고班固(32-92)와 (전한) 사마천司馬遷(B.C.135-?). 사마. 태수나 자사의 별칭.

◆賈(가씨)

▶商音. 武威. 唐叔虞少子公明, 康王封之於賈, 以國爲氏. 晉賈它·賈季·賈辛, 其後也.

▷음은 상음에 속하고 본관은 (감숙성) 무위군이다. 당왕에 봉해진 숙우의 막내아들 공명을 (주周나라) 강왕이 가나라에 봉하자 나라 이름을 성씨로 삼은 것이다. (춘추시대 때) 진나라 사람 가타·가계·가신이 그의 후손이다.

◇洛陽年少(낙양의 젊은이)

●賈誼, 洛陽人. 文帝卽位, 河南守吳公薦之於朝, 帝召爲博士, 時年二十餘. 絳灌之徒毁之曰, "洛陽年少, 專欲擅權," 乃以爲長沙大傅[511]. 上坐宣室[512], 問鬼神之本, 至夜半前席, 拜爲梁太傅. 上疏陳政事, 名治安策. 劉向稱, "誼通達國體, 古伊管[513]未能過也." 孫嘉好學, 世其家,

---

508) 班馬(반마) : ≪한서≫의 저자인 후한 사람 반고班固(32-92)와 ≪사기≫의 저자인 전한 사람 사마천司馬遷(B.C.135-?)을 아우르는 말.

509) 司馬(사마) : 벼슬 이름이나 그것에서 유래한 복성複姓. 주周나라 때는 육경六卿의 하나인 하관夏官으로서 군사를 관장하였고, 한나라 때는 삼공三公의 하나로서 승상이 되기도 하였다. 한나라 이후로는 왕부王府나 승상부丞相府·장군부將軍府 등에서 병마兵馬를 관장하던 벼슬이 되었고, 당나라 이후로는 주로 별가別駕·장사長史·녹사참군사錄事參軍事·참군사參軍事·녹사錄事·승丞·문학文學 등과 함께 자사刺史의 속관이 되었다.

510) 五馬(오마) : 태수太守나 자사刺史의 별칭. 태수나 자사가 다섯 마리 말이 끄는 수레를 타는 데서 유래하였다.

511) 長沙大傅(장사태부) : 제후국 군주인 호남성 장사왕長沙王의 태부를 가리킨다. '태부'는 제왕을 위해 설치한 세 스승 가운데 하나.

512) 宣室(선실) : 한나라 때 미앙궁未央宮 안에 있던 전각 이름. 전의되어 제왕이 거처하는 정실正室을 가리킨다.

昭帝時, 爲九卿. 曾孫捐之.

○(전한) 가의(B.C.201-B.C.169)는 (하남성) 낙양 사람이다. 문제가 즉위하고서 하남태수 오공이 그를 조정에 천거하자 문제가 그를 불러 박사에 임명하였는데, 그때 나이가 고작 스무 살 남짓이었다. 강관 등이 그를 험담하며 "낙양의 젊은이(가의)는 오로지 권력을 멋대로 부리고 싶어하는 것입니다"라고 하였다. 그래서 (호남성) 장사왕의 태부에 임명되었다. 문제가 선실에 앉아 귀신의 본질에 대해 물었는데 한밤중까지 앞자리에서 답변한 덕에 (하남성) 양왕의 태부를 배수받았다. 상소문을 올려 정사에 대해 진술하고는 이름하여 '치안책'이라고 하였다. 유향은 "가의는 나라를 다스리는 요체에 대해 잘 알았으니 옛날 (상商나라) 이윤伊尹과 (춘추시대 제齊나라) 관중管仲도 그를 능가할 수 없으리라"고 평하였다. 손자인 가가賈嘉는 학문을 좋아하여 가업을 계승해서 소제 때 구경에 올랐다. 증손자는 가연지賈捐之이다.

◇至言(≪지언≫)

●賈山涉獵書記, 漢文時, 上書言治亂之道, 借秦爲諭, 名曰至言.

○가산은 여러 가지 글들을 섭렵하더니 전한 문제 때 상소문을 올려 치란의 도리를 언급하면서 진나라를 빌어 교훈으로 삼고는 이름하여 ≪지언≫이라고 하였다.

◇待詔金馬(금마문에서 황명을 기다리다)

●賈捐之, 字君房. 元帝卽位, 上疏言得失, 召待詔514)金馬門515). 長安令楊興曰, "君房言語妙天下, 使爲尙書, 過五鹿充宗, 遠甚." 後以忤石顯

---

513) 伊管(이관) : 상商나라 탕왕湯王 때의 명재상인 이윤伊尹과 춘추시대 제齊나라 때 명재상인 관중管仲을 아우르는 말.

514) 待詔(대조) : 한나라 이후로 황실에 초빙되어 황명을 기다리며 황제에게 자문을 해 주던 일이나 그런 일을 담당하는 벼슬을 일컫는 말.

515) 金馬門(금마문) : 한나라 때 학사學士들이 황명을 기다리던 궁문宮門 이름으로 결국 조정을 비유적으로 가리킨다.

遇害.

○가연지는 자가 군방이다. 원제가 즉위하자 상소문을 올려 정치의 득실에 대해 언급하였다가 황제의 부름을 받아 금마문에서 황명을 기다렸다. (섬서성) 장안현의 현령인 양흥은 "군방(가연지)은 말솜씨가 천하에 으뜸가니 만약 상서를 맡는다면 오록충종보다도 훨씬 잘 할 것이다"라고 평하였다. 뒤에 (환관인) 석현의 심기를 거스르는 바람에 살해당했다.

◇治河三策(황하를 다스리는 세 가지 방책)

●賈讓哀帝朝奏言, "治河有上中下策, 通渠有三利, 不通有三害."(漢溝洫志)

○(전한) 가양은 애제 때 상소문을 올려 "황하를 다스리는 데 상·중·하 세 가지 방책이 있고, 운하를 개통하면 세 가지 이익이 있지만 개통하지 않으면 세 가지 해악이 있습니다"라고 아뢰었다.(≪한서·구혁지≫권29)

◇折衝千里(천 리 밖에서도 적을 물리치다)

●賈復, 字文君[516], 佐光武中興. 帝解左驂, 以賜之曰, "賈督有折衝[517]千里之威." 拜執金吾[518], 封膠東侯, 圖形雲臺.

○(후한) 가복(?55)은 자가 군문君文으로 광무제의 중흥을 도왔다. 광무제가 왼쪽 곁말을 풀어서 그에게 하사하며 "가독(가복)은 천 리 밖에서도 적을 물리칠 수 있는 위엄이 있다오"라고 말하고는 집금오에 배수하고 교동후에 봉한 뒤 운대에 그의 초상화를 걸었다.

---

516) 文君(문군) : ≪후한서·가복전≫권47에 의하면 '군문君文'의 오기이다.

517) 折衝(절충) : 적을 되돌려보내거나 담판을 잘 짓는 것을 비유하는 말. '충衝'은 전차를 뜻하는 말로서 '적의 전차를 부순다'는 뜻에서 유래하였다.

518) 執金吾(집금오) : 한나라 때 금오봉金吾棒을 들고 경사京師를 순찰하거나 천자를 호위하는 일을 주관하던 벼슬. '금오金吾'로 약칭하기도 한다. '오吾'가 '막다(衛)'라는 뜻이어서 무기(金)를 들고 비상사태를 막는다(吾)는 의미에서 유래하였다.

◇舌耕(혀로 농사짓다)

●賈逵, 字景伯. 父徽從劉歆受左氏春秋[519], 逵傳父業. 自爲兒童時, 常在太學, 身長八尺二寸, 諸儒爲之語曰, "問事不休賈長頭." 門徒來學獻粟盈, 倉人[520]曰, "逵非力耕, 乃舌耕也." 和帝朝, 爲侍中, 內備帷幄[521], 兼領祕書[522].

○(후한) 가규(30-101)는 자가 경백이다. 부친인 가휘賈徽는 유흠에게서 ≪춘추좌씨전≫을 전수받았고, 가규는 부친의 학문을 전수받았다. 어린아이 때부터 늘 태학에서 공부하였는데, 신장이 여덟 자 두 치라서 다른 유생들은 그에 대해 "고사에 대한 질문을 멈추지 않는 것은 '가장두'(키다리 가규)라네"라고 하였다. 문하생들이 학교로 오면 많은 곡식을 바쳤기에 창고지기가 "가규는 힘으로 농사를 짓는 것이 아니라 혀로 농사를 짓는다오"라고 하였다. 화제 때 시중에 오르자 집안에 휘장을 구비해 놓았고, 비서성을 아울러 관장하였다.

◇褰帷訪問(휘장을 거두고 두루 물어보다)

●賈琮, 字孟堅, 漢中平[523]初, 三府[524]擧之, 爲交趾刺史. 巷路歌曰, "賈父來晩, 使我先反. 今見淸平, 吏不敢飯." 政爲十三州最, 遷冀州刺史. 舊典, 傳車[525]垂赤帷裳, 琮曰, "刺史當達視廣聽, 糾察美惡, 何有

---

519) 左氏春秋(좌씨춘추) : 춘추시대 노魯나라 은공隱公 원년元年(B.C.722년)부터 애공哀公 27년(B.C.468년)까지 약 250년 간의 역사를 기록한 ≪춘추경春秋經≫에 대한 좌구명左丘明의 해설서. 즉 ≪춘추좌씨전春秋左氏傳≫의 별칭. 진晉나라 두예杜預(222-284)가 주를 달았다.

520) 倉人(창인) : 주周나라 때 곡식 창고를 관장하는 지관地官 소속 벼슬 이름에서 유래한 말로 창고지기를 가리킨다.

521) 帷幄(유악) : 휘장. 황제의 침전이나 수레에 치는 휘장을 가리키는 말로 임금을 가까이서 모시는 것을 상징한다.

522) 祕書(비서) : 국가의 경적經籍·도서圖書·저작著作 등을 관장하던 기관인 비서성祕書省이나 그 장관인 비서감祕書監의 약칭.

523) 中平(중평) : 후한後漢 영제靈帝의 연호(184-189).

524) 三府(삼부) : 세 승상, 즉 삼공三公이 정무를 처리하는 관부官府를 가리키는 말. 결국 승상부丞相府를 가리킨다.

525) 傳車(전거) : 역참驛站에 비치된 수레를 가리키는 말로 여기서는 결국 자사가 타고다니는 수레를 가리킨다. '전거傳遽'라고도 한다.

反垂帷裳[526], 以自掩塞乎?" 乃命御者褰之. 百姓聞風震竦, 貪吏皆解印綬[527]去.

○가종은 자가 맹견으로 후한 (영제) 중평(184-189) 초에 승상부의 추천을 받아 (광동성·광서성 일대를 관장하는) 교지자사에 임명되었다. 그러자 거리에서 사람들이 "가부(가종)께서 늦게 오시는 바람에 우리가 앞서 반란을 일으켰지만, 이제 태평성대를 맞았으니 관리들도 감히 뇌물을 먹지 않을 것이오"라고 하였다. 치적이 13개 주 가운데 으뜸을 차지해 (하북성) 기주자사로 승진하였다. 오랜 관례에 의하면 역참의 수레에 붉은 휘장을 드리웠기에 가종은 "자사는 의당 시야를 넓혀 선악을 두루 살펴야 하거늘 어찌 도리어 휘장을 드리워 자신의 시야를 막을 수 있단 말인가?"라고 하고는 마부에게 명하여 그것을 거두게 하였다. 백성들은 이러한 풍문을 듣고서 두려워하였고, 탐관오리들은 모두 관직을 그만두고 떠났다.

◇賈父(아버지 같은 가표賈彪)

●賈彪, 字偉節. 兄弟三人, 竝有高名, 時語曰, "賈氏三虎, 偉節最怒." 漢桓帝時, 爲新息長[528]. 時小民[529]多不養子, 彪嚴爲之制, 數年人養子者以千數. 皆曰, "此賈父所生也." 名曰賈子.

○(후한) 가표는 자가 위절이다. 형제 세 명이 모두 명성을 떨쳤으나 당시에 "가씨 가문의 세 호랑이 가운데 위절(가표)이 가장 무섭다네"라는 말이 돌았다. 후한 환제 때 (하남성) 신식현의 현장을 지냈다. 당시 서민들 가운데 자식을 부양하지 않는 이들이 많자 가표가 엄하게 그들을 제어했기에 몇 년 뒤에는 자식을 부양하는 이들이 천으로 헤아릴 정도로 많아졌다. 그들은 모두 "이는 가부가 낳은 아이

526) 帷裳(유상) : 수레 옆에 치는 휘장.

527) 解印綬(해인수) : '관리가 관인官印을 허리에 찰 때 사용하는 인끈을 푼다'는 말로 관직을 그만두는 것을 비유한다.

528) 長(장) : 작은 현의 수령인 현장縣長. 한나라 이후로 만 호를 넘는 현의 수령은 '현령縣令'이라고 하고, 만 호가 안 되는 현의 수령은 '현장縣長'이라고 하였다.

529) 小民(소민) : 서민. 일반 백성에 대한 비칭.

라오"라고 말하며 이름을 '가자'로 지었다.

◇州中曄曄(고을에서 재능이 돋보이는 사람)

●賈洪, 字叔業, 蘇荀, 字文通, 竝仕魏, 爲參軍. 時語曰, "州中曄曄[530] 賈叔業, 辨論不窮蘇文通."

○가홍은 자가 숙업이고 소순은 자가 문통으로 함께 (삼국) 위나라에서 벼슬길에 올라 참군을 지냈다. 그래서 당시에 "고을에서 재능이 돋보이는 이는 가숙업(가홍)이고, 말솜씨가 무궁무진한 이는 소문통(소순)이라네"라는 말이 돌았다.

◇充閭之慶(가문을 빛낼 경사스런 일)

●賈逵, 字梁道. 魏文帝以爲豫州刺史, 長吏[531]不如法者, 皆奏免之. 帝曰, "眞刺史矣!" 通運渠二百里, 名賈侯渠. 晩年生子云, "當有充閭[532]之慶." 故名之曰充, 字公閭. 後仕晉, 爲尙書. 充死無嗣, 立外孫韓氏爲子, 名謐. 仕晉, 爲祕書監[533], 開閣延賢.

○가규(약 175-약 228)는 자가 양도이다. (삼국) 위나라 문제가 (하남성) 예주자사에 임명하자 고관 중에 법을 준수하지 않는 자들을 모두 상주하여 파면시켰다. 그래서 문제가 "진정한 자사로다!"라고 하였다. 운하를 2백 리 개통하고서 '가후거'라고 이름 지었다. 만년에 아들을 낳자 "분명 가문을 빛낼 경사스런 일이 생긴 것이다"라고 하여 이름을 '충'으로 짓고 자를 '공려'라고 하였다. 가충(217-282)은 뒤에 진나라에서 벼슬길에 올라 상서를 지냈다. 가충이 죽은 뒤 후

530) 曄曄(엽엽) : 재능이 밖으로 드러나는 모양.

531) 長吏(장리) : 한나라 때 녹봉이 4백 석에서 2백 석 사이인 현승縣丞·현위縣尉 등 지방 장관의 보좌관을 통칭하는 말. 녹봉이 백 석 이하의 아전들은 '소리少吏'라고 하였다. ≪한서·백관공경표百官公卿表≫권19 참조. 후에는 고위 관료를 지칭하는 말로도 쓰였다.

532) 充閭(충려) : 가문을 빛내는 것을 뜻하는 말.

533) 祕書監(비서감) : 국가의 경적經籍·도서圖書·저작著作 등을 관장하던 비서성祕書省의 장관을 이르는 말. 버금 장관은 '소감少監'이라고 하였고, 휘하에 비서랑祕書郎·저작랑著作郎·교서랑校書郎 등의 속관을 거느렸다.

사가 없자 외손자인 한씨를 아들로 세우고 이름을 '밀'이라고 하였다. 가밀(?-300)은 진나라에서 벼슬길에 올라 비서감을 지내면서 문을 개방하여 현자들을 불러들였다.

◇父子繼美(부자지간에 미덕을 계승하다)

●賈至, 字幼隣, 玄宗朝, 知制誥[534]. 初睿宗傳位, 父曾草詔, 玄宗傳位, 至草詔. 帝曰, "兩朝盛典出卿家, 父子可謂繼美矣." 有早朝大明宮詩[535]云, "銀燭朝天紫陌[536]長, 禁城春色曉蒼蒼. 千條弱柳垂靑瑣[537], 百囀[538]流鶯遶建章[539]. 劍珮聲隨玉墀[540]步, 衣冠[541]身惹御爐香. 共沐恩光鳳池[542]表, 朝朝染翰侍君王."

○(당나라) 가지는 자가 유린으로 현종 때 지제고를 지냈다. 당초 예종이 왕위를 전할 때 부친인 가증賈曾이 조서를 기초하였는데, 현종이 왕위를 전할 때 다시 가지가 조서를 기초하였다. 그래서 현종이 "두 왕조의 성대한 전례가 경의 가문에서 나왔으니 부자지간에 미덕을 계승하였다고 말할 만하구려"라고 말한 일이 있다. 가지는 <대명궁에서 일찍 조회를 하며 지은 시>에서 "촛불 켜고 조회하러 가려니 경사의 길은 길고, 새벽녘 궁궐의 봄빛은 푸르기만 하네. 천 줄기 부드러운 버들이 궁중의 청쇄문에 늘어졌고, 펄펄 날며 지저귀는 꾀꼬리들이 건장궁을 맴도는데, 칼과 패옥 소리가 궁궐 섬돌을 오르

534) 知制誥(지제고) : 황명의 초안을 작성하는 일이나 그러한 업무를 관장하는 벼슬을 이르는 말.

535) 詩(시) : 이는 동명의 칠언율시七言律詩를 인용한 것으로 송나라 이방李昉(925-996)의 ≪문원영화文苑英華·조성朝省1≫권190에 전한다.

536) 紫陌(자맥) : 도성 교외에 난 길을 이르는 말. 속세나 조정을 상징한다.

537) 靑瑣(청쇄) : 궁문에 푸른 색깔의 사슬 모양을 한 장식품을 가리키는 말. 문하성門下省이나 궁궐을 상징한다.

538) 百囀(백전) : 새들이 시끄럽게 지저귀는 것을 이르는 말.

539) 建章(건장) : 한나라 때 섬서성 장안에 세운 궁궐 이름. 뒤에는 궁궐의 범칭汎稱으로 쓰였다.

540) 玉墀(옥지) : 궁전 앞의 돌계단에 대한 미칭. 조정을 비유한다.

541) 衣冠(의관) : 관복官服과 갓. 벼슬아치를 비유한다.

542) 鳳池(봉지) : 위진남북조魏晉南北朝 이래로 조정의 중서성中書省 옆에 있던 연못인 봉황지鳳凰池의 준말로 중서성을 비유적으로 가리킨다.

는 발걸음을 따르고, 의관을 갖춰 입은 몸에는 어전 향로의 향기가 배었구나. (중서성의) 봉지에서 함께 은혜의 물결에 목욕하며, 아침마다 붓을 적셔 군왕을 모시고 있노라"고 하였다.

◇棠棣碑(형제간의 우애를 기리는 비석)

●賈敦頤, 唐永徽[543]中, 遷洛州刺史, 以廉潔稱. 咸亨[544]初, 弟敦實復爲洛州長史, 以寬惠得人心. 洛人先爲敦頤刻碑大市旁, 後爲敦實立碑其側, 號棠棣[545].

○가돈이는 당나라 (고종) 영휘(650-656) 연간에 (하남성) 낙주자사를 지내며 청렴결백한 성품으로 칭송을 받았다. 함형(670-674) 초에는 동생인 가돈실賈敦實이 다시 낙주장사를 맡아 관용과 은혜로 민심을 얻었다. 그래서 낙주 사람들이 먼저 가돈이를 위해 저자 옆에 비석을 새기고, 뒤에 가돈실을 위해 그 옆에 비석을 세우고는 '당체비'라고 불렀다.

◇詩痩(시를 짓느라 몸이 야위다)

●賈島, 字浪仙, 初爲浮屠, 號無本, 居法乾寺. 後擧進士, 苦吟, 常跨驢[546], 不避公卿[547]貴人. 嘗吟詩云[548], "僧敲月下門." 又欲下推字,

---

543) 永徽(영휘) : 당唐 고종高宗의 연호(650-656).

544) 咸亨(함형) : 당唐 고종高宗의 연호(670-674).

545) 棠棣(당체) : 산앵두나무. 꽃이 마주보고 나란히 피고, ≪시경·소아小雅·상체常棣≫권16에 형제간의 우애를 읊은 노래가 전하기에 형제간의 우애나 군신간의 화합을 상징한다. '상체常棣' '당체唐棣' '체당棣棠'이라고도 한다.

546) 跨驢(과려) : 나귀를 타다. 당나라 때 일반 서생들까지 말을 화려하게 치장하는 사치풍조가 유행하자 측천무후가 관리가 아니면 말을 타지 못 하게 하는 금령을 내린 적이 있기에 과거시험에 급제하지 못 한 응시생이나 일반 서생을 상징한다.

547) 公卿(공경) : 중국 고대 조정의 최고위 관직인 삼공三公과 구경九卿. 결국은 모든 고관에 대한 총칭이다. '삼공'은 시대마다 차이가 있는데, 주周나라 때는 태사太師·태부太傅·태보太保를 지칭하였고, 진秦나라 때는 승상丞相·어사대부御史大夫·태위太尉를 지칭하였으며, 한나라 때는 진나라의 제도를 답습하다가 애제哀帝와 평제平帝 때에 대사마大司馬·대사도大司徒·대사공大司空을 지칭하였으며, 후대에는 태사太師·태부太傅·태보太保를 '삼사三師'로 승

於驢上以手作敲推勢, 不覺衝至京尹[549]韓愈. 第三節, 左右擁至馬前, 詰之, 以實對, 愈曰, "敲字佳!" 與共論詩, 爲布衣交[550]. 宣宗嘗微行, 至法乾寺, 聞鍾樓上有吟聲, 取其詩卷, 覽之. 島奪取其卷曰, "郎君[551]何會此邪?" 宣宗去, 賜御札, 除遂州長江簿[552]. 時稱爲賈長江. 又爲詩[553]云, "騎驢衝大尹[554], 奪卷忤宣宗."

○가도(779-843)는 자가 낭선으로 처음에는 승려가 되어 법호를 '무본'이라고 하며 법건사에 머물렀다. 뒤에 진사과에 응시하면서 힘들여 시를 짓는 연습을 하였는데, 늘상 나귀를 타면서도 공경이나 귀인들을 피하지 않았다. 일찍이 시를 읊조리며 "스님이 달 아래 대문을 두드리네"라고 하였다가 다시 '밀 퇴推'자를 쓰고 싶어 나귀에 탄 채 손으로 두드리고 미는 동작을 취하는 바람에 자신도 모르게 경조윤 한유와 부딪히고 말았다. 세 번째 가락으로 넘어갈 때 주변 사람들이 그를 붙잡아 말 앞에 대령하게 되었는데, 연유를 물어 사실대로 대답하자 한유가 말했다. "'두드릴 고敲'자가 좋겠네." 함께

격시키고 대신 태위太尉·사도司徒·사공司空을 '삼공'이라고 하기도 하였다. '구경'의 칭호도 시대마다 명칭과 서열에 차이가 있는데, 한나라 때는 태상太常·광록훈光祿勳·위위衛尉·태복太僕·정위廷尉·홍려鴻臚·종정宗正·대사농大司農·소부少府를 '구경'이라 하였고, 수당隋唐 이후로는 구시九寺, 즉 태상太常·광록光祿·위위衛尉·종정宗正·태복太僕·대리大理·홍려鴻臚·사농司農·태부太府의 장관을 '구경'이라고 하였다.

548) 云(운) : 이는 오언율시五言律詩 <이응의 은거에 대해 읊다(題李凝幽居)> 가운데 함련頷聯의 말구末句를 인용한 것으로 당나라 가도賈島의 ≪장강집長江集≫권4에 전한다.

549) 京尹(경윤) : 경기 일대를 관장하는 벼슬인 경조윤京兆尹의 약칭.

550) 布衣交(포의교) : 평민 시절부터 돈독한 우정을 맺은 사이를 뜻하는 '포의지교布衣之交'의 준말. 여기서는 신분을 초월한 우정을 가리킨다.

551) 郎君(낭군) : 호칭. 사용하는 용도는 매우 다양해서 스승이나 상관의 자제, 혹은 귀족의 자제, 진사 출신, 아들이나 사위, 남편 등을 부를 때도 쓰였다.

552) 簿(부) : 한나라 이후로 문서 처리를 관장하는 속관屬官인 주부主簿의 약칭. 중앙 및 지방의 각 행정 기관에 모두 설치하였다.

553) 詩(시) : 이는 당나라 정기程錡(안기安錡란 설도 있다)의 오언율시五言律詩 <가도의 무덤에서 쓰다(題賈島墓)> 가운데 함련頷聯을 인용한 것으로 ≪전당시全唐詩≫권768에 전한다.

554) 大尹(대윤) : 도성에서 백 리 안의 지역을 관장하는 벼슬인 경조윤京兆尹의 별칭.

시에 대해 논하면서 신분을 초월한 우정을 맺었다. 선종이 일찍이 미복 차림으로 순행에 나서 법건사에 도착했다가 종루에서 시를 읊조리는 소리가 들렸기에 그의 시집을 가져다가 읽은 일이 있다. 그러자 가도가 자신의 시집을 빼앗으며 말했다. "젊은이가 어찌 이를 이해하겠는가?" 선종이 그곳을 떠났다가 친필 서신을 내려 (사천성) 수주 장강현의 주부를 제수하였다. 그래서 당시에 '가장강'으로 불렸다. 또 (당나라 정기程錡는) 시를 지어 "나귀를 탔다가 대윤(경조윤)과 부딪히고, 시집을 빼앗아 선종의 마음을 거스렀네"라고 하였다.

◇神童(신동과에 급제하다)

●賈黃中六歲中神童[555], 宋太宗朝, 與宋白等五人同拜學士. 扈蒙有'五鳳齊飛'之句.(見宋白) 居翰林九年, 有詩云, "青綸[556]輝映輕前古, 丹禁[557]深嚴隔世塵."

○가황중(941-996)은 여섯 살에 신동과에 급제하였다가 송나라 태종 때 송백 등 다섯 명과 함께 학사를 배수받았다. 그래서 호몽은 '다섯 마리 봉황이 나란히 난다'는 구절을 남겼다.(관련 내용은 뒤의 '송'씨절 송백에 관한 기록에도 보인다) 한림원에서 9년 동안 지내다가 시를 지어 "푸린 인끈 서로 비추며 예전의 일을 가벼이 여겼는데, 궁중이라 삼엄하여 세상과는 동떨어졌네"라고 하였다.

◇公輔器(재상으로서의 자질)

●賈昌朝, 字子明, 宋天僖[558]中, 除國子監說書. 時孫奭判監, 一見許以公輔[559]. 治平[560]初, 拜相, 封魏國公.

---

555) 神童(신동) : 어린이에게 실시하는 과거시험인 신동과神童科의 준말. 따라서 앞의 '중中'은 '들어맞다' '합격하다'란 뜻이므로 거성去聲(zhòng)으로 읽는다.
556) 青綸(청륜) : 한나라 때 푸른 실로 짠 인끈에서 유래한 말로 관직을 비유한다.
557) 丹禁(단금) : 궁궐의 별칭. 천자의 거처를 '금禁'이라 하고, 벽에 붉은 칠을 한 데서 유래하였다. '자금紫禁'이라고도 한다.
558) 天僖(천희) : 북송北宋 진종眞宗의 연호(1017-1021). '천희天禧'로도 쓴다.
559) 公輔(공보) : 천자를 보좌하는 삼공三公과 사보四輔, 즉 재상을 이르는 말.

○가창조(998-1065)는 자가 자명으로 송나라 (진종) 천희(1017-1021) 연간에 국자감설서를 제수받았다. 당시 손석이 국자감을 관장하면서 그를 보자마자 재상감으로 인정하였다. (영종) 치평(1064-1067) 초에 재상을 배수받고 위국공에 봉해졌다.

◇不欺(속이지 말라)

●賈黯, 字直孺, 慶曆中, 與王曾・張唐卿・彭汝礪同年登第. 見范仲淹於鄧州, 范曰, "惟不欺二字, 可終身行之." 黯拜其言, 後與人曰, "吾得范公不欺二字, 平生用之不盡也." 嘉祐[561]中, 爲翰林學士[562], 遷給事中.
○(송나라) 가암(1022-1065)은 자가 직유로 (인종) 경력(1041-1048) 연간에 왕증・장당경・팽여려와 함께 같은 해에 과거시험에 급제하였다. (하남성) 등주에서 범중엄을 알현하였을 때 범중엄이 "오직 '속이지 말라'는 두 마디 말을 죽을 때까지 실천해야 할 것이네"라고 하였다. 가암은 그 말에 존경의 뜻을 표하였다가 뒤에 다른 사람에게 말했다. "나는 범공에게서 '속이지 말라'는 두 마디 말을 얻었으나 평생 이를 다 실천하지 못 했다오." (인종) 가우(1056-1063) 연간에 한림학사를 지내다가 급사중으로 승진하였다.

●賈瓊, 王通[563]門人, 與董常・姚義等北面[564], 受王佐之道.
○(수나라) 가경은 왕통(584-618)의 문인으로 동상・요의 등과 함께

'재보宰輔' '보신輔臣'이라고도 한다.
560) 治平(치평) : 북송北宋 영종英宗의 연호(1064-1067).
561) 嘉祐(가우) : 북송北宋 인종仁宗의 연호(1056-1063).
562) 翰林學士(한림학사) : 당나라 현종玄宗 때 처음 설치된 한림원翰林院 소속 학사를 이르는 말. 황명이나 상소문 등 주요 문서의 초안을 작성하고, 황제의 비답批答을 대필하는 등 조정의 주요 문서에 관한 일을 관장하였기에 매우 명예로운 직책으로 여겼다.
563) 王通(왕통) : 수隋나라 때 대유大儒(584-618). 사시私諡인 문중자文中子로 널리 알려졌다. 그의 언행을 기록한 책인 《문중자중설文中子中說》 10권이 전한다.
564) 北面(북면) : 북쪽을 향하다. 천자나 스승은 남향으로 앉고 신하나 제자는 북향으로 시립하기에 신하나 제자 노릇하는 것을 비유한다.

북쪽을 향해 제자의 예를 표하며 왕을 보좌할 방도를 전수받았다.

●賈曾少有才名, 唐景雲中, 知制誥. 與蘇晉同僚, 竝以文辭稱, 時號蘇賈.
○가증(?-727)은 어려서부터 재주로 명성을 떨치더니 당나라 (예종) 경운(710-712) 연간에 지제고를 맡았다. 소진과 동료가 되어 함께 문장으로 칭송을 받으며 당시에 '소가'로 불렸다.

●賈耽, 字敦詩, 爲汾州刺史七年, 政有異績. 唐貞元中, 拜相.
○가탐(730-805)은 자가 돈시로 7년 동안 (산서성) 분주자사를 지내며 정치적으로 탁월한 업적을 쌓았다. 당나라 (덕종) 정원(785-805) 연간에 재상을 배수받았다.

●賈餗, 字子美, 三典貢擧, 得士七十五人. 唐大和[565]中, 拜相.
○가속(?-835)은 자가 자미로 세 차례 과거시험을 관장하면서 75명의 선비를 뽑았다. 당나라 (문종) 태화(827-835) 연간에 재상을 배수받았다.

●賈亨彦, 宋元祐末掛冠[566], 與吳師道等爲七老.(見朱光復)
○가형언은 송나라 (철종) 원우(1086-1093) 말엽에 벼슬을 그만두고 오사도 등과 함께 '칠로'로 불렸다.(상세한 내용은 앞의 '주'씨절 주광복에 관한 기록인 '칠로七老'항에 보인다)

※女德婚姻(여덕과 혼인)

565) 大和(태화) : 당唐 문종文宗의 연호(827-835). '대大'는 '태太'와 통용자.
566) 掛冠(괘관) : 갓을 걸어 놓다. 전한 때 봉맹逢萌이 왕망王莽(B.C.45-A.D.23)의 신하가 되는 것이 싫어서 하남성 낙양洛陽 성문에 갓을 걸어 놓고 요동遼東으로 떠났다는 고사에서 유래한 말로 벼슬을 그만두는 것을 비유한다. 반대로 벼슬에 나가는 것은 갓을 쓰기 위해 '갓의 먼지를 턴다'는 뜻의 '탄관彈冠'이라고 한다.

◇孝友(효성이 깊고 형제애가 두텁다)

●賈孝女, 濮州人, 父爲族人玄基所殺. 弟强仁尙幼, 撫育至長, 敎伺玄基, 殺之. 有司論死, 女請代弟. 高宗詔幷免之.

○(당나라 때) 가효녀는 (산동성) 복주 사람으로 부친이 친척인 가현기賈玄基에게 살해당했다. 남동생 가강인賈强仁이 아직 어렸기에 장성할 때까지 키우며 그에게 가현기를 감시케 했으나 그를 살해하고 말았다. 담당관이 사형을 거론하자 가효녀는 남동생을 대신하겠다고 간청하였다. 그러자 고종이 조서를 내려 그들을 모두 사면케 하였다.

◇賈女(가충의 딸)

●賈充有女, 求納爲太子妃. 晉武帝曰, "衛瓘女有五可, 賈充女有五不可. 衛氏種賢而多子, 賈氏種妬而少子." 充少女名午, 與韓壽通, 竊香以遺之. 充知之, 以妻壽.

○가충(217-282)은 딸이 있어 태자비로 받아들여 줄 것을 요청하였다. 그러자 진나라 무제가 말했다. "위관의 딸은 다섯 가지 좋은 점이 있고, 가충의 딸은 다섯 가지 안 되는 점이 있소. 위씨 가문의 딸은 어질면서도 아들을 많이 낳지만, 가씨 가문의 딸은 질투심이 강하면서도 아들을 잘 낳지 못 하오." 가충의 막내딸은 이름이 '오'인데 한수와 사통하여 향료를 훔쳐서 그에게 주었다. 가충이 이를 알고는 딸을 한수에게 시집보냈다.

◇射雉(꿩을 화살로 맞추다)

●賈大夫[567]惡, 娶妻而美, 三年不言不笑. 御以如[568]皐, 射雉獲之, 其妻始笑而言.

○(춘추시대 때) 가대부는 용모가 추악하였는데 장가를 들어 아름다운 아내를 얻었으나 아내가 3년 동안 말도 하지 않고 웃지도 않았다. 하루는 수레를 몰아 언덕으로 가서 꿩을 화살로 맞춰 잡자 그의 아

567) 賈大夫(가대부) : 춘추시대 때 사람. 위의 예문은 ≪좌전·소공昭公28년≫권52에 전한다.

568) 如(여) : 가다, '지之'의 뜻.

내가 비로소 웃으면서 말을 하였다

◇擇婚(결혼 상대를 고르다)

●賈詡, 字文和, 算無遺策, 經達權變[569], 當曹操盛時, 闔門自守, 退無私交. 男女嫁娶, 不結高門. 魏文帝以爲太尉.

○가후(147-223)는 자가 문화로 계획을 세우면 버려지는 정책이 없고 세상을 경영하면 임기응변에 통달하였지만, 조조가 권력을 쥔 때를 맞아 문을 닫고 자신의 안위를 돌보며 은거한 채 사사로운 교유를 갖지 않았다. 아들과 딸들을 결혼시킬 때는 권세가의 가문과 인연을 맺지 않았다. (삼국) 위나라 문제가 그를 태위에 임명하였다.

◇擇壻(사위를 고르다)

●賈混, 充之弟也, 仕晉, 爲鎭軍[570]. 鄧攸訪之, 混以訟示攸, 使決之. 攸曰, "孔子云[571], '必也使無訟乎!'" 混奇之, 妻以女.

○가혼은 가충賈充(217-282)의 동생으로 진나라에서 벼슬길에 올라 진군장군을 지냈다. 등유가 예방하자 가혼은 송사를 등유에게 보이며 그에게 결정짓게 하였다. 그러자 등유가 말했다. "(춘추시대 노나라) 공자께서도 '반드시 송사가 없게 해야 할 것이네!'라고 하였습니다." 가혼이 그를 높이 평가해 딸을 그에게 시집보냈다.

●蘇賈. 陸賈. 董賈[572].

○(당나라) 가증賈曾(?-727)과 소진蘇晉. (전한 사람) 육가(약B.C.204-B.C.170). (전한 사람) 동중서董仲舒(B.C.179-B.C.104)와 가의賈誼(B.C.201-B.C.169).

---

569) 權變(권변) : 임시변통, 즉 임기응변이나 권모술수 따위를 이르는 말.

570) 鎭軍(진군) : 무관武官 이름인 진군장군鎭軍將軍이나 진군대장군鎭軍大將軍의 준말.

571) 云(운) : 공자의 말은 ≪논어・안연顔淵≫권12에 전한다.

572) 董賈(동가) : 전한 때 문장가인 동중서董仲舒(B.C.179-B.C.104)와 가의賈誼(B.C.201-B.C.169)를 아우르는 말.

◆夏(하씨)

▶羽音. 會稽. 夏后氏[573]之後, 以國爲氏. 夏育・孟賁, 古之力士也.

▷음은 우음에 속하고 본관은 (절강성) 회계군으로 하나라 우왕禹王의 후손이 나라 이름을 성씨로 삼은 것이다. (춘추시대 위衛나라) 하육과 (전국시대 진秦나라) 맹분은 옛날에 힘이 센 장사이다.

◇賜金百鎰(황금 백 근을 하사받다)

●夏無且, 侍醫. 秦皇當其環柱避荊軻之時, 無且以所奉藥囊提之, 論功, 賜黃金百鎰[574].(荊軻傳)

○(전국시대 때 사람) 하무차는 황제를 모시는 어의였다. 진나라 시황제가 기둥을 돌아 (자객인) 형가를 피할 때 하무차가 손에 들고 있던 약주머니를 형가에게 집어던졌기에 공로를 따져 황금 백 근을 하사받았다.(≪사기・자객열전・형가전≫권86)

◇冶家傭(대장간의 일꾼)

●夏馥, 字子治, 言行質直. 與范滂・張儉俱爲黨魁[575], 剪鬚爲冶家傭. 後其弟遇於涇陽市中, 不識, 聞聲乃覺.

○(후한) 하복은 자가 자치로 언행이 질박하고 솔직하였다. 범방・장검과 함께 당고 사건의 주역이었다가 수염을 깎고 대장간의 일꾼으로 변장하였다. 뒤에 그의 동생이 (섬서성) 경양현의 저자에서 만났지만 알아보지 못 하다가 그의 목소리를 듣고서야 비로소 형이라는 것을 깨달았다.

◇木腸石心(목석 같은 심장)

●夏統, 字仲御, 會稽人, 引身[576]不仕. 母病篤, 詣洛市藥. 會上巳[577],

---

573) 夏后氏(하후씨) : 하夏나라 왕조나 건국자인 우왕禹王을 가리키는 말.

574) 鎰(일) : 도량형 단위. 20냥이란 설이 있고, 24냥이란 설이 있다. '근斤'이나 '금金'이라고도 하였다.

575) 黨魁(당괴) : 당인黨人의 수괴. 후한 말엽 당고黨錮 사건의 주역을 가리킨다.

576) 引身(인신) : 몸을 빼다, 몸을 사리다. 벼슬을 마다하는 것을 말한다.

洛中王公[578], 竝至浮橋, 車乘如雲, 統不之顧. 賈充引船與語, 其應如響[579], 勸之仕, 俯而不答. 充曰, "卿能作卿土地間曲乎?" 曰, "昔曹娥[580]投水, 國人哀之, 爲作河女之章. 伍子胥[581]以忠投海, 國人爲作小海唱. 今欲歌之." 於是以足扣舷, 引聲淸激, 大風應至, 雲雨響集. 充令妓女盛服, 繞船三匝. 統危坐[582]如故, 若無所聞. 充曰, "此吳兒[583]木腸石心[584]也."(晉隱逸傳)

○(진晉나라) 하통은 자가 중어이고 (절강성) 회계군 사람으로 몸을 사린 채 벼슬에 나가지 않았다. 모친의 병이 위독하자 (하남성) 낙양으로 가서 약을 구입하게 되었다. 마침 상사절이라 낙양의 고관들이 모두 부교로 나와 수레가 구름처럼 몰려들었지만 하통은 그들을 거들떠보지도 않았다. 가충이 배로 불러들여 함께 대화를 나눌 때 하통이 마치 메아리처럼 막힘없이 응답하였기에 벼슬을 하라고 권했지만 고개를 숙인 채 대답을 하지 않았다. 그러자 가충이 말했다. "그대는 그대 고향의 노래를 부를 수 있겠소?" 그러자 하통이 대답하였다. "옛날 (후한 때) 조아가 강물에 투신자살하자 백성들이 그녀를

577) 上巳(상사) : 음력 3월의 첫 번째 사일巳日. 위진魏晉 이후로는 음력 3월 3일을 상사절로 정했다. 이 날은 물가에 나가 계제禊祭를 올리고 액운을 물리쳤다.

578) 王公(왕공) : 주周나라 때는 천자와 제후를 가리키는 말이었으나, 진秦나라 시황제始皇帝가 천자를 '황제'라고 칭한 뒤로는 제후국에 봉한 친왕親王과 삼공三公 등 고위직에 대한 총칭으로 쓰였다.

579) 其應如響(기응여향) : 응답이 메아리 같다. 막힘 없이 바로바로 잘 응답하는 것을 비유한다.

580) 曹娥(조아) : 후한 때 효녀로 강에 빠져 죽은 부친을 찾기 위해 17일 동안 통곡하다가 강물에 투신하여 죽은 뒤 닷새만에 부친의 시신을 끌어안고 떠올랐다는 고사가 ≪후한서·열녀전·효녀조아전孝女曹娥傳≫권114에 전한다.

581) 伍子胥(오자서) : 춘추시대 초楚나라 사람 오원伍員(?-B.C.484). '자서'는 자. 오사伍奢의 아들이자 오상伍尙의 동생으로 부형父兄이 초나라 평왕平王에게 죽임을 당하자 오吳나라로 망명하여 오나라를 도와서 초나라를 정벌하였다. 뒤에 태재太宰의 모함으로 죽임을 당했고, 오나라 왕이 그의 시체를 장강에 버렸다고 전한다. ≪사기·오자서전≫권66 참조.

582) 危坐(위좌) : 몸을 곧추세우고 단정히 앉는 자세를 이르는 말.

583) 吳兒(오아) : 북방 사람이 남방 사람을 부를 때 쓰는 일종의 비칭卑稱.

584) 木腸石心(목장석심) : 나무 같은 창자와 돌 같은 심장. 감정이 무디거나 의지가 굳건한 사람을 비유한다.

동정하여 <황하의 여인>라는 노래를 지어 주었고, (춘추시대 초楚나라 때) 오자서(오원伍員)가 충성을 바쳤는데도 바다에 버려지자 백성들이 <바다의 노래>란 노래를 지어 주었습니다. 이제 그것을 노래해 보겠습니다." 이에 발로 뱃머리를 두드리며 목청을 높여 노래 부르자 거센 바람이 이에 호응해 불어오고 구름과 비가 메아리치듯 금세 몰려들었다. 가충이 기녀를 시켜 화려하게 차려입고 배를 세 바퀴 돌게 하는데도 가통은 전처럼 몸을 곧추세우고 앉은 채 아무것도 들리지 않는 듯한 태도를 보였다. 그러자 가충이 말했다. "이 오 지방 출신 젊은이는 의지가 굳건하기 그지없구나!"(≪진서·은일열전·하통전≫권94)

◇宰相器(재상감)

●夏竦, 字子喬. 宋仁宗朝, 擧制科[585], 有老宦者[586]曰, "賢良, 他日必大用[587]!" 以吳綾[588]手巾乞詩, 公題曰, "殿上袞衣[589]明日月, 硯中旗影動龍蛇. 縱橫禮樂三千字, 獨對丹墀[590]日未斜." 楊徽之見而嘆曰, "眞宰相器也!" 初除館職[591]. 時早秋, 上在拱宸殿按舞[592], 命中使[593]索新詞. 公立[594]進喜遷鶯[595]云, "霞散綺, 月沈鉤[596], 簾捲未央[597]

585) 制科(제과) : 당송 때 진사시험 외에 황제가 친히 치르는 과거시험을 이르는 말. '전시殿試' '정시廷試'라고도 한다.

586) 宦者(환자) : 궁궐에서 황제와 그 가족을 모시던 성기능을 제거한 신하. '내시內侍' '내관內官' '내신內臣' '내감內監' '엄시閹寺' '엄환閹宦' '엄인閹人' '엄시奄寺' '엄인奄人' '중관中官' '중사中使' '혼시閽寺' '환관宦官' 등 다양한 호칭으로도 불렸으며, 황제를 측근에서 모시는 것을 빌미로 막강한 권력을 행사하기도 하였다.

587) 大用(대용) : 크게 중용하다. 재상에 임명하는 것을 말한다.

588) 吳綾(오릉) : 오 지방에서 생산되는 섬세하고 가벼운 고급 비단을 이르는 말.

589) 袞衣(곤의) : 제왕이나 재상이 입는 예복인 곤룡포.

590) 丹墀(단지) : 궁궐의 섬돌 위에 있는 붉은 색을 띤 공터. 곧 조정이나 궁궐을 비유한다.

591) 館職(관직) : 당송 때 소문관昭文館·사관史館·집현원集賢院에서 저술·편집·교정 등의 일을 맡아 보던 관직에 대한 통칭.

592) 按舞(안무) : 음악에 맞춰 춤을 추다.

593) 中使(중사) : 궁중에서 파견하는 사신을 뜻하는 말로 '환관'의 별칭.

樓. 夜涼河漢[598]截天流, 宮闕鎖新秋. 瑤階[599]曙, 金莖露, 鳳髓香[600]和雲霧. 三千珠翠擁宸游, 水殿按梁州." 知南京[601], 二詩[602]寄執政[603]云, "造化平分荷大鈞[604], 腰間新佩玉麒麟[605]. 南湖[606]不住栽桃李[607], 擬狎沙禽[608]過十春." "海鴈橋邊春水深, 略無塵土到花陰. 忘機[609]不取人知否[610]? 自有江鷗信此心." 徙西都[611], 以靑雀[612]寄

594) 立(입) : 즉시, 바로.

595) 喜遷鶯(희천앵) : 전단前段 5구와 후단後段 5구의 쌍조雙調로 이루어진 사패詞牌 이름. 위의 사는 송나라 하송夏竦(985-1051)의 ≪문장집文莊集·시여詩餘≫권36에 전한다.

596) 沈鉤(침구) : 갈고리를 가라앉히다. 즉 초승달이 물에 그림자를 드리우는 것을 비유한다.

597) 未央(미앙) : 한나라 때 궁궐인 미앙궁未央宮의 준말. '미앙'은 영원함을 뜻한다.

598) 河漢(하한) : 은하수를 뜻하는 말로 '강하絳河' '경하傾河' '명하明河' '성한星漢' '소한霄漢' '운한雲漢' '은하銀河' '은한銀漢' '천하天河' '천한天漢' 등 다양한 별칭으로도 불린다.

599) 瑤階(요계) : 궁중 계단에 대한 미칭美稱.

600) 鳳髓(봉수) : 초가 탈 때 녹아서 내리는 기름에 대한 미칭美稱.

601) 南京(남경) : 송나라 때 응천부應天府의 별칭. 지금의 하남성 상구현商丘縣 남쪽 일대.

602) 二詩(이시) : 이는 칠언절구七言絶句 <압구정에서 지은 시(狎鷗亭詩)> 2수를 인용한 것으로 ≪문장집≫권36에 전한다.

603) 執政(집정) : 조정의 고관高官에 대한 총칭인 집정관執政官을 이르는 말.

604) 大鈞(대균) : 조물주, 창조주를 이르는 말. 여기서는 지방관으로서의 막중한 직무를 비유하는 듯하다.

605) 麒麟(기린) : 전설상의 동물 이름. 상서로운 징조와 왕위를 상징한다. 고대 중국인들은 태평성대가 도래하면 기린이나 봉황이 출현한다고 생각하였다. 여기서는 고관의 관인官印을 가리키는 것으로 보인다.

606) 南湖(남호) : 남쪽 호수. 여기서는 남경인 호남성 응천부應天府를 비유적으로 가리키는 듯하다.

607) 桃李(도리) : 복사꽃과 자두꽃. 당나라 때 적인걸狄仁傑(630-700)이 훌륭한 인물들을 많이 천거한 고사에서 유래한 말로 인재를 비유한다.

608) 狎沙禽(압사금) : 모래사장을 나는 새인 갈매기와 함께 놀다. 바닷가 사람이 갈매기와 함께 놀다가 갈매기를 잡으려는 욕심을 품자 갈매기들이 다가들지 않았다는 ≪열자列子·황제黃帝≫권2의 고사에서 유래한 말로 은거를 상징한다. '압구狎鷗' '완구玩鷗'라고도 한다.

609) 忘機(망기) : 기심機心을 잊다. 즉 잔꾀를 쓰지 않거나 사소한 이익을 추구하지 않는 것을 말한다.

610) 否(부) : 부가의문문을 만드는 어말조사語末助詞.

諫院613)張昇云614), “弱羽傷弓尙未完, 孤飛誰敢擬鴛鸞? 明珠自有千金615)價, 莫與遊人作彈丸.” 命奉使契丹616), 辭表云, “父歿王事617), 身丁母憂618), 義不共天619), 難下穹廬620)之拜, 禮當枕塊621), 忍聞夷樂之聲?” 時謂精絶. 皇祐622)中, 拜樞密副使623), 封鄭國公. 嘗知襄州, 値624)歲饑, 募富人出粟, 全活數萬人. 子安期爲陝西漕625).

○하송(985-1051)은 자가 자교이다. 송나라 인종 때 제과에 급제하자 어느 나이든 환관이 말했다. “어질고도 훌륭한 분이시니 훗날 틀림없이 재상에 오르시겠구나!” 그리고 오 지방에서 나는 비단 수건을

---

611) 西都(서도) : 송나라 때 하남부河南府(지금의 하남성 낙양시洛陽市)의 별칭. ‘서경西京’이라고도 한다. 송나라 때는 수도인 변경汴京이 동쪽에 위치하였기에 장안長安 대신 낙양을 ‘서도’라고 하였다.

612) 靑雀(청작) : 참새의 일종. ‘청호靑扈’ ‘상호桑扈’라고도 한다.

613) 諫院(간원) : 임금에게 간언하고 관리를 규찰하는 일을 관장하는 부서, 즉 어사대御史臺의 별칭. ‘간원諫垣’ ‘간사諫司’ ‘간서諫署’ ‘간조諫曹’라고도 한다.

614) 云(운) : 이는 칠언절구七言絶句 <다시 서도(하남성 낙양)로 자리를 옮기며 청작새를 읊은 시를 지어 어사대 관원인 장승에게 부치다(再徙西都, 詠靑雀, 寄張昇諫院)>를 인용한 것으로 ≪문장집≫권36에 전한다.

615) 千金(천금) : 금 천 근斤. ‘금金’은 ‘근斤’이나 ‘일鎰’과 같은 말이고, ‘천금’은 실수實數라기보다는 많은 양의 금이나 거액을 강조하기 위한 표현이다.

616) 契丹(거란) : 동호東胡의 한 종족. 북위北魏 때부터 거란이란 이름으로 불리기 시작했다. 오대五代 후량後梁 때 야율아보기耶律阿保機가 흩어졌던 부족들을 통일하고, 발해渤海·여진女眞·돌궐突厥 등을 정복하여 요遼나라를 건국하였다가 여진족의 금金나라에 의해 멸망당했다.

617) 王事(왕사) : 황제를 위한 일. 여기서는 거란과의 전투를 가리킨다.

618) 丁母憂(정모우) : 모친상을 당하다. ‘정丁’은 ‘당當’의 뜻. ‘정모간丁母艱’ ‘정내우丁內憂’ ‘정내간丁內艱’이라고도 한다.

619) 不共天(불공천) : 하늘을 공유하지 못 하다. 즉 불구대천不俱戴天의 원수를 가리킨다.

620) 穹廬(궁려) : 유목민족이 사는 천막 모양의 이동식 움막을 이르는 말. 여기서는 결국 거란족을 가리킨다.

621) 枕塊(침괴) : 흙덩이를 베다. ≪예기·간전間傳≫권57에서 유래한 말로 부모님 상을 당한 것을 비유한다.

622) 皇祐(황우) : 북송北宋 인종仁宗의 연호(1049-1053).

623) 樞密副使(추밀부사) : 당송 때 군사 업무를 총괄하는 기관인 추밀원樞密院에서 추밀사樞密使 다음 가는 버금 장관을 일컫는 말.

624) 値(치) : 만나다, 마주치다.

625) 漕(조) : 송나라 때 수로를 통한 군량의 수송과 교통을 관장하던 관원을 이르는 말. ‘조사漕使’ ‘조신漕臣’의 약칭이자 전운사轉運使의 별칭.

가져다가 시를 써 달라고 부탁하자 하송은 다음과 같은 시를 적어 주었다. "전각 위의 곤룡포는 해와 달보다 밝고, 벼루 안의 깃발 그림자에는 용과 뱀이 꿈틀대네. 종횡무진 예와 악에 관한 글 3천 자, 홀로 궁중에서 대책문을 쓰는데 해는 아직 기울지 않았네." 양휘지가 이를 보고서는 감탄해 하며 말했다. "진정 재상감이로다!" 하송은 처음에 관직館職을 제수받았다. 때마침 초가을에 임금이 공신전에서 음악에 맞춰 춤을 추다가 환관에게 새로운 사를 찾게 하자 하송이 즉시 <희천앵>사를 지어서 바쳤는데 내용은 다음과 같다. "노을이 비단처럼 아름답게 흩어지고 달이 갈고리처럼 물속에 잠기자 주렴이 미앙궁의 누각에서 걷히네. 서늘한 밤에 은하수가 하늘을 가로질러 흐르고, 궁궐에 자물쇠가 채워진 초가을 무렵. 궁중 계단에 새벽빛이 감돌고 황금빛 줄기에 이슬이 맺히니 봉수(촛불)의 향기가 구름 안개와 뒤섞이네. 수많은 진주와 비취가 황제의 나들이를 에워싸는데, 물가 전각은 양주의 그것과 흡사하구나." 또 (하남성 응천부應天府의) 남경을 다스릴 때는 시 두 수를 지어 집정관에게 부쳤는데 내용은 다음과 같다. "조화옹의 공평한 분배로 막중한 직무를 짊어져, 허리에 새로이 옥기린 모양의 관인을 차고서, 남쪽 호수에서도 복숭아나무와 자두나무 재배하듯 인재 양성하는 일을 멈추지 않았지만, 갈매기와 놀려고 하다 보니 10년 세월이 지났네." "갈매기 날아다니는 다리 주변으로 봄 물이 깊으니, 꽃 그늘을 찾으려는 세속적인 마음이 거의 없다네. 기심을 품지 않는다는 것을 남들이야 알아줄까마는, 의당 장강의 갈매기만은 이 마음을 믿어 주리라." 또 (하남성 낙양의) 서도로 자리를 옮기면서는 청작새를 읊은 시를 지어 어사대의 관리인 장승에게 부쳤는데 내용은 다음과 같다. "활에 다친 여린 깃털을 아직도 완치하지 못 했건만, 홀로 나는 몸 누가 감히 원앙새라고 하랴? 진주는 절로 천금의 가치가 있으니, 새 잡는 탄환을 만들게 유랑하는 사람에게 주지 마소서." 또 황제가 거란에 사신으로 가라는 명을 내리자 사양하는 상소문을 올려 말했다. "부친은 나라를 위해 싸우다가 사망하였고, 저 자신은 이제 모친상을 당했나이다. 도의상 같은 하늘 아래서 지낼 수 없는 불구대천의 원수이기에 오랑캐에게 절을 할 수 없고, 예법상 모친상을 치러야 하거늘 어찌 차마 오랑캐의 음악 소리를 들을 수 있겠나이까?" 그래서 당시 사람들이 정확하고도 훌륭한 말이라고 칭송하였다. (인종) 황우(1049-1053) 연간에는 추밀부사를 배수받고 정국공에 봉해졌다. 일찍이 (호북성) 양주를 다스리면서 흉년을 겪었을 때 부자들을 소집하여 곡식을 갹출해서 수만 명을 살린 적이 있다. 아들 하안기夏安期는 섬서 일대를 관장하는 전운사를 지냈다.

●夏黃公與東園公・綺里季・角里先生隱商山, 爲四皓. 歌曰, "曄曄紫芝, 可以樂飢. 富貴之畏人, 不如貧賤之肆志."

○(진秦나라 말엽에) 하황공과 동원공・기리계・녹리선생은 (섬서성) 상산에 은거하며 '사호'로 불리더니 노래를 지어 "빛나는 자주빛 지초가 있으니 굶주림을 달랠 수 있다네. 부귀하면서 남을 두려워하느니 차라리 빈천하더라도 마음이 자유로운 것이 나으리"라고 하였다.

●夏寬受詩於申公[626], 漢武時, 爲陽城內史[627], 以廉節稱.

○하관은 신공(신배申培)에게서 ≪시경≫을 전수받아 전한 무제 때 (산서성) 양성내사를 지내면서 청렴한 절조로 칭송받았다.

●夏恭, 字敬公, 習孟氏易[628], 門徒千餘人. 漢建武中, 拜郎中. 謚宣明君. 子牙習家業, 早卒. 號文德先生.(文苑傳)

---

626) 申公(신공) : 전한 때 사람 신배申培에 대한 존칭. 금문시경今文詩經의 하나인 ≪노시魯詩≫에 정통하여 문제文帝 때 박사博士를 지냈고, 무제武帝 때 태중대부大中大夫가 되었으나, 두태후竇太后가 도교道敎를 신봉하자 사직하고 귀향하였다. ≪사기・유림열전儒林列傳・신공전≫권121 참조.

627) 內史(내사) : 한나라 이후로 태수太守에 상당하던 제후국의 지방 장관을 가리키는 말. 한나라 때 행정 구역으로는 천자가 직접 관장하는 군郡과 제후국에서 관장하는 군이 있었는데, 전자의 군수를 '태수'라고 하고, 후자의 군수를 '내사'라고 구분하였다.

628) 孟氏易(맹씨역) : 전한 사람 맹희孟喜가 정리한 ≪역경≫을 이르는 말.

○하공은 자가 경공으로 맹씨(맹희孟喜)의 ≪역경≫을 익혀 제자를 천명 넘게 거느리다가 후한 (광무제) 건무(25-55) 연간에 낭중을 배수받았다. 시호는 '선명군'이다. 아들 하아夏牙는 부친의 학문을 익혔으나 일찍 사망하였다. 호는 문덕선생이다.(≪후한서・문원열전文苑列傳・하공전≫권110)

●肆夏[629]. 韶夏[630]. 大夏[631].
○주周나라 음악. 우虞나라 순왕舜王과 하夏나라 우왕禹王의 음악. 대하국.

◆假(가씨)

●假倉, 漢成帝朝人, 習經學. 由是小夏侯[632]有張・鄭・秦・假氏之學
○가창은 전한 성제 때 사람으로 경학에 정통하였다. 그래서 소하후에게 장씨・정씨・진씨・가씨의 학파가 생겨났다.

■氏族大全卷十五■

629) 肆夏(사하) : 주周나라 때 음악인 구하九夏 가운데 하나에서 유래한 말로 연회나 전송연에서 사용하는 음악을 가리킨다.
630) 韶夏(소하) : 우虞나라 순왕舜王과 하夏나라 우왕禹王의 음악을 아우르는 말로 제례나 연회 때 사용하는 아악雅樂을 가리킨다.
631) 大夏(대하) : 한나라 때 중국 서북방에 있었던 나라 이름. 오호십육국五胡十六國과 송나라 때 중국 서북부에 이민족이 세운 나라를 가리킬 때도 있다.
632) 小夏侯(소하후) : 전한 때 구양생歐陽生과 함께 복생伏生(복승伏勝)의 고문상서古文尙書를 전수받은 두 하후夏侯씨 중 항렬이 낮은 하후씨를 이르는 말. ≪한서・복생전≫권88 참조.

■氏族大全卷十六■

□三十六養(36양)

◆蔣(장씨)

▶商音. 樂安. 周公[1]第三子伯齡封蔣, 子孫因氏焉. 傳言, "凡蔣郢茅, 周公之胤," 是也. 國在汝南.

▷음은 상음에 속하고 본관은 (산동성) 낙안군으로 (주周나라) 주공의 3남인 백령이 장나라에 봉해지자 자손들이 그참에 이를 성씨로 삼은 것이다. 전해내려오는 말에 "장영모는 주공의 후손이다"라고 한 것도 바로 이를 두고 한 말이다. 장나라는 (하남성) 여남군에 있었다.

◇父子剖符(부자가 함께 관직을 임명받다)

●蔣滿, 漢宣帝朝, 爲上黨[2]令, 子萬爲北地[3]都尉[4]. 同詔徵見, 帝曰, "父子宜同日剖符[5]." 卽下詔, 以滿爲淮南相[6], 萬爲弘農守.

○장만蔣滿은 전한 선제 때 (산서성) 상당현의 현령을 지내고, 아들 장만蔣萬은 (감숙성) 북지군의 도위를 지냈다. 함께 조서를 받고 황제의 부름을 받아 알현했을 때 황제가 말했다. "부자가 의당 같은 날 관직을 임명받아야 할 것이오." 즉시 조서를 내려 장만蔣滿을 (강소성) 회남왕의 승상에 임명하고, 장만蔣萬을 (하남성) 홍농태수

---

1) 周公(주공) : 주周나라 무왕武王 희발姬發의 동생이자 성왕成王 희송姬誦의 숙부인 희단姬旦에 대한 존칭. 성왕이 나이가 어려 섭정攝政을 하였고, 성왕이 성장한 뒤 물러나 노魯나라를 봉토封土로 받았다. ≪사기·노주공세가魯周公世家≫권33 참조.

2) 上黨(상당) : 진한秦漢 때 산서성 남동쪽에 설치한 군현郡縣 이름.

3) 北地(북지) : 감숙성의 속군屬郡 이름.

4) 都尉(도위) : 벼슬 이름. 전국시대 때는 장수의 속관이었고, 전한 경제景帝 이후로는 태수의 군무軍務를 보좌하는 속관이었으며, 당송唐宋 이후로는 훈관勳官이었다. 군위軍尉라고도 한다.

5) 剖符(부부) : 부신符信을 쪼개다. 부신을 쪼개 반쪽은 궁중에 남기고 반쪽은 관리가 소지하는 것을 뜻하는 말로 결국 관직을 임명받는 것을 말한다.

6) 淮南相(회남상) : 제후국의 군주인 회남왕淮南王의 승상을 가리킨다.

에 임명하였다.

◇竹下三徑(대나무숲 아래로 오솔길을 세 개 내다)

●蔣詡嘗於舍前竹下開三徑, 惟故人求仲・羊仲從之游. 爲兗州刺史, 及王莽居攝, 以病免, 歸田里.

○(전한 말엽에) 장후는 일찍이 집 앞의 대나무숲 아래로 오솔길을 세 개 내고서 오직 오랜 친구인 구중・양중하고만 어울렸다. (산동성) 연주자사를 지내다가 왕망이 섭정을 하자 병을 핑계로 사직하고 고향으로 돌아갔다.

◇蔣侯(장후)

●蔣子文, 漢末爲秣陵尉[7], 逐盜鍾山[8], 傷額而死. 常自謂, "骨貴, 死當爲神." 及吳大帝[9]都建業[10], 子文常乘白馬, 執白羽扇[11]而出, 遂立廟鍾山, 封蔣侯. 嘗助楊大眼[12]走魏軍凱旋, 廟中人馬, 跡皆有泥濕. 南唐追諡莊武帝. 宋景祐[13]中, 賜額惠烈廟. 曾極詩[14]云, "白馬千年繫廟門,

7) 尉(위) : 각 현의 현령縣令 휘하에서 현령의 업무를 도와 법률과 형벌을 관장하던 보좌관인 현위縣尉를 이르는 말. 현의 수장인 현령縣令과 보좌관인 현승縣丞보다 아래의 직책이었다.

8) 鍾山(종산) : 강소성 금릉金陵(남경) 동쪽에 있는 산 이름. '자금산紫金山' 혹은 '장산蔣山'이라고도 한다.

9) 大帝(대제) : 삼국 오吳나라 임금 손권孫權(182-252)의 시호인 대황제大皇帝의 약칭.

10) 建業(건업) : 지금의 강소성 남경시南京市의 옛 이름. 전국시대 초楚나라 때 금릉金陵이라고 하던 것을 삼국 오吳나라 때 '건업建業'으로 개명하였고, 다시 진晉나라 때 '건강建康'으로 개명하였으며, 남조南朝 시기 왕조들이 모두 이곳에 도읍을 정했다.

11) 白羽扇(백우선) : 흰 깃털로 만든 부채. 고결하고 강직한 성품을 상징한다.

12) 楊大眼(양대안) : 북조北朝 북위北魏 때 장수로 정로장군征虜將軍・정동별장征東別將 등을 지내며 남조南朝 양梁나라와의 전투에서 공을 세웠다. ≪위서魏書・양대안전≫권73 참조. 따라서 위의 예문은 어순語順에 문제가 있다. 오히려 "양대안이 이끄는 북위의 군대가 도주케 하고는 개선하였다(助走楊大眼魏軍, 凱旋)"고 서술하는 것이 적절할 듯하다.

13) 景祐(경우) : 북송北宋 인종仁宗의 연호(1034-1037).

14) 詩(시) : 이는 칠언절구七言絶句 <장무제(장자문蔣子文)의 사당(蔣帝廟)>을 인용한 것으로 송나라 증극曾極의 ≪금릉백영金陵百詠≫에 전한다.

爐煙浮動袞龍[15]昏. 闔棺[16]謾說榮枯定, 貴骨猶能履至尊."

○장자문은 후한 말엽에 (강소성) 말릉현의 현위를 지내던 중 종산에서 도둑을 쫓다가 이마에 상처를 입고서 사망하였다. 그는 늘 스스로 "골상이 귀하기에 죽으면 틀림없이 신이 될 것이오"라고 말하곤 하였다. (삼국) 오나라 대제(손권孫權)는 (강소성) 건업에 도읍을 정하자 장자문이 늘 백마를 타고 백우선을 손에 들고 외출하였기에 급기야 종산에 사당을 세우고 그를 장후에 봉하였다. 또 (남조南朝 때는) 양대안이 이끄는 북위北魏의 군대가 도주케 만들고는 개선한 적이 있는데, 사당 안의 사람과 말의 동상들도 모두 발자국에 진흙이 묻어 있었다. (오대십국五代十國) 남당 때는 '장무제'란 시호를 추서하였다. 송나라 (인종) 경우(1034-1037) 연간에는 '혜열묘'란 편액을 하사하였다. 증극은 시에서 "백마는 천 년 동안 사당 문에 매여 있었고, 향로의 연기는 저녁 무렵에도 곤룡포에 떠다니네. 관 두껑이 닫히자 부귀와 몰락이 운명적으로 정해져 있다고 함부로 얘기하였지만, 귀한 골상이라서 오히려 지존의 자리에 오를 수도 있었으리"라고 하였다.

◇兼資文武(문관과 무관의 자질을 겸비하다)

●蔣濟, 字子通, 仕魏, 爲中郎將[17]. 兼資文武, 志節慷慨, 常有超越江湖呑吳會[18]之志. 封關內侯[19].

○장제(?-249)는 자가 자통으로 (삼국) 위나라에서 벼슬길에 올라 중랑장을 지냈다. 그는 문관과 무관의 자질을 겸비하고 지조가 굳건하

---

15) 袞龍(곤룡) : 제왕이나 고관이 입는 옷인 곤룡포의 준말.

16) 闔棺(합관) : 관의 두껑을 덮다. 즉 죽음을 비유한다.

17) 中郎將(중랑장) : 한나라 이후로 삼서三署의 장관인 오관중랑장五官中郎將·좌중랑장左中郎將·우중랑장右中郎將을 아우르는 말로 궁중 호위를 관장하던 벼슬.

18) 吳會(오회) : 후한 때 강소성의 오군吳郡과 절강성의 회계군會稽郡 일대를 합쳐서 부르던 말. 여기서는 결국 오吳나라를 가리킨다.

19) 關內侯(관내후) : 진한秦漢 때 작호爵號를 받아 경기 일대에 거주할 수는 있지만 식읍食邑은 없었던 작위 이름.

고 성품이 호탕하여 늘 강호를 넘어서 (오吳나라가 있는 강소성) 오군과 (절강성) 회계군 일대를 집어삼키고자 하는 포부를 품었었다. 관내후에 봉해졌다.

◇社稷器(종묘사직을 지킬 그릇)

●蔣琬, 字公琰, 弱冠知名. 蜀先主[20]以爲廣都長[21], 衆事不理, 孔明[22]曰, "蔣琬, 社稷之器, 非百里[23]之才." 孔明每言, "公琰託志忠雅, 當與吾共贊王業者也." 爲尙書令[24].

○장완(?-246)은 자가 공염으로 약관의 젊은 나이에 이미 명성을 떨쳤다. (삼국) 촉나라 선주(유비劉備)가 그를 (사천성) 광도현의 현장에 임명하였으나 정사가 잘 풀리지 않자 공명孔明 제갈양諸葛亮(181-234)이 말했다. "장완은 종묘사직을 지킬 그릇이지 현령을 맡을 재목이 아닙니다." 제갈양은 매번 "공염(장완)은 마음 씀씀이가 충성스럽고 아정하기에 마땅히 나와 함께 왕업을 도울 사람이다"라고 말하곤 하였다. 상서령에 올랐다.

◇釋私怨(사사로운 원한을 풀어버리다)

●蔣欽, 吳人, 從孫策東渡, 平定三郡, 遷盪寇將軍. 徐盛有嫌於欽, 欽每稱其善曰, "今天下未寧, 豈可挾私怨, 以蔽賢乎?" 盛旣報德, 論者美焉.

---

20) 先主(선주) : 삼국시대 촉蜀나라의 초대 임금인 유비劉備(162-223)에 대한 별칭. 촉나라는 선주 유비와 후주後主 유선劉禪(207-271) 두 세대에서 막을 내렸다.

21) 長(장) : 작은 현의 수령인 현장縣長. 한나라 이후로 만 호를 넘는 현의 수령은 '현령縣令'이라고 하고, 만 호가 안 되는 현의 수령은 '현장縣長'이라고 하였다.

22) 孔明(공명) : 삼국시대 촉蜀나라 때 사람인 제갈양諸葛亮(181-234)의 자. ≪삼국지·촉지·제갈양전≫권35 참조.

23) 百里(백리) : 현縣의 별칭. 진한秦漢 때 시골 마을에 10리마다 '정亭'을 설치하고, 10정亭을 '향鄕'이라고 하였으며, 10향鄕을 '현縣'이라고 하였다. 따라서 '현縣'은 사방 100리에 해당하므로 '백리百里'라고도 하였다.

24) 尙書令(상서령) : 한나라 이후로 문서의 수발과 행정을 총괄하던 상서성尙書省의 장관을 이르는 말. 휘하에 육부六部를 설치하였고, 각 부의 장관인 상서尙書, 차관인 시랑侍郞, 실무자인 낭관郞官 등을 거느렸다.

○장흠(?-약 219)은 (삼국) 오나라 사람으로 손책을 따라 동쪽으로 강을 건너서 세 고을을 평정하고 탕구장군으로 승진하였다. 서성이 장흠을 시기하였음에도 장흠은 매번 그의 장점을 칭찬하며 "이제 천하가 아직 평안하지 않으니 어찌 사사로운 원한 때문에 어진 군주의 눈을 가릴 수 있으리오?"라고 하였다. 서성이 그의 은덕에 보답하자 사람들이 이 일을 찬미하였다.

◇兄弟才吏(형제가 모두 능력 있는 관리가 되다)

●蔣沇擧孝廉[25], 與兄演・溶・弟淸, 俱爲才吏. 唐乾元[26]中, 歷咸陽・高陵・陸渾・盩屋[27]四縣令, 美政流行. 郭子儀[28]軍出其縣, 敕麾下曰, "蔣沇賢令, 毋撓其淸也." 官至御史中丞[29], 遷大理卿[30]. 父欽緖爲太常博士[31].

○장연蔣沇은 효렴과에 급제하여 형 장연蔣演・장용蔣溶 및 동생 장

---

25) 孝廉(효렴) : 한나라 이후로 관리를 선발하는 제도의 하나. 효렴과孝廉科 외에도 현량방정賢良方正・직언극간直言極諫 등의 과목이 있었다.

26) 乾元(건원) : 당唐 숙종肅宗의 연호(758-760).

27) 盩屋(주옥) : 섬서성의 속현인 '주질盩厔'의 오기. 자형의 유사성으로 인한 필사 과정상의 단순 오기로 보인다.

28) 郭子儀(곽자의) : 당나라 때 사람(697-781)으로 삭방절도사朔方節度使・중서령中書令 등을 역임하였고 분양군왕汾陽郡王에 봉해졌다. 안녹산安祿山(703-757)과 사사명史思明(703-761)의 반란을 진압하고, 복고회은僕固懷恩(?-765)과 토번吐蕃이 결탁한 반란을 토벌하는 등 혁혁한 무공을 세워 당대 최고의 무장武將으로 칭송받으며 '곽영공郭令公'으로도 불렸다. ≪신당서・곽자의전≫ 권137 참조.

29) 御史中丞(어사중승) : 관리들의 비행을 규찰하고 탄핵하는 업무를 관장하는 기관인 어사대御史臺에서 어사대부御史大夫 다음 가는 벼슬. 시대마다 차이는 있으나 당송唐宋 때는 어사대부 휘하에 어사중승 외에도 시어사侍御史・전중시어사殿中侍御史・감찰어사監察御史 등이 있었다.

30) 大理卿(대리경) : 형법과 재판에 관한 업무를 관장하는 기관인 대리시大理寺의 장관으로 구경九卿의 하나. 버금 장관인 대리소경大理少卿과 대리정大理正・대리승大理丞・대리평사大理評事 등의 속관을 거느렸다.

31) 太常博士(태상박사) : 종묘의 의례와 관리 선발 시험을 관장하던 기관인 태상시太常寺의 속관屬官. 장관인 태상경太常卿은 구경九卿의 하나이고, 휘하에 차관인 태상소경太常少卿과 속관으로 태상승太常丞・태상박사太常博士 등이 있었다.

청蔣淸과 함께 능력 있는 관리가 되었다. 당나라 (숙종) 건원(758-760) 연간에 (섬서성) 함양·고릉·(하남성) 육혼·(섬서성) 주질盩厔 등 네 개 현의 현령을 역임하며 훌륭한 정사를 펼쳤다. 곽자의가 군대를 그의 현에 출동시켰을 때 휘하 장수에게 명하기를 "장연은 훌륭한 현령이니 그의 인품에 손상이 가는 행동을 하지 말라"고 하였다. 관직은 어사중승에 올랐다가 대리경으로 승진하였다. 부친 장흠서蔣欽緖는 태상박사를 지냈다.

◇父子學士(부자가 함께 학사를 지내다)

●蔣乂, 字德源, 幼從外祖吳兢學. 博覽强記, 有史才, 唐貞元[32]中, 爲起居舍人[33]. 帝嘗登凌烟閣[34], 視左壁頹剝, 字多漫缺, 召乂問之, 對曰, "此聖曆[35]中, 侍臣[36]圖贊." 口誦不失一字. 會詔問神策軍[37]建置本末, 乂條對甚詳. 宰相高郢·鄭珣瑜嘆曰, "集賢有人哉!" 明日詔兼判集賢院事. 時乂之父明在集賢院, 父子爲學士[38], 儒者榮之. 長子伸, 次子偕, 幼子孫[39].

○장예(747-821)는 자가 덕원으로 어려서 외조부인 오긍 밑에서 공

32) 貞元(정원) : 당唐 덕종德宗의 연호(785-805).

33) 起居舍人(기거사인) : 기거랑起居郎과 함께 황제의 언행을 기록하는 업무를 맡은 벼슬을 이르는 말. 문하성門下省 소속 기거랑은 황제의 왼쪽에서 수행하며 말을 기록하고, 중서성中書省 소속 기거사인은 황제의 오른쪽에서 수행하며 행동을 기록하였다.

34) 凌烟閣(능연각) : 공신을 표창하기 위해 지은 누각 이름. 당나라 태종太宗이 정관貞觀 17년(643) 공신 24명의 초상화를 그려넣은 것으로 유명하다.

35) 聖曆(성력) : 당唐 예종睿宗의 연호(698-700).

36) 侍臣(시신) : 임금을 가까이서 모시는 신하를 이르는 말.

37) 神策軍(신책군) : 당나라 때 세력을 떨쳤던 금군禁軍의 하나로 현종玄宗 때 가서한哥舒翰이 토번吐蕃을 평정한 뒤에 세운 군대를 가리킨다.

38) 學士(학사) : 위진魏晉 이후로 문학과 저술을 관장하던 벼슬. 당송唐宋 때는 학사원學士院을 두어 제고制誥를 전담케 하여 요직으로 꼽혔다. 홍문관학사弘文館學士·집현전학사集賢殿學士·숭문관학사崇文館學士 등이 있었으나, 보통은 한림학사翰林學士를 지칭하는 말로 쓰였다. 또한 5품 이상은 학사, 6품 이상은 직학사直學士라고 구분하기도 하였다.

39) 孫(손) : ≪신당서·장예전≫권132에 의하면 '계係'의 오기이다. 자형의 유사성으로 인한 필사 과정상의 단순 오기로 보인다.

부하였다. 장예는 박람강기하여 사관으로서의 재능을 보이더니 당나라 (덕종) 정원(785-805) 연간에 기거사인을 임명받았다. 덕종이 일찍이 능연각에 올라 왼쪽 벽을 보니 마모가 심하여 글자들이 대부분 지워졌기에 장예를 불러 물었다. 그러자 장예가 대답하였다. "이것은 (예종) 성력(698-700) 연간에 시신이 그림을 그리고 찬문을 쓴 것이옵니다." 입으로 암송하는데 한 자도 틀리지 않았다. 마침 조서를 내려 신책군을 설치하게 된 자초지종에 대해 묻자 장예는 매우 상세하게 정리하여 대답하였다. 그러자 재상 고영과 정순유가 "집현원에 인재가 있었구나!"라고 감탄해 하였다. 그래서 이튿날 조서를 내려 집현원의 업무를 아울러 관장케 하였다. 당시 장예의 부친인 장명蔣明도 집현원에서 근무하여 부자가 학사를 맡았기에 유생들이 이를 영광스런 일로 간주하였다. 장남은 장신蔣伸이고, 차남은 장해蔣偕이며, 막내아들은 장계蔣係이다.

◇三起三留(몸을 일으킬 때마다 붙잡다)

●蔣伸, 字太直. 宣宗雅[40]愛之, 每見, 必咨天下得失, 三起三留[41]曰, "他日不得獨對卿矣." 遂拜相.

○(당나라) 장신은 자가 태직이다. 선종이 평소 그를 총애하여 매번 알현할 때면 필히 천하 정사의 득실에 대해 자문을 구하며 몸을 일으킬 때마다 붙잡아두면서 "훗날에는 경과 독대할 수 없을 것이오"라고 하였다. 결국 재상을 배수받았다.

◇良筆(훌륭한 사관)

●蔣偕史館, 三世踵修國史. 世稱良筆. 咸云, "蔣氏日曆[42]焉."

○장해는 사관에서 근무하며 삼대에 걸쳐 뒤를 이어 국사를 편수하였다. 세간에서는 그를 두고 '양필'이라고 칭했다. 사람들이 모두들

40) 雅(아) : 평소, 원래.

41) 三起三留(삼기삼류) : 세 번 일어나면 세 번 머물게 하다. 즉 떠나지 못 하게 붙잡아둘 정도로 신임이 두터운 것을 말한다.

42) 日曆(일력) : 사관이 매일 조정에서 일어나는 일을 기록한 책을 이르는 말.

"장씨가 날마다 역사를 기록한다"고 하였다.

◇暖谷(따듯한 골짜기)

●道州有暖谷, 在寒亭之傍. 宋治平[43]中, 邑大夫[44]蔣琪名之. 蔣之奇作記云, "盛寒入此谷中, 其氣溫然, 挾纊熾炭不啻[45]也."

○(호남성) 도주에는 난곡이 있는데 한정 옆에 위치하고 있다. 송나라 (영종) 치평(1064-1067) 연간에 그 고을 출신 대부 장기가 그곳에 이름을 지었다. 장지기(1031-1104)가 기행문을 지었는데 내용은 다음과 같다. "강한 한기도 이 골짜기로 들어오면 그 기운이 따듯해지니 솜옷을 입고 석탄을 때는 것도 그만 못 하다."

◇胷呑雲夢(가슴으로 운몽택을 집어삼키다)

●蔣之奇, 字穎叔, 宋仁宗朝, 擧賢良方正科[46], 試六論, 除監察御史[47]. 治平初, 遷殿中侍御史[48]. 崇寧[49]初, 爲翰林學士[50], 同知樞密院事[51].

---

43) 治平(치평) : 북송北宋 영종英宗의 연호(1064-1067).

44) 大夫(대부) : 주周나라 때 신분 구분인 공公·경卿·대부大夫·사士의 하나. 삼공三公과 구경九卿 아래로 상대부上大夫·중대부中大夫·하대부下大夫가 있고, 그 밑으로 다시 상사上士와 중사中士·하사下士가 있었다. 후대에는 벼슬아치에 대한 범칭汎稱으로 쓰기도 하였다.

45) 不啻(불시) : 그만 못 하다, 미치지 못 하다. '시啻'는 '지只'의 뜻이고, '불시不翅'로도 쓴다.

46) 賢良方正科(현량방정과) : 한나라 이후로 관리를 선발하는 과거제도의 하나. 현량방정과 외에도 효렴孝廉·직언극간直言極諫 등의 과목이 있었다.

47) 監察御史(감찰어사) : 관리들의 비행을 규찰하고 탄핵하는 업무를 관장하는 기관인 어사대御史臺의 속관屬官. 어사대에는 위로 장관인 어사대부御史大夫와 버금 장관인 어사중승御史中丞, 그리고 시어사侍御史·전중시어사殿中侍御史 등의 상관이 있다. 감찰어사는 비록 품계品階는 낮으나, 실무를 관장하였기에 관원들이 가장 두려워하는 존재였다고 한다.

48) 殿中侍御史(전중시어사) : 관리들의 비행을 규찰하고 탄핵하는 업무를 관장하는 기관인 어사대御史臺 소속의 관원. 어사대부御史大夫·어사중승御史中丞·시어사侍御史 다음 가는 벼슬로서 감찰어사監察御史보다는 품계가 높았다.

49) 崇寧(숭녕) : 북송北宋 휘종徽宗의 연호(1102-1106).

50) 翰林學士(한림학사) : 당나라 현종玄宗 때 처음 설치된 한림원翰林院 소속 학사를 이르는 말. 황명이나 상소문 등 주요 문서의 초안을 작성하고, 황제의 비답批答을 대필하는 등 조정의 주요 문서에 관한 일을 관장하였기에 매우 명예

山谷[52]別之奇詩[53]云, "金城[54]千里要人豪, 理君亂絲須孟勞[55]. 文星[56]合在天東壁[57], 淸都紫微[58]碎雲璈[59]. 荊溪居士[60]傲軒冕[61], 胷呑雲夢[62]如秋毫. 三品衣魚[63]人仰首, 不見金牛[64]可下刀." 子堦, 孫及, 祖輿祖.

로운 직책으로 여겼다.

51) 同知樞密院事(동지추밀원사) : 당송 이후로 군사와 관련한 업무를 관장하던 최고 권력 기관인 추밀원樞密院의 수장을 이르는 말. 당과 오대五代 때 추밀사樞密使를 송나라 때는 지추밀원사知樞密院事라고 하였고, 수장으로 두 명을 임명하면서 '함께 관장한다'는 의미의 '동지同知'라는 명칭을 붙인 데서 유래하였다.

52) 山谷(산곡) : 송나라 사람 황정견黃庭堅(1045-1105)의 호. '부옹涪翁'이라고도 한다. 자는 노직魯直. 소식蘇軾(1036-1101)의 제자이자 강서시파江西詩派의 창시자로서 비서승祕書丞과 사천성 부주별가涪州別駕 등을 역임하였다. 저서로 ≪산곡집山谷集≫ 67권이 전한다. ≪송사·문원열전文苑列傳·황정견전≫권444 참조.

53) 詩(시) : 이는 칠언고시七言古詩 <장영숙(장지기)와 헤어지다(別蔣穎叔)> 가운데 앞의 네 연을 인용한 것으로 ≪산곡집≫외집外集권5에 전한다.

54) 金城(금성) : 견고한 성을 비유하는 말.

55) 孟勞(맹로) : 춘추시대 노魯나라의 보도寶刀 이름.

56) 文星(문성) : 문운文運이나 문재文才 등을 주관한다는 별 이름.

57) 東壁(동벽) : 이십팔수二十八宿 가운데 북방 현무玄武 7수宿 중 마지막 별자리인 벽수壁宿의 별칭. 북방에서도 동쪽에 치우쳐 위치하기에 '동벽'이라고 한다.

58) 淸都紫微(청도자미) : 천제가 산다는 전설상의 궁궐 이름. '청도자부淸都紫府'라고도 한다.

59) 雲璈(운오) : 두께가 서로 다른 작은 징 열 개를 나무틀에 매달고 나무망치로 쳐서 소리를 내는 타악기의 일종. '운라雲鑼' '구운라九雲鑼' '구음라九音鑼'라고도 한다. 여기서는 선계의 음악을 비유하는 듯하다.

60) 居士(거사) : 학식과 덕망을 겸비하고서도 벼슬하지 않거나 은거한 사람에 대한 호칭. 여기서는 장지기를 가리키는 듯하다.

61) 軒冕(헌면) : 대부 이상의 관원이 타는 수레와 예복을 뜻하는 말로 고관을 비유한다.

62) 雲夢(운몽) : 호북성에 있는 호수 이름.

63) 衣魚(의어) : 고관이 입는 관복과 허리에 차는 어대魚袋를 아우르는 말.

64) 金牛(금우) : 원전에 의하면 '전우全牛'의 오기이다. 자형의 유사성으로 인한 필사 과정상의 단순 오기로 보인다. '전우'는 포정庖丁이 소를 해부할 때 처음에는 소의 몸뚱이가 통체로 보였으나 3년 뒤에는 통체가 아니라 세밀한 부분이 보이게 되었다는 ≪장자·양생주養生主≫권2의 고사에서 유래한 말로 최고의 경지를 비유한다.

○장지기(1031-1104)는 자가 영숙으로 송나라 인종 때 현량방정과에 응시하여 여섯 가지 논술문을 시험쳐서 감찰어사를 제수받았다가 (영종) 치평(1064-1067) 초에 전중시어사로 승진하였다. (휘종) 숭녕(1102-1106) 초에는 한림학사가 되었다가 다시 동지추밀원사를 맡았다. 산곡山谷 황정견黃庭堅은 장지기와 헤어지며 지은 시에서 "견고한 성 천 리도 호걸이 필요하거늘, 그대의 엉킨 실을 풀려면 (춘추시대 노나라의 보도인) 맹로도가 있어야 하리. 문단을 관장하는 별은 마땅히 천상의 동벽수에 있어야, 천제(천자)의 궁궐에 선계의 음악이 울려퍼질 터. (호북성) 형계거사는 고관들에게도 뻣뻣하게 대하기에, 가슴으로 운몽택을 집어삼키면서도 마치 가을날 날리는 터럭처럼 여긴다네. 3품 고관의 관복과 어대를 남들은 고개 들어 우러러보지만, 그대는 소 몸뚱이 전체를 보지 않아도 칼을 댈 수 있다네"라고 하였다. 아들은 장계蔣堦이고, 손자는 장급蔣及이며, 조부는 장흥조蔣興祖이다.

●蔣重珍, 宋嘉定[65]中狀元, 有'辭藻一篇丹陛[66]對'之句.

○장중진은 송나라 (영종) 가정(1208-1224) 연간에 과거시험에서 장원급제를 차지할 때 '아름다운 글 한 편으로 궁중의 섬돌에서 응대하네'라는 구절을 지었다.

※女德(여덕)

◇嗜酒能文(술을 좋아하고 글을 잘 짓다)

●蔣氏者, 湖州參軍[67]陸蒙妻也, 嗜酒, 善屬文, 姊妹勸之節飮. 答曰,

65) 嘉定(가정) : 남송南宋 영종寧宗의 연호(1208-1224).

66) 丹陛(단폐) : 붉은 색을 칠한 궁전의 섬돌을 이르는 말. 임금이나 조정을 비유적으로 가리킨다.

67) 參軍(참군) : 한나라 이후로 왕부王府나 장수·사신·자사·태수 휘하에서 군무軍務를 참모參謀하던 벼슬에 대한 통칭. 시대와 기관에 따라 자의참군諮議參軍·기실참군記室參軍·기병참군騎兵參軍·사사참군司士參軍·공조참군功曹參軍·법조참군法曹參軍·녹사참군사錄事參軍事 등 다양한 이름의 참군이 있

"平生偏好飮, 勞爾勸吾餐. 但得樽中酒, 時光度不難."

○장씨는 (절강성) 호주참군 육몽의 아내로 술을 좋아하고 글을 잘 지었는데 자매들이 그녀에게 술을 절제할 것을 권하였다. 그러자 장씨는 "평생 유독 술을 좋아하는 바람에 자네들이 내게 식사를 챙기라고 권하도록 폐를 끼쳤네 그려. 하지만 술동이의 술이 있으면 시간을 보내기가 어렵지 않다네"라고 대답하였다.

◆養(양씨)

▶羽音. 山陽.

▷음은 우음에 속하고 본관은 (하남성) 산양현이다.

◇穿楊號猿(버드나무 잎사귀를 맞추고 원숭이를 울부짖게 하다)

●養由基, 楚大夫, 善射, 去柳葉百步而射之, 百發百中. 晉楚交兵, 戰於鄢陵[68], 由基蹲甲而射之, 徹七札焉. 楚國有猿, 王使射之, 由基始調弓, 猿擁木而號.

○양유기는 (춘추시대 때) 초나라 대부로서 활솜씨가 뛰어나 버드나무 잎사귀로부터 백 보 떨어져서도 그것을 쏘면 백발백중이었다. 진나라와 초나라 사이에 전쟁이 일어나 (하남성) 언릉현에서 전투를 벌일 때 양유기가 갑옷에 웅크리고 앉아 활을 쏘자 목판을 일곱 개나 꿰뚫었다. 또 초나라에 원숭이가 있어서 왕이 그것을 맞추라고 하였는데, 양유기가 활을 조율하기 시작하자 원숭이는 나무를 끌어안은 채 울부짖었다.

◆彊(강씨)

●彊華奉赤伏符[69], 獻之光武. 群臣奏以爲漢受命之符, 光武乃卽帝位.

었다.

68) 鄢陵(언릉) : 하남성의 속현屬縣 이름.

69) 赤伏符(적복부) : 예언서 이름. '붉은 불(한나라)의 기운이 숨어 있음을 예언

○강화는 적복부를 받들어 (후한) 광무제에게 바쳤다. 신하들이 상소문을 올려 한나라가 천명을 받을 부신이라고 하더니 광무제가 정말로 황제의 자리에 올랐다.

◆壤(양씨)

●壤駟赤, 字子徒, 孔門七十二賢人. 封上邽[70]侯.

○양사적은 자가 자도로 (춘추시대 노魯나라) 공자 문하의 72명의 현자 가운데 한 사람이다. 상규후에 봉해졌다.

◆党(당씨)

▶商音. 馮翊. 廣韻[71]作黨, 無此党字. 秦有將軍党耐虎, 自云, "夏后氏[72]之後." 唐有党芬, 爲房琯孔目官[73].

▷음은 상음에 속하고 본관은 (섬서성) 빙익군이다. ≪광운·36양三十六養≫권3에는 '창黨'으로 되어 있고 이 '당党'자가 없다. 진나라 때 당내호란 장군이 있었는데, 스스로 말하길 "하나라 우왕의 후손이다"라고 하였다. 당나라 때는 당분이란 사람이 방관 휘하에서 공목관을 지냈다.

◇金帳羊羔(비단 휘장 안에서 양고아주를 마시다)

●党進驍勇絶人, 不識文字. 每戰, 躬擐[74]甲冑, 鬚髥皆傑竪[75], 目光如

한 글'이란 뜻이다.

70) 上邽(상규) : 감숙성의 속현屬縣 이름.

71) 廣韻(광운) : 수隋나라 때 육법언陸法言이 지은 운서韻書로서 총 5권. 본명은 ≪절운切韻≫이나 당나라 현종玄宗 때 손면孫愐이 교정하고서 ≪당운唐韻≫이라고 하였고, 송나라 진종眞宗 때 진팽년陳彭年(961-1017) 등이 수정 보완하면서 ≪대송중수광운大宋重修廣韻≫이라고 하였다. 총 수록 한자는 14,036자이다. 송나라 진진손陳振孫(?-약1261)의 ≪직재서록해제直齋書錄解題·소학류小學類≫권3 참조.

72) 夏后氏(하후씨) : 하夏나라 왕조나 건국자인 우왕禹王을 가리키는 말.

73) 孔目官(공목관) : 당나라 때 옥송獄訟·파견派遣 등에 관한 업무를 관장하기 위해 설치한 벼슬 이름. '공목孔目'이 공문서의 목록을 뜻하는 말인 데서 유래하였다.

74) 擐(환) : 입다, 걸치다.

電, 視之若神. 辛仲甫使契丹[76], 契丹立[77]問曰, "聞中朝[78]有党進者, 驍將也, 如此者有幾人?" 對曰, "鷹犬[79]之材耳, 何可勝數?" 陶穀得進家姬, 一日取雪水烹茶, 問曰, "党家有此風味否[80]?" 姬曰, "彼粗人, 安識此景? 但能於銷金帳[81]淺斟低唱[82], 飮羊羔兒酒[83]耳." 宋興國[84]二年, 爲鎭南節度使[85].

○(송나라) 당진은 그 누구보다도 용맹했지만 글자를 알지 못 했다. 매번 전투가 벌어져 몸에 갑옷과 투구를 입으면 수염이 모두 곤두서고 눈에서 번개처럼 빛이 났기에 마치 신처럼 보였다. 신중보가 거란에 사신으로 갔을 때 거란 사람이 즉시 물었다. "듣자하니 중국에 당진이란 사람이 무척 용맹한 장수라고 하던데 이런 사람이 몇 명이나 있습니까?" 그러자 신중보가 대답하였다. "사냥용 매나 사냥개 같은 인재일 뿐이라서 어찌 일일이 다 헤아릴 수 있겠습니까?" 도곡이 당진의 가희를 얻고 나서 하루는 눈을 녹인 물을 가져다가 차를 끓이며 물었다. "당진의 집에도 이런 풍류가 있었소?" 그러자 가희가 대답하였다. "그는 성품이 투박한 사람이거늘 어찌 이런 풍경을

---

75) 傑竪(걸수) : 우뚝 서다, 곤두서다.

76) 契丹(거란) : 동호東胡의 한 종족. 북위北魏 때부터 거란이란 이름으로 불리기 시작했다. 오대五代 후량後梁 때 야율아보기耶律阿保機가 흩어졌던 부족들을 통일하고, 발해渤海·여진女眞·돌궐突厥 등을 정복하여 요遼나라를 건국하였다가 여진족의 금金나라에 의해 멸망당했다.

77) 立(입) : 즉시, 바로.

78) 中朝(중조) : 중국의 별칭. 조정이나 중원을 뜻할 때도 있다.

79) 鷹犬(응견) : 사냥용 매와 개. 남의 앞잡이 노릇을 하거나 재주가 보잘것없는 사람을 비유한다.

80) 否(부) : 부가의문문을 만드는 어말조사語末助詞.

81) 銷金帳(소금장) : 금실을 아름답게 장식한 비단 휘장을 이르는 말.

82) 淺斟低唱(천짐저창) : 술을 조금씩 따라 마시고 나지막하게 노래를 부르다. 유유자적하고 한가로운 모습을 상징한다.

83) 羊羔兒酒(양고아주) : 찹쌀과 양고기를 밀가루와 함께 섞어서 발효시킨 술. '양고주羊羔酒' '양고미주羊羔美酒'라고도 한다. 이 말에는 도곡陶穀(903-970)보다 당진党進이 훨씬 호방한 사람이란 의미가 내포되어 있다.

84) 興國(흥국) : 북송北宋 태종太宗의 연호인 태평흥국太平興國(976-983)의 준말.

85) 節度使(절도사) : 당송唐宋 때 한 도道나 여러 주州의 군사·민정·재정 등을 관할하던 벼슬. 송 이후로는 실권이 없이 직함만 있었다.

알겠습니까? 단지 비단 휘장 안에서 유유자적 즐기며 양고아주를 마실 줄만 알았답니다." 송나라 (태종) 태평흥국 2년(977)에 진남절도사에 임명되었다.

◆廣(광씨)

▶宮音. 丹陽. 風俗通[86]云, "廣成子[87]之後."

▷음은 궁음에 속하고 본관은 (강소성) 단양군이다. ≪풍속통≫에서는 "광성자의 후손이다"라고 하였다.

◆蕩(탕씨)

▶楚有蕩虺・蕩澤, 爲司馬[88].

▷(춘추시대 때) 초나라에서는 탕훼와 탕택이란 사람이 사마를 지낸 일이 있다.

◆賞(상씨)

▶姓纂[89]云, "吳中[90]八族有賞姓. 晉有賞慶."

---

86) 風俗通(풍속통) : 후한 응소應劭가 지은 ≪풍속통의風俗通義≫의 약칭. 송나라 때 이미 실전되었으나, ≪영락대전永樂大典≫에 흩어져 전하던 것을 다시 수합하여 정리하였다. 부록 1권 포함 총 11권. 후한 반고班固(32-92)의 ≪백호통의白虎通義≫ 및 채옹蔡邕(133-192)의 ≪독단獨斷≫과 함께 한나라 때 학술과 제도를 연구하는 데 귀중한 자료로 평가된다. ≪사고전서간명목록・자부・잡가류雜家類≫권13 참조. 위의 예문은 현전하는 ≪풍속통≫에 실리지 않은 것으로 보아 일문逸文인 듯하다. 대신 당나라 임보林寶의 ≪원화성찬元和姓纂≫권7에 인용되어 전한다.

87) 廣成子(광성자) : 전설상의 신선 이름. 노자老子의 별칭이란 설도 있다. 진晉나라 갈홍葛洪(284-363)의 ≪신선전神仙傳≫권1에 그에 관한 전기가 전한다.

88) 司馬(사마) : 벼슬 이름. 주周나라 때는 육경六卿의 하나인 하관夏官으로서 군사를 관장하였고, 한나라 때는 삼공三公의 하나로서 승상이 되기도 하였다. 한나라 이후로는 왕부王府나 승상부丞相府・장군부將軍府 등에서 병마兵馬를 관장하던 벼슬이 되었고, 당나라 이후로는 주로 별가別駕・장사長史・녹사참군사錄事參軍事・참군사參軍事・녹사錄事・승丞・문학文學 등과 함께 자사刺史의 속관이 되었다.

89) 姓纂(성찬) : 당나라 임보林寶가 성씨의 유래와 그에 속한 인물에 대해 정리한 유서류類書類의 책인 ≪원화성찬元和姓纂≫의 약칭. 총 18권. ≪사고전서간명목록・자부・유서류≫권14 참조. 그러나 이는 송나라 정초鄭樵(1104-1162)의 ≪통지通志・씨족략氏族略≫권28 등 다른 문헌에 의하면 '성원姓苑'의

▷≪성원姓苑≫에 "(강소성) 오중 땅의 여덟 종족 가운데 '상'씨 성이 있다. 진나라 때 상경이란 사람이 있었다"고 하였다.

◆掌(장씨)

▶晉有掌固. 宋有掌禹錫.

▷진나라 때는 장고란 사람이 있었고, 송나라 때는 장우석이란 사람이 있었다.

◆黨(당씨)

▶商音. 馮翊. 魯有黨叔. 襄二十九年, 公享范獻子[91], 射者三耦[92], 鄅鼓父與黨叔爲一耦.

▷음은 상음에 속하고 본관은 (섬서성) 빙익군이다. (춘추시대 때) 노나라에는 당숙이란 사람이 있었다. ≪좌전 · 양공襄公29년≫권39의 기록에 의하면 (노나라) 양공이 (진晉나라의 사신인) 헌자獻子 범사앙范士鞅에게 연회를 베풀었을 때 활을 쏘는 사람이 3개 조를 짰는데, 증고보와 당숙이 한 조를 이룬 일이 있다.

□三十八梗(38경)

◆耿(경씨)

▶宮音. 高陽. 晉大夫趙夙滅耿, 因封焉, 以國爲氏.

▷음은 궁음에 속하고 본관은 (하북성) 고양군이다. 진나라 대부 조숙이 경나라를 멸하고 그참에 그곳의 제후로 봉해지자 나라 이름을 성씨로 삼은 것이다.

오기이다. ≪성원≫은 ≪송사 · 예문지≫권204에 의하면 남조南朝 유송劉宋 하승천何承天의 10권본과 당나라 임보林寶의 3권본이 있었다고 하는데 어느 것을 가리키는지는 불분명하다.

90) 吳中(오중) : 춘추시대 오吳나라의 수도가 있던 오현吳縣(지금의 강소성 소주시蘇州市) 일대를 이르는 말.

91) 范獻子(범헌자) : 춘추시대 진晉나라 사람 범사앙范士鞅. '헌'은 시호이고, '자'는 존칭. 선자宣子 범사개范士匄의 아들로 진秦나라와의 전투에서 생환한 후 위서魏舒를 대신하여 정권을 잡았다. 그에 관한 기록은 ≪좌전≫에 흩어져 전한다.

92) 耦(우) : 짝, 조組.

◇常平倉(물가를 조절하기 위한 기관을 창설하다)

●耿壽昌, 漢宣帝時, 爲大司農[93]·中丞[94], 奏設常平倉[95], 增價而糴, 減價而糶, 以利農. 百姓便之. 賜爵關內侯.

○경수창은 전한 선제 때 대사농과 어사중승을 지내며 상평창을 설치하여 가격이 오를 때 곡식을 사들이고 가격이 떨어질 때 곡식을 내다팔아서 농부들의 이익을 챙겨줄 것을 건의하였다. 그래서 백성들이 이를 편하게 받아들였다. 작위로 관내후를 하사받았다.

◇北道主人(북방의 길목을 관장할 중요한 인물)

●耿弇, 字伯昭. 光武指之曰, "是我北道主人也." 後平齊, 帝曰, "將軍前在南陽建此大策, 常[96]以爲落落[97]難合, 乃知有志者事竟成也." 封好畤[98]侯. 父況病, 弇兄弟六人衣青紫[99], 侍醫藥, 時人榮之.

○(후한) 경엄(3-58)은 자가 백소이다. 광무제가 그를 지목하여 "이 사람은 내게는 북방의 길목을 관장할 중요한 인물이라오"라고 말한 일이 있다. 뒤에 (산동성 일대인) 제 땅을 평정하자 광무제가 말했다. "장군이 전에 (하남성) 남양군에서 이러한 계책을 세울 때 나는 일찍이 엉성하여 사리에 맞지 않는다고 생각했었는데, 이제사 뜻이

---

93) 大司農(대사농) : 농업과 재정을 관장하던 벼슬로서 구경九卿의 하나. 전한 경제景帝 때 대농령大農令을 무제武帝 때 대사농으로 고쳤으며, 당송唐宋 때는 사농경司農卿이라고 하였다.

94) 中丞(중승) : 관리들의 비행을 규찰하고 탄핵하는 업무를 관장하는 기관인 어사대御史臺에서 어사대부御史大夫 다음 가는 벼슬인 어사중승御史中丞의 약칭.

95) 常平倉(상평창) : 곡식이 비쌀 때 사들였다가 쌀 때 내다팔아 곡식의 가격을 조절하기 위해 설치한 부서를 일컫는 말. 전한 선제宣帝 때 경수창耿壽昌이 창안하였다고 전한다.

96) 常(상) : 일찍이. '상嘗'과 통용자.

97) 落落(낙락) : 조잡하고 거친 모양.

98) 好畤(호치) : 진秦나라 때 섬서성 옹주雍州에 설치했던 현 이름으로 여기서는 봉토를 가리킨다.

99) 青紫(청자) : 공경公卿이 차는 청색과 자색의 인끈을 아우르는 말. '금자金紫'가 금도장과 자색 인끈을, '은청銀青'이 은도장과 청색 인끈을 의미하므로 '청자青紫'는 고관이 차는 인끈의 총칭이다. 결국 높은 관직이나 작위를 비유한다.

있는 사람은 일을 끝내 성사시킨다는 것을 알겠소." 호치후에 봉해졌다. 부친인 경황耿況이 병이 나자 경엄 형제 여섯 명이 고관의 의복을 갖춰입고 약시중을 들었기에 당시 사람들이 이를 칭송하였다.

◇將帥之略(장수의 전략)

●耿秉, 字伯初, 腰帶八圍. 能說司馬兵法[100], 尤好將帥之略. 漢永元[101]初, 與竇憲征北單于[102], 登燕然山, 刻石勒功, 封美陽侯. 弟夔與任尚圍北單于於金微山[103], 出塞五千餘里而還, 封粟邑侯. 父國爲大司馬[104]. 伯父弇, 從弟恭.

○경병(?-91)은 자가 백초로 허리띠가 여덟 뼘이나 될 정도로 뚱뚱했다. 그는 ≪사마병법≫에 정통하였고, 특히 장수의 전략을 좋아하였다. 후한 (화제) 영원(89-104) 초에 두헌과 함께 북방의 선우를 정벌하러 나섰다가 (산서성) 연연산에 올라 바위를 깎아서 전공을 새기고 미양후에 봉해졌다. 동생 경기耿夔는 임상과 함께 금미산에서 북방의 선우를 포위하고 5천 리 넘게 변방으로 출동했다가 돌아와 율읍후에 봉해졌다. 부친 경국耿國(?-58)은 대사마를 지냈다. 백부는 경엄耿弇(3-58)이고, 사촌동생은 경공耿恭이다.

◇拜井出泉(우물에 절을 하자 물이 솟구쳐나오다)

●耿恭, 字伯宗, 慷慨多大略, 有將帥才. 永平[105]中, 爲戊己校尉[106], 攻

100) 司馬兵法(사마병법) : 춘추시대 제齊나라 때 대사마大司馬를 지낸 전양저田穰苴가 지었다고 전하는 병법서인 ≪사마양저병법司馬穰苴兵法≫의 준말. '司馬法'으로도 약칭한다. 총 1권. ≪사고전서간명목록 · 자부 · 병가류≫권9 참조.

101) 永元(영원) : 후한後漢 화제和帝의 연호(89-104).

102) 單于(선우) : 흉노족匈奴族의 왕을 일컫는 말.

103) 金微山(금미산) : Altai산의 옛 이름.

104) 大司馬(대사마) : 진한秦漢 때 군정軍政을 총괄하는 벼슬로 삼공三公의 하나. 후에는 태위太尉로 개칭되었고 삼공 가운데 서열이 가장 높았다.

105) 永平(영평) : 후한後漢 명제明帝의 연호(58-75).

106) 戊己校尉(무기교위) : 전한 원제元帝 때 서역의 둔전屯田을 관장하게 하기 위해 설치했던 벼슬 이름. '무'와 '기'는 일정한 방위가 없으므로 고정된 위치가 없다는 의미에서 유래하였다는 설이 있는가 하면, '무기'는 중앙의 방위를 뜻하므로 서역의 중앙 지역을 다스린다는 의미에서 유래하였다는 설도 있다.

匈奴[107], 引兵據疏勤[108]城. 匈奴擁塞, 絶澗水, 恭於城中穿井十五丈, 不得水, 乃整衣向井再拜, 有頃, 水泉奔出, 揚水以示虜. 虜以爲神明, 遂去. 後又益兵圍之, 恭食盡窮困, 煮弩鎧[109], 食其筋革, 與士卒同死生, 皆無二心. 救至得還, 形容枯槁, 鄭衆上疏曰, "耿恭以單兵守孤城, 鑿山爲井, 煮弩爲粮, 卒全忠勇, 其節義古未有也." 拜騎都尉[110].

○(후한) 경공은 자가 백종으로 성품이 호탕하고 지략이 뛰어나 장수의 자질이 있었다. (명제) 영평(58-75) 연간에 무기교위를 맡자 흉노를 공격하여 군대를 이끌고 소륵성을 점거하였다. 흉노가 길을 막고 냇물을 끊자 경공은 성안에 우물을 15장 깊이로 팠지만 물을 얻지 못 했다. 하지만 옷매무새를 가다듬고 우물을 향해 거듭 절을 올리자 얼마 안 있어 물이 솟구쳐나왔기에 물을 떠서 흉노에게 보여주었다. 흉노는 그를 신이라고 생각해 결국 철수하였다. 뒤에 다시 군대를 늘려 포위하였는데, 경공은 식량이 떨어져 곤경에 처하게 되자 쇠뇌와 갑옷을 끓여서 거기에 달려 있던 힘줄과 가죽을 먹으며 병사들과 생사를 같이 하였기에 모두들 딴마음을 먹지 않았다. 구원병이 도착해 생환한 뒤 생김새가 초췌해진 것을 보게 되자 정중이 상소문을 올려 "경공은 소수의 군대로 외진 곳의 성을 지키며 산을 뚫어 우물을 만들고 쇠뇌를 끓여 식량으로 삼으면서까지 끝내 충성을 보였으니 그 절조는 예로부터 일찍이 없었던 일이옵니다"라고 아뢰었다. 그래서 기도위를 배수받았다.

---

107) 匈奴(흉노) : 중국 상고시대부터 북방에 살던 유목민족을 부르던 이름. 호족胡族이라고도 하였다. 귀방鬼方・훈육獯鬻・험윤獫狁의 후예라고도 하고, 몽고蒙古・돌궐突厥과 동일 종족이라고도 하는 등 여러 설이 있다.

108) 疏勤(소근) : 신강위구르자치구 카슈가르(kashgar) 일대에 있었던 소수민족 국가 이름인 '소륵疏勒'의 오기. 자형의 유사성으로 인한 필사 과정상의 단순 오기로 보인다.

109) 弩鎧(노개) : 쇠뇌와 갑옷. 즉 무기들을 가리킨다.

110) 騎都尉(기도위) : 전한 무제武帝 때 처음 설치된 삼도위三都尉, 즉 봉거도위奉車都尉・부마도위駙馬都尉・기도위騎都尉 가운데 하나로 기병騎兵을 통솔하던 벼슬.

◇攀龍附鳳(용의 비늘을 붙잡고 봉황의 날개에 빌붙다)

●耿純, 字伯山, 初謁光武於邯鄲, 屢立大功. 建武[111]元年, 諸將議上尊號, 純進言, "士大夫從大王於矢石[112]之間, 固望攀龍鱗附鳳翼[113], 以成其志耳."

○(후한) 경순(?-37)은 자가 백산으로 당초 (하북성) 한단에서 광무제를 알현하고서 누차 큰 공을 세웠다. 건무 원년(25)에 여러 장수들이 존호를 올리는 일에 대해 논의하게 되자 경순이 아뢰었다. "사대부들이 전쟁터에서 대왕을 따랐으니 실로 용의 비늘을 붙잡고 봉황의 날개에 빌붙듯이 은혜를 입어 그 뜻을 성취하기를 바랄 뿐이옵니다."

◇武猛(무술이 뛰어나고 용맹하다)

●耿豪, 字[114]令貴. 周文嘆曰, "令貴武猛, 所向無前." 芒山之戰, 右手拔刀, 左手把鞘.

○경호는 자가 영귀이다. (북조北朝) 북주北周의 문제가 감탄해 하며 말했다. "영귀(경호)는 무술이 뛰어나고 용맹하여 가는 곳마다 앞에서 대적하는 이가 없다오." (하남성) 망산에서 전투할 때는 오른손으로 칼을 뽑아들고 왼손으로 칼집을 잡았다.

●耿湋與錢起等能詩齊名, 號大曆十子[115].

○(당나라) 경위와 전기 등은 시를 잘 지어 나란히 이름을 떨치면서

---

111) 建武(건무) : 후한後漢 광무제光武帝의 연호(25-55).

112) 矢石(시석) : 화살과 돌. 즉 전쟁을 비유한다.

113) 攀龍鱗附鳳翼(반용린부봉익) : 용의 비늘을 붙잡고 봉황의 날개에 빌붙다. 제왕을 도와 공업을 이루거나 고관에 오르는 것을 비유하는 말로 '반룡부봉攀龍附鳳'으로도 약칭한다.

114) 字(자) : ≪북사北史·경호전≫권66에는 본명으로 되어 있으나 여기서는 위의 예문을 따른다.

115) 大曆十子(대력십자) : 당나라 대종代宗 대력大曆(766-779) 연간에 활동했던 10명의 대표적 문인인 '대력십재자大曆十才子'의 약칭. 즉 노윤盧綸·길중부吉中孚·한굉韓翃·전기錢起(722-780)·사공서司空曙·묘발苗發·최동崔峒·경위耿湋·하후심夏候審·이단李端을 가리킨다.

‘대력십자’로 불렸다.

●耿望, 宋咸平[116]中, 知襄州, 遷京西轉運使[117], 與朱台符竝兼制置[118]營田事, 導渠漑民田二千頃.

○경망은 송나라 (진종) 함평(998-1003) 연간에 (호북성) 양주를 다스리다가 경서전운사로 전근한 뒤 주태부와 함께 농토를 경영하는 일을 기획하여 도랑을 파서 백성들 밭 2천 경에 물을 댔다.

●胷中耿耿[119].

○마음이 초조하고 불안하다.

◆冷(냉씨)

▶徵音. 京兆. 古伶倫[120]氏之後, 音訛爲冷. 漢書, 冷曹·冷褒皆音零.

▷음은 치음에 속하고 본관은 (섬서성) 경조군이다. 옛날 (황제黃帝 때 사람인) 영윤씨의 후손인데 음이 ‘냉冷’으로 와전된 것이다. ≪한서≫에서는 냉조와 냉포의 성씨에 대해 모두 음을 ‘영’이라고 하였다.

◇春秋之學(≪춘추경≫에 관한 학문)

●冷豐, 漢宣時, 爲淄川太守, 尙公羊春秋[121]之學. 馬宮從之.

○냉풍은 전한 선제 때 (산동성) 치천태수를 지내면서 ≪춘추공양전≫에 관한 학문을 중시하였다. 마궁이 그를 추종하였다.

---

116) 咸平(함평) : 북송北宋 진종眞宗의 연호(998-1003).

117) 轉運使(전운사) : 당송 때 군량의 수송과 교통을 관장하던 벼슬. ‘운사運使’ ‘조사漕使’ ‘대조大漕’ 등으로 약칭하기도 한다.

118) 制置(제치) : 모종의 일을 기획하는 것을 뜻하는 말.

119) 耿耿(경경) : 초조하고 불안한 모양.

120) 伶倫(영윤) : 황제黃帝 때 전설상의 장인. 봉황의 울음소리를 듣고서 십이율려十二律呂를 분별하였다고 한다.

121) 公羊春秋(공양춘추) : ≪춘추경春秋經≫의 세 해설서인 ≪좌전左傳≫ ≪곡량전穀梁傳≫ ≪공양전公羊傳≫ 가운데 하나. 전국시대 제齊나라 사람인 공양고公羊高의 해설을 한나라 초에 정리한 책. 후한 하휴何休(129-182)의 주注와 당나라 서언徐彦의 소疏가 있으나 오류와 번다함이 있다는 평이 있다. 총 20권. ≪사고전서간명목록·경부·춘추류春秋類≫권3 참조.

◇守生養氣(생기를 지키고 기르다)

●冷壽光行容成公[122]御[123]婦人法, 取精於玄牝[124]. 其要谷神[125]不死, 守生養氣者也, 謂握固[126]不泄, 還精補腦, 可以長生.(後漢方枝傳)

○(후한) 냉수광은 (황제黃帝의 스승인) 용성공이 부인과 합방한 방법을 수행하며 현빈에게서 정기를 취하였다. (당나라 이현李賢의 주에 의하면) 그 요체는 정신을 키워 사멸하지 않게 하고 생기를 지키고 기르는 것인데, 이는 주먹을 꽉 쥐어서 기운을 흘리지 않고 정기를 순환시키고 뇌를 보충하면 장생할 수 있다는 말이다.(≪후한서·방기열전·화타전華陀傳≫권112)

◇大曆才子(대력 연간에 활동한 시인)

●冷朝陽有詩名. 唐憲宗嘗問朝臣曰, "比聞一士人能作詩, 姓字甚僻." 大臣以朝陽對, 上曰, "非也." 歷詩評[127]云, "朝陽在大曆才子中爲最下."

○냉조양은 시로 명성을 떨쳤다. 당나라 헌종이 일찍이 조정의 신료에게 물었다. "근자에 듣자하니 한 선비가 시를 잘 짓는데 성씨와 자가 무척 특이하다고 하더이다." 대신이 '조양'이라고 대답하자 헌종은 "아니오"라고 하였다. ≪창랑시화滄浪詩話·시평≫을 살펴보면 "냉조양은 (대종) 대력(766-779) 연간에 활동한 시인들 가운데 가장 실력이 뒤떨어진다"고 하였다.

◇冷卿(광록경光祿卿 냉정수冷庭叟)

●冷庭叟仕宋, 爲光祿卿[128]. 山谷詩序云, "庭堅於庭叟有十八年之舊."

---

122) 容成公(용성공) : 전설상의 임금인 황제黃帝의 스승으로 알려진 인물.
123) 御(어) : 동침하다, 합방하다.
124) 玄牝(현빈) : 만물을 생성하는 근본 도리나 그러한 신을 이르는 말.
125) 谷神(곡신) : 정신을 키우다. 단전호흡을 가리키는 말로 보는 설도 있다. '곡谷'은 '養'의 뜻.
126) 握固(악고) : ≪노자≫에서 유래한 말로 주먹을 꽉 쥐는 행위를 말한다.
127) 詩評(시평) : 시에 대한 평론서를 이르는 말로 위의 예문은 송나라 엄우嚴羽의 ≪창랑시화滄浪詩話·시평≫에 전한다.
128) 光祿卿(광록경) : 황제의 호위와 궁중 음식을 관장하던 벼슬로서 구경九卿의 하나. 뒤에는 궁중 음식만 전담하였다.

故山谷有詩云[129]，“往時盡醉冷卿酒.” 又云[130]，“冷卿智多髮蒼蒼，牛刀[131]發硎司一邦.” 庭叟有野居，宋茂卿[132]以詩詠之，山谷詩云[133]，“冷卿小塢頗藏春.” 庭叟有侍兒，因早朝逸去，山谷詩云[134]，“初無狗盜[135]偸籬落，底事[136]蛾眉[137]失鎖關? 每爲朝天三十里，時時驚枕夢催班.”

○냉정수는 송나라에서 벼슬길에 올라 광록경을 지냈다. 산곡山谷 황정견黃庭堅은 시의 서문에서 “나 황정견은 냉정수와 18년 동안 우정을 쌓았다”고 하였다. 그래서 황정견은 시를 지어 “예전에는 냉경(냉정수)의 술을 취하도록 다 마셨네”라고 한 일이 있다. 또 “냉경은 지혜를 많이 써 머리카락이 희끗희끗하지만, 소 잡는 칼을 숫돌에서 꺼내면 한 지방을 다스릴 수 있다네”라고 하였다. 또 냉정수에게 초야에 마련한 별장이 있어 송무경(송조宋肇)이 시를 지어 읊조리자 황정견도 시를 지어 “냉경의 자그마한 별장엔 자못 봄기운이 넘치

129) 云(운) : 이는 잡언고시雜言古詩 <자방子方 조보曹輔의 잡언시에 차운하여 화답하다(次韻答曹子方雜言)> 가운데 한 구절을 인용한 것으로 송나라 황정견黃庭堅(1045-1105)의 ≪산곡내집시주山谷內集詩注≫권10에 전한다.

130) 云(운) : 이는 잡언고시 <자방子方 조보曹輔의 잡언시에 화답하다(和曹子方雜言)> 가운데 한 연을 인용한 것으로 ≪산곡내집시주≫권16에 전한다.

131) 牛刀(우도) : 소 잡는 데 쓰는 칼. 뛰어난 능력이나 훌륭한 인재를 비유한다.

132) 宋茂卿(송무경) : 송나라 사람 송조宋肇. 자는 무종懋宗. ‘무경’은 그의 또 다른 자인 듯하다. 사천성 무산현령巫山縣令을 지냈고, 소식蘇軾・황정견黃庭堅과 교유하였다. 청나라 여악厲鶚(1692-1752)의 ≪송시기사宋詩紀事・송조≫권37 참조.

133) 云(운) : 이 역시 잡언고시 <자방子方 조보曹輔의 잡언시에 화답하다(和曹子方雜言)> 가운데 한 구절을 인용한 것이다.

134) 云(운) : 이는 칠언율시七言律詩 <봉의랑奉議郎을 지낸 무종懋宗 송조宋肇가 아름다운 구절을 지어 냉정수의 별장을 읊조렸는데, 나 황정견이 냉정수와 18년 동안 우정을 쌓았기에 차운하여 기증한다(懋宗奉議有佳句, 詠冷庭叟野居, 庭堅于庭叟有十八年之舊, 故次韻贈之)> 가운데 경련頸聯과 미련尾聯을 인용한 것으로 ≪산곡내집시주≫권15에 전한다.

135) 狗盜(구도) : 개처럼 도둑질하는 사람을 일컫는 말로 좀도둑을 비유한다.

136) 底事(저사) : 무슨 일. ‘하사何事’의 구어체.

137) 蛾眉(아미) : 나방의 촉수처럼 생긴 눈썹. 미녀를 상징하는 말로 여기서는 냉정수의 용모가 아름다운 시녀를 가리킨다.

네"라고 하였다. 또 냉정수에게 아름다운 시녀가 있어 아침에 조회를 마치고 도망치듯 사라지자 황정견은 시를 지어 "당초 울타리를 넘는 좀도둑이 없는데도, 무슨 일로 아름다운 시녀가 자물쇠와 빗장을 잃어버렸을까? 매번 천자를 조알하려면 30리 길을 걸어야 하기에, 수시로 출근을 재촉하는 꿈에 잠자리에서 놀라 깨나 보다"라고 하였다.

●冷光世, 宋人, 淳熙[138]中, 爲監察御史.

○냉광세는 송나라 때 사람으로 (효종) 순희(1174-1189) 연간에 감찰어사를 지냈다.

●灰冷. 齒冷. 吳江冷[139]. 官冷[140].

○재가 식다. 이빨이 시리다. 오강이 서늘하다. 한직.

◆幸(행씨)

▶宮音. 鴈門.

▷음은 궁음에 속하고 본관은 (산서성) 안문군이다.

◇道術(도술)

●幸靈, 建昌人, 有神術, 療病立愈, 禁邪怪卽止. 樊長賓爲建昌令, 作官船, 船成, 當下吏, 以二百人引一艘, 不能動. 靈自請牽之, 止用百人, 而船去如飛, 咸稱其神. 廟在洪城.

○(진晉나라) 행령은 (강서성) 건창현 사람으로 도술을 지녀 병을 치료하면 즉시 치유되고 사술을 막으면 즉시 멈추었다. 번장빈이 건창현의 현령을 맡아 관용 배를 만들었는데, 배가 완성되자 휘하 관리

---

138) 淳熙(순희) : 남송南宋 효종孝宗의 연호(1174-1189).

139) 吳江冷(오강랭) : 이는 당나라 최신명崔信明의 시구인 '단풍잎 떨어지니 오강이 서늘하구나(楓落吳江冷)'라는 구절에서 인용한 말인데, 각종 시화詩話에 한 구절만 인용된 것으로 보아 일시逸詩인 듯하다.

140) 官冷(관랭) : 한직이나 품계가 낮은 관직을 이르는 말.

에게 맡겨 2백 명으로 배를 끌게 했지만 움직이질 않았다. 행령이 스스로 그것을 끌겠다고 자청하고는 단지 백 명만 동원했는데도 배가 나는 듯이 움직였기에 모두들 그를 신이라고 하였다. 사당은 홍성에 있다.

◇編貝貫珠(늘어놓은 조가비와 꿰어놓은 구슬)

●幸南容, 唐貞元中, 穆寂榜141)登進士第, 試'平權衡142)'賦, 與柳子厚143)同年144). 子厚有送歸聯句145)序云146), "比詞聯韻, 奇藻遞發, 爛若編貝, 粲若貫珠." 孫潭德行, 孚於鄉, 歿爲龍王.

○행남용은 당나라 (덕종) 정원(785-805) 연간에 목적이 장원급제한 과거시험에서 진사과에 급제할 때 '잣대를 공평하게 적용하다'라는 제목의 부로 시험쳤다가 자후子厚 유종원柳宗元과 합격동기생이 되었다. 유종원은 귀향하는 행남용을 전송하는 연구시의 서문을 지어 "문사를 가지런히 늘어놓아 시를 함께 짓자 아름다운 글귀가 번갈아 펼쳐졌기에 찬란하기가 마치 늘어놓은 조가비 같기도 하고 꿰어놓은 구슬 같기도 하다"라고 하였다. 손자 행담幸潭은 덕행을 베풀어 고향에서 신뢰를 얻더니 죽어서 용왕이 되었다.

◇詩免稅丁(시를 지어 부역賦役을 면제받다)

●幸元龍, 字震甫, 號松垣先生, 有氣節, 官至通判147). 以詩援任濤148)

---

141) 穆寂榜(목적방) : 목적穆寂이 장원급제한 과거시험 합격자 명단을 가리킨다.
142) 權衡(권형) : 사물의 무게를 측정하는 저울추와 저울대를 지칭하는 말로 척도나 기준을 비유한다.
143) 柳子厚(유자후) : 당나라 때 문인 유종원柳宗元(773-819). '자후'는 자. 당송팔대가唐宋八大家의 일인으로 시문을 잘 지었다. 저서로 ≪유하동집柳河東集≫ 48권이 전한다. ≪신당서·유종원전≫권168 참조.
144) 同年(동년) : 같은 해에 태어나거나 같은 해에 과거시험에서 합격한 동기생을 이르는 말. 여기서는 후자를 가리킨다.
145) 聯句(연구) : 두 사람 이상이 모여 한 구절이나 한 연을 돌아가면서 지은 뒤 이를 모아서 완성한 시편을 이르는 말. 전한 무제武帝가 백량대柏梁臺에서 신하들과 함께 <백량시柏梁詩>를 지은 데서 유래하였다.
146) 云(운) : 이는 <사신을 맡아 귀향하는 행남용을 전송하며 지은 연구시의 서문(送幸南容歸使聯句詩序)>을 인용한 것으로 ≪유하동집≫권22에 전한다.

例, 求免稅丁[149], 太守判云[150], "松垣筆力破滄溟, 欲援任濤免稅丁. 一段風流好公案, 錦江[151]重寫入圖經[152]."

○(송나라) 행원룡은 자가 진보이고 호가 송원선생으로 기개와 절조가 있어 관직이 통판까지 올랐다. 시를 지어서 (당나라) 임도의 선례를 들며 부역을 면제시켜 줄 것을 요청하자 태수가 이를 판결하여 다음과 같이 읊었다. "송원선생(행원룡)의 필력은 바다를 가르나니, 임도의 선례를 인용하여 부역의 면제를 요청하였네. 이 일련의 풍류 넘치는 훌륭한 사안은, 금강을 다시 그려서 도경에 넣는 격이로다."

◆景(경씨)

▶宮音. 京兆. 楚公族芈姓之後. 漢初徙山東豪傑於關中[153], 今好畤・華陽諸景, 是也.

▷음은 궁음에 속하고 본관은 (섬서성) 경조군으로 (춘추시대) 초나라의 공족 중에 성이 미芈씨인 집안의 후손이다. 한나라 초에 산동의 호걸을 관중 땅에 이주시켰는데, 오늘날 (섬서성) 호치현과 (사천성) 화양현에 정착한 여러 경씨가 바로 그러한 예이다.

---

147) 通判(통판) : 송나라 이후 사신이나 지방 장관의 속관을 이르는 말. 한나라 때 자사刺史를 보좌하여 주州를 순찰하는 일을 담당하던 벼슬인 '별가別駕'를, 수당隋唐 때는 '장사長史'로 개칭하였고, 송나라 때는 '통판通判'이라고 하였다.

148) 任濤(임도) : 당나라 때 강서성 균주筠州 사람으로 과거시험에 여러 차례 응시하여 낙방했으나 시명詩名이 일찍 알려졌다. 당시 산기상시散騎常侍이던 이즐李騭이 강서관찰사江西觀察使가 되어 순시하다가 그의 시를 보고서 감탄하여 그의 수준에 도달하는 사람에게는 모두 부역을 면제시켜 주었다는 고사가 송나라 계민부計敏夫의 ≪당시기사唐詩紀事・임도≫권70에 전한다.

149) 稅丁(세정) : 부세賦稅와 요역徭役. 즉 부역賦役을 뜻한다.

150) 云(운) : 이는 칠언절구七言絶句 <행원룡이 요역을 면제시켜 줄 것을 요청하는 시 뒤에 판결하여 덧붙이다(判幸元龍求免役詩後)>를 인용한 것으로 청나라 여악厲鶚(1692-1752)의 ≪송시기사宋詩紀事・고안태수高安太守≫권96에 전한다.

151) 錦江(금강) : 사천성 성도시成都市를 흐르는 강 이름. 촉蜀 지방 사람들이 비단을 짜서 이 강물에 빨면 색이 곱고 아름다워졌다는 데서 이름이 유래하였다. 여기서는 당나라 때 임도任濤의 선례를 비유하는 말로 쓰인 듯하다.

152) 圖經(도경) : 그림이나 지도가 첨부된 지리서를 이르는 말.

153) 關中(관중) : 함곡관函谷關 서쪽의 전국시대 진秦나라 땅을 이르는 말로 지금의 섬서성과 사천성 일대를 가리킨다. '관서關西'라고도 한다.

◇衣錦還鄕(금의환향하다)

●景丹, 字孫卿154), 櫟陽人. 王莽時, 擧四科155), 丹中言語科. 後歸光武, 從突騎156)破王郞157), 以功拜驃騎大將軍, 封櫟陽侯. 帝謂曰, "富貴不歸故鄕, 如衣繡夜行158). 故以封卿耳." 圖形雲臺159).

○(후한) 경단(?-26)은 자가 손경으로 (섬서성) 역양현 사람이다. 왕망 때 사과에 응시하여 경단은 언어과에 합격하였다. 뒤에는 광무제에게 귀순하여 돌격부대를 거느리고 왕낭을 격파한 뒤 공로로 표기대장군을 배수받고 역양후에 봉해졌다. 광무제는 그에게 "부귀해져서 고향으로 돌아가지 못 한다면 이는 비단옷을 입고 밤길을 가는 것이나 진배없소. 그래서 경을 제후에 봉하는 것이오"라고 말하고는 운대에 초상화를 걸어 주었다.

◇戒石碑(훈계를 새긴 비석)

●景煥有野人閒語160)一書. 宋乾德161)三年, 立郡國162)戒石碑, 四句云,

---

154) 孫卿(손경) : 전국시대 조趙나라 사람 순황荀況에 대한 존칭. 전한 선제宣帝 유순劉詢의 이름을 피휘避諱하기 위해 '순荀'을 '손孫'으로 고쳤고, 존경의 뜻으로 '경卿'이란 칭호를 붙였다. '순자荀子' '순경荀卿' '순경자荀卿子' '손경자孫卿子'라고도 한다. 그의 유가사상을 담은 저서인 ≪순자荀子≫ 20권이 전한다. 경단景丹도 아마 순자를 존경하여 자를 이렇게 지은 듯하다.

155) 四科(사과) : 춘추시대 노魯나라 공자의 유가학파에서 내세우는 덕행·언어·정치·문학의 네 가지 과목을 아우르는 말. 덕행은 안연晏淵(안회顔回)과 민자건閔子騫(민손閔損)을, 언어는 재아宰我(재여宰予)와 자공子貢(단목사端木賜)을, 정치는 염유冉由(염구冉求)와 계로季路(중유仲由)를, 문학은 자유子游(언언言偃)와 자하子夏(복상卜商)를 우수한 자로 꼽았다.

156) 突騎(돌기) : 적진을 향해 돌진하는 정예 기병을 이르는 말.

157) 王郞(왕낭) : 전한 말엽 사람. 점술을 생업으로 삼으며 자신을 전한 성제成帝의 아들이라고 사칭하다가 광무제光武帝에게 패하여 사형당했다. ≪후한서·광무제기≫권1 참조.

158) 衣繡夜行(의수야행) : 비단옷을 입고 밤에 길을 가다. 자신의 출세를 드러내지 않는 것을 비유한다. 출세하여 고향으로 돌아가는 것을 뜻하는 '의수주행衣繡晝行' '의금주유衣錦晝遊' '의금주행衣錦晝行' '의금환향衣錦還鄕'의 반대어.

159) 雲臺(운대) : 누각 이름. 후한後漢 광무제光武帝 유수劉秀(B.C.6-A.D.57)가 중신들과 국사를 논의하였고, 명제明帝가 부친인 광무제 때의 공신들의 업적을 기리기 위해 등우鄧禹(2-58) 등 28명의 초상화를 그려 넣은 장소로 유명하다.

"爾俸爾祿, 民膏民脂, 下民易虐, 上天難欺." 卽其書中語也.

○경환에게는 ≪야인한어≫라는 저서가 있다. 송나라 (태조) 건덕 3년(965)에 전국에 훈계를 새긴 비석을 세우면서 네 구절을 담아 "그대의 봉록은 백성들의 몸에서 나온 기름일지니 아래로 백성을 학대하기는 쉬어도 위로 하늘을 속이지는 못 할 것이라"라고 한 것도 바로 그의 저서에 있는 말이다.

◇禮閣(상서성尙書省)

●景融仕宋, 拜太常博士, 胡宿行其制云, "典蕝儀[163]於禮閣[164]."

○경융이 송나라에서 벼슬길에 올라 태상박사를 배수받자 호숙이 그를 임명하는 제서制書를 작성하면서 "상서성에서 조정 신료의 위차를 전담토록 하라"고 하였다.

●景差, 楚人, 作續騷[165]大招一篇. 朱文公[166]云[167], "語平淡醇古."

---

160) 野人閒語(야인한어) : 송나라 경환景煥의 저서로 총 5권. 송나라 정초鄭樵(1104-1162)의 ≪통지通志・예문략藝文略6≫권68에는 서명이 ≪야인한화野人閒話≫로 되어 있다.

161) 乾德(건덕) : 북송北宋 태조太祖의 연호(963-967).

162) 郡國(군국) : 한나라 때 행정 구역 명칭. '군郡'은 천자가 직접 관할하는 행정 구역을 말하고, '국國'은 친왕親王이나 공신을 봉한 각 제후국을 가리킨다. ≪후한서≫에서 '지리지地理志'를 '군국지郡國志'라고 칭한 것도 한나라 때 주요 행정 구역이 '군郡'과 '국國'으로 이루어졌기 때문이다. 여기서는 결국 전국을 가리킨다.

163) 蕝儀(절의) : 조정 신료들의 위차位次에 관한 예식을 이르는 말. '절蕝'은 '절蕝'과 통용자.

164) 禮閣(예각) : 예부가 속해 있는 상서성尙書省의 별칭.

165) 騷(소) : 전국시대 초楚나라 사람 굴원屈原(약 B.C.340-B.C.278)이 조정에서 축출당한 뒤 회재불우懷才不遇의 심경에서 지었다고 전하는 초사 작품인 ≪이소離騷≫의 준말. '이離'는 만나다는 뜻이고, '소騷'는 근심을 뜻한다. 즉 굴원이 시름에 젖어 지었다는 뜻이다. 후한 왕일王逸의 ≪초사장구楚辭章句≫권1에 전한다.

166) 朱文公(주문공) : 송나라 때 성리학性理學의 집대성자이자 대문호인 주희朱熹(1130-1200)에 대한 존칭. '문文'은 시호이고, '공公'은 존칭. 저서로 ≪회암집晦庵集≫ 112권 등 다수가 전한다. ≪송사・도학열전道學列傳・주희전≫권429 참조.

○경차는 (전국시대) 초나라 사람으로 《이소》의 뒤를 잇는 <대초>라는 작품을 지었다. 이에 대해 (송나라) 문공文公 주희朱熹는 “말이 평담하고 순박하다”고 평하였다.

●景鸞, 字漢伯, 東漢人, 作詩解・易說, 著述五千餘萬言.

○경난은 자가 한백이고 후한 때 사람으로 《시해》 《역설》을 지어 5천에서 만 자에 이르는 저술을 남겼다.

●景廷, 五代時人, 善射. 嘗敎其子射曰, “射不入鐵, 不如不發.” 子延廣仕石晉[168], 爲都指揮使[169], 橫挑强胡, 敗死.

○경정은 오대 때 사람으로 활쏘기에 뛰어난 솜씨를 보였다. 일찍이 자신의 아들에게 활쏘기를 가르치며 “화살을 쏘아서 쇠에 박아넣지 못 한다면 차라리 활을 쏘지 않는 것이 낫다”라고 하였다. 아들 경연광景延廣은 석경당石敬瑭이 세운 후진後晉에서 벼슬길에 올라 도지휘사를 지냈는데, 강한 호족에게 함부로 싸움을 걸었다가 패하여 전사하고 말았다.

●殺風景. 陶弘景. 瀟湘[170]八景[171].

○살풍경. (남조南朝 양梁나라 때 도사) 도홍경. 소상팔경.

---

167) 云(운) : 송나라 주희朱熹의 평어는 그의 저서인 《초사집주楚辭集注・대초大招》권7에 전한다.

168) 石晉(석진) : 오대五代 후진後晉의 별칭. 석경당石敬瑭(892-942)이 건국하여 그의 성씨를 따른 것이다.

169) 都指揮使(도지휘사) : 당나라 때 처음 생긴 무관武官 이름으로 송나라 때는 금위군禁衛軍에 설치하였고, 명나라 때는 각 지방에도 설치하였다.

170) 瀟湘(소상) : 동정호로 흘러드는 상수湘水의 별칭. 물이 맑고 깊어서 이런 이름이 붙었다. 소수瀟水와 상수湘水 두 강물로 보는 설도 있다.

171) 八景(팔경) : 소상瀟湘 근처의 여덟 가지 아름다운 풍경을 아우르는 말. ‘평사낙안平沙落雁’ ‘원포귀범遠浦歸帆’ ‘산시청람山市晴嵐’ ‘강천모설江天暮雪’ ‘동정추월洞庭秋月’ ‘소상야우瀟湘夜雨’ ‘연사만종煙寺晩鐘’ ‘어촌석조漁村夕照’를 가리킨다.

◆丙(병씨)

▶商音. 平陽. 齊大夫丙歜之後. 漢功臣表有高苑侯丙倩.

▷음은 상음에 속하고 본관은 (산서성) 평양군으로 (춘추시대) 초나라 대부 병촉의 후손이다. ≪한서·고혜고후문공신표高惠高后文功臣表≫권16에 의하면 고원후에 봉해진 병천이란 사람이 있었다.

◇頫拾卬取[172](언제나 이윤을 추구하다)

●丙氏, 魯人, 以鐵冶起, 富至鉅萬, 頫(音府)有拾, 卬(音仰)有取. 鄒魯以其故多去文學而趍利.

○(전한 때) 병씨는 (산동성) 노국 사람으로 대장장이 일을 하여 집안을 일으키더니 재산이 어마어마하게 불어났는데도 고개를 숙여도('頫'의 음은 '부'이다) 재물을 줍고 고개를 들어도('卬'의 음은 '앙'이다) 재물을 취하였다. 추국과 노국에서는 이 때문에 글을 짓거나 학문을 익히는 일을 버리고 이윤을 추구하는 사람들이 많아졌다.

◇知大體(정치의 요체를 잘 알다)

●丙吉, 字少卿. 漢地節[173]初, 宣帝以其有舊恩, 封博陽侯, 臨封而病. 上憂其不起, 將加紼[174]而封之. 夏侯勝曰, "此未死也. 有陰德者, 必享其樂, 以及子孫." 果愈, 代魏相爲相, 尙寬大. 有馭吏醉, 吐丞相車上, 西曹[175]主吏[176]自欲斥之. 吉曰, "以醉飽之失去士, 使人復何所容? 此

---

172) 頫拾卬取(부습앙취) : 고개를 숙여도 재물을 줍고, 고개를 들어도 재물을 취하다. 언제나 이윤을 추구하는 것을 말한다. '부頫'는 '부俯'와, '앙卬'은 '앙仰'과 통용자.

173) 地節(지절) : 한漢 선제宣帝의 연호(B.C.69-B.C.66).

174) 加紼(가불) : 인끈을 보태주다. 즉 작위를 더 높여 주는 것을 말한다. '불紼'은 '불紱'과 통용자.

175) 西曹(서조) : 서쪽에 위치한 부서나 관리를 뜻하는 말로 원래는 삼공三公의 수장인 태위太尉의 속관이었는데, 뒤에는 왕부王府나 승상부丞相府, 지방 관부官府 등에서 병무나 형벌에 관한 업무를 관장하던 부서나 관리를 가리키는 말로 쓰였다. 인사와 재정를 관장하는 동조東曹와 대칭되었다. 당송 때는 상서성尙書省 육부六部 가운데 서쪽에 위치한 병부兵部·형부刑部·공부工部를 가리키기도 하였다.

176) 主吏(주리) : 모종의 업무를 주관하는 속관屬官을 이르는 말.

不過汙丞相車茵耳,” 嘗出, 不問死傷, 而問牛喘, 謂“三公[177]典調陰陽, 恐時氣失節, 有所傷也.” 時以爲知大體. 贊云, “孝宣中興, 丙魏[178]有聲.” 子顯因有罪削爵. 孫昌復博陽侯.

○병길(?-B.C.55)은 자가 소경이다. 전한 지절(B.C.69-B.C.66) 초에 선제는 그에게 오래 전에 은혜를 입었다고 생각해 박양후에 봉하려 하였으나 작위를 봉하려 할 즈음에 병길이 병이 나고 말았다. 선제는 그가 병석에서 일어나지 못 할까 염려하여 작위를 높여서 봉하려고 하였다. 그러자 하후승이 말했다. “이 사람은 아직 죽지 않았나이다. 음덕이 있는 사람은 분명 그 낙을 누리고 자손에게까지 미치기 마련이옵니다.” 정말로 병이 치유되어 위상을 대신해 승상에 올라서는 관대한 정치를 중시하였다. 어느 마부가 술에 취해 승상의 수레에다가 음식물을 토하자 서조의 담당관이 직접 그를 처벌하려고 하였다. 그러자 병길이 말했다. “술에 취해 한 실수를 가지고 선비를 쫓아낸다면 사람을 부리면서 더 무엇을 용납할 수 있겠소? 이는 승상의 수레와 자리를 더럽힌 것에 지나지 않소.” 일찍이 외출했다가 사람들이 죽었는지 다쳤는지에 대해 묻지는 않고 소가 숨을 헐떡이는 것에 대해 물으며 “삼공은 음양의 조화를 조절하는 일을 관장하기에 계절의 운행이 조화를 이루지 못 하여 짐승이 다칠까 염려하는 것이오”라고 말한 일이 있다. 그래서 당시 사람들은 병길이 정치의 요체를 잘 알고 있다고 평하였다. (≪한서・병길전≫권74의) 찬문에서는 “선제가 나라를 중흥시키면서 병길과 위상이 명성을 떨쳤다”고 하였다. 아들 병현丙顯이 죄를 짓는 바람에 작위를 삭탈당했다가 손자 병창丙昌이 박양후의 작위를 회복하였다.

177) 三公(삼공) : 세 명의 재상을 일컫는 말. 시대마다 차이가 있는데, 주周나라 때는 태사太師・태부太傅・태보太保를 삼공이라고 하다가, 진秦나라와 전한 초에는 승상丞相・어사대부御史大夫・태위太尉를 삼공이라고 하였고, 전한 말엽에는 대사마大司馬(태위太尉)・대사도大司徒・대사공大司空을 삼공이라고 하였으며, 후대에는 태위太尉・사도司徒・사공司空을 삼공이라고 하였다.

178) 丙魏(병위) : 전한 소제昭帝와 선제宣帝 때 명재상인 병길丙吉(?-B.C.55)과 위상魏相(?-B.C.59)을 아우르는 말. ‘위병魏丙’이라고도 하였다.

●魏丙(豫). 魚丙(魚尾).

○(전한) 위상魏相(?-B.C.59)과 병길丙吉(?-B.C.55).(뒤의 '예豫' 운목 참조) 어병.('병丙'자 모양의 물고기 꼬리를 뜻한다)

◆邴(병씨)

▶平陽. 晉大夫邴食采於邴, 因氏焉. 晉有邴夏·邴師, 皆其後也.

▷본관은 (산서성) 평양군이다. (춘추시대) 진나라 대부 병이 병읍을 식읍으로 받았기에 그참에 이를 성씨로 삼은 것이다. 진나라 때 병하·병사란 사람이 있었는데 모두 그의 후손이다.

◇清行(행실이 청렴하다)

●邴漢有清行, 爲中大夫[179]. 王莽賜策書[180]束帛, 遣之歸.

○(전한 말엽에) 병한은 행실이 청렴하여 중대부에 임명되었다. 왕망이 책서와 비단 한 묶음을 하사하고 그에게 귀향케 하였다.

◇龍腹(용의 복부)

●邴原, 東漢人, 與管寧·華歆相善, 時稱三人爲一龍, 寧龍頭[181], 原龍腹, 歆龍尾. 詣長安孫嵩從學, 嵩曰, "君鄉里自有鄭君, 君乃舍[182]之, 何也?" 原曰, "人各有志, 有登山而採玉者, 有入海而探珠者. 豈可以登山不如海之深, 入海不如山之高哉? 龍翰鳳翼, 國之重寶."

○병원(?-216)은 후한 사람으로 관영·화흠과 친한 사이여서 당시 사람들이 이들 세 사람을 한 마리 용이라고 칭했는데, 관영을 '용의

---

179) 中大夫(중대부) : 진한秦漢 이후로 의론을 주관하던 벼슬 가운데 하나. 태중대부太中大夫·중대부中大夫·간대부諫大夫가 있었다.

180) 策書(책서) : 역사를 기록한 서책을 이르는 말. 관리의 임면을 적은 사령장을 가리킬 때도 있다.

181) 龍頭(용두) : 용의 머리. 삼국 위魏나라 때 세 친구인 관영管寧·병원邴原·화흠華歆을 한 마리 용에 비유해 각기 '용미龍尾' '용복龍腹' '용두龍頭'로 불렀다는 고사가 ≪삼국지·위지·화흠전≫권13의 남조南朝 유송劉宋 배송지裴松之 주에 인용된 ≪위략魏略≫에 전하는데, 문헌에 따라 관영과 화흠을 바꾼 기록이 있기에 여기서는 이를 따른 듯하다.

182) 舍(사) : 버리다. '사捨'와 통용자. 즉 스승으로 모시지 않았다는 말이다.

머리'라고 하고, 병원을 '용의 복부'라고 하고, 화흠을 '용의 꼬리'라고 하였다. (섬서성) 장안의 손숭을 찾아가 그의 밑에서 공부하려고 하자 손숭이 말했다. "자네 고향에도 정군이란 사람이 있거늘 자네는 그를 마다한 이유가 무엇인가?" 병원이 대답하였다. "사람마다 각기 포부가 있어 어떤 사람은 산에 올라서 옥을 캐고, 어떤 사람은 바다에 들어가 진주를 찾습니다. 어찌 산에 오른다고 깊은 바다만 못 하다고 하고, 바다에 들어간다고 높은 산만 못 하다고 할 수 있겠습니까? 용의 날개나 봉황의 깃털 모두 나라의 귀중한 보배이지요."

◆井(정씨)

▶徵音. 扶風. 虞大夫井伯, 姜子牙[183]之後也, 以字爲氏. 周有井利, 爲大夫. 漢有井宗, 爲司徒[184].

▷음은 치음에 속하고 본관은 (섬서성) 부풍군이다. (춘추시대 때) 우나라 대부 정백은 강자아(강태공 여상)의 후손으로 자를 성씨로 삼은 것이다. 주나라 때는 대부를 지낸 정리란 사람이 있었고, 한나라 때는 사도를 지낸 정종이란 사람이 있었다.

◇五經紛綸(오경을 두루 잘 알다)

●井丹, 字大春, 漢建武間人, 通五經[185], 善談論. 京師[186]語曰, "五經紛綸[187]井大春."

---

183) 姜子牙(강자아) : 주周나라 문왕文王의 스승이자 무왕武王 때 재상을 지낸 강태공姜太公 여상呂尙의 별칭. '자아'는 자.

184) 司徒(사도) : 상고시대 관직의 하나로서 국가 재정과 관련한 업무를 관장하였다. 주나라 때는 지관地官이었고, 후대에는 민부民部·호부상서戶部尙書에 해당한다. 한나라 이후로는 이 직명을 민정民政을 관장하는 삼공三公의 하나로 지정하기도 하였다.

185) 五經(오경) : ≪역경≫ ≪서경≫ ≪시경≫ ≪예기≫ ≪춘추경≫을 아우르는 말. 결국 경전을 가리킨다.

186) 京師(경사) : 서울, 도읍을 이르는 말. 송나라 주희朱熹(1130-1200) 설에 의하면 '경京'은 높은 지대를 뜻하고, '사師'는 많은 사람을 뜻한다. 즉 높은 산에 의지하여 많은 사람이 모여 사는 곳이란 뜻에서 유래하였다. 여기서는 후한 때 수도인 하남성 낙양을 가리킨다.

○정단은 자가 대춘이고 후한 (광무제) 건무(25-55) 연간 때 사람으로 오경에 정통하고 담론을 잘 하였다. 그래서 (하남성 낙양의) 경사에는 "오경을 두루 잘 아는 사람은 정대춘(정단)이라네"라는 말이 돌았다.

●玉井[188]. 井井[189]. 同井.

○옥정. 질서정연한 모양. 우물을 공동으로 사용하다.

◆穎(영씨)

▶鄭穎考叔爲穎谷封人[190], 因氏焉.

▷(춘추시대) 정나라 영고숙이 영곡의 봉인을 지냈기에 그참에 이를 성씨로 삼은 것이다.

◇純孝(성품이 순후하고 효심이 깊다)

●穎考叔有獻於鄭莊公, 公賜之食, 食舍肉, 請以遺母. 君子曰, "穎考叔純孝也."

○(춘추시대 때) 영고숙이 정나라 장공에게 예물을 바치자 장공이 그에게 음식을 하사하였는데, 식사를 하면서 고기를 치우더니 그것을 모친에게 드리고 싶다고 청하였다. 그래서 군자가 "영고숙은 성품이 순후하고 효심이 깊다"고 평하였다.

◇名家(훌륭한 학자)

●穎容, 字子嚴, 東漢人. 少博學, 註春秋左傳[191], 五萬餘言. 擧孝廉, 公

---

187) 紛綸(분륜) : 넓은 모양.

188) 玉井(옥정) : 태화산太華山 정상에 있다는 전설상의 우물 이름.

189) 井井(정정) : 질서정연한 모양, 논리적이고 조리가 있는 모양.

190) 封人(봉인) : 제왕을 위해 제단과 토담을 설치하고, 경기 지역의 경계선을 나타내는 토담을 만들어 거기에 나무를 심는 일을 관장하는 사도司徒의 속관屬官.

191) 春秋左傳(춘추좌전) : 노魯나라 은공隱公 원년元年(B.C.722년)부터 애공哀公 27년(B.C.468년)까지 약 250년 간의 춘추시대 역사를 기록한 ≪춘추경春秋經≫에 대한 전국시대 노魯나라 좌구명左丘明의 해설서인 ≪춘추좌씨전≫의

車[192)]徵之, 不就. 杜預云, "末有穎子嚴, 亦復名家."

○영용은 자가 자엄으로 후한 사람이다. 어려서부터 박학하여 ≪춘추좌전≫에 5만 자 넘게 주를 달았다. 효렴과에 급제하여 공거에서 그를 초빙하였으나 취임하지 않았다. (진晉나라) 두예는 "(≪좌전≫에 주를 단 사람 중에) 말기에 영자엄(영용)이란 사람이 있었는데 그 또한 뛰어난 학자이다"라고 하였다.

●囊穎[193)]. 毛穎[194)].

○주머니 밖으로 송곳의 끝이 튀어나오다. 붓의 별칭.

□四十四有(44유)

◆柳(유씨)

▶商音. 河東. 魯展禽[195)]食采柳下, 以邑爲氏.

▷음은 상음에 속하고 본관은 (산서성) 하동군이다. (춘추시대) 노나라 전금(전획展獲)이 유하를 식읍으로 받았기에 고을 이름을 성씨로 삼은 것이다.

약칭. ≪좌씨전≫ ≪좌전≫으로도 약칭한다. 진晉나라 두예杜預(222-284)가 주를 달았다.

192) 公車(공거) : 한나라 때 관서 이름. 구경九卿인 위위衛尉의 산하 기관으로 공거령公車令의 지휘를 받으며 궁궐 외문外門의 경비와 재야 인사의 초빙 등의 업무를 관장하였다.

193) 囊穎(낭영) : 주머니(囊) 밖으로 송곳의 끝(穎)이 튀어나오다. 전국시대 조趙나라 평원군平原君이 사신으로 가면서 수행원을 뽑을 때 모수毛遂가 자신에게 기회를 주는 것은 송곳이 주머니 속에 들어가면 밖으로 튀어나오게 되는 것과 같다고 말했다는 ≪사기·평원군조승전平原君趙勝傳≫권76의 '모수자천毛遂自薦'의 고사에서 유래한 말로 탁월한 재능을 발휘하는 것을 비유한다.

194) 毛穎(모영) : 붓의 별칭. 당나라 한유韓愈(768-824)가 붓을 의인화하여 쓴 우화寓話인 <모영(붓)의 전기(毛穎傳)>에서 유래한 말로 '관성자管城子'라고도 한다. 원문은 송나라 위중거魏仲擧가 엮은 ≪오백가주창려문집五百家注昌黎文集·잡문雜文≫권36에 전한다.

195) 展禽(전금) : 춘추시대 노魯나라 대부大夫 전획展獲. '금禽'은 자. 유하柳下를 식읍으로 받고 시호가 '혜惠'여서 '유하혜'로 불렸고, 바른 도리를 지켜 칭송을 받았다. 도둑으로 유명한 도척盜跖의 형이기도 하다.

◇社稷臣(종묘사직을 지킨 신하)

●柳莊卒[196], 衛獻公方祭, 請於尸曰, "有臣柳莊也者, 社稷之臣也, 請往." 不釋祭服而往, 遂以襚[197]之, 與之邑裘氏.(記[198]檀弓)

○(춘추시대 때) 유장이 죽자 위나라 헌공이 막 제사를 올리다가 시동尸童에게 청하였다. "유장이란 신하는 종묘사직을 지킨 신하이오니 지금 찾아가고자 합니다." 제복도 벗지 않고 찾아가 급기야 그에게 제복을 벗어서 바치고 구씨 고을을 그에게 식읍으로 주었다.(≪예기·단궁하≫권19)

◇士品第一(사대부 가운데 최고)

●柳世隆, 字彦緖, 晩年以談義自高. 喜彈琴, 世稱, "柳公雙瑣[199], 爲士品第一." 仕宋, 爲武威將軍. 諸子中最知名者, 長悅·次惔·三惲·四憕·五忱.

○유세륭(442-491)은 자가 언서로 만년에 도의에 대한 담론으로 명성을 높였다. 금을 연주하는 솜씨가 뛰어나 세간에서는 "유공의 금 연주는 사대부 가운데 최고이다"라고 칭송하였다. (남조南朝) 유송에서 벼슬길에 올라 무위장군을 지냈다. 여러 아들 가운데 가장 명성을 떨친 이는 장남 유열柳悅·차남 유담柳惔·삼남 유운柳惲·사남 유징柳憕·오남 유침柳忱이다.

---

196) 卒(졸) : 사대부가 죽었을 때 쓰는 말. ≪예기·곡례하曲禮下≫권5에 의하면 천자의 죽음은 '붕崩'이라고 하고, 공경公卿의 죽음은 '훙薨'이라고 하며, 대부大夫의 죽음은 '졸卒'이라고 하고, 사士의 죽음은 '불록不祿'이라고 하며, 평민의 죽음은 '사死'라고 하여 신분에 따라 죽음에 대한 표현에도 차이를 두었다.

197) 襚(수) : 죽은 사람에게 제복을 벗어 주어서 혼을 달래는 의식을 이르는 말.

198) 記(기) : 예법과 관련한 기본 정신을 서술한 책인 ≪예기禮記≫의 약칭. 전한 선제宣帝 때 대덕戴德이 정리한 85편의 ≪대대예기大戴禮記≫와 대덕의 조카인 대성戴聖이 정리한 49편의 ≪소대예기小戴禮記≫가 있는데, 오늘날 '예기'라고 하는 것은 후자를 가리킨다. ≪주례周禮≫ ≪의례儀禮≫와 함께 '삼례三禮'라고 한다.

199) 雙瑣(쌍쇄) : 한 쌍의 옥이 부딪히는 소리. 여기서는 금의 연주 소리가 아름다운 것을 비유한다.

◇二龍(두 마리 용)

●柳惔, 字文通, 與兄悅齊名. 王儉曰, "柳氏二龍, 可謂一日千里."

○(남조南朝 남제南齊) 유담은 자가 문통으로 형 유열柳悅과 함께 나란히 이름을 떨쳤다. 왕검은 "유씨 집안의 두 마리 용은 가히 하루에 천 리를 간다고 말할 만하다"라고 하였다.

◇柳郞儀表(유운柳惲은 타의 모범이다)

●柳惲, 字文暢, 早有令名, 少工篇什. 與謝瀹隣居, 相友愛. 瀹曰, "宅南柳郞, 可爲儀表." 嘗和梁武帝登景陽樓詩[200]云, "太液[201]微波起, 長楊[202]高樹秋. 翠華[203]承漢遠, 雕輦[204]逐風游." 深見賞美. 兄弟十五人, 惲·憕·忱迭爲侍中[205], 復居方伯[206].

○유운(465-517)은 자가 문창으로 일찌감치 명성을 떨치더니 어려서부터 글을 잘 지었다. 사약과 이웃해 살면서 서로 우애가 깊었는데, 사약이 "우리집 남쪽에 사는 유랑(유운)은 타의 모범이라 평할 만하다"라고 말한 일이 있다. 일찍이 (남조南朝) 양나라 무제가 경양루에 올라 지은 시에 화답하는 시에서 "태액지에 잔물결 일어나고, 장양궁 높은 나무에 가을 찾아오니, 황제의 수레가 멀리 한나라 때 풍습

---

200) 詩(시) : 이는 오언고시五言古詩 <무제를 따라 경양루에 오르다(從武帝登景陽樓)>란 제목으로 명나라 풍유눌馮惟訥의 ≪고시기古詩紀·양梁16≫권89에 전한다.

201) 太液(태액) : 한나라 때 장안長安의 건장궁建章宮 북쪽에 있던 연못 이름. ≪삼보황도三輔皇圖≫권2 참조. 결국 황궁을 비유적으로 가리킨다.

202) 長楊(장양) : 진한秦漢 때 섬서성 주질현盩厔縣 남쪽에 세웠던 궁궐 이름. 여기서는 황궁을 비유적으로 가리킨다.

203) 翠華(취화) : 천자의 의장儀仗 가운데 물총새 깃털을 장식한 깃발이나 수레 덮개를 이르는 말. 결국 황제의 수레를 가리킨다.

204) 雕輦(조련) : 아름답게 장식한 가마. 결국 황제의 가마를 가리킨다.

205) 侍中(시중) : 황제의 측근에서 기거起居를 보살피고 정령政令을 집행하는 일을 관장하는 벼슬. 진晉나라 이후로 재상의 지위에까지 오르고, 수나라 때 납언納言 혹은 시내侍內라고 하였으며, 당송 이후로는 조정의 주요 행정 기관인 삼성三省 가운데 문하성門下省의 수장首長이 되었다.

206) 方伯(방백) : 절도사節度使·관찰사觀察使나 자사刺史·태수太守 같은 지방 수령에 대한 범칭.

을 이어받아, 황제의 가마가 바람을 따라 노니네"라고 읊어 크게 칭찬을 받았다. 형제 열다섯 명 가운데 유운·유징柳憕·유침柳忱은 번갈아 시중을 지내다가 다시 지방 수령에 올랐다.

◇衣錦還鄕(금의환향하다)

●柳慶遠, 字文和, 爲雍州刺史. 梁武帝曰, "卿衣錦還鄕, 朕無西顧矣."

○유경원은 자가 문화로 (섬서성) 옹주자사를 지냈다. (남조南朝) 양나라 무제가 "경이 금의환향을 하니 짐이 서쪽을 걱정할 일이 없게 되었소"라고 하였다.

◇江漢英靈(장강과 한수 일대의 영령)

●柳遐幼超邁, 謝擧歎曰, "江漢英靈, 見於此矣." 梁人, 仕周.(北史207))

○유하는 어려서부터 속세를 초월하였기에 사거가 감탄해 하며 "장강과 한수 일대의 영령이 이 사람에게서 다 나타나는구나"라고 하였다. (남조南朝) 양나라 사람인데 (북조北朝) 북주北周에서 벼슬길에 올랐다.(≪북사·유하전≫권70)

◇持節出使(황제의 부절을 가지고 사신으로 나가다)

●柳彧, 字幼文, 仕隋, 爲侍御史208). 持節使河北, 巡省五十二州, 奏免贓汙者二百餘人. 州縣肅然. 上嘉之.

○유욱은 자가 유문으로 수나라에서 벼슬길에 올라 시어사를 지냈다. 황제의 부절을 가지고 하북 땅에 사신으로 가서 52개 주를 순찰하고 탐관오리를 2백 명 넘게 파면시킬 것을 주청하자 각 주와 현이 숙연해졌다. 그래서 황제가 그를 칭찬하였다.

---

207) 北史(북사) : 당나라 이연수李延壽가 북조北朝의 북위北魏부터 수隋나라까지 도합 242년의 역사를 간략히 정리하여 서술한 사서史書. 총 100권. ≪사고전서간명목록·사부·정사류正史類≫권5 참조.

208) 侍御史(시어사) : 주周나라 때 주하사柱下史에서 유래한 벼슬로서 위진魏晉 이후로는 주로 관리들의 비리를 규찰하였다. 당송唐宋 때는 어사대御史臺 소속으로 어사대부御史大夫·어사중승御史中丞 다음 가는 벼슬이었다.

◇華腴(상서령이나 상서복야를 배출한 집안)

●柳芳作氏族論[209]曰, "三世有三公曰膏粱, 有令僕[210]曰華腴."

○(당나라) 유방은 ≪씨족론≫을 지어 "삼대에 걸쳐 삼공을 배출한 집안을 '고량'이라고 하고, 상서령이나 상서복야를 배출한 집안을 '화유'라고 한다"고 하였다.

◇知戎情(군사 상황을 잘 알다)

●柳渾, 字夷曠, 唐貞元中, 同平章事[211]. 時渾瑊與吐蕃[212]會盟, 渾策其必劫盟, 已而果然. 上曰, "卿書生, 乃知軍戎萬里情乎?"

○유혼(715-789)은 자가 이광으로 당나라 (덕종) 정원(785-805) 연간에 동평장사에 올랐다. 당시 혼감이 토번족과 회맹을 갖자 유혼이 그들이 필시 회맹을 맺으라고 협박했을 것이라고 글을 올렸는데, 얼마 뒤에 보니 정말로 그의 말대로였다. 그러자 덕종이 "그대는 일개 서생이면서도 도리어 만 리 밖의 군사 상황을 간파한단 말인가?"라고 하였다.

◇誅舞文吏(법조문을 왜곡하는 관리를 주살하다)

●柳公綽, 字子寬, 始生三日, 伯父子華曰, "興吾門者, 必此兒也." 唐元和[213]中, 爲山南[214]節度使, 行部[215]至鄧縣. 吏有納賄舞文[216]者, 公

---

209) 氏族論(씨족론) : 당나라 유충柳沖 등이 황명으로 지은 ≪성씨록姓氏錄≫에 기반하여 뒤에 유방柳芳이 성씨에 관해 정리한 글로서 ≪신당서·유충전≫권199에 전한다.

210) 令僕(영복) : 한나라 이후로 상서성尙書省의 장관인 상서령尙書令과 차관인 상서복야尙書僕射를 아우르는 말.

211) 同平章事(동평장사) : 벼슬 이름인 동중서문하평장사同中書門下平章事의 약칭. 당나라 때 핵심 권력 기관인 상서성尙書省·중서성中書省·문하성門下省의 장관인 상서령尙書令·중서령中書令·문하시중門下侍中을 재상이라 하였는데, 상설하지 않는 대신 다른 집정관執政官들 가운데 선임하여 '동중서문하평장사同中書門下平章事'라 하고 재상으로 대우하였다. 명나라 초까지 이어지다가 폐지되었고, 그 지위와 명칭은 시대마다 약간의 차이가 있다.

212) 吐蕃(토번) : 중국 서부 티베트에 사는 종족 이름. 한나라 때는 서강西羌이라고 하였고, 당나라 때는 서역을 제패하여 강대한 세력을 떨쳤으나, 희종僖宗 이후로 세력이 약해졌다. '번蕃'은 '번番'으로도 쓴다.

綽判曰, “贓吏犯法, 法在, 姦吏壞法, 法亡.” 誅舞文者. 弟公權, 子仲郢.

○유공작(765-832)은 자가 자관으로 갓 태어난 지 사흘만에 백부인 유자화柳子華가 “우리 가문을 일으킬 사람은 필시 이 아이일 것이네”라고 하였다. 당나라 (헌종) 원화(806-820) 연간에 산남절도사를 맡아 관할 구역을 순찰하다가 (하남성) 등현에 이르렀는데, 관리 가운데 뇌물을 받은 자와 법조문을 왜곡한 자가 있자 유공작은 다음과 같이 판결하였다. “뇌물을 받은 관리가 법을 어기긴 했어도 법이 살아 있지만, 간교한 관리가 법을 망가뜨리면 법이 사라지는 법이오.” 결국 법조문을 왜곡하여 남을 무고한 자를 주살하였다. 동생은 유공권柳公權이고, 아들은 유중영柳仲郢이다.

◇筆諫(필법으로 간언하다)

●柳公權, 唐穆宗朝, 拜侍書學士. 帝問筆法, 對曰, “心正則筆正, 筆正乃可法矣.” 帝改容, 悟其以筆諫也. 文宗朝, 充翰林書詔學士. 夏日嘗召, 與聯句, 命題于殿壁, 字徑五寸. 帝嘆曰, “鍾王[217]無以尙也.” 東坡[218]與柳氏外甥詩[219]云, “君家自有元和脚[220], 莫厭家雞[221]更問人.” 嘗作

---

213) 元和(원화) : 당唐 헌종憲宗의 연호(806-820).

214) 山南(산남) : 당나라 때 종남산終南山과 태화산太華山 남쪽에 설치한 道道 이름. 지금의 호북성과 사천성 일대를 가리킨다.

215) 行部(행부) : 관할 구역을 순찰하면서 치적을 살피는 일.

216) 舞文(무문) : 법조문을 왜곡하여 교묘하게 속여서 죄를 조작하는 일.

217) 鍾王(종왕) : 서예의 대가인 삼국 위魏나라 종주鍾繇(151-230)와 진晉나라 왕희지王羲之(321-379)를 아우르는 말.

218) 東坡(동파) : 송나라 때 대문호인 소식蘇軾(1036-1101)의 호. 소식이 호북성 황주黃州로 폄적당했을 때 동파에 거주한 데서 비롯되었다. 저서로 ≪동파전집東坡全集≫ 115권이 전한다. ≪송사·소식전≫권338 참조.

219) 詩(시) : 이는 칠언절구七言絶句 <유씨 가문 출신 두 외생이 필적을 요구하다(柳氏二外甥求筆迹)> 2수 가운데 제1수의 후반부를 인용한 것으로 ≪동파전집≫권5에 전한다.

220) 元和脚(원화각) : 당나라 헌종憲宗 원화(806-820) 연간에 활동한 유공권柳公權의 서체를 비유하는 말. ‘각脚’는 서법書法에서 삐침을 말한다.

221) 家雞(가계) : 자기 집의 닭. 남조南朝 유송劉宋 때 왕승건王僧虔(426-485)이 서법書法에 대해 논하는 글에서 “진晉나라 유익庾翼이 후배인 왕희지王羲

龍城記, 爲錦様書以進, 帝方御前麫[222]月兒羹[223], 命分賜之. 嘗從幸未央[224], 上命賦賜邊衣[225]詩, 宮人迫之, 應聲而成. 上曰, “子建[226]七步[227], 爾乃三焉!”

○유공권(778-865)은 당나라 목종 때 (황제를 모시고 경서를 강독하는) 시서학사를 배수받았다. 목종이 필법에 대해 묻자 유공권은 “마음을 바로먹으면 필법이 바르게 되고, 필법이 반듯해야 본받을 수 있는 법입니다”라고 대답하였다. 그러자 목종이 낯빛을 바꾸며 그가 필법으로 간언하였다는 것을 깨달았다. 문종 때는 한림원에서 조서 작성을 전담하는 학사에 임명되었다. 여름날 문종이 일찍이 그를 불러 함께 연구시를 지으면서 궁전 벽에 적게 하였는데 글자가 직경 다섯 치나 되었다. 그러자 문종이 감탄해 하며 말했다. “(삼국 위魏나라) 종주鍾繇와 (진晉나라) 왕희지王羲之라 할지라도 이를 능가하지는 못 할 것이오.” 그래서 (송나라) 동파東坡 소식蘇軾은 유씨 가

之가 자신보다 더 존경을 받자 ‘어린 것들이 집닭은 싫어하고 모두 일소(왕희지의 자)의 서체를 배운다(小兒輩賤家雞, 皆學逸少書)’고 불만을 드러냈다”고 말했다는 ≪남사南史・왕승건전≫권22의 고사에서 유래한 말로 자신만의 서체나 학문을 비유한다.

222) 前麫(전면) : 칼국수를 뜻하는 말인 ‘전도면剪刀麵’의 준말.

223) 月兒羹(월아갱) : 국 이름. 그러나 구체적인 내용은 알려지지 않았다.

224) 未央(미앙) : 한나라 때 궁궐인 미앙궁未央宮의 준말. ‘미앙’은 영원함을 뜻한다.

225) 邊衣(변의) : 변방을 지키는 사람들이 입는 옷. 즉 군복을 가리킨다.

226) 子建(자건) : 삼국시대 위魏나라 때 시인 조식曹植(192-232)의 자. 무제武帝 조조曹操(155-220)의 아들이자, 문제文帝 조비曹丕(187-226)의 동생. 문재文才가 뛰어났으나 그 때문에 형인 조비의 시기를 받아 불행한 삶을 살았다. 봉호가 진왕陳王이고 시호가 사思여서 진사왕陳思王으로도 불렸다. 저서로 ≪조자건집曹子建集≫ 10권이 전한다. ≪삼국지・위지・진사왕조식전陳思王曹植傳≫권19 참조.

227) 七步(칠보) : 조식曹植의 글재주를 시기한 조비曹丕가 일곱 걸음 안에 시를 짓지 못 하면 큰 벌을 내릴 것이라고 윽박지르자, 조식이 “콩을 끓이느라 콩깍지를 태우니, 콩이 솥 안에서 눈물을 흘리네. 본시 같은 뿌리에서 태어났건만, 들들 볶아대는 것이 어찌 이리도 급할까?(煮豆燃豆萁, 豆在釜中泣, 本是同根生, 相煎何太急)”라고 풍자시를 지었다는 고사가 진위眞僞 여부를 떠나 남조南朝 유송劉宋 유의경劉義慶(403-444)의 ≪세설신어世說新語・문학文學≫권상에 전한다. 시 짓는 솜씨가 뛰어난 것을 비유한다.

문 출신의 외생에게 주는 시에서 "자네 집에도 원래 (당나라) 원화(806-820) 연간의 대가인 유공권의 필법이 있으니, 집닭이 싫다고 남에게 다시 묻지 마시게"라고 읊은 일이 있다. 일찍이 ≪용성기≫를 지으면서 비단 문양의 서체로 써서 바치자 황제가 막 칼국수와 월아갱을 들다가 그에게도 나눠주라는 명을 내린 적이 있다. 또 일찍이 황제를 호종하여 미앙궁에 행차했을 때 군복을 하사하는 것에 대한 시를 지으라고 하여 궁인이 재촉하자 그 말은 듣는 즉시 시를 완성하였다. 그러자 황제가 말했다. "(삼국 위魏나라) 자건(조식曹植)이 일곱 걸음을 걸었다더니 그대는 오히려 세 걸음만에 완성하는구려!"

◇寬嚴兩適(관대하고 엄정한 정사 두 가지를 적절히 쓰다)

●柳仲郢, 字諭蒙. 唐會昌[228]中, 拜京兆尹[229], 爲令嚴明, 大中[230]中, 爲河南尹[231], 以寬惠爲政. 曰, "輦轂[232]之下先彈壓, 郡邑之治本惠養." 每遷, 烏集[233]庭樹戟架[234]皆滿. 子玭.

○유중영(?-864)은 자가 유몽이다. 당나라 (무종) 회창(841-846) 연간에는 (섬서성 장안 일대를 관장하는) 경조윤을 배수받아 법령을 엄정하고 명확하게 시행하였으나, (선종) 대중(847-859) 연간에는 (하남성 낙양 일대를 관장하는) 하남윤을 맡자 관대한 정사를 펼치면서 "도성에서는 엄격한 통제를 앞세워야 하지만, 지방 고을을 다

---

228) 會昌(회창) : 당唐 무종武宗의 연호(841-846).

229) 京兆尹(경조윤) : 도성으로부터 백 리 안의 경기 지역을 관장하는 벼슬 이름.

230) 大中(대중) : 당唐 선종宣宗의 연호(847-859).

231) 河南尹(하남윤) : 전한 때 동도東都이자 후한 때 수도인 하남성 낙양洛陽 일대를 관장하던 부윤府尹을 이르는 말.

232) 輦轂(연곡) : 황제가 타는 수레를 뜻하는 말로 황제나 경사京師·도성을 비유한다.

233) 烏集(오집) : 까마귀가 날아들다. 탄핵을 관장하는 어사대御史臺를 오대烏臺라고도 하였으므로 까마귀는 결국 강직과 청렴을 상징한다.

234) 戟架(극가) : 창을 걸어두는 시렁. '계가棨架'라고도 한다. 관청 앞에 위엄을 보이기 위해 세우는 창을 가리킨다.

스릴 때는 은혜와 사랑을 근본으로 삼아야 한다"고 하였다. 매번 승진할 때마다 까마귀가 정원 나무와 창에 가득 날아들었다. 아들은 유빈柳玭이다.

◇家法(가법)

●柳玭, 唐僖宗時, 爲御史大夫[235], 清直有父風. 述家訓, 以戒子孫, 大略云, "余家以學識禮法稱於士林, 人當以德行文學爲根株, 正直剛毅爲柯葉. 有根無葉, 或可俟時, 有葉無根, 膏雨不能活也." 唐世稱家法之美, 以柳氏爲稱首[236].

○유빈은 당나라 희종 때 어사대부를 지내면서 청렴하고 강직한 면모를 보여 부친의 기풍을 이어갔다. 가훈을 지어 자손들을 훈계하였는데 대략의 내용은 다음과 같다. "우리 가문은 학식과 예법으로 문단에서 칭송을 받았지만 사람이라면 의당 덕행과 글솜씨를 뿌리와 그루터기로 삼고, 정직하고 강직한 인품을 가지와 잎사귀로 삼아야 한다. 뿌리가 있으면 잎사귀가 없어도 혹여 때를 기다릴 수 있지만, 잎사귀만 있고 뿌리가 없으면 단비가 내려도 살 수 없는 법이니라." 당나라에서 훌륭한 가법을 말할 때면 유씨 가문의 것을 으뜸으로 쳤다.

◇攝生(섭생술)

●柳公度善攝生, 年八十餘有强力. 常云, "吾初無術. 但未嘗以氣海[237]暖冷物, 熟生物, 及不以元氣佐喜怒耳." 父公權[238].

---

235) 御史大夫(어사대부) : 관리들의 비행을 규찰하고 탄핵하는 업무를 관장하는 기관인 어사대御史臺의 주무 장관. 버금 장관으로 어사중승御史中丞이 있고, 휘하에 시어사侍御史와 전중시어사殿中侍御史·감찰어사監察御史·어사승御史丞 등을 거느렸다.

236) 稱首(칭수) : 첫머리에 어울리는 사람. 즉 으뜸, 최고를 말한다.

237) 氣海(기해) : 원기가 모이는 신체 부위를 이르는 말. 심장 아래를 '상기해上氣海'라고 하고, 단전을 '하기해下氣海'라고 한다.

238) 公權(공권) : ≪신당서·유자화전≫권163에 의하면 '자화子華'의 오기이다. ≪신당서·유공권전柳公權傳≫권163에 유자화柳子華와 아들 유공도柳公度의 전기가 부록으로 실려 있기에 착오를 일으킨 듯하다.

○(당나라) 유공도는 섭생을 잘 하여 나이가 80세가 넘어서도 힘이 넘쳤다. 그는 늘 "나는 당초 특별한 도술이 없었다. 단지 기를 써서 차가운 몸을 따듯하게 하지도 않고 살아 있는 몸을 뜨겁게 하지도 않았고, 급기야 원기로써 희노애락을 다스리지 않았을 뿐이다"라고 하였다. 부친은 유자화柳子華이다.

◇五星在天(오성이 하늘에 떠 있는 것과 같다)

●柳宗元, 字子厚, 文章卓偉, 弟[239]進士・博學宏詞科[240], 唐貞元中, 拜監察御史. 元和中, 爲柳州刺史, 世號柳柳州. 柳文集序[241]云, "唐之文振, 粲然如繁星麗天, 芒寒色正, 人望而敬者, 五行[242]而已. 河東柳子厚, 斯人所望而敬者歟!" 旣歿, 柳人懷之, 廟於羅池[243]. 韓愈爲之碑[244].

○유종원(773-819)은 자가 자후로 문장력이 뛰어나 진사과와 박학굉사과에 급제하더니 당나라 (덕종) 정원(785-805) 연간에 감찰어사를 배수받았다. (헌종) 원화(806-820) 연간에 (광서성) 유주자사를 지내 세간에서는 '유유주'로 불린다. 유종원 문집의 서문에 "당나라 때 문단이 기세를 떨쳤으나 찬란하게 빛을 발한 것은 마치 수많은

---

239) 弟(제) : 급제하다. '제第'와 통용자.

240) 博學宏詞科(박학굉사과) : 학문이 폭넓고 문장이 뛰어나 조정의 문서를 기초할 만한 인재를 뽑기 위한 과거시험의 하나. 송나라 때는 굉사과宏詞科라고 하다가 휘종徽宗 때 사학겸무과詞學兼茂科라고 하였고, 고종高宗 때 박학굉사과博學宏詞科라고도 하였다.

241) 序(서) : 이는 유종원의 친구이자 정치적 동지인 유우석劉禹錫(772-842)이 지은 것으로 <당나라 때 상서성 예부원외랑을 지낸 고 유종원의 문집에 쓴 글(唐故尙書禮部員外郎柳君集紀)>이란 제목으로 유우석의 ≪유빈객문집劉賓客文集≫권19에 전한다.

242) 五行(오행) : 오행과 사계절 등의 관계는 목-동방-청색-창룡蒼龍-봄, 화-남방-적색-주작朱雀-여름, 토-중앙-황색-기린麒麟-한여름, 금-서방-백색-백호白虎-가을, 수-북방-흑색-현무玄武-겨울로 설정된다. 따라서 여기서는 목성・화성・토성・금성・수성인 오성五星을 가리킨다.

243) 羅池(나지) : 광서성 유주柳州 동쪽에 있는 연못 이름.

244) 碑(비) : 이는 <유자후(유종원)의 묘지명(柳子厚墓誌銘)>이란 제목으로 송나라 위중거魏仲擧가 엮은 한유韓愈의 ≪오백가주창려문집五百家注昌黎文集≫권32에 전한다.

별이 하늘을 빛내도 빛살이 차갑고 색이 정통이라서 사람들이 우러러 경외하는 것이 오성에 지나지 않는 것과 같다. (산서성) 하동군 사람 유자후(유종원)가 바로 사람들이 우러러 존경하는 대상이리라!" 라고 하였다. 그가 죽고 나자 유주 사람들이 그를 흠모하여 (유주 동쪽의) 나지에 사당을 지어 주었다. 한유가 그 비문을 썼다.

◇準勅塡詞(황명에 따라 사를 짓다)

●柳永, 字耆卿, 長於詞. 自作詞云[245], "才子詞人, 自是白衣[246]卿相[247]." 後有薦於上者, 仁宗曰, "此人風前月下, 淺斟低唱, 豈可令仕宦? 且去塡詞[248]." 由是不得志, 無復檢率[249]. 自稱云, '奉聖旨塡詞柳三變[250].' 景祐初, 登弟, 爲屯田員外郞[251].

○(송나라) 유영은 자가 기경으로 사를 잘 지었다. 그는 스스로 사를 지어 "재주 많은 사인은 나름대로 벼슬하지 않은 고관이라네"라고 하였다. 뒤에 누군가 그를 추천하자 인종이 말했다. "이 사람은 바람과 달빛 아래서 술을 조금씩 따라마시며 나지막히 노래나 읊조리고 있거늘 어찌 벼슬을 줄 수 있겠소? 앞으로는 악보에 가사를 채우는 일을 그만두게 하시오." 이 때문에 뜻을 이루지 못 하자 더 이상 자신을 제어하지 않으며 자칭 '황제의 뜻을 받들어 사를 짓는 유삼변'이라고 하였다. (인종) 경우(1034-1037) 초에 과거시험에 급제하여 둔전원외랑을 지냈다.

---

245) 云(운) : 이는 송나라 유영柳永의 <학충천(鶴沖天)>사에서 두 구절을 인용한 것으로 그의 사집詞集인 ≪악장집樂章集≫에 전한다.
246) 白衣(백의) : 흰 옷. 평민의 신분을 상징한다.
247) 卿相(경상) : 구경九卿과 삼공三公을 아우르는 말로 고관에 대한 총칭.
248) 塡詞(전사) : 가사를 채워넣다. 악보를 바탕으로 가사를 채워넣어 사詞를 짓는 것을 말한다.
249) 檢率(검솔) : 단속하다, 통제하다.
250) 三變(삼변) : 송나라 유영柳永의 본명.
251) 屯田員外郞(둔전원외랑) : 당송唐宋 때 조정의 핵심 행정 기관인 상서성尙書省 소속 이부吏部·호부戶部·예부禮部·병부兵部·형부刑部·공부工部의 육부六部 가운데 공부 산하에서 둔전屯田의 개간 및 물품 공급에 관한 실무를 맡아 보던 벼슬 이름.

◇**歸老橋(귀로교)**

●柳拱辰, 宋天聖[252]中, 試'珠藏淵'賦[253], 王拱辰榜[254]登第. 至和[255]中, 知永州, 年六十卽有掛冠[256]之志, 創一橋曰歸老橋. 南豐[257]作記[258]. 弟應辰, 寶元[259]中, 登甲科[260].

○유공신은 송나라 (인종) 천성(1023-1031) 연간에 '진주가 심연에 숨어 있다'는 제목의 부로 시험쳐 왕공신이 장원급제한 과거시험에서 급제하였다. 지화(1054-1055) 연간에는 (호남성) 영주를 다스리다가 나이 60세가 되자 벼슬을 그만둘 뜻을 품고서 다리를 하나 세우고는 ('돌아가서 여생을 보낸다'는 의미에서) '귀로교'라고 이름 지었다. 남풍南豐 증공曾鞏이 기문을 지었다. 동생 유응신柳應辰은 보원(1038-1039) 연간에 갑과에 급제하였다.

●柳元景, 字孝仁, 宋文帝北伐, 加建威將軍, 終尙書令.

○유원경(406-465)은 자가 효인으로 (남조南朝) 유송劉宋 문제가 북

---

252) 天聖(천성) : 북송北宋 인종仁宗의 연호(1023-1031).

253) 珠藏淵賦(주장연부) : '주장연珠藏淵'은 훌륭한 인재나 고귀한 작품이 겉으로 드러나지 않는 것을 비유하는 말인데, 유공신柳拱辰의 이 부는 현재 실전된 듯하다.

254) 王拱辰榜(왕공신방) : 왕공신王拱辰이 장원급제한 과거시험 합격자 명단을 가리킨다.

255) 至和(지화) : 북송北宋 인종仁宗의 연호(1054-1055).

256) 掛冠(괘관) : 갓을 걸어 놓다. 전한 때 봉맹逢萌이 왕망王莽(B.C.45-A.D.23)의 신하가 되는 것이 싫어서 하남성 낙양洛陽 성문에 갓을 걸어 놓고 요동遼東으로 떠났다는 고사에서 유래한 말로 벼슬을 그만두는 것을 비유한다. 반면 벼슬에 나가는 것은 갓을 쓰기 위해 '갓의 먼지를 턴다'는 뜻의 '탄관彈冠'이라고 한다.

257) 南豐(남풍) : 송나라 때 사람 증공曾鞏(1019-1083)의 본관이자 호. 자는 자고子固. 당송팔대가唐宋八大家의 일인으로 ≪융평집隆平集≫ 20권과 ≪원풍류고元豐類藁≫ 50권 등의 저서를 남겼다. ≪송사·증공전≫권319 참조.

258) 記(기) : 이는 <귀로교에 관한 글(歸老橋記)>이란 제목으로 ≪원풍류고≫권18에 전한다.

259) 寶元(보원) : 북송北宋 인종仁宗의 연호(1038-1039).

260) 甲科(갑과) : 과거시험의 하나. 한나라 때 과거시험을 갑과甲科·을과乙科·병과丙科로 구분하던 것을, 당나라 초기에는 명경과明經科를 갑·을·병·정 4과로 구분하였고, 당송 때는 진사과進士科를 갑·을로 구분하기도 하였다.

방 정벌에 나섰을 때 건위장군에 임명되었고 상서령을 지내다가 생을 마쳤다.

●柳燦, 唐末爲翰林學士, 拜相. 學問博洽, 時目爲柳篋子.

○유찬은 당나라 말엽에 한림학사를 지내다가 재상을 배수받았다. 학문이 넓어 당시에 ('책상자 유선생'이란 의미에서) '유협자'란 별명을 얻었다.

●柳平, 字公儀, 宋元祐[261]中, 以朝奉大夫[262]知筠川, 建江西道院.

○유평은 자가 공의로 송나라 (철종) 원우(1086-1093) 연간에 조봉대부의 신분으로 (강서성) 균주를 다스리면서 강서도원을 세웠다.

※女德婚姻(여덕과 혼인)

◇熊膽丸(웅담으로 만든 환약)

●柳公綽妻韓氏, 皐之女也. 家法嚴肅, 爲縉紳[263]家楷範, 訓其子仲郢. 嘗和熊膽丸, 使夜咀嚼以助勤.

○(당나라) 유공작(765-832)의 아내 한씨는 한고韓皐의 딸이다. 가법이 엄격하여 벼슬아치 집안의 모범이 될 만한 규범을 만들어 자신의 아들인 유중영柳仲郢(?-864)을 가르쳤다. 그녀는 일찍이 웅담으로 환약을 만들어 아들에게 밤에 그것을 씹게 해서 면학을 도왔다.

◇章臺柳(장안 장대가의 버드나무)

●柳氏, 韓翃妻也. 盜覆二京[264], 柳剪髮爲尼, 居法堂寺. 蕃將沙吒利[265]

---

261) 元祐(원우) : 북송北宋 철종哲宗의 연호(1086-1093).

262) 朝奉大夫(조봉대부) : 송나라 때 29개 문산관文散官 가운데 열한 번째 벼슬. 정5품에 해당하였다.

263) 縉紳(진신) : 원래는 홀笏을 신紳에 꽂는 것을 뜻하는 말로, 사대부나 벼슬아치를 비유한다. '진縉'은 꽂는다는 뜻으로 '진搢'과 통용자.

264) 二京(이경) : 서경西京인 섬서성 장안과 동경東京인 하남성 낙양을 아우르는 말. '양경兩京'이라고도 한다.

劫以歸. 翃後爲淄靑[266]書記[267], 遣使以練囊盛麩, 題于囊曰, "章臺[268]柳! 章臺柳! 昔日靑靑今在否? 縱使長條似舊垂, 也應攀折他人手." 柳答曰, "楊柳枝, 芳菲節, 可恨年年贈離別. 一葉隨風忽報秋, 縱使君來不堪折." 有虞候[269]許俊, 以一騎挾之歸. 淄靑節度使錢希逸以聞于朝, 詔還翃.

○(당나라 때) 유씨는 한굉의 아내이다. 반군이 (섬서성 장안의) 서경과 (하남성 낙양의) 동경을 점령하자 유씨는 머리를 깎고 비구니가 되어 법당사에 머물렀는데, 변방 장수인 사타리가 그녀를 겁탈하고 돌아갔다. 한굉은 뒤에 (산동성) 치주와 청주 일대에서 서기직을 맡으면서 심부름꾼을 보내 비단주머니에 밀가루를 담고 주머니에 다음과 같은 구절을 적었다. "장대가의 버드나무(유씨)여! 장대가의 버드나무여! 옛날에 싱싱하던 모습이 지금도 남아 있소? 설사 기다란 가지가 예전처럼 드리워 있다 해도, 분명 남의 손에 꺾이고 말았겠지." 그러자 유씨가 답시를 적어 "버드나무 가지의 향기로운 마디를 애석하게도 해마다 헤어진 임에게 드렸건만, 잎새가 온통 바람을 따라 홀연 가을을 알리니, 설사 그대가 온다 해도 꺾을 수 없으리"라고 하였다. 우후 허준이란 사람이 말에 태워 그녀를 데리고 돌아갔다. (산동성) 치주와 청주 일대를 관장하는 절도사인 전희일이 이를 조

---

265) 沙吒利(사타리) : 당나라 덕종德宗 때 이민족 출신의 변방 장수. 한굉韓翃이 아내 유씨를 사타리에게 빼앗겼다가 황제의 명으로 다시 되찾았다는 고사가 송나라 때 저자 미상의 ≪금수만화곡錦繡萬花谷·우雨≫전집권1에 인용된 당나라 이구李玖의 소설책인 ≪이문록異聞錄≫에 전한다.

266) 淄靑(치청) : 당나라 때 산동성 치주淄州와 청주靑州 일대에 설치한 번진藩鎭 이름.

267) 書記(서기) : 당송唐宋 때 지방 장관이나 절도사節度使·관찰사觀察使·방어사防禦使·선무사宣撫使 등 여러 사신 밑에서 문서를 관장하던 속관屬官인 장서기掌書記의 약칭. 속관에는 사신마다 차이가 있으나, ≪신당서·백관지≫권49에 의하면 대개 부사副使·행군사마行軍司馬·판관判官·지사支使·장서기掌書記·추관推官·순관巡官·아추衙推 등을 두었다.

268) 章臺(장대) : 섬서성 장안에 있던 번화가인 장대가章臺街의 준말.

269) 虞候(우후) : 무관武官의 범칭汎稱. 북조北朝 서위西魏 이후로 우후도독虞候都督·도우후都虞候·착생우후捉生虞候·우후虞候 등 다양한 명칭의 벼슬이 설치되었다. 원래 주周나라 때는 척후의 임무를 담당하는 벼슬이었으나, 후대에는 군법을 관장하는 직무를 맡았다.

정에 보고하자 한굉에게 돌려보내라는 조서가 내려졌다.

◇水鏡(수경선생)

●柳莊, 字思敬, 少有器量, 博覽墳籍[270]. 蔡大寶見之, 嘆曰, "襄陽水鏡[271], 復在于玆!" 以女妻之. 仕梁王詧[272], 爲黃門侍郎[273].

○유장은 자가 사경으로 어려서부터 뛰어난 자질과 도량을 갖추고 고서에 대해 박학하였다. 채대보가 그를 보고서 감탄해 하며 "(호북성) 양양의 수경선생(사마휘司馬徽)이 다시 이곳에 나타났구나!"라고 말하고는 딸을 그에게 시집보냈다. (북조北朝) 후량後梁의 군주 소찰蘇詧의 휘하에서 벼슬길에 올라 황문시랑을 지냈다.

◇娶龍女(용왕의 딸에게 장가들다)

●柳毅, 唐中宗時人, 下第, 歸至涇陽[274], 見一婦人, 牧羊曰, "妾洞庭君小女, 敢寄尺牘[275]. 洞庭之陰有橘樹, 君擊樹三, 當有應者." 毅如其言, 有武夫揭水引入, 至靈虛殿, 取書以進. 頃之, 有赤龍長丈餘, 飛去, 俄紅妝擁一人回, 卽寄書女也. 宴毅碧雲宮, 洞庭君弟錢塘曰, "涇陽婺婦[276]欲托高義爲親." 毅不敢當, 辭而出. 後再娶盧氏女, 卽龍女也, 與

---

270) 墳籍(분적) : 고분에서 나온 전적. 즉 삼황오제三皇五帝의 무덤에 나왔다는 전설상의 도서인 삼분오전三墳五典 같은 고서古書를 가리킨다.

271) 水鏡(수경) : 물과 거울처럼 인품이 깨끗한 사람을 비유하는 말이자 후한 말엽 사람 사마휘司馬徽의 호인 수경선생水鏡先生의 준말. 자는 덕조德操. 유비劉備(162-223)에게 제갈양諸葛亮(181-234)과 방통龐統(179-214)을 천거하였는데, 뒤에 조조曹操(155-220)가 등용하려고 하였으나 병사하였다. ≪삼국지・촉지・방통전≫권37 참조.

272) 詧(찰) : '찰察'의 고문자로 북조北朝 후량後梁을 건국한 소찰蘇詧을 가리킨다.

273) 黃門侍郎(황문시랑) : 문하성門下省에 소속되어 궁중의 갖가지 사무를 관장하던 벼슬 이름. 문하시중門下侍中 다음 가는 벼슬로서 당송 이후로는 문하시랑門下侍郎으로 개칭되었다.

274) 涇陽(경양) : 섬서성의 속현屬縣 이름.

275) 尺牘(척독) : 편짓글을 이르는 말. 편지의 길이가 보통 한 자 정도 되는 데서 유래하였다. '간척簡尺'이라고도 한다.

276) 婺婦(무부) : 과부를 뜻하는 말인 '이부嫠婦'의 오기인 듯하다. 자형의 유사성으로 인한 필사 과정상의 단순 오기로 보인다.

同歸洞庭.

○유의는 당나라 중종 때 사람으로 과거시험에서 낙방하고 귀향하다가 (섬서성) 경양현에 이르러 한 아녀자를 만났는데 그녀가 양을 키우며 말했다. "소첩은 동정호 용왕의 막내딸로 감히 서신을 맡기고 싶습니다. 동정호 남쪽에 귤나무가 있으니 그대가 나무를 세 번 치면 분명 응답하는 사람이 있을 것입니다." 유의가 그녀의 말대로 하자 한 무사가 나타나 물을 가르고 데리고 들어가 영허전에 도착했기에 서신을 꺼내서 바쳤다. 얼마 뒤 길이가 한 장이 넘는 붉은 용이 나타나 날아가더니 순식간에 붉게 화장한 여인이 한 명을 안고 돌아왔는데 바로 서신을 맡긴 여인이었다. 벽운궁에서 유의에게 연회를 베풀었을 때 동정호 용왕의 동생인 전당호의 용왕이 말했다. "경양현의 과부가 인품이 고매하고 의리가 강하신 분에게 몸을 맡겨 혼인을 맺고자 하오." 유의는 감당할 수가 없어 사양하고 그곳을 떠났다. 뒤에 다시 노씨 집안의 딸에게 장가들었는데 바로 용왕의 딸이었다. 그래서 함께 동정호로 돌아갔다.

◇佳婿(훌륭한 사위)

●柳開, 字仲塗, 奇傑之士, 娶錢供奉[277]女弟.(見錢氏) 開屬文, 必法韓愈. 號東郊野夫. 仕宋, 爲監察御史.

○(송나라) 유개(947-1000)는 자가 중도로 걸출한 선비였는데 전공봉의 여동생에게 장가들었다.(상세한 내용은 앞의 '전'씨절 '득가서得佳婿'항에 보인다) 유개는 문장을 지으면 반드시 (당나라) 한유를 본받았다. 호는 동교야부이다. 송나라에서 벼슬길에 올라 감찰어사를 지냈다.

●柳氏, 裴封叔[278]之妻也, 德爲九族[279]冠.

277) 供奉(공봉) : 임금을 주변에서 받들어 섬기는 업무나 혹은 그러한 직책을 이르는 말. 주로 시어사侍御史나 한림학사翰林學士 등을 가리켰다. '한림학사'를 현종玄宗 때 '한림공봉翰林供奉'이라고 부른 것이 그러한 예이다. 위의 예문과 유사한 고사가 송나라 강소우江少虞의 ≪사실류원事實類苑≫권7과 팽승彭乘의 ≪묵객휘서墨客揮犀≫권4에도 전하는데, 모두 '전공봉'에 대해 실명을 밝히지 않아 신상은 알려지지 않았다.

○(당나라 때) 유씨는 배봉숙의 아내로 인덕이 일가친척 가운데 가장 훌륭하였다.

●柳氏適董鉞, 時鉞以梓漕[280]得罪, 三日而去官. 柳與同憂患, 如處富貴. 作滿江紅, 東坡屬和焉.

○(송나라 때) 유씨는 동월에게 시집갔는데, 당시 동월은 (사천성) 재주梓州의 전운사轉運使를 맡았다가 죄를 지어 사흘만에 관직을 그만두었다. 유씨는 동월과 근심을 함께 나누며 부귀한 집에 사는 듯이 행동하였다. 그녀가 <만강홍>사를 짓자 동파東坡 소식蘇軾이 거기에 화답하는 사를 지었다.

●五柳[281]. 蒲柳[282]. 三眠柳[283].

○오류선생전. 갯버들. 능수버들.

◆苟(구씨)

▶商音. 河內. 黃帝[284]之後有苟突, 因以爲氏. 一派出自敬姓, 因避晉帝石敬塘諱, 去

---

278) 裵封叔(배봉숙) : 당나라 유종원柳宗元(773-819)의 ≪유하동집柳河東集≫권17에 수록된 <목수의 전기(梓人傳)>에 등장하는 인물로 신상은 미상.

279) 九族(구족) : 고조부高祖父부터 현손玄孫까지 9대를 가리키는 말. 즉 고조·증조·조부·부친·본인·아들·손자·증손·현손을 말한다. 결국은 일가친척을 두루 가리킨다. '구종九宗' '구속九屬' '구친九親'이라고도 한다.

280) 梓漕(졸조) : 명나라 능적지凌迪知의 ≪만성통보萬姓統譜≫권68의 '동월董鉞'항에 의하면 사천성 재주梓州의 전운사轉運使를 뜻하는 말인 '재조梓漕'의 오기이다.

281) 五柳(오류) : 진晉나라 도연명陶淵明 자신의 자서전적인 글인 '오류선생전五柳先生傳'의 준말로 ≪도연명집·잡문雜文≫권5에 전한다.

282) 蒲柳(포류) : 갯버들. 가을이 되면 가장 먼저 낙엽이 떨어지는 초목이어서 노년이나 인생무상을 상징한다.

283) 三眠柳(삼면류) : 하루 세 번 잠을 자는 버드나무. 한나라 때 궁중에 있던 사람처럼 생긴 버드나무를 이르는 말로 능수버들을 가리킨다.

284) 黃帝(황제) : 전설상의 임금. 성은 유웅씨有熊氏이고 이름은 헌원軒轅. ≪사기史記·오제본기五帝本紀≫권1에서는 황제를 '오제五帝'(황제黃帝·전욱顓頊·제곡帝嚳·요堯·순舜)의 첫 번째 임금으로 설정한 반면, 속수사고전서본續修四庫全書本 ≪제왕세기·자개벽지삼황自開闢至三皇≫권1에서는 '삼황三皇'

文姓苟, 與去苟姓文者相同.

▷음은 상음에 속하고 본관은 (하남성) 하내군이다. 황제黃帝의 후손 중에 구돌이란 사람이 있어 그참에 이를 성씨로 삼은 것이다. 다른 한 파는 '경敬'씨 성에서 나왔다가 (오대五代) 후진後晉의 황제인 석경당의 이름을 피한 것인데, '문文'자를 삭제하여 성이 '구苟'씨인 경우와 '구苟'자를 삭제하여 성이 '문文'씨인 경우 서로 본관이 같다.

◇干城之將(나라를 지킬 장수)

●苟變[285], 其才可將五百乘. 衛侯以其爲吏而食人二雞子, 遂不用. 子思[286]曰, "以二卵棄干城[287]之將, 不可使聞於鄰國也."

○구변은 그 능력이 전차 5백 대를 거느릴 만하였다. 그러나 (춘추시대) 위나라 군주는 그가 관리를 지내면서 남의 달걀 두 개를 훔쳐먹었다는 이유로 끝내 기용하지 않았다. 그러자 자사子思 원헌原憲이 말했다. "달걀 두 개 때문에 나라를 지킬 장수를 버렸으니 이웃나라에까지 소문이 퍼지게 해 서는 안 될 것이다."

◇斷決如流(물 흐르듯이 신속하게 결재하다)

●苟晞, 字道將, 仕晉, 都督[288]青兗二州, 練於官事, 文簿盈積, 裁決如流. 位至錄尙書事[289]. 弟純嚴酷, 過於其兄.

○구희(?-311)는 자가 도장으로 진나라에서 벼슬길에 올라 (산동성)

(복희伏羲·신농神農·황제黃帝)의 마지막 임금으로 설정하고, 대신 오제의 첫번째 임금으로 소호少皞를 설정하는 등 설에 따라 차이가 있다.

285) 苟變(구변) : 전국시대 위衛나라 사람. 원헌原憲의 추천으로 장군에 등용되었다. '구변'에 대한 기록은 ≪공총자孔叢子·거위居衛≫권상에 전하는데 위의 예문도 이를 축약한 것이다.

286) 子思(자사) : 춘추시대 노魯나라 사람으로 공자의 제자인 원헌原憲. '자사'는 자. 청렴한 성품으로 이름을 떨쳤다. ≪사기·중니제자열전仲尼弟子列傳≫권67 참조.

287) 干城(간성) : 방패와 성곽. 나라를 지키는 일이나 그러한 인재를 비유한다.

288) 都督(도독) : 군사軍事 업무를 총괄하는 장관을 이르는 말.

289) 錄尙書事(녹상서사) : 벼슬 이름. 전한 무제 때 좌左·우조右曹에서 상서의 업무를 분담하였고, 후한 장제章帝 때는 태부·태위가 겸임하였다. 후대의 상서복야尙書僕射와 유사하며, '녹상서錄尙書'로 약칭하기도 하였다.

청주와 연주 두 주의 도독을 지냈는데, 관리로서의 업무에 능숙하여 문서가 가득 쌓여도 물 흐르듯이 신속하게 결재하였다. 지위는 녹상서사까지 올랐다. 동생 구순荀純은 엄격한 면에서 그의 형을 능가하였다.

◇楯墨作檄(방패에서 먹을 갈아 격문을 짓다)

●荀濟, 穎川[290]人, 與梁武有舊, 後仕于北朝. 嘗云, "會於楯鼻[291]上磨墨作檄."

○구제는 (하남성) 영천군 사람으로 (남조南朝) 양나라 무제와 오랜 친분이 있었지만 뒤에 북조에서 벼슬길에 올랐다. 그는 일찍이 "방패 손잡이 위에서도 먹을 갈아 격문을 지을 줄 안다"고 말한 일이 있다.

●狗苟[292].

○개처럼 구차하게 살다.

◆后(후씨)

▶后土[293]之後.

▷(황제黃帝 때 신하인) 후토의 후손이다.

●后處, 字子里, 孔門弟子, 贈營丘[294]伯, 封膠東侯. 贊[295]云, "攬道之

---

290) 穎川(영천) : 하남성의 속현屬縣인 '영천潁川'의 오기.

291) 楯鼻(순비) : 방패의 손잡이 부분을 이르는 말. 여기서는 전장을 비유적으로 가리키는 듯하다.

292) 狗苟(구구) : '파리처럼 날아다니고 개처럼 구차하게 산다'는 뜻의 '승영구구蠅營狗苟'의 준말로 수단과 방법을 가리지 않고 이익을 추구하는 것을 비유한다.

293) 后土(후토) : 황제黃帝 때 신하이자 토지를 관장하는 벼슬 이름. 뒤에는 토지신을 가리키는 말로도 쓰였다.

294) 營丘(영구) : 주周나라 때 강태공이 제齊나라 제후에 봉해지면서 도읍으로 정한 곳으로 지금의 산동성 임치현臨淄縣 일대.

295) 贊(찬) : 이는 송나라 고종高宗이 소흥紹興 26년(1156)에 <황제가 지은 선

華, 秉德之柄, 深造[296]門城, 不乖言行."

○(춘추시대 노魯나라) 후처는 자가 자리이고 공자 문하의 제자로 영구백을 추증받았다가 교동후에 봉해졌다. (송나라 고종은) 찬문에서 "도의 꽃을 손에 쥐고 덕의 자루를 잡았기에 굳건하게 닫힌 성 깊숙이 들어가도 언행이 어긋나지 않았다"고 하였다.

●后蒼, 字近君, 從孟卿受禮記[297], 說禮數萬言, 號后氏曲臺[298]記, 授戴德. 兼通齊詩[299], 授蕭望之. 漢宣朝, 爲博士.(儒林傳)

○후창은 자가 근군으로 맹경에게서 ≪예기≫를 전수받은 뒤 ≪예기≫에 관해 수만 자에 달하는 해설을 달아 ≪후씨곡대기≫라고 이름 짓고는 대덕에게 전수하였다. 아울러 ≪제시≫에도 정통하여 소망지에게 전수하였다. 전한 선제 때 박사를 지냈다.(≪한서 · 유림열전 · 후창전≫권88)

●后線, 晉人, 與永和[300]修禊[301], 詩不成, 罰酒三觥.(見王姓)

○후선은 진나라 때 사람으로 (목제) 영화(345-356) 연간의 수계에

성(공자) 문하의 72제자에 관한 찬문과 서문(御製宣聖七十二賢贊幷序)> 가운데 일부를 인용한 것으로 원문은 송나라 잠열우潛說友의 ≪함순임안지咸淳臨安志≫권11에 수록되어 전한다.

296) 造(조) : 찾아가다, 이르다.

297) 禮記(예기) : 예법과 관련한 기본 정신을 서술한 책. 전한 선제宣帝 때 대덕戴德이 정리한 85편의 ≪대대예기大戴禮記≫와 대덕의 조카인 대성戴聖이 정리한 49편의 ≪소대예기小戴禮記≫가 있는데, 오늘날 '예기'라고 하는 것은 후자를 가리킨다. ≪주례周禮≫ ≪의례儀禮≫와 함께 '삼례三禮'라고 한다.

298) 曲臺(곡대) : 원래는 한나라 때 천자의 사궁射宮을 지칭하는 말이었으나, 당나라 왕언위王彦威가 ≪곡대신례≫를 지으면서 태상시太常寺의 별칭이 되었다.

299) 齊詩(제시) : ≪시경≫의 한 종류로서 ≪모시毛詩≫가 고문시경古文詩經인 반면, ≪제시≫는 ≪노시魯詩≫ ≪한시韓詩≫와 함께 금문시경今文詩經에 속한다. 고문시경이 발굴되기 전에는 금문시경이 유행하였으나 고문시경인 ≪모시≫의 등장 이후 금문시경은 쇠퇴하여 전래가 끊겼다.

300) 永和(영화) : 진晉 목제穆帝의 연호(345-356).

301) 修禊(수계) : 음력 3월 3일 상사절上巳節에 물가에 나가서 재액災厄을 막기 위해 제를 올리는 일.

참여했다가 시를 완성하지 못 해 벌주를 세 잔 받은 일이 있다.(상세한 내용은 앞의 '왕'씨절 '난정승집蘭亭勝集'항에 보인다)

◆紐(뉴씨)

▶宮音. 吳興.

▷음은 궁음에 속하고 본관은 (절강성) 오흥군이다.

◇累德里(누덕리)

●紐因, 字孝政, 父母喪, 廬墓, 負土成墳. 墳前生麻一林, 圍之合拱[302], 冬夏常靑. 周武帝表其閭[303], 擢授甘棠令. 子士雄亦至孝, 父喪, 廬墓, 庭槐枯死. 服終還, 槐復榮茂. 周文帝下詔, 號其居爲累德里.(北史)

○뉴인은 자가 효정으로 부모가 돌아가시자 무덤에 여막을 짓고 직접 흙을 짊어다가 봉분을 만들었다. 무덤 앞에는 삼이 한 무더기 자랐는데 그 둘레가 한 아름이나 되고 겨울이나 여름이나 늘 푸르렀다. (북조北朝) 북주北周 무제가 그의 고을 입구에 정문을 세워 주고 그를 발탁하여 (하남성) 감당현의 현령에 배수하였다. 아들 뉴사웅紐士雄 역시 지극히 효성스러워 부친이 돌아가시자 무덤에 여막을 짓는 바람에 정원의 홰나무가 말라 죽고 말았다. 그러나 상을 마치고 돌아오자 홰나무가 다시 꽃을 피우고 잎이 무성해졌다. 북주 문제가 조서를 내려 그가 거주하는 고을 이름을 '누덕리'라고 하였다.(≪북사·뉴인전≫권8)

◆母(모씨)

▶矩鹿[304]. 母, 江氏, 或爲毋氏.

▷본관은 (하북성) 거록군鉅鹿郡이다. '모'는 '강江'씨라고도 하고, 혹은 '무毋'씨라고도 하였다.

---

302) 合拱(합공) : 굵기가 한 아름 되는 것을 이르는 말.

303) 表閭(표려) : 충효로 모범적인 사람을 위해 고을 입구에 정문旌門을 세워서 표창하는 일.

304) 矩鹿(구록) : 하북성의 속군屬郡인 '거록鉅鹿'의 오기인 듯하다. 자형의 유사성을 인한 필사 과정상의 단순 오기로 보인다.

●母照, 開元305)含象亭306)十八學士中人.(見庾子元)

○모조는 (당나라 현종) 개원(713-741) 연간에 함상정에서 임명한 18명의 학사 가운데 한 사람이다.(상세한 내용은 앞의 '유'씨절 유자원에 관한 기록인 '십팔학사十八學士'항에 보인다)

◆壽(수씨)

▶商音. 京兆. 風俗通307)云, "吳子壽夢之後, 以字爲氏."

▷음은 상음에 속하고 본관은 (섬서성) 경조군이다. ≪풍속통≫에서는 "(춘추시대) 오나라 왕 수몽의 후손이 자를 성씨로 삼은 것이다"라고 하였다.

●壽於姚仕吳, 爲大夫.

○(춘추시대 때) 수오요는 오나라에서 벼슬길에 올라 대부를 지냈다.

●壽良仕漢, 爲兗州牧308).

○수양은 한나라에서 벼슬길에 올라 (산동성) 연주자사를 지냈다.

◆有(유씨)

▶東魯. 有巢氏309)之後.

▷본관은 (산동성) 동로로 유소씨의 후손이다.

●有若, 字子有, 狀似孔子, 封平陰侯. 贊310)云, "人稟秀德, 氣貌或同,

---

305) 開元(개원) : 당唐 현종玄宗의 연호(713-741).

306) 含象亭(함상정) : 하남성 낙양洛陽의 상양궁上陽宮에 있던 정자 이름. 당나라 개원開元(713-741) 연간에 현종玄宗이 이곳에서 장열張說 등 18명을 한림학사翰林學士에 임명하였다는 고사가 송나라 왕응린王應麟(1223-1296)의 ≪옥해玉海·예문藝文·당개원십팔학사도唐開元十八學士圖≫권57에 전한다. 다만 인명은 문헌마다 차이가 심해 어느 것이 맞는지 불분명하다.

307) 風俗通(풍속통) : 위의 예문은 현전하는 ≪풍속통≫에 보이지 않는다. 일문逸文인 듯하다. 대신 송나라 정초鄭樵(1104-1162)의 ≪통지通志·씨족략氏族略4≫권28 등에 인용되어 전한다.

308) 牧(목) : 자사刺史의 별칭. 주州의 장관인 자사는 '목牧'이라고 하고, 현縣의 장관인 현령은 '재宰'라고 한다.

309) 有巢氏(유소씨) : 나무 위에 집을 짓고 살았다는 전설상의 인물.

而子儼然[311], 溫溫其容. 兩端發問, 未答機鋒, 以禮節和, 斯言可宗."

○(춘추시대 노魯나라) 유약은 자가 자유로 용모가 공자를 닮았고 평음후에 봉해졌다. (송나라 고종은) 찬문에서 "사람이 빼어난 덕을 타고나 기상이나 용모가 혹여 같을 수 있지만 선생은 근엄하면서도 낯빛이 온화하였다. 양쪽 관점에서 질문을 던지면 핵심적인 내용을 대답하지 않고 예절로 온화한 태도를 보였으니 가히 본받을 만하다고 하리라"고 하였다.

□四十七寢(47침)

◆沈(심씨)

▶宮音. 吳興. 周文王子聃季食采於沈, 因氏焉.

▷음은 궁음에 속하고 본관은 (절강성) 오흥군이다. 주나라 문왕의 아들인 담계가 심읍을 식읍으로 받자 그참에 이를 성씨로 삼은 것이다.

◇慈父母(자애로운 부모)

●沈諸梁, 字子高. 父沈尹戌, 楚莊王孫也, 爲左司馬. 子高以父之邑爲氏, 爲葉縣尹, 稱葉公. 楚白公[312]作亂, 葉公入, 至北門. 或遇之曰, "君胡不胄[313]? 國人望君, 如望慈父母焉." 又一人曰, "君胡胄? 國人望君, 如望歲[314]焉?" 白公旣誅, 楚國以定.(哀十六) 葉公好龍, 室屋皆畵龍. 天龍聞而下窺, 葉公驚走, 好似龍而非好眞龍也.

○(춘추시대) 심제량은 자가 자고이다. (심읍의 수령으로 이름이 '수

---

310) 贊(찬) : 이는 송나라 고종高宗이 지은 찬문을 가리키는 말로 명나라 이지조李之藻의 ≪반궁례악소頖宮禮樂疏≫권2에 인용되어 전한다.

311) 儼然(엄연) : 근엄한 모양.

312) 白公(백공) : 춘추시대 초楚나라 대부大夫 백승白勝. '백공'은 호. 초나라 평왕平王의 손자여서 '왕손백王孫白'으로도 불렸다. 혜왕惠王 때 반란을 일으켜 영윤令尹 자서子西와 사마司馬 자기子期를 살해하고 권력을 장악하였으나 뒤에 패하여 자결하였다.

313) 胄(주) : 투구를 쓰다. 즉 반군으로부터 머리를 보호하는 것을 말한다.

314) 望歲(망세) : 한해의 풍년을 바라다.

戌'인) 부친 심윤수는 초나라 장왕의 손자로 좌사마를 지냈다. 심제량은 부친의 식읍을 성씨로 삼았는데, (하남성) 섭현의 현윤을 지냈기에 '섭공'으로도 불렸다. 초나라 백공(백승白勝)이 반란을 일으키자 섭공(심제량)은 입궐하다가 북문에 이르렀다. 그때 누군가 그를 만나자 말했다. "그대는 어째서 투구를 쓰지 않으십니까? 백성들이 그대를 바라보기를 마치 자애로운 부모를 바라보듯이 하고 있습니다." (투구를 쓰자) 다른 사람이 말했다. "그대는 어째서 투구를 쓰십니까? 백성들이 그대를 바라보기를 마치 한해의 풍년을 바라듯이 기대하고 있습니다." 백공이 죽고 나서야 초나라가 안정을 찾았다. (≪좌전 · 애공哀公16년≫권60) 섭공은 용을 좋아해 방마다 모두 용을 그려넣었다. 천룡이 이 얘기를 듣고서 내려와 엿보자 섭공은 놀라서 도망쳤으니, 이는 용과 비슷한 것을 좋아한 것이지 진짜 용을 좋아한 것은 아니다.

◇令器(훌륭한 재목)

●沈演之年十一尚書[315]. 劉柳見之曰, "此童終爲令器." 仕宋, 爲吏尚書[316].

○심연지(397-449)는 나이 열한 살에 상서를 맡았다. 유유가 그를 보고서는 "이 아이는 결국 훌륭한 재목이 될 것이다"라고 하였다. (남조南朝) 유송劉宋에서 벼슬길에 올라 이부상서를 지냈다.

◇三望車(삼망거)

●沈慶之, 字弘先, 諫宋文帝北伐云, "耕當問農, 織當問婢. 今欲伐國, 而與白面書生[317]謀之, 事何由濟?" 大明[318]中, 位司空[319]. 廢帝加賜几

---

315) 尙書(상서) : 중앙의 실질적인 행정 업무를 총괄하던 기관인 상서성尙書省의 준말. 시대마다 다소 차이는 있으나 보통 이부吏部 · 호부戶部 · 예부禮部 · 병부兵部 · 형부刑部 · 공부工部의 6상서尙書를 설치하고, 산하에 부部마다 4사司씩 모두 24사를 두어 인사 · 재정 · 교육 · 군사 · 법률 · 건설 등 각 분야의 행정을 담당하였다. 휘하에 시랑侍郎과 낭중郎中 · 원외랑員外郎 등을 거느렸다.

316) 吏尙書(이상서) : 상서성 소속 육부六部 가운데 관리들의 인사人事와 고과考課를 관장하는 이부의 장관인 이부상서吏部尙書의 약칭.

杖, 給三望車320). 子文叔・文季.

○심경지(386-465)는 자가 홍선으로 (남조南朝) 유송劉宋 문제가 북벌을 나서는 것에 대해 간언하기를 "농사는 의당 농부에게 물어야 하고, 방직은 의당 하녀에게 물어야 합니다. 이제 다른 나라를 정벌하려고 하면서 백면서생과 그 일을 논의하시니 일이 어찌 성사되겠나이까?"라고 하였다. (효무제) 대명(457-464) 연간에는 사공에 올랐다. 폐제는 그에게 안궤와 지팡이를 하사하고 삼망거를 지급하였다. 아들은 심문숙沈文叔과 심문계沈文季이다.

◇永明體(영명체)

●沈約, 字休文, 少篤志好學. 左目重瞳321), 腰有紫痣322). 聰明過人, 聚書至二萬卷. 作文用宮商, 將平・上・去・入四聲製韻, 有平頭・上尾・蜂腰・鶴膝323)之名. 號永明324)體. 蔡興宗引爲記室325), 謂諸子曰,

317) 白面書生(백면서생) : 얼굴이 하얀 서생. 글만 읽을 줄 알지 세상물정을 모르는 서생이나 글읽기만 좋아하는 사람에 대한 폄칭貶稱.

318) 大明(대명) : 유송劉宋 효무제孝武帝의 연호(457-464).

319) 司空(사공) : 벼슬 이름. 소호少昊 때 처음 설치되었는데, 주周나라 때는 동관冬官으로서 치수와 토목공사를 관장하였고, 한나라 이후로는 태위太尉・사도司徒와 함께 삼공三公의 하나였다.

320) 三望車(삼망거) : 왕공王公이나 재상이 타는 수레. 안에서 밖을 내다볼 수 있도록 창을 세 개 낸 데서 이런 명칭이 유래하였다.

321) 重瞳(중동) : 겹눈동자. 우虞나라 순왕舜王이나 초왕楚王 항우項羽(B.C.232-B.C.202)가 모두 겹눈동자여서 제왕이나 귀인貴人의 관상을 상징한다.

322) 紫痣(자지) : 자색을 띤 반점이나 사마귀. '지痣'는 '지志'로도 쓴다.

323) 平頭上尾蜂腰鶴膝(평두상미봉요학슬) : 사성팔병설四聲八病說 가운데 네 가지 병폐를 이르는 말. ≪문경비부론文鏡祕府論・문필십병득실文筆十病得失≫에 의하면 오언시五言詩에서 상구上句의 첫 번째 자와 하구下句의 첫 번째 자, 상구의 두 번째 자와 하구의 두 번째 자의 성조聲調가 같은 경우를 '평두'라고 하고, 상구의 다섯 번째 자와 하구의 열 번째 자의 성조가 같은 경우를 '상미'라고 하며, 한 구절에서 두 번째 자와 다섯 번째 자의 성조가 같아 마치 벌의 허리처럼 운율이 구성되는 것을 '봉요'라고 하고, 상련上聯의 상구의 다섯 번째 자와 하련下聯의 상구의 다섯 번째 자가 성조가 같아 마치 학의 무릎처럼 운율이 구성되는 것을 '학슬'이라고 한다.

324) 永明(영명) : 남제南齊 무제武帝의 연호(483-493).

325) 記室(기실) : 후한 때부터 장표章表・서기書記・격문檄文 등을 관장하던 벼슬을 가리키는 말. 뒤에는 기실독記室督・기실참군記室參軍으로 불리기도 하

"沈記室人倫師表, 宜善師之." 梁武受禪, 拜爲尙書僕射[326]. 旣而久處端揆[327], 有志台司[328], 帝終不用, 求外出, 不許, 乃以書陳情於徐勉曰, "老病百日, 革帶常應移孔, 以手握臂, 率計月小半分. 欲謝事, 求歸老之秩." 勉爲言於帝, 不許, 自爲郊居賦[329], 以序其事. 卒于官. 子士規. 孫仲興, 梁武帝嘗令作竹賦, 勅曰, "卿文體翩翩[330], 可謂無忝爾祖矣."

○심약(441-513)은 자가 휴문으로 어려서부터 심지가 굳건하고 학문을 좋아하였는데, 왼쪽 눈은 겹눈동자이고 허리에는 붉은 사마귀가 있었다. 어느 누구보다도 총명하였고, 2만 권에 달하는 서책을 수집하였다. 글을 지을 때는 음율을 활용하면서 평성・상성・거성・입성의 4성으로 운자를 정하고 평두・상미・봉요・학슬이란 명칭을 만들었다. 그의 시는 (연호를 따서) '영명체'로 불린다. 채흥종이 그를 초빙해 기실에 임명하면서 아들들에게 말했다. "심기실(심약)은 모든 사람의 모범이라 할 수 있으니 그를 스승으로 잘 모셔야 할 것이다." (남조南朝) 양나라 무제가 왕위를 선양받고서 그를 상서복야에 임명하였다. 얼마 뒤 오래도록 재상에 있었기에 삼공에 오르고 싶은 뜻을 품었지만 무제는 끝내 그를 기용하지 않았다. 또 외지로 나가겠다고도 요청하였으나 이 역시 허락받지 못 하였기에 서신을 써서 서면에게 내심을 밝히며 말했다. "늙어서 백 일 동안 병석에 누웠더니 허리띠를 매려면 늘 구멍을 옮겨야 하고 손으로 팔을 잡으면 거

였다.

326) 尙書僕射(상서복야) : 진秦나라 때 처음 설치되었고, 한나라 때는 5상서尙書 가운데 한 명을 복야에 임명하여 조정의 핵심 행정 기관인 상서성尙書省의 업무를 총괄하게 하였는데, 뒤에 권한이 막강해지자 좌・우복야를 두면서 당송唐宋 때까지 지속되었다. 보통 승상丞相의 지위를 겸하였다.

327) 端揆(단규) : 재상의 별칭. 재상이 모든 관리의 장관으로서 국정을 총괄하는 데서 유래하였다. 여기서는 결국 상서복야尙書僕射의 직책을 가리킨다.

328) 台司(태사) : 삼공三公의 관청을 이르는 말로 결국 삼공을 가리킨다. '태台'가 삼공을 비유하는 별인 삼태성三台星을 의미하고 '사司'가 기관을 뜻하는 데서 유래하였다.

329) 郊居賦(교거부) : 이는 동명의 제목으로 명나라 장보張溥(1602-1641)의 ≪한위육조백삼가집漢魏六朝百三家集・양심약집梁沈約集≫권87에 전한다.

330) 翩翩(편편) : 문체가 우아하고 아름다운 모양.

의 매월 반 푼씩 줄어들었답니다. 그래서 직무를 사양하고자 하니 귀향하여 여생을 마칠 수 있는 봉록을 청합니다." 서면이 그를 위해 황제에게 말했지만 허락받지 못 하자 스스로 <은거를 읊은 부>를 지어 그 일을 서술하였다. 상서복야 직책에서 생을 마쳤다. 아들은 심사규沈士規이다. 손자인 심중흥沈仲興에게 양나라 무제가 일찍이 <대나무를 읊은 부>를 짓게 하고는 칙령을 내려 "경은 문체가 아름답고 우아한 것이 그대 조부 못지 않다고 말할 만하오"라고 하였다.

◇五經博士(오경박사)

●沈重, 字子厚, 博覽群書, 尤明詩義·春秋, 仕梁, 爲五經博士. 嘗講三敎[331]義於紫極殿.

○심중(500-583)은 자가 자후로 여서 서책들을 두루 열람하였는데, 특히 ≪시경≫의 의미와 ≪춘추경≫에 정통하여 (남조南朝) 양나라에서 벼슬길에 올라 오경박사를 지냈다. 일찍이 자극전에서 유교·도교·불교 세 종교의 의의에 대해 강론한 적이 있다.

◇一片宮商(한 편의 악곡)

●沈光有洞庭樂賦, 韋岫曰, "此賦乃一片宮商!" 善觳馬, 驍提捷[332], 人號爲肉飛仙. 仕隋, 爲郎將[333], 後歸唐.

○심광(591-618)이 동정악에 관한 부를 짓자 위수가 "이 부는 한 편의 악곡이로다!"라고 하였다. 말을 잘 타고 용맹하면서 민첩하여 사람들이 그를 '육비선'이라고 불렀다. 수나라에서 벼슬길에 올라 낭장을 지내다가 뒤에 당나라로 귀순하였다.

---

331) 三敎(삼교) : 유교·도교·불교를 아우르는 말.

332) 驍提捷(효제첩) : ≪수서·심광전≫권64에 의하면 '제提'는 연자衍字이다.

333) 郎將(낭장) : 진한秦漢 이후로 천자의 거마車馬와 숙위宿衛를 관장하던 벼슬인 오관중랑장五官中郎將·좌중랑장左中郎將·우중랑장右中郎將 등을 아우르는 말.

◇錦翠誥軸(비단과 비취를 장식한 조령)

●沈易直, 唐德宗贈其家官爵, 使中官334)以廐馬馱賜之. 官誥335)凡一百二十軸, 皆飾以錦翠, 時以爲榮.

○심이직의 경우 당나라 덕종은 그의 가문에 관작을 주고 환관을 시켜 마구간의 말과 낙타를 그에게 하사케 하였다. 황제가 내린 조서가 도합 120장에 이르고 모두 비단과 비취로 장식하였기에 당시 사람들이 영광스런 일로 여겼다.

◇牙緋(상아로 만든 홀과 붉은 비단으로 만든 관복)

●沈佺期, 字雲卿, 唐武后336)朝, 爲修文館337)學士. 嘗對后曰, “身名已蒙齒錄338), 袍笏未賜牙緋339).” 后卽賜之. 魏建安340)後, 江左341)詩律

---

334) 中官(중관) : 궁궐에서 황제와 그 가족을 모시던 성기능을 제거한 신하. ‘내시內侍’ ‘내관內官’ ‘내신內臣’ ‘내감內監’ ‘엄시閹寺’ ‘엄환閹宦’ ‘엄인閹人’ ‘엄시奄寺’ ‘엄인奄人’ ‘중사中使’ ‘중인中人’ ‘혼시閽寺’ ‘환관宦官’ ‘환자宦者’ 등 다양한 호칭으로도 불렸으며, 황제를 측근에서 모시는 것을 빌미로 막강한 권력을 행사하기도 하였다.

335) 官誥(관고) : 황제가 관직을 내리거나 작위를 하사할 때 작성하는 조령詔令을 이르는 말. 여기서는 결국 임명장을 가리킨다.

336) 武后(무후) : 당나라 측천무후則天武后의 약칭. 본명은 무조武曌(624-705). ‘측천’은 시호로 ‘측則’은 ‘측測’과 통용자. 고종高宗의 황후皇后이자 중종中宗 및 예종睿宗의 모후母后였지만, 뒤에 스스로 황제에 올라 국호를 ‘당唐’에서 ‘주周’로 개칭하고 15년간 전횡을 일삼았으며, 외척인 무武씨 집안 사람들이 득세할 수 있는 빌미를 제공하였다. ‘측천황후則天皇后’ ‘무측천武則天’ ‘천후天后’ 등 다양한 별칭으로도 불렸다. ≪신당서·측천황후무조기≫권4 참조.

337) 修文館(수문관) : 당나라 때 국가의 주요 도서의 편찬·감수·교정 및 제도·의례에 대한 심사를 관장하던 관서 이름. 뒤에는 ‘홍문관弘文館’ ‘소문관昭文館’으로 개칭되기도 하였다.

338) 齒錄(치록) : 채용하다, 임용하다. ‘치齒’도 ‘록錄’의 뜻.

339) 牙緋(아비) : 상아로 만든 홀과 붉은 비단으로 만든 관복인 비복緋服을 아우르는 말로 고관을 상징한다.

340) 建安(건안) : 후한後漢 헌제獻帝 때 연호(196-220). 여기서는 건안 연간에 활동했던 7명의 문인을 아우르는 말인 건안칠자建安七子, 즉 공융孔融(153-208)·진임陳琳(?-217)·왕찬王粲(177-217)·서간徐幹(171-218)·완우阮瑀(약165-212)·응양應瑒(?-217)·유정劉楨(?-217)을 가리킨다.

341) 江左(강좌) : 강남江南의 별칭으로 여기서는 결국 남조南朝를 가리킨다. 남조 때 왕조들이 수도를 장강의 왼쪽, 즉 장강의 동쪽인 강소성 건강建康(남경)

屢變, 至宋之問·沈佺期, 文加靡麗, 如錦繡成文. 學者宗之, 號爲沈宋. (宋之問傳) 卓然以所長爲一世冠.

○심전기(약 656-714)는 자가 운경으로 당나라 측천무후 때 수문관 학사를 지냈다. 그는 일찍이 측천무후 앞에서 "명목상으로는 이미 임용을 받았으나 관복과 홀은 아직 상아와 붉은 비단으로 만든 것을 하사받지 못 했나이다"라고 아뢰어 측천무후가 즉시 하사한 일이 있다. (삼국) 위나라 때 건안칠자建安七子 이후로 남조 때 시율이 여러 차례 변화를 겪더니 송지문과 심전기에 이르러서는 문장이 더욱 화려해져 마치 비단에 아름다운 무늬를 넣은 듯하였다. 학생들이 그들을 종주로 떠받들며 '심송'이라고 불렀다.(≪신당서·송지문전≫권202) 심전기는 독보적으로 자신의 장기를 활용하여 한 시대를 풍미하였다.

◇石蓮燈(돌로 만든 연화등)

●沈彬, 字子文, 隱雲陽山, 學仙道. 工詩, 有湘江行云[342], "數家漁網殘煙外, 一岓殘陽細雨中." 人膾炙之. 唐末擧進士, 夢着錦衣, 貼月飛, 人謂"身不入月宮, 必不第," 果然. 後仕南唐, 爲吏部郎[343]. 臨終指葬地, 以示家人, 穴其所, 得石蓮花燈三椀. 有銅碑, 鐫詩云, "石燈猶未點, 留待沈彬來."

○심빈은 자가 자문으로 (호남성) 운양산에 은거하여 신선술을 익혔다. 그는 시도 잘 지어 그가 <상강의 노래>에서 "옅은 안개 너머로 몇몇 집에서 친 어망이 보이고, 가랑비 내리는 와중에 언덕에는 석양이 물드네"라고 한 구절이 사람들 입에 회자되고 있다. 당나라 말엽에 진사시험에 응시했을 때 비단옷을 입고 달 주변을 날아다니는 꿈을 꾸자 사람들이 "몸이 월궁에 들어가지 못 하면 틀림없이 과거

에 정한 데서 유래하였다.

342) 云(운) : 송나라 완열阮閱의 ≪시화총귀詩話總龜≫권16 등 다른 문헌에도 두 구절만 전하는 것으로 보아 일시逸詩인 듯하다.

343) 吏部郎(이부랑) : 조정과 지방 관원의 인사를 관장하는 상서성尙書省 휘하 이부 소속의 낭관郎官을 이르는 말.

시험에 낙방할 것이오"라고 말하더니 정말로 그리 되었다. 뒤에 (오대십국五代十國) 남당에서 벼슬길에 올라 이부랑을 지냈다. 임종 때 장지를 가리키며 가족들에게 보여주었는데, 그곳을 파자 돌로 된 연화등 세 개가 나왔다. 거기에는 구리로 된 비석이 있고 다음과 같은 시가 새겨져 있었다. "돌로 만든 등잔 아직 불을 붙이지 않은 것은, 남아서 심빈이 오기를 기다리는 것이라네."

◇金鼎丹田(세발솥과 단전)

●沈鱗, 字庭瑞, 彬之子也, 學道於玉笥山[344]. 常衣單褐, 風雪不易. 嗜酒, 工詩, 時呼爲沈道者. 有詩, 寄故人陳智周云, "名山相別後, 此去會難期. 金鼎[345]消紅日, 丹田老紫芝. 訪君雖有路, 懷我豈無詩? 休[346]美繁華事, 百年能幾時?" 後尸解[347]而去.

○(송나라) 심인은 자가 정서이고 심빈沈彬의 아들로 (절강성) 옥사산에서 도를 닦았다. 늘 베옷만을 입으며 바람이 불고 눈이 내려도 바꾸지 않았다. 술을 좋아하고 시를 잘 지었는데 당시 사람들은 그를 '심도자'로 불렀다. 다음과 같은 시를 지어 친구인 진지주에게 붙였다. "명산에서 이별한 뒤, 이제 떠나면 만남을 기약하기 어렵겠네. 세발솥은 붉은 해를 녹이고, 단전에서는 자색 영지가 자라네. 그대를 찾아간다면 비록 길이 있기는 하지만, 나를 그리워하니 어찌 시가 없으리오? 번화한 일 좋다고 하지 마시게, 한평생 살아봐야 얼마나 되겠는가?" 뒤에 시신만 남겨두고 신선이 되어 사라졌다.

◇夢鵬(붕새를 꿈꾸다)

●沈晦赴省[348], 至天長, 道中夢身騎大鵬, 摶風而上, 因作大鵬賦, 以紀

---

344) 玉笥山(옥사산) : 절강성 회계현會稽縣 남동쪽에 있는 산 이름. '옥사'는 비급祕笈을 담는 귀한 상자를 뜻하는 말로 천제天帝가 이 산에 내려주었다는 전설에서 유래하였다.

345) 金鼎(금정) : 도사가 연단할 때 사용하는 쇠로 만든 세발솥을 이르는 말.

346) 休(휴) : ~하지 말라. 부정명령사.

347) 尸解(시해) : 육체는 남겨 두고 혼백이 빠져 나가 득도하거나 신선이 되는 것을 이르는 말. 결국 죽음에 대한 완곡한 표현이다.

其事. 宋宣和[349]中, 果魁天下[350].

○심회(?-1149)는 상서성에서 실시하는 과거시험에 응시하러 가다가 (안휘성) 천장현에 도착했는데, 도중에 커다란 붕새를 타고 바람을 따라 하늘로 오르는 꿈을 꾸고서 그참에 <대붕을 읊은 부>를 지어 그 일을 기록하였다. 송나라 (휘종) 선화(1119-1125) 연간에 정말로 장원급제를 차지하였다.

◇泛瀛洲(영주산으로 배를 띄우다)

●沈介, 字德和, 宋紹興[351]中, 拜祕書省正字[352]. 秦熺[353]出一對云, "潘游洪沈[354]泛瀛洲[355]."

○심개는 자가 덕화로 송나라 (고종) 소흥(1131-1162) 연간에 비서성 정자를 배수받았다. (진회秦檜의 양자인) 진희가 대구를 내놓아 "반양능潘良能·유조游操·홍괄洪适·심개沈介가 (동해의) 영주산으로 배를 띄웠네(함께 비서성에서 근무하네)"라고 읊은 일이 있다.

◇銀魚(은을 장식한 어대)

●沈煥, 字叔晦. 父子自爲師友, 講道論義, 閨門肅睦, 於榮利澹然. 家故淸貧, 而口不言貧, 輕財重義, 士信而歸之. 宋乾道[356]中, 登第, 倅[357]

---

348) 赴省(부성) : 상서성尙書省으로 가다. 즉 상서성 예부禮部에서 실시하는 과거시험에 응시하러 가는 것을 말한다.

349) 宣和(선화) : 북송北宋 휘종徽宗의 연호(1119-1125).

350) 魁天下(괴천하) : 천하에 으뜸을 차지하다. 장원급제하는 것을 말한다.

351) 紹興(소흥) : 남송南宋 고종高宗의 연호(1131-1162).

352) 正字(정자) : 비서성飛書省의 속관으로 도서의 교정校正을 담당하는 벼슬 이름.

353) 秦熺(진희) : 송나라 고종高宗 때 간신인 진회秦檜(1090-1155)의 양자. 당시 비서소감祕書少監을 맡고 있었다.

354) 潘游洪沈(반유홍심) : 송나라 고종高宗 때 함께 비서성정자祕書省正字를 지낸 반양능潘良能·유조游操·홍괄洪适(1117-1184)·심개沈介를 아우르는 말.

355) 瀛洲(영주) : 동해東海에 신선이 산다는 전설상의 봉래산蓬萊山·방장산方丈山·영주산瀛洲山 가운데 하나로 문단이나 궁중의 문학관을 비유하는데, 여기서는 비서성祕書省에서 근무하는 것을 가리킨다.

356) 乾道(건도) : 남송南宋 효종孝宗의 연호(1165-1173).

舒州. 光宗朝, 遷奉議郎[358], 賜緋銀魚[359].

○심환(1139-1191)은 자가 숙회이다. 부자가 스승이자 친구처럼 지내며 도의에 대해 강론하였기에 집안 분위기가 엄숙하면서도 화목하였고 명예나 이익에 대해 초연하였다. 집이 원래 가난하였지만 입으로 가난을 언급하지 않았고, 재물을 가벼이 여기고 도의를 중시하였기에 선비들이 그를 믿고 따랐다. 송나라 (효종) 건도(1165-1173) 연간에 과거시험에 급제하여 (안휘성) 서주에서 통판을 지냈다. 광종 때 봉의랑으로 승진하여 비복과 은을 장식한 어대를 하사받았다.

●沈既濟經學該明, 有良史才, 召拜左拾遺[360]. 子傳師.

○(당나라) 심기제(약 750-약 800)는 경학에 해박하고 훌륭한 사관으로서의 재능이 있어 황제의 부름을 받고 좌습유를 배수받았다. 아들은 심전사沈傳師이다.

●沈傳師, 唐貞元末, 擧進士. 權德輿門生七十人, 推爲顏子[361].

○심전사(769-827)은 당나라 (덕종) 정원(785-805) 말엽에 진사과에 급제하였다. 권덕여의 문하생 70명이 그를 안자로 추대하였다.

●沈義倫伐蜀, 東歸, 篋中才[362]有圖書數卷. 宋初, 拜樞密[363].

---

357) 倅(쉬) : 보좌하다. 자사刺史의 부관副官을 뜻하는 말로서 당나라 때는 별가別駕, 송나라 때는 통판通判이 자사 다음 가는 직책이었다.

358) 奉議郎(봉의랑) : 당송 때 종6품상從六品上에 해당하는 문산관文散官 이름.

359) 緋銀魚(비은어) : 당송唐宋 때 5품 이상 고관의 복장인 비복緋服과 은을 장식한 어대魚袋(패어佩魚)를 지칭하는 말.

360) 拾遺(습유) : 당나라 측천무후則天武后(624-705) 때 처음 신설된 규간規諫을 관장하는 벼슬. 좌·우습유가 있었는데, 좌습유는 문하성門下省 소속이고 우습유는 중서성中書省 소속이었다. 송나라 때는 좌左·우정언右正言으로 개칭되었다.

361) 顏子(안자) : 춘추시대 노魯나라 공자의 수제자인 안회顏回에 대한 존칭. 자가 자연子淵이어서 '안연顏淵'으로도 불렸다. 덕행으로 이름을 떨쳤다. ≪사기·중니제자열전仲尼弟子列傳≫권67 참조.

362) 才(재) : 겨우, 고작. '재纔' '재裁'와 통용자.

363) 樞密(추밀) : 당송唐宋 때 국가의 군사 업무를 총괄하던 기관인 추밀원樞密

○(오대십국五代十國 말엽에) 심의륜은 촉나라를 정벌하고서 동쪽으로 돌아올 때 상자에 겨우 도서 몇 권만 가지고 있었다. 송나라 초엽에 추밀사를 배수받았다.

●沈括, 字存中, 博覽古今. 宋熙寧[364]中, 知制誥[365], 分司南京[366].

○심괄(1031-1095)은 자가 존중으로 고금의 서책을 두루 열람하였다. 송나라 (신종) 희녕(1068-1077) 연간에 지제고를 맡다가 (하남성) 남경(응천부應天府)을 분담하여 관장하였다.

●沈思, 字持正, 湖州隱君子也. 隱於東林, 因名東老. 能釀十八仙[367]白酒. 熙寧中, 呂仙[368]到其家, 題詩云, "西鄰已富憂不足, 東老雖貧樂有餘. 白酒釀來緣好客, 黃金散盡爲收書."

○(송나라) 심사는 자가 지정으로 (절강성) 호주에 은둔한 군자이다. 동림에 은거하였기에 '동로'로 불렸다. 십팔선이 즐기는 백주를 잘 빚었다. (신종) 희녕(1068-1077) 연간에 (당나라 때 도사) 여선(여암呂巖)이 그의 집을 방문하여 다음과 같은 시를 지었다. "서쪽 이웃사람은 이미 부유한데도 재물이 부족할까 걱정하지만, 동로(심사)는 비록 가난해도 즐거움이 넘친다네. 백주를 빚는 것은 손님을 좋아하기 때문이요, 황금을 다 쓰는 것은 서책을 모으기 위해서라네."

院이나 그 장관인 추밀사樞密使의 약칭.

364) 熙寧(희녕) : 북송北宋 신종神宗의 연호(1068-1077).

365) 知制誥(지제고) : 황명의 초안을 작성하는 일이나 그러한 업무를 관장하는 벼슬을 이르는 말.

366) 南京(남경) : 송나라 때 응천부應天府의 별칭. 지금의 하남성 상구현商丘縣 남쪽 일대.

367) 十八仙(십팔선) : 절강성 호주湖州 동림東林에 산다는 신선. 그러나 구체적인 내용은 알려진 바가 없다.

368) 呂仙(여선) : 당나라 때 사람 여암呂巖의 별칭. 자인 '동빈洞賓'으로 주로 불렸다. 64세에 종리권鍾離權에게 도술을 배워 팔선八仙의 1인이 되면서 도교에서는 절대적 존재로 추앙받았다. '여선옹呂仙翁' '여조사呂祖師' '여진인呂眞人' 등 다양한 존칭으로도 불렸다. 원나라 신문방辛文房의 ≪당재자전唐才子傳·선仙·여암전≫권8 참조.

●沈與求, 字和仲, 紹興中, 爲丞, 首陳屯田[369]利害.

○심여구(1086-1137)는 자가 중화로 (송나라 고종) 소흥(1131-1162) 연간에 승상을 맡자 앞장서 둔전의 이해에 대해 진술하였다.

●沈該, 字元約, 紹興中, 直祕閣[370]. 後參大政[371], 拜左僕射.

○심해는 자가 원약으로 (송나라 고종) 소흥(1131-1162) 연간에 직비각을 지냈다. 뒤에 참지정사에 올랐다가 좌복야를 배수받았다.

●沈豐[372]爲零陵太守, 鞭朴不擧, 市無刑戮.

○(후한) 심풍은 (호남성) 영릉태수를 지낼 때 매질을 하지 않고 저자에서 사형을 집행하는 일이 없었다.

●沈宛[373]謂妻曰, "男兒不竪豹尾[374], 終不還鄕."

○(진晉나라) 심충沈充은 아내에게 "남아로서 장수의 깃발을 세우지 못 한다면 끝내 고향으로 돌아갈 수 없소"라고 말한 일이 있다.

※婚姻(혼인)

●沈鸞[375], 字廷元, 少有高名. 擧茂才[376], 其舅陸稠以女妻之. 公府辟爲

369) 屯田(둔전) : 주둔군의 식량을 자급자족하기 위해 마련한 농토를 가리키는 말.

370) 直祕閣(직비각) : 송나라 때 궁중의 도서를 관장하는 비각에 설치하였던 겸관兼官 이름.

371) 參大政(참대정) : 주요 정사에 참여하다. 재상인 참지정사參知政事의 자리에 오르는 것을 말한다.

372) 沈豐(심풍) : 후한 사람. 관대한 정사를 펼치며 선정을 베풀었다. 청나라 요지인姚之駰의 ≪후한서보일後漢書補逸・심풍전≫권10 참조.

373) 沈宛(심완) : 위의 예문과 유사한 내용이 ≪진서晉書・심충전≫권98에 전하는데, 이에 의하면 '심충沈充'의 오기이다.

374) 豹尾(표미) : 표범의 꼬리. 천자의 의장이나 사신・장수의 깃발에 달던 장식물. 표범 꼬리를 걸기도 하고, 표범을 그려 넣기도 하였다.

375) 沈鸞(심난) : 후한 사람. 자는 정원廷元, 또는 건광建光. 심융沈戎의 손자이자 심호沈湖의 아들로 무재과茂才科(수재과秀才科)에 천거되어 별가종사別駕

別駕從事[377].

○(후한) 심난은 자가 정원으로 어려서부터 명성을 떨쳤다. 수재과에 급제하자 외숙부인 육주가 딸을 그에게 시집보냈다. 승상부에서 그를 초빙해 별가종사에 임명하였다.

●沈宋. 沈郞.(休文也) 責沈[378].

○(당나라 시인) 심전기沈佺期와 송지문宋之問. 심낭.(남조南朝 양梁나라 사람 휴문休文 심약沈約을 가리킨다) 인재를 알아보지 못 하는 것을 책망하다.

◆審(심씨)

●審食其, 沛郡人, 從漢高[379]征伐有功, 封辟陽侯.

○심이기는 (강소성) 패군 사람으로 전한 고조를 따라 정벌전에 나서서 공을 세워 벽양후에 봉해졌다.

●審配事袁紹, 融曰, "盡忠之士也."

○(후한 말엽) 심배가 원소를 섬기자 공융孔融이 말했다. "충성을 다

從事를 지냈다. ≪송서宋書≫권100의 심약沈約(441-513) 자서自序 참조.

376) 茂才(무재) : 한나라 때 시험 과목의 하나인 수재秀才. 후한 광무제光武帝 유수劉秀의 휘諱 때문에 '수秀'를 '무茂'로 고친 것이다.

377) 別駕從事(별가종사) : 한나라 때 자사刺史를 보좌하여 주州를 순찰하는 일을 담당하던 벼슬인 '별가종사사別駕從事史'의 약칭. 자사와 별도로 수레를 탄 데서 명칭이 유래하였다. 자사의 속관으로는 주의 크기와 시대에 따라 차이는 있으나, 대개 별가別駕・장사長史・사마司馬・녹사참군사錄事參軍事・참군사參軍事・녹사錄事・승丞・문학文學 등이 있었다. 수당隋唐 때는 일시 장사長史로 개칭되었고, 송나라 때는 통판通判을 지칭하는 말로 쓰이기도 하였다.

378) 責沈(책심) : 송나라 정호程顥가 심沈씨를 책망하기 위해 지은 글인 '책심문責沈文'의 준말. '책심'은 춘추시대 때 섭공葉公 심제량沈諸梁이 공자를 알아보지 못 했다는 ≪논어・술이述而≫권7의 고사에서 유래한 말로 인재를 알아보지 못 하는 것을 가리킨다.

379) 漢高(한고) : 전한의 건국자인 고조高祖 혹은 고제高帝 유방劉邦(B.C.247-B.C.195)의 별칭. '고조'는 묘호이고, '고제'는 시호이다.

할 선비입니다.”

●審固, 魏人, 本出兵伍, 楊俊[380]獎拔, 乃作佳士. 官至郡守.

○심고는 (북조北朝) 북위北魏 출신 사람으로 본래 일반 병사 출신이었으나 양준이 발탁하여 훌륭한 선비가 되었다. 관직은 군수까지 올랐다.

□四十八感(48감)

◆昝(잠씨)

▶徵音. 太原.

▷음은 치음에 속하고 본관은 (산서성) 태원군이다.

●昝堅, 晉人. 桓溫伐蜀, 其將昝堅勸李勢降.

○잠견은 진나라 때 사람이다. 환온이 촉나라를 정벌할 때 그의 장수인 잠견이 이세에게 투항을 권하였다.

●昝居潤, 字廣川, 博州高唐人. 宋建隆[381]初, 權知鎭州, 初以知州易方鎭[382]也.

○잠거윤은 자가 광천으로 (하북성) 박주 고당현 사람이다. 송나라 (태조) 건륭(960-962) 초에 임시로 (하북성) 진주를 다스렸는데, 처음에는 지주사(자사)를 맡다가 절도사로 직책을 바꿨다.

●昝萬壽, 宋名將.

---

380) 楊俊(양준) : 수隋나라 종실 사람(571-600). 진왕秦王에 봉해지고 시호가 '효孝'이어서 '진효왕'으로도 불렸다. 고조高祖(문제文帝) 양견楊堅(541-604)의 셋째 아들이다. ≪수서・진효왕양준전≫권45 참조.

381) 建隆(건륭) : 북송北宋 태조太祖의 연호(960-962).

382) 方鎭(방진) : 병권을 장악하고 한 방면을 진수하는 군사령관. 당나라 때 관찰사觀察使・절도사節度使・경략사經略使 등을 일컫는다.

○잠만수는 송나라 때 명장이다.

□五十琰(50염)

◆冉(염씨)

▶宮音. 武陵. 高辛氏[383]之亂. 一云, "叔山冉[384]之後."

▷음은 궁음에 속하고 본관은 (호남성) 무릉군이다. (전설상의 임금인) 고신씨(제곡帝嚳) 때 반군 출신으로 일설에는 "(춘추시대 초楚나라 대부大夫) 숙산염의 후손이다"라고도 한다.

●冉雍, 字仲弓, 贈薛侯, 進下邳公. 德行科.

○(춘추시대 노魯나라 공자의 제자인) 염옹(B.C.522-?)은 자가 중궁으로 설후를 추증받았다가 하비공으로 승진하였다. 덕행으로 유명하다.

●冉耕, 字伯牛, 贈鄆侯, 進東平公. 德行科.

○(춘추시대 노魯나라 공자의 제자인) 염경은 자가 백우로 운후를 추증받았다가 동평공으로 승진하였다. 덕행으로 유명하다.

●冉求. 字子有, 贈徐侯, 進彭城公. 政事科.

○(춘추시대 노魯나라 공자의 제자인) 염구(B.C.522-B.C.489)는 자가 자유로 서후를 추증받았다가 팽성공으로 승진하였다. 선정을 베푼 것으로 유명하다.

□五十三鹻[385](53함)

---

383) 高辛氏(고신씨) : 전설상의 임금인 오제五帝 가운데 세 번째 황제인 제곡帝嚳의 성씨.

384) 叔山冉(숙산염) : 춘추시대 초楚나라 대부大夫. '숙산'은 복성複姓.

385) 鹻(함) : 원전에는 이 글자가 누락되어 있는데 ≪광운廣韻≫과 같은 기존의 운서韻書에 원래 기재되어 있지 않은 데서 기인한 듯하다. 후대의 운서에서는 운목韻目을 '함鹻'이라고 하였기에 첨기한다.

◆范(범씨)

▶宮音. 高平. 劉累[386]之後, 在周爲唐杜氏, 周宣王滅杜, 杜伯之子隰叔奔晉, 爲士師[387]. 曾孫士會[388]食采於范, 因氏焉.

▷음은 궁음에 속하고 본관은 (산서성) 고평군이다. (하夏나라) 유누의 후손은 주나라에서 당두씨라고 하였는데, 주나라 선왕이 두나라를 멸하자 두백의 아들인 습숙이 진나라로 도망쳐 사사를 지냈다. 증손자인 사회가 범읍을 식읍으로 받자 그참에 이를 성씨로 삼은 것이다.

◇世卿(대대로 상경上卿을 지내다)

●范武子之後文子・宣子・獻子爲晉執政上卿[389].

○(춘추시대 때) 범무자(범사회范士會)의 후손인 범문자范文子・범선자范宣子・범헌자范獻子는 진나라에서 정사를 집행하는 상경에 올랐다.

◇扁舟五湖(오호에 일엽편주를 띄우다)

●范蠡, 越大夫也, 滅吳而歸, 遂乘扁舟, 浮於五湖[390], 號鴟夷子皮. 之陶, 爲朱公, 三致千金[391], 再分與貧交昆弟. 言富者稱陶朱公云. 越王思其功, 以黃金鑄其像.

○범이는 (춘추시대) 월나라 대부로 오나라를 멸하고 귀국하였다가 결국 일엽편주를 타고 오호를 떠다니며 자칭 '치이자피'라고 하였다.

---

386) 劉累(유누) : 동보董父의 제자로 용을 잘 길들여 하夏나라 공갑孔甲의 총애를 받았다는 전설상의 인물. 씨는 어룡御龍.

387) 士師(사사) : 주周나라 때 형벌을 관장하던 추관秋官 소속 벼슬 이름.

388) 士會(사회) : 춘추시대 진晉나라 대부大夫. 범范 땅에 봉해져 범사회范士會로 불렸고, 시호가 무자武子여서 '범무자'로도 불렸다.

389) 上卿(상경) : 군주 다음 가는 최고의 집정관執政官을 가리키는 말로 '정경正卿'이라고도 하였다.

390) 五湖(오호) : 호수 이름. 강남의 여러 호수를 가리킨다는 설, 호북성과 호남성 경계에 있는 동정호洞庭湖의 별칭이라는 설, 강소성과 절강성의 경계에 있는 태호太湖의 별칭이라는 설, 은자의 거처를 상징하는 말이라는 설 등 해설이 다양하다.

391) 千金(천금) : 금 천 근斤. '금金'은 '근斤'이나 '일鎰'과 같은 말이고, '천금'은 실수實數라기보다는 많은 양의 금이나 거액을 강조하기 위한 표현이다.

도읍으로 가서 주공이라고 하며 세 차례나 거금을 모아서는 다시 가난한 친구의 형제들에게 나눠주었다. 부를 말하는 이들은 '도주공'을 거론하곤 한다. 월나라 왕은 그의 공로가 그리워 황금으로 그의 동상을 주조하였다.

◇一飯必報(밥 한 끼 얻어먹어도 반드시 보답하다)

●范睢392), 字叔, 魏人也. 須賈告其過於魏齊, 辱之, 幾死, 入秦, 改名張祿, 爲相. 賈至秦, 睢間393)行敝衣, 求見. 賈曰, "范叔一寒如此哉?" 取一綈袍394), 賜之. 睢乃爲賈御, 入相府, 則睢卽秦相, 坐賈於堂下曰, "君所以得不死者, 以綈袍戀戀, 尙有故人之意耳. 一飯之德必償, 睚眥395)之怨必報."

○범저(혹은 범수范睢 ?-B.C.255)는 자가 숙으로 (전국시대) 위나라 사람이다. 수가가 위제에게 그의 잘못을 고하는 바람에 위제가 그에게 모욕을 주었는데, 거의 죽을 뻔하다가 진나라로 들어가 장록으로 개명하고는 승상에 올랐다. 수가가 진나라에 도착하자 범저는 몰래 남루한 옷을 입고서 알현을 청하였다. 그러자 수가가 말했다. "범숙(범수)은 어찌 이렇게 춥게 차리셨습니까?" 그리고는 솜옷을 꺼내 그에게 주었다. 범저는 수가의 마부 노릇을 하며 승상부에 들어가자 바로 진나라 승상의 자리에 올라서는 수가를 대청 아래 앉히며 말했다. "그대가 죽음을 면할 수 있는 이유는 솜옷으로 연민의 뜻을 보여 오히려 친구로서의 우정을 베풀었기 때문이오. 나는 밥 한 끼 얻어먹어도 반드시 보상하고, 째려보는 정도의 원한이라도 반드시 보복한다오."

---

392) 范睢(범저) : 전국시대 위魏나라 사람. '범수范睢'로 표기하는 것이 옳다는 설이 있다. 자는 숙叔. 위나라 재상 위제魏齊에게 태형을 당한 뒤 장녹張祿으로 개명하고, 진秦나라로 망명하여 언변으로 재상에 올라서는 먼 곳과 조약을 맺고 가까운 곳을 정벌하는 정책을 실시하여 진나라 통일의 기초를 다졌다. 봉호는 응후應侯. ≪사기・범수전≫권79 참조.

393) 間(간) : 몰래.

394) 綈袍(제포) : 솜옷.

395) 睚眥(애자) : 눈을 부라리며 노려보다. 사소한 원한 관계를 비유한다.

◇攬轡澄淸(고삐를 잡고서 천하를 평정하고자 하다)

●范滂, 字孟博, 漢桓帝朝, 爲淸詔使396), 登車攬轡, 慨然有澄淸天下之志. 名列八顧397). 一弟仲博, 父龍舒398)君.

○범방(137-169)은 자가 맹박으로 후한 환제 때 청조사를 맡자 수레에 올라 고삐를 잡고는 강개하니 천하를 평정하고자 하는 포부를 품었다. 이름이 '팔고'에 올랐다. 동생 가운데 한 명은 자가 중박이고, 부친은 용서군에 봉해졌다.

◇甑塵(시루에 먼지가 생기다)

●范丹399), 字史雲(漢書400)作道非), 違時絶俗, 爲激詭401)之行. 漢桓帝朝爲萊蕪長, 黨禍作, 遁身梁沛間, 賣卜於市. 常推鹿車402), 載妻子, 捃拾自資, 結草室居焉, 有時絶粒. 閭里歌曰, "甑中生塵403)范史雲, 釜中生魚范萊蕪." 諡貞節先生.

○범단(혹은 범염范冉)은 자가 사운(≪후한서≫에는 '도비'로 되어 있다)으로 시류와 다른 것을 추구하여 유별나고 튀는 행동을 잘하였다. 후한 선제 때 (산동성) 내무현의 현장을 맡았다가 당고사건이 일어나자 양주와 패군 일대로 몸을 피해 저자에서 점을 팔았다. 늘 초라한 수레를 끌면서 처자식을 태우고 이것저것 주워 자급자족하였고, 초

---

396) 淸詔使(청조사) : 한나라 때 황명의 시행을 관장하던 임시 벼슬 이름.

397) 八顧(팔고) : 후한 때 사대부들에게 존경받던 8인인 곽태郭泰・종자宗慈・파숙巴肅・하복夏馥・범방范滂(혹은 유유劉儒)・윤훈尹勳・채연蔡衍・양척羊陟을 아우르는 말.

398) 龍舒(용서) : 안휘성의 속현屬縣 이름으로 여기서는 봉호를 가리킨다.

399) 范丹(범단) : 후한 사람 범염范冉의 다른 이름. 자형의 유사성으로 인해 전래 과정에서 '단丹'과 '염冉'으로 달리 표기된 데서 비롯된 듯하다.

400) 漢書(한서) : 현전하는 ≪후한서・독행열전・범염전范冉傳≫권111에 '사운史雲'으로 되어 있는 것으로 보아 지금은 실전된 다른 ≪후한서≫를 가리키는 듯하다.

401) 激詭(격궤) : 유별나고 튀는 행동이나 억지스럽고 이상한 짓을 뜻하는 말.

402) 鹿車(녹거) : 사슴이 끄는 수레. 작고 조촐한 수레를 비유한다.

403) 甑中生塵(증중생진) : 시루에 먼지가 생기다. 곡식이 없어 음식을 만들지 못하는 것을 뜻하는 말로, 뒤의 '솥 안에 물고기가 산다'는 말과 함께 매우 가난한 삶을 비유한다.

가집을 짓고 거기에 거주하였기에 곡식이 떨어지는 때도 있었다. 그래서 고을 사람들은 "시루에 먼지가 생기는 것도 범사운(범단)이요, 솥안에서 물고기가 사는 것도 범내무(범단)라네"라고 노래하였다. 시호는 정절선생이다.

◇雞黍之約(닭을 잡고 기장밥을 지어 약속을 지키다)

●范式, 字巨卿, 少游太學404), 與張劭爲友. 竝告歸405), 式曰, "後二年當還過, 拜尊親, 見孺子焉." 乃共剋期日. 至期, 劭白母殺雞炊黍待之. 母曰, "二年之則, 千里結言, 何相信之審?" 曰, "巨卿信士, 必不失期." 至其日, 果到. 陳平子亦同在學, 病將終, 謂其妻曰, "山陽范巨卿, 烈士也, 可以託死." 旣終, 式爲營護妻子, 身自送喪於臨湘406). 東漢人, 爲荊州刺史.

○범식은 자가 거경으로 어려서 태학에서 유학하며 장소와 친구가 되었다. 함께 휴가를 얻어 귀향하게 되자 범식이 말했다. "2년 뒤에 돌아오는 길에 그대 집에 들르면 부친께 인사를 올리고 아이들을 보겠소이다." 이에 함께 기일을 약조하였다. 기일이 되자 장소는 모친에게 아뢰어 닭을 잡고 기장밥을 지어 그를 대접하겠다고 하였다. 그러자 모친이 말했다. "2년 전에 한 약속이고 천 리 멀리서 한 약조인데 어찌 그리 굳게 믿느냐?" 그러자 장소가 대답하였다. "거경(범식)은 믿을 수 있는 선비이니 틀림없이 약조를 어기지 않을 것입니다." 그날이 되자 범식이 정말로 도착하였다. 진평자 역시 함께 태학에서 공부하였는데, 병이 들어 죽을 때가 되자 아내에게 말했다. "(하남성) 산양군 사람 범거경(범식)은 열사라서 장례를 맡길 만하다오." 진평자가 죽자 범식은 그를 위해 백방으로 처자식을 돌보고 몸소 (호남성) 임상현에서 장례를 치러 주었다. 범식은 후한 때 사람으

404) 太學(태학) : 고대 중국에서 귀족의 자제들을 위해 도읍에 설치하였던 교육기관을 이르는 말.

405) 告歸(고귀) : 휴가를 얻어 집으로 돌아가거나 사직하고 귀향하는 것을 이르는 말.

406) 臨湘(임상) : 호남성의 속현屬縣 이름.

로 (호북성) 형주자사를 지냈다.

◇二范儒風(두 범씨가 유학을 진흥시키다)

●范宣, 字宣子, 少好學, 博綜解書, 家于豫章. 晉太元407)中, 范甯爲豫章太守, 立鄕校, 敎授恒數百人. 由是江州408)人士, 竝好經學, 化二范之風也.(晉儒林傳)

○범선은 자가 선자로 어려서부터 학문을 좋아하여 경전의 해설서들을 두루 열람하면서 (강서성) 예장군에 살았다. 진나라 (효무제) 태원(376-396) 연간에는 범영(339-401)이 예장태수를 맡아 향교를 세우고 늘 수백 명의 학생들을 가르쳤다. 이 때문에 (강서성) 강주의 인사들이 모두 경학을 좋아하게 되었으니, 이는 범선과 범영 두 사람의 가르침에 교화를 받아서이다.(≪진서·유림열전·범선전≫권91)

◇修漢史(≪후한서≫를 편수하다)

●范曄, 字蔚宗, 仕宋, 爲祕丞409). 左遷宣城太守, 不得志, 乃刪後漢書, 自爲一家之作. 陸凱410)寄梅幷詩.

○범엽(398-445)은 자가 위종으로 (남조南朝) 유송劉宋에서 벼슬길에 올라 비서승을 지냈다. (안휘성) 선성태수로 좌천당해 뜻을 이루지 못 하자 ≪후한서≫를 짓고는 스스로 일가의 저작이라고 자부하였다. 육개가 매화와 시를 부친 일이 있다.

---

407) 太元(태원) : 진晉 효무제孝武帝의 연호(376-396).

408) 江州(강주) : 강서성의 속주屬州 이름.

409) 祕丞(비승) : 국가의 주요 문서와 도서를 관장하는 비서성祕書省 소속 관원인 비서승祕書丞의 준말. 비서감祕書監·비서소감祕書少監보다는 낮고 비서랑祕書郎이나 저작랑著作郎보다는 높은 직책이었다.

410) 陸凱(육개) : 북조北朝 북위北魏 사람. 친구인 범엽范曄(398-445)에게 매화나무 가지와 시를 보내 우정을 표했다는 고사가 송나라 이방李昉(925-996)의 ≪태평어람太平御覽≫권409에 인용된 ≪형주기荊州記≫에 전한다. 반대로 범엽이 육개에게 매화와 시를 부쳤다는 설도 있다.

◇廉泉(염천)

●范柏年初見宋明帝, 因言及廣州有貪泉411). 帝問, "上州412)有此水否?" 對曰, "梁州惟有文川・武鄕・廉泉・讓水." 又問, "卿宅在何處?" 曰, "臣所居在廉讓之間." 帝善之, 爲梁州刺史.

○범백년은 당초 (남조南朝) 유송劉宋 명제를 알현하면서 그참에 (광동성) 광주에 탐천이 있다고 아뢰었다. 그러자 명제가 물었다. "상주에도 이러한 물이 있소?" 범백년이 대답하였다. "(섬서성) 양주에는 오직 문천(문인을 배출하는 냇물)・무향(무인을 배출하는 마을)・염천(청렴함을 키우는 샘물)・양수(겸양의 마음을 키우는 물)가 있을 뿐이옵니다." 명제가 다시 물었다. "경의 집은 어디에 있소?" 범백년이 대답하였다. "신이 사는 곳은 염천과 양수 사이에 있습니다." 명제가 그의 답변을 칭찬하여 양주자사에 임명하였다.

◇流風回雪(바람이 눈을 휘날리는 듯하다)

●范雲, 字彦龍, 善屬文, 宛轉淸便, 如流風回雪. 仕于齊, 後歸梁, 爲吏部尙書.

○범운(451-503)은 자가 언룡으로 문장을 잘 지었는데, 문풍은 유순하면서도 청순하여 마치 바람이 눈을 휘날리는 듯하였다. (남조南朝) 남제南齊에서 벼슬길에 올랐다가 뒤에 양나라에 귀순하여 이부상서를 지냈다.

◇樹花之喩(꽃으로 인생을 비유하다)

●范縝, 字子眞, 齊永明中, 爲中郎. 時竟陵王子良413)盛招賓客414), 縝與

---

411) 貪泉(탐천) : 광동성 광주廣州 남해군南海郡에 있는 샘물 이름. 아무리 청렴한 사람이라도 이 샘물을 마시면 탐욕을 일으킨다는 속설이 있었는데, 진晉나라 때 오은지吳隱之가 이 물을 마시고는 더욱 의지를 굳건히 하여 청렴성을 지켰다는 ≪진서・오은지전≫권90의 고사로 유명하다.

412) 上州(상주) : 인구・면적・재정 등에서 우수한 주를 이르는 말. 옛날에는 인구・면적・재정 등에 따라 주군현州郡縣을 상중하로 등급을 매겨 경쟁을 유도하였다.

413) 竟陵王子良(경릉왕자량) : 남조南朝 남제南齊 무제武帝의 아들이자 문혜태자

焉. 良精信佛教, 縝每言無佛, 良曰, "君不信因果, 何得富貴貧賤?" 曰, "人生如樹花隨風而墮, 有拂簾幌落茵席之上, 有越籬牆落糞溷之中, 因果竟在何處?" 良不能屈.

○범진(약 450-약 510)은 자가 자진으로 (남조南朝) 남제南齊 (무제) 영명(483-493) 연간에 중랑을 지냈다. 당시 (무제의 아들) 경릉왕竟陵王 소자량蕭子良이 손님들을 대거 초빙하자 범진도 그 자리에 참여하였다. 소자량은 불교를 독실하게 믿었지만 범진은 매번 부처가 없다고 말했다. 소자량이 "그대는 인과를 믿지 않고서 어떻게 부귀와 빈천을 말할 수 있겠소?"라고 하자 범진이 대답했다. "인생이란 마치 꽃이 바람을 따라 떨어지면 주렴을 스치다가 이부자리에 떨어지는 일도 있고, 담장을 넘어 화장실에 떨어지는 일도 있는 것과 같으니 인과가 결국 어디에 있겠습니까?" 결국 그를 굴복시키지 못 했다.

◇吸醋三斗(식초를 세 말 들이키다)

●范質, 字文素, 母張氏夢人授以五色[415]筆而生, 九歲能文. 後唐時擧進士. 漢周禪代之際, 隱于民間. 一日坐封丘[416]巷茶肆中, 時所執扇上書云, "大暑去酷吏, 淸風來故人." 有人貌極怪陋, 前揖[417]曰, "世之酷吏, 何止大暑? 相公[418]他日當深究此弊." 持其扇而去. 後至妖廟[419], 見一

文惠太子의 동모同母 동생인 소자량蕭子良(460-494). '경릉왕'은 봉호. 문학을 좋아하여 많은 문인들을 거느렸는데, 사조謝朓(464-499)·왕융王融(467-493) 등과 함께 '경릉팔우竟陵八友'로 불렸다. ≪남제서·경릉문선왕소자량전竟陵文宣王蕭子良傳≫권40 참조.

414) 賓客(빈객) : 손님에 대한 총칭. '빈賓'은 신분이 높은 손님을 가리키고, '객客'은 수행원과 같이 신분이 낮은 손님을 가리키는 데서 유래하였다.

415) 五色(오색) : 정색正色인 청·적·황·백·흑색의 다섯 가지. 상서로운 징조를 상징한다.

416) 封丘(봉구) : 하남성의 속현屬縣 이름.

417) 揖(읍) : 두 손을 맞잡고 허리를 숙이는 인사법을 이르는 말. 두 손을 맞잡고 가슴까지 올리되 허리를 숙이지는 않는 가벼운 예법인 '공拱'보다는 정중하고, 엎드려서 절하는 '배拜'에 비해서는 비교적 가벼운 예법에 해당한다.

418) 相公(상공) : 재상에 대한 존칭.

419) 妖廟(요묘) : 요망한 사당. 민간에서 불법으로 지은 사당을 가리킨다.

土木短鬼, 貌肖茶肆中所見者, 扇亦在其手中. 公心異焉. 後仕周, 首定刑統420). 宋建隆初, 拜相. 嘗謂同列421)曰, "人能鼻吸三斗醇醋422), 卽可作宰相." 封魯公. 子旻. 登庸衣鉢見和凝.

○범질(911-964)은 자가 문소로 모친 장씨가 누군가 오색필을 주는 태몽을 꾸고서 태어나더니 아홉 살에 글을 지을 줄 알았다. (오대五代) 후당 때 과거시험에 급제하였다. 후한後漢과 후주後周가 교체할 시기에는 민간에서 숨어살았다. 하루는 (하남성) 봉구현 골목의 찻집에 앉아서 당시 손에 들고 있던 부채에다가 "무더위가 잔혹한 관리 때문에 물러가더니, 시원한 바람이 친구 때문에 불어오네"라는 구절을 적었다. 그러자 용모가 지극히 괴이하게 생긴 사람이 앞으로 다가와 인사를 하더니 "세상의 잔혹한 관리가 어찌 무더위를 막을 수 있겠습니까? 상공께서는 훗날 의당 이로 인한 폐해를 잘 살피셔야 할 것입니다"라고 말하고는 그의 부채를 들고서 사라졌다. 뒤에 요망한 사당에 도착하여 토목으로 만든 난장이 귀신을 발견하였는데, 용모가 찻집에서 보았던 사람과 닮았고 부채도 그의 손에 들려 있었다. 범질은 내심 기이한 기분이 들었다. 뒤에 후주에서 벼슬길에 올라 맨처음 법전을 정리하였다. 송나라 (태조) 건륭(960-962) 초에는 재상을 배수받았다. 그는 일찍이 동료에게 "사람이 코로 진한 식초를 세 말 들이킬 수 있을 정도로 인내심과 도량이 크다면 바로 재상에 오를 수 있을 것이오"라고 말한 적이 있다. 노국공에 봉해졌다. 아들은 범민范旻이다. '등용하면서 의발도 전수한다'는 고사는 앞의 '화'씨절 화응에 관한 기록인 '등용의발登庸衣鉢'항에 보인다.

◇畫粥斷虀(죽을 가르고 부추를 자르다)

●范仲淹, 字希文, 三歲而孤, 隨母改適長山423)朱氏, 冒姓424)朱. 後擧進

---

420) 刑統(형통) : 형벌과 법률을 종류별로 정리한 법전을 이르는 말.

421) 同列(동렬) : 같은 반열班列에 속하는 사람. 즉 동료를 뜻한다.

422) 鼻吸三斗醇醋(비흡삼두순초) : 코로 진한 식초를 세 말 들이키다. 인내심과 도량이 큰 것을 비유한다.

423) 長山(장산) : 산동성의 속현屬縣 이름.

士, 改本姓, 謝啓云, "志在投秦入境, 遂稱於張祿, 名非霸越乘舟, 乃效於陶朱." 時人服其親切. 初居長白山僧舍讀書, 日煮粟米二升, 作一器刀, 畫爲四塊, 早晚以斷虀數莖啖之. 其清苦如此. 宋慶曆[425]中, 參大政. 謚文正公.

○범중엄(989-1052)은 자가 희문으로 세 살에 부친을 여의고 (산동성) 장산현의 주씨 가문에 재가한 모친을 따르는 바람에 주씨 성을 빌어서 썼다. 뒤에 진사시험에 급제하여 다시 본래의 성씨로 바꾸면서 사례의 뜻을 밝히는 글을 지어 "포부는 (전국시대 때 범저范雎가) 진나라로 찾아가 국경을 들어선 것처럼 하는 데 있기에 결국 (범저가 개명했던) 장록보다 칭송을 받을 것이고, 명성은 (춘추시대 때 범이范蠡가) 월나라를 패자로 만들고 배를 타고 유랑한 정도까지는 못 된다 해도 그래도 (범이가 개명한) 도주공보다 공을 드러낼 것입니다"라고 하였다. 그래서 당시 사람들이 그의 친절한 마음씨에 감복해 하였다. 처음에 장백산의 승방에 머물며 글공부를 할 때 날마다 곡식 두 되를 끓인 뒤 칼을 하나 장만하여 네 덩어리로 쪼갰고, 아침 저녁으로 부추 몇 줄기를 잘라 그것을 씹어먹었다. 그는 이처럼 청렴하였다. 송나라 (인종) 경력(1041-1048) 연간에 참지정사를 지냈다. 시호는 '문정공'이다.

◇將相器業(장수나 재상의 자질)

●文正初擧進士, 試'金在鎔'賦云, "如令[426]區別妍蚩, 願爲金鑑, 若使削平禍亂, 請就干將[427], 將相器業, 可見矣."

○(송나라) 문정공 범중엄(989-1052)은 처음 진사시험에 급제할 때 '쇠가 거푸집에 있다'라는 제목의 부로 시험을 치면서 "만약 아름다

---

424) 冒姓(모성) : 남의 성씨를 빌어 쓰는 것을 이르는 말.
425) 慶曆(경력) : 북송北宋 인종仁宗의 연호(1041-1048).
426) 如令(여령) : 만약, 가령. '령令'도 '여如'의 뜻.
427) 干將(간장) : 춘추시대 오吳나라에서 검을 잘 만들던 명인이나, 그가 만든 보검을 이르는 말. 아내인 막야莫邪(막야鏌鎁)와 함께 간장검과 막야검을 만들어 오나라 왕 합려闔閭에게 바쳤다고 전한다.

움과 추함을 구별하고자 한다면 쇠거울을 만들어야 하고, 만약 혼란을 평정하고자 한다면 간장검을 만들어야 할지니, 그러면 장수나 재상의 자질을 알 수 있으리라"고 하였다.

◇胷中甲兵(흉중의 병사)

●文正鎭延安, 夏428)人相戒曰, "毋以延州爲意. 小范老子胷中有數萬甲兵, 不比大范老子(名雍)可欺也."

○(송나라) 문정공 범중엄(989-1052)이 (섬서성) 연안을 진수할 때 서하국 사람들이 서로 경계하기를 "연주를 마음에 두지 마시게. 어린 범노자(범중엄)의 흉중에는 수만 명의 병사가 있기에 나이 든 범노자(성명은 '범옹范雍'이다)를 속일 수 있는 것과 비교할 수 없다네"라고 하였다.

◇天章一疏(천장각에서 상소문을 작성하다)

●文正初知參政429), 仁宗召見, 開天章閣430), 賜坐, 授以紙筆, 使疏於前. 公退而條列時所宜先者數十事, 方施行而僥倖者不便, 沮格431)之. 公銳意432)天下事, 取班簿433), 視不才監司434), 一筆句去. 富公435)曰,

---

428) 夏(하) : 탁발씨拓跋氏가 송나라 인종仁宗 보원寶元 원년元年(1038)에 중국 서북부의 감숙성과 오르도스 일대에 세운 나라인 서하국西夏國의 준말. '대하국大夏國'이라고도 하며, 1227년 원나라에 의해 멸망하였다.

429) 參政(참정) : 당송 때 재상에 버금가는 권한을 부여했던 참지정사參知政事의 약칭.

430) 天章閣(천장각) : 송나라 진종眞宗의 유품을 소장한 장서각藏書閣으로 태종太宗의 유품을 소장한 용도각龍圖閣 북쪽에 있었다. 송나라 때는 황제가 사망하고 나면 유품을 소장하는 장서각을 마련하고, 이를 관장하는 관원으로 학사學士·직학사直學士·대제待制 등을 배치하는 관례가 있었다.

431) 沮格(저격) : 훼방놓다, 저지하다.

432) 銳意(예의) : 신경을 쏟다, 주의를 집중하다. '예사銳思' '예정銳情' '예정銳精'이라고도 한다.

433) 班簿(반부) : 조정 관원의 명부名簿를 일컫는 말.

434) 監司(감사) : 감찰의 직무를 맡은 벼슬을 가리키는 말로, 한나라 이후 자사刺史·사례교위司隸校尉·전운사轉運使·안찰사按察使·포정사布政使 등을 두루 지칭하였다.

435) 富公(부공) : 송나라 때 명재상인 한국공韓國公 부필富弼(1004-1083)에 대

"一筆爲一家哭矣!" 公曰, "一家哭, 何如一路436)哭?"

○(송나라) 문정공 범중엄(989-1052)이 처음 참지정사에 올랐을 때 인종은 그를 불러 접견하면서 천장각을 개방하고 좌석을 하사한 뒤 종이와 붓을 주고는 그에게 면전에서 상소문을 쓰게 하였다. 범중엄은 물러나 당시에 마땅히 먼저 서둘러 처리해야 할 일 수십 가지를 조목조목 정리하였는데, 막상 시행하려고 하였으나 요행을 바라는 자들이 불편해 하며 이를 저지하려고 하였다. 범중엄은 천하를 다스리는 일에 신경을 썼기에 조정 관원들의 명부를 가져다가 재능이 부족한 감사를 발견하면 붓으로 표기해 삭제하였다. 부필富弼이 말했다. "붓을 한 획 글 때마다 한 집안의 통곡소리로 바뀌겠구려!" 그러자 범중엄이 대답하였다. "한 집안의 통곡소리가 어찌 한 지방의 통곡소리와 같을 수 있겠습니까?"

◇義莊(의장)

●文正輕財好施, 尤厚族人. 於姑蘇437)買良田數千畝, 爲義莊438), 以養族之貧者. 嫁娶喪葬, 皆有贍給. 四子純祐·純禮·純粹·純仁.

○(송나라) 문정공 범중엄(989-1052)은 재산을 불리는 일을 경시하고 재물을 베푸는 일을 좋아하였는데, 특히 일가친척에게 후한 온정을 베풀었다. (강소성) 고소산에 비옥한 밭을 수천 마지기 매입하여 의장을 만들어서 친척 가운데 가난한 이들을 봉양하였다. 또 결혼이나

한 존칭. 자는 언국彦國이고, 시호는 문충文忠. 지제고知制誥·추밀부사樞密副使를 거쳐 동중서문하평장사同中書門下平章事에 올라서 문언박文彦博(1006-1097)과 함께 재상을 지냈다. 영종英宗 때 추밀사樞密使가 되어 정국공鄭國公에 봉해졌고, 신종神宗 때는 왕안석王安石(1021-1086)의 신법新法에 반대하다가 은퇴하려고 하자 사공司空에 임명되고 한국공韓國公에 봉해졌다. ≪송사·부필전≫권313 참조.

436) 路(노) : 송나라 때 대단위 행정 구역 이름. 진한秦漢 때의 주州, 당나라 때의 도道, 원나라 때의 행성行省, 명청 때의 성省과 유사하다.

437) 姑蘇(고소) : 강소성 오현吳縣에 있는 산 이름이자, 춘추시대 때 오吳나라 왕 부차夫差가 서시西施를 위해 이 산에 세운 누대 이름.

438) 義莊(의장) : 가난한 친지를 위해 문중에서 마련한 주택과 농토를 이르는 말.

상례·장례 때 모두 필요한 물품을 넉넉하게 대주었다. 네 아들은 범순우范純祐(1024-1063)·범순례范純禮(1031-1106)·범순수范純粹·범순인范純仁(1027-1101)이다.

◇帳中煙迹(휘장 안에 등잔의 그을음 자국이 묻다)

●范純仁, 字堯夫, 少時晝夜肄業[439], 置燈帳中, 夜分不寢. 後貴夫人[440]收其帳, 頂如墨色. 以示子孫曰, "爾父少時勤學燈煙迹也." 公自布衣[441]至宰相, 常戒子弟曰, "吾平生所學, 得之'忠恕[442]'二字而已, 一生用不盡也." 宋元祐初, 拜右相. 諡忠宣公. 徽宗書其碑額曰, '世濟忠貞之碑.' 孫賁於和州建三老堂.(見劉摯)

○범순인(1027-1101)은 자가 요부로 어렸을 때 밤낮으로 공부하느라 휘장 안에 등불을 설치하고 밤에도 잠을 자지 않았다. 뒤에 부인이 휘장을 거두었더니 꼭대기가 먹물색을 띠었다. 그래서 이를 자손들에게 보이며 말했다. "너희 아버지가 어렸을 때 공부를 열심히 하느라 등잔의 그을음이 묻은 자국이란다." 범순인은 평민의 신분에서 재상에 오를 때까지 늘 자제들을 훈계하면 "내 평생 배운 것은 '충심과 용서' 두 마디로 정리할 수 있지만 평생토록 다 실천하지 못했단다"라고 말하곤 하였다. 송나라 (철종) 원우(1086-1093) 연간에 우승상을 배수받았다. 시호는 '충선공'이다. 휘종이 그의 비석에 직접 '세상을 구한 충정한 신하의 비석'이란 글씨를 써 주었다. 손자 범분范賁이 (안휘성) 화주에 삼로당을 세웠다.(상세한 내용은 앞의 '유'씨절 유지에 관한 기록인 '삼로당三老堂'항에 보인다)

---

439) 肄業(이업) : 학업을 닦다, 공부하다.

440) 貴夫人(귀부인) : 고관의 부인에 대한 존칭. 여기서는 범순인范純仁의 아내에 대한 존칭으로 쓰였다. 그러나 범순인의 부친인 범중엄范仲淹의 아내와 관련한 고사로 적은 문헌도 있다.

441) 布衣(포의) : 베옷. 벼슬에 오르지 않은 평민 신분을 상징한다.

442) 忠恕(충서) : 충심과 용서. 춘추시대 노魯나라 공자의 핵심 사상을 나타내는 말로 증자曾子가 "선생님의 도는 충심과 용서일 뿐이다(夫子之道, 忠恕而已)"라고 말했다는 고사가 ≪논어·이인里仁≫권4에 전한다.

◇著作林(저작랑 범순인이 조성한 뽕나무숲)

●忠宣初知襄, 邑縣好武, 不事蠶織. 公令以植桑免罪, 人獲其利. 至今號爲著作[443]林.(著作, 公宰邑時官也)

○(송나라) 충선공 범순인(1027-1101)이 (호북성) 양주를 다스릴 때 고을 사람들은 무술을 좋아하면서 잠업과 방직을 하지 않았다. 그래서 범순인은 뽕나무를 심으면 죄를 사면시키겠다고 명을 내렸고 사람들이 그 이익을 보았다. 지금까지도 그 뽕나무 숲이 '저작림'으로 불린다.('저작랑'은 범순인이 고을을 다스릴 때 지니고 있던 관직이다)

◇麥舟(보리를 실은 배)

●忠宣少時奉父命, 到姑蘇, 般[444]麥五百斛. 舟次丹陽, 見石曼卿[445], 言"有三喪, 在淺土, 未葬." 公悉以所載麥與之, 單騎而歸. 文正問, "過東吳[446], 見故舊乎?" 對曰, "石曼卿告以三喪未擧." 文正曰, "何不以麥舟與之?" 公曰, "已付之矣."

○(송나라) 충선공 범순인(1027-1101)은 어렸을 때 부친의 명을 받들고 (강소성 소주蘇州의) 고소산으로 가서 보리 5백 휘를 운반하게 되었다. 배를 (소주) 단양군에 정박하고서 만경曼卿 석연년石延年을 만나자 석연년이 "상여 세 개가 얕은 흙에 놓인 채 아직 장례를 치르지 못 하고 있네"라고 하였다. 그래서 범순인은 싣고 있던 보리를 그에게 주고 혼자서 말을 타고 돌아왔다. 문정공 범중엄이 물었다. "동쪽 오 지방(소주)을 지나다가 내 옛 친구를 만났느냐?" 범순인이 대답하였다. "석만경이 상여 세 개를 아직 묻지 못 했다고 말씀하셨습니다." 범중엄이 "어째서 보리를 실은 배를 그에게 주지 않았느

443) 著作(저작) : 위진魏晋 이후로 국사의 편찬과 국가 도서에 관한 업무를 관장하던 비서성祕書省 소속의 관원인 저작랑著作郎의 약칭. 상관으로 비서감祕書監과 비서소감祕書少監·비서승祕書丞이 있다.

444) 般(반) : 나르다, 운반하다. '반搬'과 통용자.

445) 石曼卿(석만경) : 송나라 사람 석연년石延年(994-1041). '만경'은 자. 시를 잘 짓고 술을 좋아하여 '주선酒仙'으로 불렸다. 대리시승大理寺丞·태자중윤太子中允 등을 역임하였다. ≪송사·석연년전≫권442 참조.

446) 東吳(동오) : 동쪽의 오 지방. 즉 강소성 소주蘇州 일대를 가리킨다.

냐?"라고 하자 범순인은 "이미 드렸습니다"라고 대답하였다.

◇長嘯公(길게 휘파람을 잘 부는 사람)

●范鎭, 字景仁. 薛奎守蜀, 還朝曰, "得一偉人, 當以文章名世," 謂公也. 王文正[447]薦, 召試學士院, 詩用'彩霓'字. 學士以沈約郊居賦'彩霓連蜷[448]'讀作入聲[449], 以公爲失韻, 殊不知約賦, 但取聲律便美, 非入聲不可讀. 景仁不自辨, 由是除館閣[450]校勘. 少時作'長嘯却胡騎'賦. 後奉使契丹, 虜中相目曰, "此長嘯公也." 兩入翰林[451], 四知貢擧[452]. 熙豐[453]間, 士大夫[454]論天下賢者, 必曰, "君實[455]・景仁, 其道德風流, 足以師表當世." 年六十三, 疏五上, 乞致仕, 歸蜀. 元祐初, 詔起之, 辭表云, "六十三而求去, 蓋以引年[456]七十九而復來, 豈云中禮?" 以銀青

---

447) 王文正(왕문정) : 송나라 사람 왕증王曾(978-1038). '문정'은 시호. 송나라 인종仁宗 때 동중서문하평장사同中書門下平章事에 오르고 기국공沂國公에 봉해졌다. 저서로 ≪왕문정필록王文正筆錄≫ 1권이 전한다. ≪송사・왕증전≫권310 참조.

448) 連蜷(연권) : 길고 구불구불한 모양. '연권連卷' '연권連踡'으로도 쓴다.

449) 入聲(입성) : 측성仄聲(상성上聲・거성去聲・입성入聲) 가운데 운모韻母의 종성終聲이 'K(ㄱ)' 'T(ㄹ)' 'P(ㅂ)'로 끝나는 소리를 이르는 말. 여기서는 '무지개 예霓'자를 입성으로 읽었다는 말이다.

450) 館閣(관각) : 당송 때 도서의 관리와 국사 편찬 등 학문을 관장하던 소문관昭文館・사관史館・집현원集賢院이나 여러 장서각藏書閣에 대한 총칭.

451) 翰林(한림) : 당나라 초기에 각계의 전문가로 구성한 황제의 자문기구인 한림원翰林院을 이르는 말. 송나라 때는 천문・서예・도화圖畵・의관醫官 4국을 총괄하였고, 명청明淸 때는 사서史書의 편찬이나 저작著作・도서圖書 등의 업무를 관할하였다.

452) 知貢擧(지공거) : 당송 때 진사進士 시험을 총괄하기 위해 특별히 설치한 벼슬 이름. 처음에는 고공원외랑考功員外郎이 맡았으나 권위가 떨어지자 뒤에는 예부시랑禮部侍郎이 맡기도 하고, 각 부서의 상서尙書가 맡기도 하였다.

453) 熙豐(희풍) : 북송北宋 신종神宗 때의 연호인 희녕熙寧(1068-1077)과 원풍元豐(1078-1085)을 아우르는 말.

454) 士大夫(사대부) : 주周나라 때 신분 구분인 공公・경卿・대부大夫・사士에서 유래한 말로 후대에는 벼슬아치나 선비에 대한 범칭으로 쓰였다.

455) 君實(군실) : 송나라 사마광司馬光(1019-1086)의 자. 저서로 ≪전가집傳家集≫ 80권, ≪자치통감資治通鑑≫ 294권, ≪속수기문涑水記聞≫ 16권 등이 전한다. ≪송사・사마광전≫권336 참조.

456) 引年(인년) : 나이가 들어 벼슬을 사양할 때가 되거나 노년에 접어든 것을

光祿大夫[457]致仕. 卒年八十一. 謚忠文. 猶子[458]百祿・百常.

○범진(1008-1089)은 자가 경인이다. 설규가 (사천성) 촉주를 다스리다가 조정으로 돌아와 "훌륭한 인재를 한 명 얻었으니 틀림없이 문장으로 세상에 이름을 떨칠 것입니다"라고 한 것도 범진을 두고 한 말이다. 문정공文正公 왕증王曾의 추천으로 부름을 받아 학사원에서 시험을 치를 때 시에다가 '무지개'란 글자를 사용하였다. 그러자 학사는 (남조南朝 양梁나라) 심약의 <은거를 읊은 부>에 들어 있는 '무지개가 길고 구불구불하네'라는 구절을 입성으로 읽으면서 범진이 운자를 잘못 쓴 것으로 심약의 부를 전혀 몰라 단지 성률의 편리함만 택한 것이기에 입성이 아니면 읽을 수 없다고 하였다. 범진은 스스로 해명하지 못 했고 이 때문에 관각에서 글자를 교감하는 직책을 제수받았다. 범진은 젊었을 때 '길게 휘파람을 불어 오랑캐 기병을 물리치리라'는 부를 지은 적이 있다. 그래서 뒤에 황명을 받들고 거란에 사신으로 갔을 때 거란 사람들이 그를 지목하여 "이 사람이 '장소공'이오"라고 말한 일이 있다. 두 차례 한림원에 들어가고 네 차례 (과거시험을 관장하는) 지공거를 지냈다. (신종) 희녕熙寧(1068-1077)・원풍元豐(1078-1085) 연간에 사대부들은 천하의 현자를 거론하면 언제나 "군실(사마광)과 경인(범진)은 도덕이나 풍류가 당대에 모범이 될 만하다"라고 말하곤 하였다. 나이 63세에 상소문을 다섯 차례나 올려 사직을 청하고 고향인 촉주로 돌아갔다. (철종) 원우(1086-1093) 초에 그를 기용하고자 조서를 내리자 사양하는 상소문을 올려 "63세에 사직을 청하고 그럭저럭 79세까지 연명하다가 다시 관직을 맡는다면 어찌 예법에 맞는다고 말할 수 있겠나이까?"

뜻하는 말.

457) 銀靑光祿大夫(은청광록대부) : 황제의 자문 역할을 담당하던 벼슬로 품계가 종3품인 서열 5위의 산관散官 이름. 진한秦漢 때 중대부中大夫를 전한 무제武帝가 '광록대부光祿大夫'로 고쳤는데, 수당隋唐 때는 광록대부 외에도 금자광록대부金紫光祿大夫와 은청광록대부가 더 있었다. '은청'은 진한秦漢 때 녹봉이 이천석 이상에 해당하는 고관들이 패용佩用하던 은으로 만든 인장과 청색의 인끈을 뜻하는 '은인청수銀印靑綬'의 준말이다.

458) 猶子(유자) : 조카. '아들과 같다'는 의미에서 유래하였다.

라고 하였다. 은청광록대부의 신분으로 벼슬을 그만두었다. 생을 마쳤을 때 나이는 81세이다. 시호는 '충문'이다. 조카는 범백록范百祿과 범백상范百常이다.

◇經筵第一(경연장에서 으뜸가다)

●范祖禹, 字淳父, 初字夢得. 公初生時, 母夢一偉丈夫被[459]金甲, 至寢室曰, "吾故漢將鄧禹也." 遂以爲名. 幼孤. 博學强記, 叔祖[460]忠文公每器之曰, "天下士也." 節略尙書[461]·論語·孝經要切之言, 得二百一十九事, 名曰三經要語, 進唐鑑十二卷. 東坡嘗薦之曰, "淳父爲今經筵講官[462]第一, 言簡而當, 無一冗字長語[463]." 宋元豐中, 除翰林學士, 兼侍讀[464]. 子沖.

○(송나라) 범조우(1041-1098)는 자가 순보인데 처음 자는 몽득이다. 범조우가 처음 태어날 때 모친이 한 우람한 장부가 갑옷을 입고 침실에 찾아와서는 "나는 옛날 한나라 때 장수 등우라오"라고 말하는 꿈을 꾸었기에 급기야 이를 이름(몽득)으로 삼은 것이다. 어려서 부친을 여의었다. 학식이 풍부하고 기억력이 뛰어나 종조부인 충문공忠文公 범진范鎭이 그를 대견하게 여기며 "천하를 주름잡을 선비가 될 것이다"라고 하였다. ≪서경≫ ≪논어≫ ≪효경≫에서 중요한 말들을 요약하여 219개의 고사를 추리고는 ≪삼경요어≫라고 이름지었고, ≪당감≫ 12권을 바쳤다. 동파東坡 소식蘇軾이 일찍이 그를 추천하며 "순보(범조우)는 오늘날 경연장을 관장하는 강관 가운데서도 으뜸가지요. 말이 간결하면서도 타당하여 군더더기가 한 마디도

---

459) 被(피) : 입다, 걸치다. '피披'와 통용자.
460) 叔祖(숙조) : 종조부從祖父의 별칭.
461) 尙書(상서) : ≪서경≫의 별칭. '상尙'은 '고古'의 뜻이므로 '오래된 역사책'이란 의미에서 유래하였다.
462) 講官(강관) : 시독侍讀이나 시강侍講·시서侍書·설서說書처럼 경연經筵에서 임금에게 학문을 강의하는 일을 담당하는 벼슬을 가리키는 말.
463) 冗字長語(용자장어) : 불필요하거나 군더더기 말을 이르는 말.
464) 侍讀(시독) : 황제나 태자, 친왕親王 등에게 경서經書를 강독하는 일을 전담하던 벼슬 이름.

없답니다"라고 말한 일이 있다. 송나라 (신종) 원풍(1078-1085) 연간에 한림학사를 제수받고 시독을 겸직하였다. 아들은 범충范沖이다.

◇義氣橫秋(기상을 가을 서릿발처럼 드날리다)

●范純粹, 字德孺. 知慶州, 山谷贈詩云[465], "慶州名父子, 忠勇橫八區[466]." 又曰[467], "少日才華接貴游[468], 老來忠義氣橫秋."

○(송나라) 범순수는 자가 덕유이다. (감숙성) 경주를 다스릴 때 산곡山谷 황정견黃庭堅이 시를 기증하여 "경주의 이름난 부자는, 충성과 용기가 천하를 주름잡네"라고 하였고, 또 "젊은날 재능을 자랑하며 귀족들과 어울리시더니, 늙어서 충의를 바탕으로 한 기상을 가을 서릿발처럼 드날리시네"라고 하였다.

◇詠園亭(정원을 읊다)

●范諷自給事中[469]歸濟南, 張氏園亭有詩[470]云, "園林再到身猶健, 官職才拋夢自淸. 惟有南山與君眼, 相逢不改舊時靑."

○(송나라) 범풍은 급사중을 지내다가 (산동성) 제남으로 돌아가서는

---

465) 云(운) : 이는 오언고시五言古詩 <돈부惇夫 형거실荊居實이 가을날 감회를 읊은 시에 화답하는 시 10수(和邢惇夫秋懷十首)> 가운데 제6수의 제1연을 인용한 것으로 송나라 황정견黃庭堅(1045-1105)의 ≪산곡집山谷集≫권4에 전한다.

466) 八區(팔구) : 팔방의 각 지역. 곧 천하를 뜻한다.

467) 曰(왈) : 이는 칠언율시七言律詩 <덕유(범순수) 어르신이 '추'자를 압운자로 쓴 시를 보내주신 것에 차운하다(次韻德孺五丈惠貺秋字之句)> 가운데 수련首聯을 인용한 것으로 ≪산곡집≫권11에 전한다.

468) 貴游(귀유) : 관직을 맡고 있지 않은 귀족 가문을 일컫는 말.

469) 給事中(급사중) : 황제의 자문과 정사의 논의에 참여하던 벼슬로, 진한秦漢 이래 열후列侯나 장군將軍의 가관加官이었다가 진晉나라 이후로 정관正官이 되었다. 수당隋唐 이후로는 문하성門下省의 장관인 시중侍中과 버금장관인 문하시랑門下侍郎 다음 가는 요직으로 정령政令에 대한 논의와 시정時政을 담당하였다.

470) 詩(시) : 이는 칠언절구七言絶句 <시승 장공의 정원에 머물다(次張寺丞園)>를 인용한 것으로 청나라 여악厲鶚(1692-1752)의 ≪송시기사宋詩紀事·범풍≫권10에 전한다. 한편 송나라 진사陳思가 엮은 ≪양송명현소집兩宋名賢小集·범촉공집范蜀公集≫권39에서는 범진范鎭의 작품으로 되어 있다.

장씨 정원에서 시를 지어 "정원에 다시 도착하고 보니 몸은 아직 건강하고, 관직을 힘들게 버렸지만 꿈은 절로 깼네. 오직 남산과 그대의 안목이 있건만, 서로 만났을 때 옛날의 푸른 경관은 바뀌지 않았구나"라고 하였다.

◇湖山絶勝(호수와 산이 빼어난 경관을 이루다)

●范成大, 字至能, 號石湖居士. 帥江東, 陛辭[471]設宴, 上命侍行, 過西小軒再坐, 二內侍捧縑素來, 至有石湖二大字御書尙濕. 公拜謝, 奉觴上壽, 乃退. 石湖在平江盤門[472]西南十里太湖之派, 范蠡游湖從入之處. 公隨高下爲亭觀, 植花竹蓮芰, 湖山絶勝, 繪圖以傳. 公後見東宮曰, "石湖已拜宸翰[473], 有壽櫟堂, 願得寶書." 太子書三大字, 賜之, 乃卽城居之. 南別營一圃, 題曰范村, 刻兩朝[474]賜書於堂上, 榜曰重奎. 其北又葺桃花塢, 往來其間, 嘗與客飮, 有詞[475]云, "任炎天水海, 一盃相屬. 荻笋蘆芽新入饌, 鵾絃[476]鳳吹[477]新番曲. (笑[478])人間何處似樽前, 添銀燭." 公文章贍麗淸逸, 自成一家, 尤工詩, 有石湖集百三十六卷·吳門志五十卷. 使北則有攬轡錄, 過海則有虞衡[479]志, 出蜀則有吳船錄.

---

471) 陛辭(폐사) : 관리가 조정을 떠나면서 황제를 알현하고 하직인사를 올리는 일.

472) 盤門(반문) : 강소성 소주蘇州에 있는 성문인 반문蟠門의 별칭. 춘추시대 때 오吳나라가 나무를 깎아서 반도蟠桃의 상을 만들어 월越나라를 이기고자 한 데서 유래하였다고 한다.

473) 宸翰(신한) : 황제의 친필 글씨를 뜻하는 말. '신宸'은 황제를 상징하는 한자이다.

474) 兩朝(양조) : 두 왕조. 즉 황제와 태자를 가리키는 말로 효종孝宗과 광종光宗을 가리키는 듯하다.

475) 詞(사) : 이는 송나라 범성대范成大의 <만강홍(滿江紅)>사 가운데 후단後段의 일부를 인용한 것으로 송나라 황승黃昇이 엮은 ≪화암사선花菴詞選·송사宋詞·범지능范至能≫속집권2에 전한다.

476) 鵾絃(곤현) : 곤계의 힘줄로 만든 비파의 현을 이르는 말로 비파에 대한 미칭.

477) 鳳吹(봉취) : 관악기나 음악에 대한 미칭.

478) 笑(소) : 원문에 의하면 이 글자가 누락되었기에 첨기한다.

479) 虞衡(우형) : 주周나라 때 산림이나 천택을 관장하는 벼슬을 아우르는 말. 지관地官 소속의 '산우山虞' '택우澤虞' '임형林衡' '천형川衡' 등이 그러한 예

如三高亭記, 天下誦之. 宋隆興[480]中, 拜中書舍人[481]・參知政事.

○범성대(1126-1193)는 자가 지능이고 호가 석호거사이다. 강동 지역을 다스리게 되어 하직인사를 올리고 연회를 가졌을 때 황제가 시종케 해 서쪽 난간을 지났다가 다시 앉자 두 명의 내시가 고급 비단을 받들고 왔는데, '석호'라는 커다란 두 글자를 황제가 친필로 쓴 것이 아직도 먹물이 젖어 있었다. 그래서 범성대는 절을 올려 사례하고 술잔을 들어 축수를 올리고서 퇴청하였다. 석호는 (강소성) 평강성의 반문 남서쪽 10리 되는 곳에 있는 태호의 지류로 (춘추시대 월越나라) 범이가 태호에서 노닐다가 따라 들어간 곳이다. 범성대는 지형의 높낮이에 맞춰 정자와 누대를 짓고 꽃나무・대나무・연꽃・마름을 심어 호수와 산이 빼어난 경관을 이루게 하였기에 이를 그림으로 그려 전하였다. 범성대는 뒤에 동궁(태자)을 알현한 자리에서 말했다. "저 석호는 이미 황제의 친필에 예를 표하였거니와 수력당이 있기에 귀한 서체를 얻고 싶나이다." 태자가 '수력당'이란 세 글자를 커다란 글씨로 써서 그에게 하사하였기에 성으로 가서 이를 보관하였다. 남쪽에는 별도로 채마밭을 만들어 '범촌'이라고 이름 짓고서 황제와 태자에게 하사받은 글씨를 대청 위에 새기고는 '중규'란 방문을 걸었다. 그 북쪽으로는 다시 (복사꽃이 만발한 촌락인) 도화오를 만들고 그속을 왕래하며 손님들과 술을 마셨다. 그는 사를 지어 "무더운 여름 강물과 바다에 몸을 맡긴 채 술 한 잔 그대에게 권하네. 억새풀과 갈대의 새싹이 새로이 술안주로 들어왔기에, 비파와 피리로 새로운 노래를 연주하네. 인간세상에서 어디가 술동이 앞 은촛대 보탠 이 자리와 유사할 수 있을지 웃음 짓노라"고 하였다. 범

이다. '우형지'는 범성대范成大(1126-1193)가 계림桂林과 남해南海, 즉 광서성・광동성 일대의 산물과 풍속에 관해 쓴 ≪계해우형지桂海虞衡志≫의 약칭으로 전래 과정에서 누락된 문장이 많은 편이다. 총 1권. ≪사고전서간명목록・사부・지리류≫권7 참조.

480) 隆興(융흥) : 남송南宋 효종孝宗의 연호(1163-1164).

481) 中書舍人(중서사인) : 황명의 기초起草와 출납出納을 관장하는 중서성中書省 소속의 벼슬 이름. 장관인 중서령中書令과 버금 장관인 중서시랑中書侍郞 다음 가는 고관高官이다.

성대는 문장이 아름답고 청순하여 스스로 일가를 이루었고, 특히 시를 잘 지어 ≪석호집≫ 136권과 ≪오문지≫ 50권을 남겼다. 북방에 사신으로 가서는 ≪남비록≫을 남겼고, 바다를 지나면서는 ≪우형지≫를 남겼으며, (사천성) 촉주로 나서면서는 ≪오선록≫을 남겼다. <삼고정에서 쓴 기행문>의 경우는 천하 사람들이 모두 암송하고 있다. 송나라 (효종) 융흥(1163-1164) 연간에 중서사인과 참지정사를 배수받았다.

●范增, 居鄛[482]人, 好奇計, 爲項羽謀臣, 稱爲亞父[483].

○(진秦나라 말엽) 범증(B.C.277-B.C.204)은 (안휘성) 거소현 사람으로 기발한 계책을 짜는 것을 좋아하더니 항우(항적項籍)의 책사가 되어 '아부'로 불렸다.

●范升, 漢光武朝, 爲博士, 奏左氏[484]之失, 凡十四事.

○범승은 후한 광무제 때 박사를 지내면서 ≪춘추좌씨전≫의 오류를 도합 14가지 아뢰었다.

●范喬年二歲, 祖馨臨終曰, "恨不見汝成人!" 以所用硯與之. 五歲祖母以告, 喬執硯涕泣. 後爲名儒.

○(진晉나라) 범교(221-298)가 나이 두 살 때 조부인 범형范馨이 임종을 맞으면서 "네가 어른이 되는 것을 보지 못 하는 것이 한스럽구나!"라고 말하고는 자신이 사용하던 벼루를 그에게 물려주었다. 범교가 다섯 살이 되었을 때 조모가 이 일을 자신에게 알려주자 범교는 벼루를 손에 들고 눈물을 흘렸다. 뒤에 훌륭한 유학자가 되었다.

●范逵, 鄱陽, 孝廉也, 稱美陶侃[485]於廬江守張夔.

---

482) 居鄛(거소) : 안휘성의 속현屬縣 이름.

483) 亞父(아부) : '아버지에 버금가는 사람'이란 뜻으로 범증范增에 대한 존칭.

484) 左氏(좌씨) : ≪춘추좌씨전春秋左氏傳≫이나 그 저자인 좌구명左丘明의 약칭.

○(진晉나라) 범규는 (강서성) 파양현 출신으로 효렴과에 급제하여 (강서성) 여강태수 장기에게 도간에 대해 칭찬한 일이 있다.

●范泰與謝瞻爲煙霞之交[486], 仕梁[487], 爲國子祭酒[488]. 子曄.

○범태(355-428)는 사첨과 자연을 벗삼아 교유를 가지다가 (남조南朝) 유송劉宋에서 벼슬길에 올라 국자제주를 지냈다. 아들은 (≪후한서≫의 저자로 유명한) 범엽范曄(398-445)이다.

●范延賞押兵, 過金陵[489], 張詠曰[490], "天使[491]亦好官員也!"

○(송나라) 범연상이 병사를 압송하다가 (강소성) 금릉에 들르자 장영이 "천자의 사신 역시 훌륭한 관원이로다!"라고 말한 일이 있다.

●范諤昌受河圖[492]·洛書[493]於許堅, 堅受於李漑, 漑受於陳摶[494].

---

485) 陶侃(도간) : 진晉나라 사람(257-332). 자는 사행士行. 도연명陶淵明(365-427)의 증조부로 광주자사廣州刺史와 도독都督·재상 등을 역임하였고, 소준蘇峻(?-328)의 반란을 평정하는 등 많은 무공을 세웠으며, 장사군공長沙郡公에 봉해졌다. ≪진서·도간전≫권66 참조.

486) 煙霞之交(연하지교) : 자연을 벗삼아 은둔생활을 하면서 친분을 맺는 것을 이르는 말.

487) 梁(양) : '송宋'의 오기. 범태는 양나라가 아니라 유송劉宋 때 사람이다.

488) 國子祭酒(국자제주) : 국가의 교육을 총괄하고 제사를 주재하는 기관인 국자감國子監의 장관 이름. 시대마다 차이가 있어 유림제주儒林祭酒·성균제주成均祭酒·국자제주國子祭酒·대사성大司成 등 다양한 명칭으로 불렸다.

489) 金陵(금릉) : 지금의 강소성 남경시南京市의 옛 이름. 전국시대 초楚나라가 설치하였던 것을 삼국 오吳나라 때 '건업建業'으로, 진晉나라 때 '건강建康'으로 개명하였으며, 남조南朝 시기 왕조들이 모두 이곳에 도읍을 정했다.

490) 曰(왈) : 범연상范延賞이 당시 강서성 평향현령萍鄕縣令을 맡고 있던 장희안張希顔을 훌륭한 수령이라고 숨김없이 칭찬하자 강소성 금릉태수金陵太守 장영張詠이 범연상도 훌륭한 관리라고 칭찬하였다는 말이다. 이상의 고사는 송나라 위태魏泰의 ≪동헌필록東軒筆錄≫권10에 전하는데, 원전에는 범연상이 '범연귀范延貴'로 되어 있다. 어느 것이 맞는지 불분명하기에 여기서는 위의 예문을 따른다.

491) 天使(천사) : 황제의 사신에 대한 미칭美稱.

492) 河圖(하도) : 황하에서 나왔다고 전하는 전설상의 도서인 ≪용도龍圖≫의 별칭. ≪역경·계사상繫辭上≫권11의 "황하에서 ≪용도≫가 나오고, 낙수에서 ≪귀서龜書≫가 나와 성인이 이를 본받았다(河出圖, 洛出書, 聖人則之)"는 말

○(송나라) 범악은 허견에게서 ≪하도≫와 ≪낙서≫를 전수받았고, 허견은 이개에게서 전수받았으며, 이개는 진단에게서 전수받았다.

●范宗尹, 字覺民, 宋建炎495)中, 拜相, 時年未及四十.

○범종윤(1100-1136)은 자가 각민으로 송나라 (고종) 건염(1127-1130) 연간에 재상을 배수받았는데, 당시 나이가 마흔 살도 채 되지 않았다.

●范如圭, 宋紹興中, 與胡理・李弘正・朱松同修國史.

○범여규는 송나라 (고종) 소흥(1131-1162) 연간에 호정・이홍정・주송과 함께 국사를 편수하였다.

※婚姻(혼인)

◇師友成婚(스승과 사돈을 맺다)

●范宣, 字宣子, 以講論爲業, 皆聞風宗仰. 有戴陸好琴書, 師事宣子, 以兄女妻焉.

○(진晉나라) 범선은 자가 선자로 경전을 강론하는 일을 직업으로 삼았는데, 사람들이 모두들 그에 관한 풍문을 듣고서 존경하였다. 대육이란 사람이 금과 글을 좋아하여 범선을 스승으로 모시더니 조카딸을 그에게 시집보냈다.

에서 유래하였다.

493) 洛書(낙서) : 낙수에서 거북이 등에 짊어지고 나왔다는 전설상의 도서인 ≪귀서龜書≫의 별칭. '단서丹書'라고도 한다.

494) 陳摶(진단) : 송나라 때 사람으로 사호賜號는 희이希夷. 도사道士이면서 이학理學을 추구하여 주돈이周敦頤(1017-1073)와 소옹邵雍(1011-1077)에게 영향을 주어 성리학性理學의 발단을 열었다는 평가를 받는다. ≪송사・진단전≫권457 참조.

495) 建炎(건염) : 남송南宋 고종高宗의 연호(1127-1130).

◇羅幔當火(비단을 불태우다)

●范純仁娶婦, 或傳以羅綺爲幔者. 文正聞之, 不悅曰, "羅綺豈帷幔之物, 敢持至? 當火于庭. 吾素[496]淸儉, 安得亂吾家法?"

○(송나라) 범순인(1027-1101)이 장가들 때 누군가 고급 비단을 전하며 침실 휘장으로 만들라고 하자 (부친인) 문정공文正公 범중엄范仲淹(989-1052)이 이 얘기를 듣고서 불쾌해 하며 말했다. "비단이 어찌 휘장을 만들 물건이라고 감히 들고 왔단 말인가? 마땅히 마당에서 불태워야 할 것이다. 내 평소 청렴하고 검소한 생활을 했거늘 어찌 우리집 가법을 어지럽힐 수 있겠는가?"

◇娶阿巽(소아손蘇阿巽에게 장가들다)

●范異, 字箕叟, 范子功(名百祿)之孫. 東坡長子伯達之女, 阿巽, 山谷嘗爲子求婚. 其後契闊[497]不成, 以妻于異.

○(송나라) 범이는 자가 기수로 범자공(이름은 '백록'이다)의 손자이다. 동파東坡 소식蘇軾의 장남인 소백달蘇伯達의 딸은 이름이 아손인데, 산곡山谷 황정견黃庭堅이 일찍이 아들을 위해 청혼을 한 적이 있다. 그뒤로 관계가 소원해져 성사되지 않더니 범이에게 시집갔다.

◇甥舅(생질과 외숙부)

●范密, 字武子, 嘗謂其甥王忱曰, "卿風流雅望, 眞後來之秀." 忱曰, "不有此舅, 焉有此甥?"

○(진晉나라) 범밀은 자가 무자로 일찍이 생질인 왕침에게 "자네는 풍류가 넘치고 명망이 높으니 진정 후배 가운데서도 돋보이는 인재일세"라고 하자 왕침이 대답하였다. "외숙부 같은 분이 계시지 않았다면 어찌 저 같은 생질이 있을 수 있겠습니까?"

●范氏・劉氏, 世爲婚姻.(左傳)

---

496) 素(소) : 평소, 원래.
497) 契闊(결활) : 오랫동안 헤어져 지내다, 관계가 소원해지다.

○(춘추시대 때부터) 범씨와 유씨는 대대로 사돈을 맺었다.(≪좌전≫)

●范文正娶李氏女，與鄭戩爲連袂498).(見李氏)

○(송나라) 문정공文正公 범중엄范仲淹(989-1052)은 이씨의 딸에게 장가들어 정전과 동서가 되었다.(상세한 내용은 앞의 '이'씨절 '이씨녀다귀李氏女多貴'항에 보인다)

●范景仁娶龐氏女爲孫婦，重友義也.(見龐氏)

○(송나라) 경인景仁 범진范鎭(1008-1089)이 방씨의 딸을 데려다가 손주 며느리로 삼은 것은 우정과 의리를 중시해서이다.(상세한 내용은 앞의 '방'씨절 '사우혼師友婚'항에 보인다)

●范鎭，呂公著之壻，鎭次子溫，秦少游499)之壻.

○(송나라) 범진(1008-1089)은 여공저의 사위이고, 범진의 차남인 범온范溫은 소유少游 진관秦觀의 사위이다.

●小范500). 杜范. 欒范.

○젊은 범씨(송나라 범중엄范仲淹의 별칭). 두씨와 범씨. 난씨와 범씨.

◆湛(담씨)

▶按韻書有三音501).

498) 連袂(연메) : 동서. '연금連襟' '연금連衿' '연금連紟' '연겹連袷'이라고도 한다.

499) 秦少游(진소유) : 송나라 사람 진관秦觀(1049-1100). '소유'는 자. '태허太虛'라고도 한다. 태학박사太學博士와 비서성정자祕書省正字 등을 역임하였고, 황정견黃庭堅(1045-1105)·조보지晁補之(1053-1110)·장뇌張耒(1052-1112)와 함께 소문사학사蘇門四學士의 한 사람으로 시문에 뛰어난 재능을 보였다. 문집으로 ≪회해집淮海集≫ 49권이 전한다. ≪송사·진관전≫권444 참조.

500) 小范(소범) : 젊은 범씨. 송나라 때 범옹范雍의 별칭인 '대범大范'의 상대어로서 범중엄范仲淹의 별칭을 가리키는데, 이에 관한 고사는 이미 앞의 '胸中甲兵(흉중의 병사)'항에 보인다.

501) 三音(삼음) : ≪광운廣韻≫이나 ≪집운集韻≫ 등 운서韻書에 의하면 '도감절徒減切'(담 zhàn), '직심절直深切'(침 chén), '장렴절將廉切'(점 jiān) 등 여러

▷운서를 살펴보면 (담・침・점의) 세 가지 음이 있다.

●湛重仕漢, 爲大司農.
○담중은 한나라에서 벼슬길에 올라 대사농을 지냈다.

●湛僧智仕梁, 爲譙州刺史, 時人以君子稱之.
○담승지는 (남조南朝) 양나라에서 벼슬길에 올라 (안휘성) 초주자사를 지냈는데, 당시 사람들이 그를 군자라고 칭송하였다.

●湛賁, 唐貞元登第, 爲高安縣令, 徙縣治於元陽觀.
○담분은 당나라 (덕종) 정원(785-805) 연간에 과거시험에 급제하여 (강서성) 고안현의 현령을 지내면서 현의 치소를 (도관인) 원양관으로 이전하였다.

※女德(여덕)

●湛氏, 陶侃母. 侃少爲潯陽縣吏, 監魚梁[502], 以蚶鮓[503]遺母. 母封還, 責之曰, "爾爲吏而以官物遺我, 乃以增吾憂矣!" 范逵嘗宿於侃, 值[504]大雪, 湛氏徹所臥新薦, 自剉給馬, 又密截髮, 以易肴饌. 逵聞之, 嘆曰, "非此母, 不生此子!"(晉烈女傳)
○(진晉나라) 담씨는 도간(257-332)의 모친이다. 도간이 젊어서 (강서성) 심양현의 관리가 되어 어량을 감독하면서 절인 꼬막을 모친에게 드렸다. 그러자 모친은 밀봉한 채로 돌려주며 "네가 관리된 몸으로 관청의 물건을 내게 주다니 오히려 내 근심만 늘리는구나!"라고 그를 꾸짖은 일이 있다. 범규가 일찍이 도간의 집에 묵은 적이 있는데, 마침 큰 눈이 내리자 담씨는 자신이 누웠던 새 자리를 뜯어다가 손

가지 파음破音을 가지고 있는 것을 말한다.
502) 魚梁(어량) : 물고기가 잘 다닐 수 있도록 설치한 교량을 이르는 말.
503) 蚶鮓(감자) : 꼬막으로 만든 젓갈, 절인 꼬막.
504) 值(치) : 만나다, 마주치다.

수 잘라서 말의 안장으로 만들어 주었고, 또 몰래 머리카락을 잘라서 음식으로 바꾸었다. 범규가 이 애기를 듣고서는 감탄해 하며 “이런 모친이 아니고서야 이런 아들이 태어날 리 없겠구나!”라고 하였다.(≪진서 · 열녀열전 · 도간모담씨전陶侃母湛氏傳≫권96)

■氏族大全卷十六■